Sobre a China

Henry Kissinger

Sobre a China

Tradução
Cássio de Arantes Leite

11ª reimpressão

Grafia atualizada segundo o Acordo Ortográfico da Língua Portuguesa de 1990, que entrou em vigor no Brasil em 2009.

Título original
On China

Capa
Adaptação de Pronto Design sobre design original de Darren Haggar

Revisão técnica
Dani Nedal

Revisão
Tamara Sender
Lilia Zanetti
Raquel Correa

CIP-Brasil. Catalogação na fonte
Sindicato Nacional dos Editores de Livros, RJ

K66s

Kissinger, Henry
Sobre a China / Henry Kissinger ; tradução Cássio de Arantes Leite. – 1ª ed. –Rio de Janeiro : Objetiva, 2011.

Tradução de: On China.

ISBN 978-85-390-0299-3

1. Política internacional – Séc. XXI. 2. China – Relações exteriores – Séc. XXI. I. Título.

11-5789 CDD: 327.51
CDU: 327(510)

EDITORA SCHWARCZ S.A.
Praça Floriano, 19, sala 3001 — Cinelândia
20031-050 — Rio de Janeiro — RJ
Telefone: (21) 3993-7510
www.companhiadasletras.com.br
www.blogdacompanhia.com.br
facebook.com/editoraobjetiva
instagram.com/editora_objetiva
twitter.com/edobjetiva

Para Annette e Oscar de la Renta

Sumário

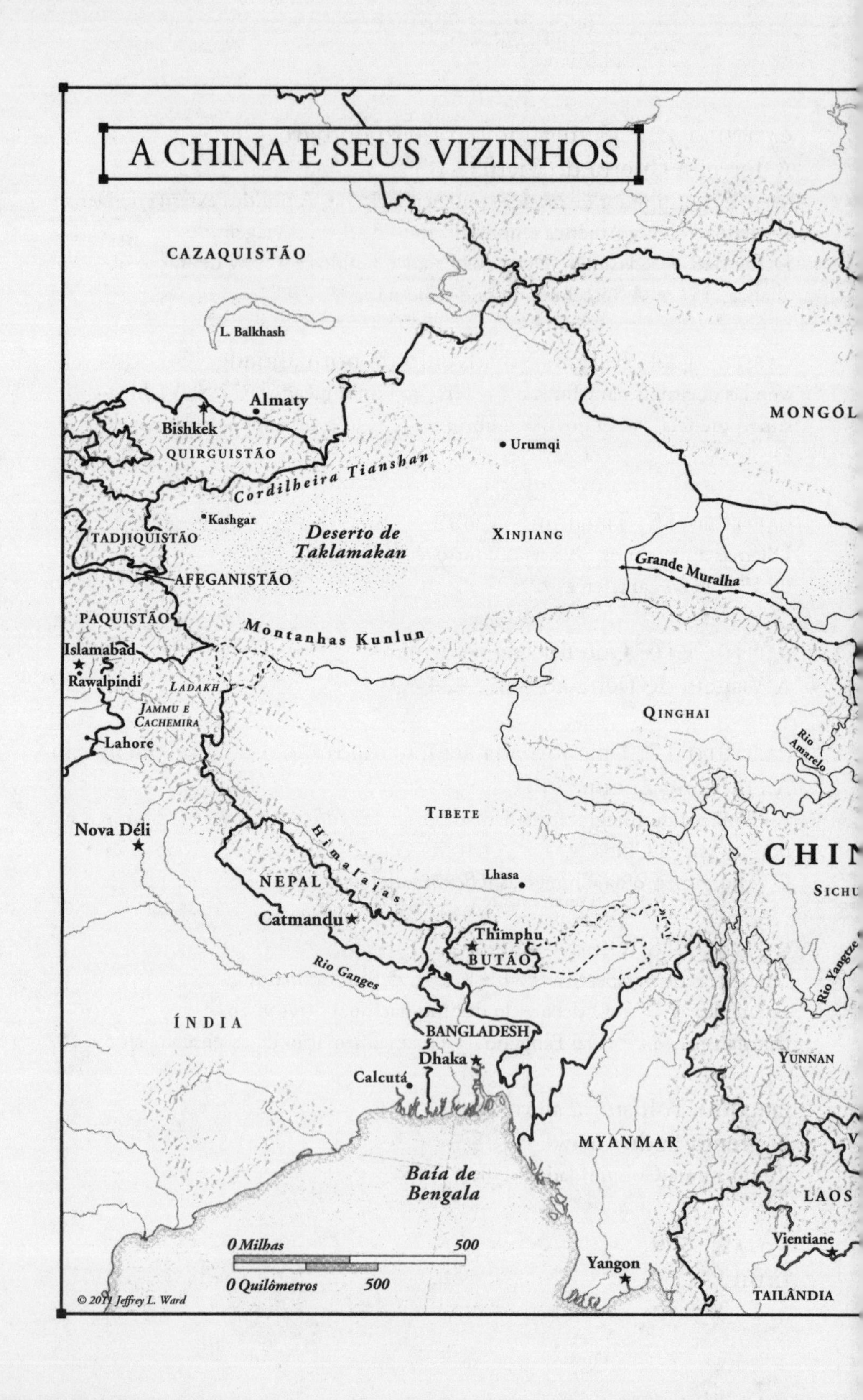
A CHINA E SEUS VIZINHOS
CAZAQUISTÃO
L. Balkhash
Almaty
Bishkek
QUIRGUISTÃO
Cordilheira Tianshan
Urumqi
MONGÓL
Kashgar
Deserto de
Taklamakan
XINJIANG
TADJIQUISTÃO
AFEGANISTÃO
Grande Muralha
PAQUISTÃO
Montanhas Kunlun
Islamabad
Rawalpindi
LADAKH
JAMMU E
CACHEMIRA
QINGHAI
Lahore
Rio
Amarelo
TIBETE
Nova Déli
Himalaias
CHIN
NEPAL
Lhasa
SICHU
Catmandu
Thimphu
BUTÃO
Rio Ganges
Rio Yangtze
ÍNDIA
BANGLADESH
Dhaka
YUNNAN
Calcutá
MYANMAR
Baía de
Bengala
LAOS
0 Milhas
500
Vientiane
Yangon
0 Quilômetros
500
© 2011 Jeffrey L. Ward
TAILÂNDIA

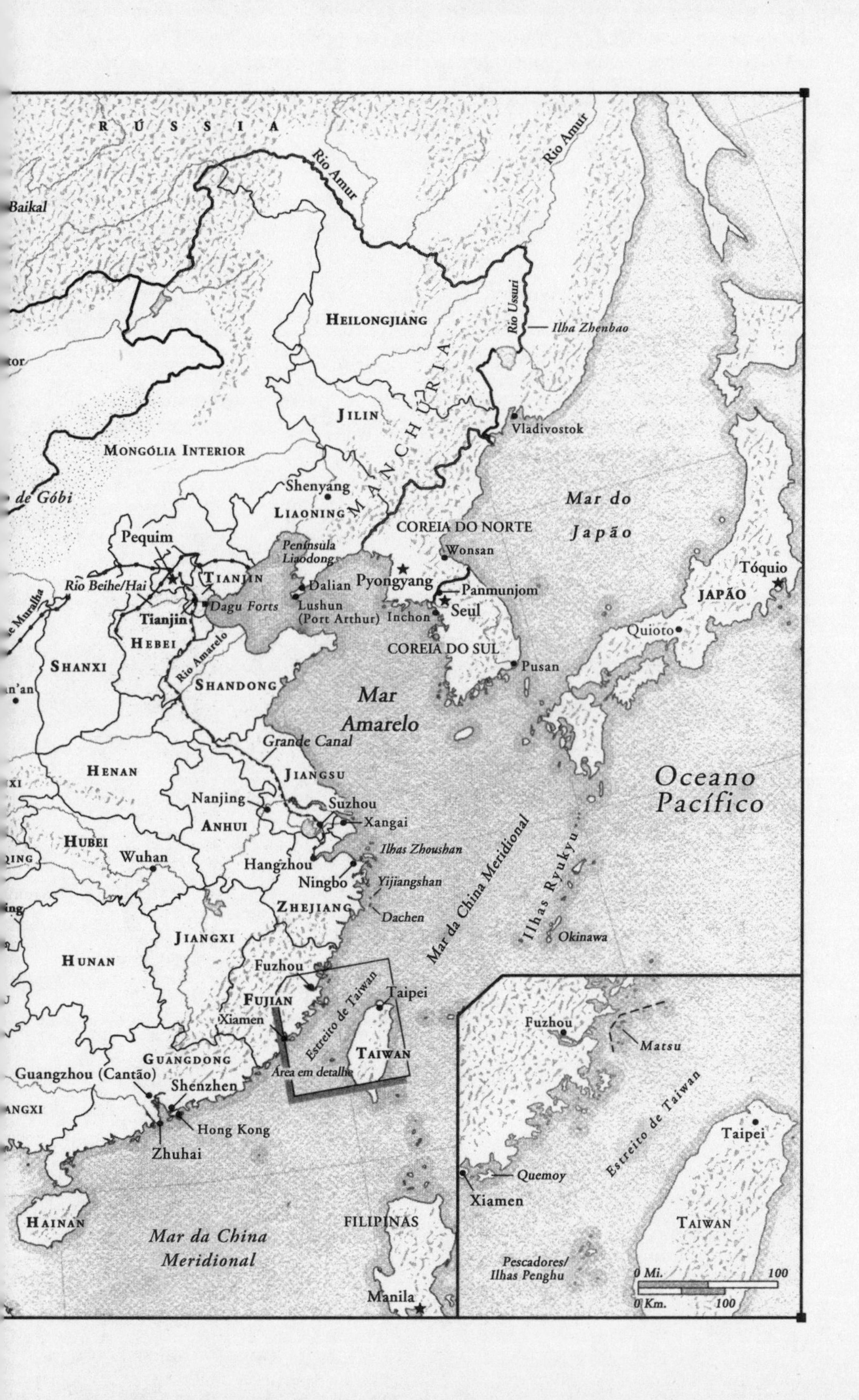

RÚSSIA
Baikal
Rio Amur
Rio Amur
Rio Ussuri
Ilha Zhenbao
HEILONGJIANG
MANCHÚRIA
JILIN
Vladivostok
MONGÓLIA INTERIOR
de Góbi
Shenyang
LIAONING
COREIA DO NORTE
Mar do Japão
Pequim
Península Liaodong
Wonsan
Tóquio
TIANJIN
Dalian
Pyongyang
Panmunjom
JAPÃO
Rio Beihe/Hai
Dagu Forts
Lushun (Port Arthur)
Inchon
Seul
Tianjin
Quioto
HEBEI
Rio Amarelo
COREIA DO SUL
SHANXI
Pusan
SHANDONG
Mar Amarelo
Grande Canal
HENAN
JIANGSU
Oceano Pacífico
Nanjing
Suzhou
ANHUI
Xangai
HUBEI
Ilhas Zhoushan
Wuhan
Hangzhou
Ningbo
Yijiangshan
Mar da China Meridional
Ilhas Ryukyu
ZHEJIANG
Dachen
JIANGXI
Okinawa
HUNAN
Fuzhou
Taipei
FUJIAN
Estreito de Taiwan
Xiamen
TAIWAN
GUANGDONG
Área em detalhe
Guangzhou (Cantão)
Shenzhen
Hong Kong
Zhuhai
HAINAN
Mar da China Meridional
FILIPINAS
Manila
Fuzhou
Matsu
Estreito de Taiwan
Taipei
Quemoy
Xiamen
TAIWAN
Pescadores/ Ilhas Penghu
0 Mi. 100
0 Km. 100

Prefácio

HÁ CERCA DE QUARENTA ANOS, o presidente Richard Nixon concedeu-me a honra de me enviar a Pequim para restabelecer a ligação com um país de suma importância na história da Ásia, com o qual os Estados Unidos ficaram sem manter contato nas altas esferas de governo durante mais de vinte anos. A motivação americana para a abertura era exibir diante de nosso povo uma visão de paz que transcendesse o sofrimento da Guerra do Vietnã e o panorama ominoso da Guerra Fria. A China, embora em teoria um aliado da União Soviética, buscava encontrar espaço de manobra para resistir à ameaça de um ataque vindo de Moscou.

Desde então, estive na China mais de cinquenta vezes. Como tantos visitantes ao longo dos séculos, passei a admirar o povo chinês, sua resistência, sua sutileza, seu apego à família, bem como a cultura que os chineses representam. Ao mesmo tempo, minha vida toda tenho refletido sobre a construção da paz basicamente de uma perspectiva americana. Tive a boa sorte de ser capaz de seguir essas duas linhas de pensamento simultaneamente como alto funcionário, como portador de recados e como acadêmico.

Este livro é um esforço, baseado parcialmente em conversas com líderes chineses, de explicar o modo conceitual como os chineses pensam sobre os problemas de paz e guerra e da ordem internacional, e sua relação com a abordagem americana, mais pragmática e pontual. Diferentes histórias e culturas produzem conclusões ocasionalmente divergentes. Nem sempre concordei com a perspectiva chinesa, assim como nem todo leitor vai concordar. Mas é necessário compreendê-la, uma vez que a China vai desempenhar esse papel tão importante no mundo que está emergindo no século XXI.

Desde minha primeira visita, a China se tornou uma superpotência econômica e um agente fundamental na formação da ordem política global. Os Estados Unidos saíram vitoriosos da Guerra Fria. A relação entre China e Estados Unidos tornou-se um elemento central na busca pela paz mundial e pelo bem-estar global.

Oito presidentes americanos e quatro gerações de líderes chineses conduziram essa relação delicada de um modo surpreendentemente consistente, considerando as diferenças do ponto em que cada um começou. Os dois lados recusaram-se a permitir que os legados históricos ou as diferentes concepções de ordem doméstica interrompessem sua relação essencialmente cooperativa.

Tem sido uma jornada complexa, pois ambas as sociedades acreditam representar valores únicos. O excepcionalismo americano é missionário. Segundo sua doutrina, os Estados Unidos têm obrigação de disseminar seus valores por toda parte do mundo. O excepcionalismo chinês é cultural. A China não faz proselitismo; ela não alega que suas instituições contemporâneas sejam relevantes fora da China. Mas o país é herdeiro da tradição do Império do Meio, que classificava formalmente todos os demais Estados como tributários em níveis variados, baseado na proximidade deles com os modos políticos e culturais chineses; em outras palavras, uma espécie de universalidade cultural.

Um foco principal deste livro é a interação entre os líderes chineses e americanos desde a fundação da República Popular da China em 1949. Tanto dentro como fora do governo, mantive registros de minhas conversas com quatro gerações de líderes chineses e recorri a eles como fonte primária para escrever este livro.

Este livro não poderia ter sido feito sem a ajuda capaz e dedicada de parceiros e amigos que me permitiram abusar de sua boa vontade.

Schuyler Schouten foi indispensável. Eu o conheci há oito anos, quando o professor John Gaddis, da Universidade de Yale, o recomendou como um de seus alunos mais capazes. Quando comecei este projeto, pedi-lhe que se licenciasse por dois meses de seu escritório de advocacia. Ele atendeu ao meu pedido e, no processo, ficou tão envolvido que sua cooperação só chegou ao fim um ano depois. Schuyler empreendeu grande parte da pesquisa básica. Ajudou na tradução de textos chineses e mais ainda na tarefa de penetrar nas implicações de alguns dos textos mais sutis. Foi infatigável na fase de edição e leitura de provas. Nunca tive um parceiro de pesquisa melhor e muito raramente um tão bom.

Tive a sorte de contar com o trabalho de Stephanie Junger-Moat me auxiliando por uma década em toda a gama de minhas atividades. Ela é o que nos esportes costumamos chamar de jogador polivalente. Pesquisou, copidescou e foi minha principal ligação com o editor. Verificou todas as notas do texto. Ajudou a coordenar a digitação e nunca hesitou em contribuir quando os prazos estavam apertados. Sua contribuição crucial foi reforçada por seu charme e sua habilidade diplomática.

Harry Evans editou *White House Years* (Os anos na Casa Branca) há trinta anos. Ele me permitiu que abusasse de nossa amizade pedindo-lhe para reler todo o original. Suas sugestões editoriais e estruturais foram inúmeras e inteligentes.

Theresa Amantea e Jody Williams digitaram o manuscrito várias vezes e passaram noites e fins de semana ajudando-me a cumprir os prazos. Seu ânimo para o trabalho, sua eficiência e seus olhos afiados para o detalhe foram vitais.

Stapleton Roy, ex-embaixador na China e um renomado estudioso do país; Winston Lord, meu colega durante a abertura para a China e mais tarde embaixador na China; e Dick Viets, meu testamenteiro literário, leram inúmeros capítulos e fizeram comentários incisivos. Jon Vanden Heuvel contribuiu com uma valiosa pesquisa em diversos capítulos.

Publicar pela The Penguin Press foi uma experiência animadora. Ann Godoff estava sempre disponível, sempre criteriosa, nunca incomodava, e foi uma ótima companhia. Bruce Giffords, Noirin Lucas e Tory Klose conduziram habilmente o livro por todo o processo de produção editorial. Fred Chase copidescou o manuscrito com cuidado e eficiência. Laura Stickney foi a principal editora do livro. Jovem o bastante para ser minha neta, não ficou de modo algum intimidada com o autor. Superou suas reservas quanto às minhas opiniões políticas o suficiente para que eu ansiasse por seus comentários ocasionalmente duros e sempre incisivos nas margens do original. Foi uma colaboradora infatigável, perceptiva e amplamente prestativa.

A todas essas pessoas fico imensamente grato.

Os documentos do governo que consultei foram todos abertos ao público há algum tempo. Gostaria de agradecer em particular ao Cold War International History Project Woodrow Wilson International Center for Scholars por sua permissão de utilizar longos trechos contidos em seus arquivos de documentos russos e chineses abertos ao público. A biblioteca Carter solicitamente disponibilizou muitas transcrições de reuniões com líderes chineses durante o governo Carter, e a biblioteca Reagan forneceu inúmeros documentos úteis de seus arquivos.

É desnecessário dizer que as falhas do livro são todas minhas.

Como sempre, por mais de meio século, minha esposa, Nancy, forneceu firme apoio intelectual e moral em meio à solidão que escritores (ou, pelo menos, este escritor) criam em torno de si quando estão trabalhando. Ela leu a maioria dos capítulos e fez inúmeras sugestões importantes.

Dediquei *Sobre a China* a Annette e Oscar de la Renta. Comecei este livro na casa deles em Punta Cana e lá o terminei. Sua hospitalidade tem sido apenas uma faceta dessa amizade que proporcionou alegria e profundidade em minha vida.

Henry A. Kissinger
Nova York, janeiro de 2011

Nota sobre as grafias chinesas

ESTE LIVRO FAZ referência frequente a nomes e termos chineses. Existem conhecidas grafias alternativas para muitas palavras chinesas, baseadas em dois métodos particularmente disseminados de transliteração dos caracteres chineses para o alfabeto latino: o método Wade-Giles, predominante na maior parte do mundo até a década de 1980, e o método pinyin, adotado oficialmente pela República Popular da China em 1979 e cada vez mais comum em publicações ocidentais e dos demais países asiáticos desde então.

Na maior parte, o livro emprega grafias pinyin. Por exemplo, a grafia pinyin "Deng Xiaoping" é usada em lugar da grafia Wade-Giles "Teng H'siao-ping". Onde outras grafias não pinyin permanecem significativamente mais familiares, foram mantidas para a conveniência do leitor. Por exemplo, para o nome do antigo teórico militar "Sun Tzu" utilizou-se a grafia tradicional, em lugar do pinyin mais atual "Sunzi".

Ocasionalmente, em prol de uma consistência maior ao longo do livro, referências citadas a nomes originalmente listados no formato Wade-Giles foram transliteradas para a grafia pinyin. Essas mudanças são mais evidentes nas notas de fim. Em cada caso, a palavra chinesa subjacente permanece a mesma; a diferença é no método de passá-la para o alfabeto latino.

Prólogo

Em outubro de 1962, o líder revolucionário da China Mao Zedong convocou seus principais chefes militares e políticos para uma reunião em Pequim. Três mil quilômetros a oeste, na região ominosa e esparsamente povoada dos Himalaias, tropas chinesas e indianas enfrentavam um impasse sobre a disputada fronteira dos dois países. A disputa originava-se de diferentes versões da história: a Índia reivindicava a fronteira demarcada durante o domínio britânico; a China, os limites da China imperial. A Índia desdobrara tropas até onde considerava que ia a fronteira, enquanto a China havia cercado as posições indianas. Tentativas de negociar um acordo para o território malograram.

Mao decidira acabar com o impasse. Recorreu à antiquíssima tradição chinesa clássica, que, no mais, estava em processo de desmantelar. China e Índia, explicou Mao aos seus comandantes, haviam no passado travado "uma guerra e meia". Pequim podia extrair lições operacionais de cada uma. A primeira guerra ocorrera 1.300 anos antes, durante a dinastia Tang (618-907), quando a China enviou tropas para apoiar um reino indiano contra um rival ilegítimo e agressivo. Após a intervenção chinesa, os dois países conheceram séculos de próspero intercâmbio religioso e econômico. A lição aprendida na antiga campanha, como Mao descreveu, era que China e Índia não estavam fadadas a uma inimizade perpétua. Os dois países podiam voltar a gozar de um período prolongado de paz, mas, para tal, a China tinha de "usar a força" para obrigar a Índia a "voltar à mesa de negociações". A "meia guerra", no entender de Mao, ocorrera setecentos anos antes, quando o soberano mongol Tamerlão saqueou Déli. (Mao argumentava que, como na época a Mongólia e a China eram parte de uma mesma entidade política, essa era uma guerra apenas "meio" sino-indiana.) Tamerlão obtivera uma vitória significativa, mas uma vez dentro da Índia suas forças executaram 100 mil prisioneiros. Dessa vez, Mao ordenava ao exército chinês que se mantivesse "comedido e probo".[1]

Ninguém entre o público de Mao — a liderança do Partido Comunista de uma "Nova China" revolucionária proclamando sua intenção de redesenhar a ordem internacional e abolir o passado feudal da própria China — parece ter questionado a relevância desse antigo precedente para os imperativos estratégicos correntes do país. Planos de ataque prosseguiram com base nos princípios delineados por Mao. Semanas mais tarde, a ofensiva prosseguiu como o planejado: a China desferiu um ataque súbito e devastador nas posições indianas e depois recuou para a fronteira previamente controlada, chegando a ponto de devolver os armamentos pesados indianos que haviam sido capturados.

Em nenhum outro país é concebível que um líder moderno possa iniciar uma grande empreitada nacional invocando princípios estratégicos de um episódio ocorrido mais de um milênio antes — muito menos que ele possa razoavelmente confiar que seus colegas compreenderão o significado de suas alusões. Mas a China é única. Nenhum outro país pode se arrogar tal continuidade de civilização, ou uma ligação tão íntima com o passado antigo e os princípios clássicos de estratégia e arte de governar.

Outras sociedades, os Estados Unidos inclusive, reivindicaram uma aplicabilidade universal para seus valores e instituições. Contudo, nenhuma se iguala à China em persistir — e persuadir seus vizinhos a aquiescer — com uma concepção tão elevada de seu papel mundial por tanto tempo, e diante de tantas vicissitudes históricas. Do surgimento da China como Estado unificado no século III a.C. ao colapso da dinastia Qing, em 1912, a China se posicionou no centro de um sistema internacional leste-asiático de notável durabilidade. O imperador chinês foi concebido (e reconhecido pela maioria dos Estados adjacentes) como o pináculo de uma hierarquia política universal, com todos os demais soberanos vizinhos teoricamente lhe prestando vassalagem. As instituições políticas e culturais e a língua chinesas eram o símbolo máximo da civilização, de tal forma que até mesmo rivalidades regionais e conquistadores estrangeiros as adotaram em graus variados como sinal de sua própria legitimidade (muitas vezes como um primeiro passo para serem absorvidos pela China).

A cosmologia tradicional perdurou a despeito de catástrofes e longos períodos de decadência política, com séculos de duração. Nem mesmo quando a China esteve fraca ou dividida ela perdeu sua condição primordial como pedra de toque da legitimidade regional; aspirantes a soberano, fossem chineses, fossem estrangeiros, lutaram por unificá-la ou conquistá-la, depois governaram a partir da capital chinesa sem desafiar a premissa básica de que o país era o centro do universo. Enquanto outras nações eram batizadas segundo grupos étnicos ou marcos geográficos, a China chamava a si mesma de *zhongguo* — o "Império do Meio", ou o "País Central".[2] Qualquer tentativa de compreender a diplomacia chinesa no século XX ou o papel mundial da China no século XXI deve começar — mesmo ao preço de uma possível simplificação excessiva — por uma apreciação básica do contexto tradicional.

CAPÍTULO 1

A singularidade da China

Sociedades e nações tendem a pensar em si mesmas como eternas. Elas também cultivam lendas sobre sua origem. Uma característica especial da civilização chinesa é que ela parece não ter um início. Perante a história, ela assoma mais como um fenômeno natural permanente do que como um Estado-nação convencional. Na tradicional fábula do Imperador Amarelo, reverenciado por muitos chineses como o legendário soberano fundador do país, a China parece já existir. Quando o Imperador Amarelo surge no mito, a civilização chinesa está mergulhada no caos. Príncipes rivais atormentam não só uns aos outros como também o povo, mas um fraco imperador fracassa em manter a ordem. Recrutando um exército, o novo herói pacifica o reino e é aclamado imperador.[1]

O Imperador Amarelo entrou para a história como um herói fundador; contudo, no mito fundador, ele está restabelecendo, não criando, um império. A China o antecede; ela avança rumo à consciência histórica como um Estado estabelecido exigindo apenas restauração, não criação. Esse paradoxo da história chinesa se repete com o antigo sábio Confúcio: mais uma vez, ele é visto como o "fundador" de uma cultura, embora frisasse que não inventara nada, que estava meramente tentando revigorar os princípios de harmonia que haviam outrora existido na idade de ouro, mas que haviam se perdido na era de caos político na qual o próprio vivia.

Refletindo sobre o paradoxo das origens da China, o missionário e viajante do século XIX, o abade Régis-Evariste Huc, observou:

> A civilização chinesa se origina numa antiguidade tão remota que são baldados nossos esforços por descobrir seu início. Não há vestígios do estado de infância entre esse povo. Esse é um fato muito peculiar com respeito à China. Estamos acostumados na história das nações a encontrar algum ponto de partida bem definido, e os documentos, as tradições e os monumentos históricos que chegam até nós em geral nos permitem seguir, quase que passo a passo, o progresso da civilização, estar presentes a seu nascimento e assistir ao seu desenvolvimento, sua marcha adiante e, em muitos casos, suas subsequentes decadência e ruína. Mas não é assim com os chineses. Eles parecem ter vivido sempre no mesmo estágio de progresso dos dias atuais; e os dados da antiguidade tendem a confirmar essa opinião.[2]

Quando os caracteres chineses surgiram, durante a dinastia Shang, no segundo milênio a.C., o antigo Egito se encontrava no auge de sua glória. As grandes cidades-Estado da Grécia clássica ainda não haviam surgido, e Roma estava a um milênio de distância. Contudo, um descendente direto do sistema de escrita Shang ainda é utilizado hoje por muito mais de um bilhão de pessoas. Chineses de hoje conseguem compreender inscrições do tempo de Confúcio; livros e conversas chineses são enriquecidos por aforismos centenários que citam antigas batalhas e intrigas palacianas.

Ao mesmo tempo, a história chinesa conheceu inúmeros períodos de guerra civil, interregnos e caos. Ao fim de cada colapso, o Estado chinês se recompunha como que por uma lei imutável da natureza. Em cada estágio, uma nova figura unificadora emergia, seguindo em essência o exemplo do Imperador Amarelo, para subjugar seus rivais e reunificar a China (e às vezes ampliar suas fronteiras). A famosa abertura do *Romance dos Três Reinos*, um épico do século XIV muito estimado ao longo dos séculos pelos chineses (incluindo Mao, que dizia debruçar-se quase obsessivamente sobre o livro em sua juventude), evoca esse ritmo contínuo: "O império, há muito dividido, deve se unir; há muito unido, deve se dividir. Tem sempre sido desse modo."[3] Cada período de desunião era visto como uma aberração. Cada nova dinastia recorria aos princípios de governo da dinastia precedente a fim de restabelecer a continuidade. Os preceitos fundamentais da cultura chinesa perduravam, testados pelo esforço da calamidade periódica.

Antes do evento seminal da unificação chinesa em 221 a.C., houvera um milênio de governo dinástico que gradualmente se desintegrou à medida que as subdivisões feudais evoluíam da autonomia para a independência. A culminação do processo foram dois séculos e meio de tumulto registrados na história como o período dos Estados Combatentes (475-221 a.C.). Seu equivalente europeu seria o interregno entre o Tratado de Vestfália, em 1648, e o fim da Segunda Guerra Mundial, quando uma multiplicidade de Estados europeus lutava pela proeminência dentro do contexto da balança de poder. Após 221 a.C., a China manteve o ideal de império e unidade, mas seguiu a prática de se fragmentar depois se unir, em ciclos que às vezes duravam várias centenas de anos.

Quando o Estado se fragmentava, guerras entre as diversas partes eram travadas com selvageria. Mao certa vez afirmou que a população da China declinou de 50 milhões para 10 milhões durante o assim chamado período dos Três Reinos (220-280 d.C.),[4] e o conflito entre os grupos opostos nas duas guerras mundiais no século XX também foi extremamente sangrento.

Em seu ponto máximo de influência, a esfera cultural chinesa estendeu-se por uma área continental muito maior do que a de qualquer Estado europeu, na verdade, cerca do equivalente à Europa continental. A língua e a cultura chinesas, e o mandato político do imperador, expandiram-se para todas as terras conhecidas: das estepes e florestas de pinheiro ao norte, que chegavam até a Sibéria, às selvas tropicais e terraços de arrozais ao sul; da costa leste, com seus canais, seus portos e suas vilas de pescadores, aos áridos desertos da Ásia Central e picos gelados da fronteira dos Himalaias. A extensão e a diversidade desse território encorajaram o sentimento de que a China era um mundo em si mesmo. Sustentaram o conceito do imperador como uma figura de ascendência universal, governando o *tian xia*, ou "Tudo Sob o Céu".

A era da primazia chinesa

Por muitos milênios de civilização chinesa, a China nunca se viu forçada a lidar com outros países ou outras civilizações que fossem comparáveis a ela em escala e sofisticação. A Índia era conhecida dos chineses, como observou Mao posteriormente, mas durante grande parte de sua história esteve dividida entre reinos separados. As duas civilizações trocavam mercadorias e influências budistas ao longo da Rota da Seda, mas de resto permaneciam isoladas de um contato casual devido aos quase intransponíveis Himalaias e ao planalto tibetano. Os desertos vastos e ameaçadores da Ásia Central separavam a China das culturas persa e babilônica, no Oriente Próximo, e ainda mais do Império Romano. Caravanas de comércio realizavam jornadas de tempos em tempos, mas a China como um todo não travou contato com sociedades de tamanho e realizações comparáveis. Embora China e Japão compartilhassem uma série de instituições culturais e políticas fundamentais, nenhum dos dois países estava preparado para admitir a superioridade do outro; a solução encontrada foi interromper qualquer contato por anos a fio. A Europa ficava ainda mais longe no que os chineses consideravam os Oceanos Ocidentais, por definição domínios inacessíveis à cultura chinesa e lastimavelmente incapazes de adquiri-la — conforme explicou o imperador a um enviado britânico em 1793.

As reivindicações territoriais do Império Chinês terminavam onde as águas começavam. Já na dinastia Song (960-1279), a China liderava o mundo em tecnologia náutica; suas frotas poderiam ter conduzido o império a uma era de conquista e exploração.[5] Contudo, a China não buscou colônias no além-mar e mostrou relativamente pequeno interesse nos países longe de sua costa. O país não desenvolveu uma justificativa para se aventurar no estrangeiro convertendo os bárbaros aos princípios confucionistas e virtudes budistas. Quando os conquistadores mongóis ficaram no comando da armada de Song e de seus experientes capitães, arquitetaram duas invasões do Japão. Ambas foram rechaçadas pelo tempo inclemente — o *kamikaze* (ou "Vento Divino") do folclore japonês.[6] Porém, quando a dinastia mongol entrou em colapso, as expedições, embora tecnicamente exequíveis, nunca mais foram tentadas. Nenhum líder chinês jamais articulou um motivo pelo qual a China iria querer controlar o arquipélago japonês.

Mas nos primeiros anos da dinastia Ming, entre 1405 e 1433, a China empreendeu uma das aventuras navais mais notáveis e misteriosas da história: o almirante Zheng He enviou suas frotas de "navios do tesouro" para destinos tão longínquos quanto Java, Índia, o Chifre da África e o estreito de Hormuz. Na época das viagens de Zheng, a era europeia da exploração ainda não começara. A frota chinesa possuía o que teria parecido uma vantagem tecnológica intransponível: em tamanho, sofisticação e número de embarcações, fazia parecer de brinquedo a armada espanhola ainda por nascer (dali a 150 anos).

Os historiadores discutem até hoje o verdadeiro propósito dessas missões. Zheng He foi uma figura singular na era da exploração: um eunuco chinês de família muçulmana recrutado para o serviço imperial quando criança, ele não se enquadra em nenhum precedente histórico óbvio. A cada parada em suas viagens, proclamava formalmente a magnificência do novo imperador da China, dava luxuosos presentes para os soberanos que encontrava e convidava-os para irem pessoalmente ou mandar enviados para a China. Lá, eles deveriam reconhecer seu lugar na ordem mundial sinocêntrica realizando o ato do *kowtow** como admissão da superioridade do imperador. Mas além de declarar a grandeza da China e fazer convites para rituais solenes, Zheng He não mostrou qualquer ambição territorial. Trouxe de volta consigo apenas presentes, ou "tributos"; não reclamou nenhuma colônia ou recursos naturais para a China, excetuando a recompensa metafísica de estender os limites de Tudo Sob o Céu. Quando muito, pode-se dizer que criou condições favoráveis para os mercadores chineses, mediante uma espécie de exercício precoce do poder brando** chinês.[7]

As expedições de Zheng He cessaram abruptamente em 1433, coincidindo com as recorrentes ameaças ao longo da fronteira territorial norte da China. O imperador seguinte ordenou que a frota de Zheng He fosse desmantelada, e os registros de suas viagens destruídos. As expedições jamais se repetiram. Embora os comerciantes chineses continuassem a utilizar as rotas navegadas por Zheng He, a capacidade naval chinesa minguou — a tal ponto que a reação dos governantes Ming à subsequente ameaça pirata na costa sudeste da China foi tentar forçar a migração da população

---

* Ajoelhar e tocar a testa no chão em reverência. (N. do T.)

** *Soft power*, no original em inglês. Termo cunhado pelo cientista político Joseph S. Nye Jr. no início dos anos 1990 para denominar os recursos ideológicos, morais ou culturais que permitem que influência seja exercida sem recurso à coerção ou a incentivos econômicos característicos do exercício do poder bruto, ou *hard power*. (N.do R.)

costeira 10 milhas continente adentro. Desse modo a história naval da China foi uma dobradiça que emperrou: tecnicamente capaz de dominação, a China se retirou voluntariamente do campo da exploração naval exatamente quando o interesse ocidental começava a surgir.

O incrível isolamento chinês engendrou uma autopercepção particular. As elites chinesas foram se acostumando cada vez mais à noção de que a China era única — não apenas uma "grande civilização" entre outras, mas a própria civilização. Um tradutor inglês escreveu em 1850:

> Um europeu inteligente, acostumado a refletir sobre o estado de uma série de países que usufruem de uma variedade de vantagens diferentes, e sofrendo cada um de peculiares desvantagens, poderia, com umas poucas perguntas bem-direcionadas, e pouquíssimos dados disponíveis, formar uma ideia razoavelmente correta sobre o estado de um povo até então desconhecido dele; mas seria um grande erro imaginar que esse é o caso com os chineses. Sua exclusão de estrangeiros e o confinamento a seu próprio país restringiram tristemente suas ideias, ao privá-los de todas as oportunidades de estabelecer comparações; são, assim, totalmente incapazes de se libertar do domínio da associação, e julgam tudo pelas regras da pura convenção chinesa.[8]

A China sabia, é claro, da existência de diferentes sociedades em torno de suas fronteiras na Coreia, no Vietnã, na Tailândia, em Burma; mas, na percepção chinesa, a China era considerada o centro do mundo, o "Império do Meio", e as demais sociedades eram aferidas segundo gradações a partir daí. No modo de ver dos chineses, um punhado de Estados menores que absorvesse a cultura chinesa e prestasse tributo à grandeza da China constituía a ordem natural do universo. Os limites entre a China e os povos circundantes eram mais diferenciações culturais do que demarcações políticas e territoriais. A irradiação da cultura chinesa por todo o Leste Asiático levou o cientista político americano Lucian Pye a fazer o famoso comentário de que, na idade moderna, a China permanece sendo uma "civilização que finge ser um Estado-nação".[9]

As pretensões subjacentes a essa tradicional ordem mundial chinesa persistiram por muito tempo na era moderna. Ainda em 1863, o imperador da China (ele próprio membro de uma dinastia manchu "estrangeira" que havia conquistado a China dois séculos antes) despachou uma carta informando Abraham Lincoln sobre o compromisso da China em manter boas relações com os Estados Unidos. O imperador baseou sua missiva na pretensiosa certeza de que, "tendo, reverentemente, recebido a incumbência celestial de governar o universo, enxergamos tanto o império do meio [China] como os países estrangeiros como constituindo uma única família, sem qualquer distinção".[10] Quando a carta foi despachada, a China já tinha perdido duas guerras contra potências ocidentais, que se ocupavam de demarcar esferas de interesse no território chinês. O imperador pareceu tratar essas catástrofes como algo semelhante a outras invasões bárbaras que haviam sido superadas, no fim, pela cultura superior e perseverança dos chineses.

Durante a maior parte da história, não houve, na verdade, nada particularmente estranho acerca das reivindicações chinesas. Geração após geração, os chineses han expandiram-se de sua base original no vale do rio Amarelo, gradualmente absorvendo sociedades adjacentes em variados estágios de aproximação dos padrões chineses. As conquistas científicas e tecnológicas chinesas se igualaram, e frequentemente sobrepujaram, às dos europeus ocidentais, indianos e árabes.[11]

A escala chinesa não era muito superior à dos Estados europeus apenas em população e território; até a Revolução Industrial, a China era muito mais rica. Unida por um vasto sistema de canais que ligavam os grandes rios e centros populacionais, a China foi por séculos a economia mais produtiva do mundo e a região de comércio mais populosa.[12] Mas, por ela ser amplamente autossuficiente, outras regiões tinham uma compreensão apenas periférica de sua vastidão e riqueza. Na verdade, a China produzia uma parcela maior do PIB mundial total do que qualquer sociedade ocidental em 18 dos últimos vinte séculos. Ainda em 1820, ela produziu mais de 30% do PIB mundial — quantidade que ultrapassava o PIB da Europa Ocidental, da Europa Oriental e dos Estados Unidos combinados.[13]

Observadores ocidentais que conheceram a China no início da era moderna ficaram admirados com sua vitalidade e prosperidade material. Escrevendo em 1736, o jesuíta francês Jean-Baptiste Du Halde resumiu as reações de espanto dos visitantes ocidentais na China:

> As riquezas peculiares a cada província e a facilidade no transporte de mercadorias, por meio dos rios e canais, tornaram o comércio doméstico do império permanentemente florescente. [...] O comércio interior da China é tão grande que o comércio de toda a Europa não se lhe pode comparar; sendo as províncias como inúmeros reinos, o que comunica umas com as outras suas respectivas produções.[14]

Trinta anos depois, o economista político francês François Quesnay foi ainda mais longe:

> Ninguém pode negar que esse Estado é o mais belo do mundo, o mais densamente povoado e o mais florescente reino conhecido. Um tal império como esse da China é igual a tudo que a Europa seria se esta última fosse unida sob um único soberano.[15]

A China comerciava com estrangeiros e ocasionalmente adotava ideias e invenções de fora. Mas com maior frequência os chineses acreditavam que as mais valiosas posses e conquistas intelectuais eram encontradas dentro da China. O comércio com a China era tão valorizado que constituía exagero apenas parcial as elites chinesas o descreverem como mais que um intercâmbio econômico comum, e sim como um "tributo" à superioridade chinesa.

O confucionismo

Quase todos os impérios foram criados pela força, mas nenhum consegue se sustentar por meio dela. Domínio universal, para durar, precisa traduzir força em dever. De outro modo, as energias dos soberanos serão exauridas na manutenção de seu domínio em detrimento de sua capacidade para moldar o futuro, que é a suprema tarefa da arte de governar. Os impérios persistem se a repressão dá lugar ao consenso.

Assim foi com a China. Os métodos pelos quais ela foi unificada, e periodicamente desmembrada e reunificada outra vez, foram ocasionalmente brutais. A história chinesa testemunhou sua cota de rebeliões sanguinárias e tiranias dinásticas. E, contudo, a China deveu sua milenar sobrevivência muito menos às punições perpetradas por seus imperadores do que à comunidade de valores fomentada entre sua população e seu governo de funcionários-eruditos.

Não constitui o aspecto menos excepcional da cultura chinesa que esses valores sejam essencialmente seculares em sua natureza. Na época em que o budismo surgia na cultura indiana enfatizando a contemplação e a paz interior, e o monoteísmo era proclamado pelos profetas judeus — e, mais tarde, cristãos e islâmicos —, evocando-se a vida após a morte, a China não produzia temática religiosa de espécie alguma no sentido ocidental. Os chineses jamais geraram um mito de criação cósmica. Seu universo foi criado pelos próprios chineses, cujos valores, mesmo quando declarados como sendo de aplicabilidade universal, foram concebidos como originariamente chineses.

Os valores predominantes na sociedade chinesa derivaram das prescrições de um antigo filósofo conhecido pela posteridade como Kong Fuzi (ou "Confúcio", na versão latinizada). Confúcio (551-479 a.C.) viveu no fim do assim chamado período da Primavera e Outono (770-476 a.C.), uma época de sublevação política que desembocou nos brutais confrontos do período dos Estados Combatentes (475-221 a.C.). A Casa de Zhou governante estava em declínio, incapaz de exercer sua autoridade sobre os príncipes rebeldes que competiam pelo poder político. A cobiça e a violência imperavam sem controle. Tudo Sob o Céu estava mais uma vez imerso no caos.

Como Maquiavel, Confúcio era um viajante em seu país, esperando ser acolhido como conselheiro por um dos príncipes que lutavam pela sobrevivência. Mas, ao contrário de Maquiavel, Confúcio se preocupava mais com o cultivo da harmonia social do que com as maquinações do poder. Seus temas eram os princípios do governo compassivo, a realização dos rituais corretos e a obrigação de inculcar a devoção filial. Talvez por não oferecer aos possíveis empregadores nenhum caminho de curto prazo para a riqueza ou o poder, Confúcio morreu sem atingir seu objetivo: nunca encontrou um príncipe para implementar seus preceitos, e a China continuou a afundar rumo ao colapso político e à guerra.[16]

Mas os ensinamentos de Confúcio, registrados por seus discípulos, sobreviveram. Quando o derramamento de sangue terminou e a China mais uma vez ressurgiu unificada, a dinastia Han (206 a.C.-220 d.C.) adotou o pensamento confucionista como a filosofia oficial do Estado. Compilado numa coleção central de aforismos de Confúcio (os *Analectos*) e posteriores livros de comentários eruditos, o cânon confucionista evoluiu para algo próximo de uma Bíblia chinesa e Constituição combinadas numa coisa só. O domínio desses textos passou a ser a principal qualificação para o serviço público na burocracia imperial chinesa — um sacerdócio de funcionários-eruditos literários selecionados por meio de concorridos exames feitos em todo o país e encarregados de manter a harmonia nos vastos domínios do imperador.

A resposta de Confúcio ao caos de sua era foi o "Caminho" da sociedade justa e harmoniosa, que, assim ensinou ele, já fora concretizado no passado — em uma distante idade de ouro chinesa. A tarefa espiritual central da humanidade era recriar essa ordem apropriada já no limiar de se perder. A realização espiritual era uma tarefa não tanto de revelação ou libertação, mas de recuperação paciente de princípios esquecidos de autocontrole. O objetivo era a retificação, não o progresso.[17] O aprendizado era a chave para avançar em uma sociedade confucionista. Assim Confúcio ensinava que

> o amor pela bondade, sem o amor pelo aprendizado, vê-se obscurecido pela tolice. O amor pelo conhecimento, sem o amor pelo aprendizado, vê-se obscurecido pela especulação frouxa. O amor pela honestidade, sem o amor pelo aprendizado, vê-se obscurecido pela candura perniciosa. O amor pela franqueza, sem o amor pelo aprendizado, vê-se obscurecido pelo juízo equivocado. O amor pela ousadia, sem o amor pelo aprendizado, vê-se obscurecido pela insubordinação. E o amor pela força de caráter, sem o amor pelo aprendizado, vê-se obscurecido pela intratabilidade.[18]

Confúcio pregava sobre hierarquia social: o dever fundamental era "Conhece teu lugar". Para seus adeptos, a ordem confucionista oferecia a inspiração de servir na busca de uma harmonia superior. Ao contrário de profetas de religiões monoteístas, Confúcio não pregava nenhuma teleologia da história conduzindo a humanidade à redenção pessoal. Sua filosofia buscava a redenção do Estado mediante o comportamento individual correto. Orientado para esse mundo, seu pensamento afirmava um código de conduta social, não um caminho para a vida após a morte.

No ponto mais alto dessa ordem chinesa figurava o imperador, personagem sem paralelo na experiência ocidental. Ele combinava tanto os títulos espiritual como secular da ordem social. O imperador chinês era a um só tempo um soberano político e um conceito metafísico. Em seu papel político, o imperador era concebido como um soberano supremo da raça humana — o Imperador da Humanidade, pairando no topo de uma hierarquia política mundial que espelhava a estrutura social confucionista hierarquizada da China. O protocolo chinês insistia no reconhecimento de sua condição soberana no *kowtow* — um ato de completa prostração, com a testa tocando o chão três vezes a cada reverência.

O segundo papel do imperador, metafísico, era seu status como "Filho do Céu", o intermediário simbólico entre o Céu, a Terra e a humanidade. Esse papel também implicava obrigação moral por parte do imperador. Por meio da conduta humanitária, da realização dos rituais corretos e de ocasionais punições severas, o imperador era tido como peça-chave da "Grande Harmonia" de todas as coisas grandes e pequenas. Se o imperador se desviasse do caminho da virtude, Tudo Sob o Céu ruiria no caos. Mesmo catástrofes naturais podiam significar que a desarmonia havia acometido o universo. A dinastia existente seria vista como tendo perdido o "Mandato Celestial" pelo qual possuía o direito de governar: as rebeliões seriam deflagradas e uma nova dinastia restauraria a Grande Harmonia do universo.[19]

Conceitos de relações internacionais: imparcialidade ou igualdade?

Assim como na China não há grandes catedrais, também não há um Palácio de Blenheim. Eminentes políticos aristocratas, como o duque de Marlborough, que ergueu Blenheim, nunca existiram por lá. A Europa ingressou na era moderna em uma confusão de diversidade política — príncipes independentes, duques e condes, cidades que se autogovernavam, a Igreja Católica Romana, reivindicando autoridade fora da esfera de ação do Estado, e grupos protestantes, que aspiravam a construir suas próprias sociedades civis autônomas. Já a China, quando entrou no período moderno, contava havia mais de um milênio com uma burocracia imperial formada, recrutada mediante exames competitivos, permeando e regulando todos os aspectos da economia e da sociedade.

A abordagem chinesa da ordem mundial foi assim vastamente diferente do sistema que se instalou no Ocidente. A moderna concepção ocidental de relações internacionais emergiu nos séculos XVI e XVII, quando a estrutura medieval da Europa se dissolveu em um grupo de Estados de força aproximadamente equivalente, e a Igreja Católica cindiu-se em diversas denominações. A diplomacia da balança de poder foi menos uma escolha do que uma inevitabilidade. Nenhum Estado era forte o bastante para impor sua vontade; nenhuma religião detinha autoridade suficiente para sustentar a universalidade. O conceito de soberania e a igualdade jurídica dos Estados tornaram-se a base do direito internacional e da diplomacia.

A China, por outro lado, nunca se envolveu em um contato prolongado com outro país, numa base de igual para igual, pelo simples motivo de que nunca encontrou sociedades de cultura ou magnitude comparáveis. Que o Império Chinês se erguesse sobranceiro acima de sua esfera geográfica pressupunha-se que fosse virtualmente uma lei da natureza, uma expressão do Mandato Celestial. Para os imperadores chineses, o mandato não necessariamente implicava uma relação de rivalidade com os povos vizinhos; de preferência, não seria este o caso. Como os Estados Unidos, a China se via desempenhando um papel especial. Mas o país nunca abraçou o ideal americano de universalismo e de disseminar seus valores pelo mundo. Restringiu-se ao controle dos bárbaros imediatamente às suas portas. Empenhou-se em fazer com que Estados tributários como a Coreia reconhecessem o status especial da China e, em troca, conferia benefícios como direitos de comércio. Quanto a bárbaros de regiões remotas como a Europa, sobre os quais pouco sabiam, os chineses mantinham um distanciamento amigável, quando não condescendente. Tinham pouco interesse em convertê-los aos costumes chineses. O imperador fundador da dinastia Ming expressou esse ponto de vista em 1372: "Países do oceano ocidental são corretamente chamados de regiões distantes. Eles vêm [até nós] através dos oceanos. E é difícil para eles calcular o ano e o mês [de chegada]. A despeito de quantos forem, nós os tratamos [sob o princípio de que] 'aquele que chega modestamente é mandado de volta generosamente'."[20]

Os imperadores chineses sentiam que não era prático pensar em influenciar países que a natureza tivera a infelicidade de situar a tão grandes distâncias da China. Na versão chinesa do excepcionalismo, a China não exportava suas ideias, mas deixava que os outros viessem buscá-las. Povos vizinhos, acreditavam os chineses, se beneficiavam do contato com a China e a civilização, desde que reconhecessem a soberania do governo chinês. Se não, eram bárbaros. A subserviência ao imperador e a observância de rituais imperiais eram o cerne da cultura.[21] Quando o império era forte, essa esfera cultural se expandia: Tudo Sob o Céu era uma entidade multinacional que compreendia a maioria chinesa de etnia han e inúmeros chineses de outras etnias.

Em registros oficiais chineses, enviados do estrangeiro não vinham à corte imperial para entabular negociações ou assuntos de Estado; vinham "para serem transformados" pela influência civilizatória do imperador. O imperador não realizava "reuniões de cúpula" com outros chefes de Estado; em vez disso, uma audiência com ele representava o "terno acolhimento de homens vindos de longe", que traziam tributo para reconhecer sua suserania. Quando a corte chinesa condescendia em mandar enviados para o exterior, eles não eram diplomatas, mas "Enviados Celestiais" da Corte Celestial.

A organização do governo chinês refletia a abordagem hierárquica da ordem mundial. A China administrava os laços com países tributários, como Coreia, Tailândia e Vietnã, por meio do Ministro de Ritos, dando a entender que a diplomacia com esses povos não era senão mais um aspecto da tarefa metafísica mais ampla de gerenciar a Grande Harmonia. Com as tribos equestres menos sinizadas a norte e oeste, a China chegou a se valer de algo como um escritório de assuntos coloniais, cuja missão era investir os príncipes vassalos de títulos e manter a paz na fronteira.[22]

Somente com a pressão das incursões ocidentais no século XIX a China estabeleceu algo próximo de um ministério de relações exteriores para conduzir a diplomacia como uma função de governo independente, em 1861, após ser derrotada em duas guerras contra potências ocidentais. Isso era considerado uma necessidade temporária, a ser abolida assim que a crise imediata cedesse. O novo ministério foi deliberadamente instalado em um edifício antigo e discreto utilizado anteriormente pelo Departamento de Moedas de Ferro, a fim de transmitir, nas palavras do principal chefe de Estado da dinastia Qing, o príncipe Gong, "o significado oculto de que não deve possuir um status equivalente ao de outros órgãos tradicionais de governo, desse modo preservando a distinção entre a China e os países estrangeiros".[23]

Ideias de estilo europeu sobre política e diplomacia entre Estados não eram novidade para a experiência chinesa; mais exatamente, existiam como uma espécie de contratradição ocorrendo dentro da China em tempos de desunião. Mas, como que regidos por alguma lei tácita, esses períodos de divisão terminavam com a reunificação de Tudo Sob o Céu e a reafirmação da centralidade chinesa por uma nova dinastia.

Em seu papel enquanto império, a China oferecia aos povos estrangeiros imparcialidade, não igualdade: ela os tratava de forma humana e compassiva, proporcionalmente à sua capacidade para absorver a cultura chinesa e à sua observância de rituais implicando submissão à China.

O que havia de mais notável em relação à abordagem chinesa dos assuntos internacionais era menos suas monumentais pretensões formais do que seu discernimento e longevidade estratégicos subjacentes. Pois, durante a maior parte da história chinesa, os numerosos povos "inferiores" ao longo das fronteiras extensas e cambiantes da China eram frequentemente mais bem-armados e dotados de maior mobilidade que os chineses. A norte e a oeste da China havia povos seminômades — manchus, mongóis, uigures, tibetanos e finalmente o expansionista Império Russo —, cujas cavalarias eram capazes de lançar com relativa impunidade ofensivas através das enormes fronteiras das regiões agrícolas chinesas. Expedições de retaliação enfrentavam um território inóspito e longas linhas de suprimento. Ao sul e a leste da China havia povos que, embora teoricamente subordinados à cosmologia chinesa, possuíam tradições marciais e identidades nacionais significativas. O mais tenaz entre eles, os vietnamitas, havia resistido ferozmente à pretensão de superioridade dos chineses e podia se orgulhar de ter superado a China em combate.

A China não tinha condições de conquistar todos os seus vizinhos. Sua população consistia principalmente de agricultores ligados a seus pedaços de terras ancestrais. Sua elite mandarim era alçada à posição elevada não por exibir habilidade militar, mas por mostrar domínio nos clássicos confucionistas e em artes refinadas como caligrafia e poesia. Individualmente, povos vizinhos podiam oferecer formidáveis ameaças; unidos em algum grau, seriam avassaladores. Como escreveu o historiador Owen Lattimore: "Dessa forma, invasões bárbaras pairaram sobre a China como uma ameaça permanente. [...] Qualquer nação bárbara capaz de proteger sua própria retaguarda e seus flancos contra outras nações bárbaras podia confiantemente invadir a China."[24] A propalada centralidade chinesa e a riqueza material se voltariam contra o próprio país e seriam um convite à invasão de todos os lados.

A Grande Muralha, um elemento tão proeminente na iconografia ocidental sobre China, era um reflexo dessa vulnerabilidade básica, embora dificilmente lhe fosse uma solução bem-sucedida. Em vez disso, os estadistas chineses se valeram de um amplo leque de instrumentos diplomáticos e econômicos para atrair estrangeiros potencialmente hostis a travar relações passíveis de serem conduzidas pela China. A aspiração máxima não era tanto conquistar (embora a China ocasionalmente montasse grandes campanhas militares) quanto dissuadir a invasão e impedir a formação de coalizões bárbaras.

Por intermédio de incentivos comerciais e uso habilidoso do teatro político, a China persuadia povos vizinhos a observar as normas de centralidade chinesa ao mesmo tempo que projetava uma imagem de majestade extraordinária para dissuadir potenciais invasores de testar a força chinesa. O objetivo não era conquistar e subjugar os bárbaros mas "governá-los com rédea solta" (*ji mi*). Para quem não se dispunha a obedecer, a China se aproveitaria de divisões entre eles, no famoso "uso de bárbaros para conter bárbaros" e, quando necessário, "usando bárbaros para atacar bárbaros".[25] Pois, como um funcionário da dinastia Ming escreveu sobre as tribos potencialmente ameaçadoras na fronteira nordeste da China:

> Se as tribos ficam divididas entre si [elas continuam] fracas e [serão] presas fáceis de ser mantidas em submissão; se as tribos ficam separadas elas evitam umas às outras e obedecem prontamente. Favorecemos um ou outro [de seus chefes] e permitimos que lutem entre si. Esse é um princí-

pio de ação política que garante: "Guerras entre os 'bárbaros' são auspiciosas para a China."[26]

O objetivo de tal sistema era essencialmente defensivo: impedir a formação de coalizões nas fronteiras chinesas. Os princípios de se lidar com os bárbaros ficaram tão arraigados no pensamento oficial chinês que, quando os "bárbaros" europeus desembarcaram em grande número nas praias da China no século XIX, os mandatários chineses descreveram seu desafio com as mesmas frases usadas por seus predecessores dinásticos: eles iriam "usar bárbaros contra bárbaros" até que fossem aplacados e subjugados. E aplicaram uma estratégia tradicional para responder ao ataque inicial britânico. Convidaram outros países europeus com o propósito de primeiro estimular e depois manipular a rivalidade entre eles.

Na busca desses objetivos, a corte chinesa era notavelmente pragmática quanto aos meios a serem empregados. Os chineses subornavam os bárbaros, ou usavam a superioridade demográfica han para diluí-los; quando derrotados, submetiam-se a eles, como no início das dinastias Yuan e Qing, como um prelúdio para sinizá-las. A corte chinesa praticava regularmente o que em outros contextos seria considerado apaziguamento, embora mediante um elaborado filtro de protocolo que permitia às elites chinesas alegar que era uma afirmação de superioridade benevolente. Assim um ministro da dinastia Han descreveu sua proposta de "cinco chamarizes" para lidar com as tribos montadas xiongnu na fronteira noroeste da China:

> Presenteá-los com [...] elaboradas roupas e carruagens a fim de corromper seus olhos; presenteá-los com comida boa a fim de corromper suas bocas; presenteá-los com música e mulheres a fim de corromper seus ouvidos; fornecer-lhes construções amplas, celeiros e escravos a fim de corromper suas barrigas [...] e, para os que decidirem se render, o imperador [deve] mostrar sua mercê honrando-os com uma recepção imperial em que o imperador em pessoa deverá servir-lhes vinho e comida, de modo a corromper suas mentes. Isso é o que podemos intitular de cinco chamarizes.[27]

Em períodos fortalecidos, a diplomacia do Império do Meio era uma racionalização ideológica para o poder imperial. Em períodos de decadência, servia para mascarar fraquezas e ajudar a China a manipular forças rivais.

Em comparação com mais recentes aspirantes ao status de potência, a China era um império satisfeito com limitada ambição territorial. Nas palavras de um erudito durante a dinastia Han, "o imperador não governa os bárbaros. Os que vierem até ele não serão rejeitados, os que o deixarem não serão perseguidos".[28] O objetivo era construir uma periferia condescendente, dividida, mais do que uma diretamente sob controle chinês.

A expressão mais notável do pragmatismo essencial da China era sua reação aos conquistadores. Quando dinastias estrangeiras saíam vitoriosas da batalha, a elite burocrática chinesa oferecia seus serviços e apelava aos conquistadores com a premissa de que uma terra tão vasta e única como a que haviam acabado de dominar só poderia ser governada pelos métodos chineses, pela língua chinesa e pela burocracia chinesa preexistente. A cada geração, os conquistadores se viam cada vez mais assimilados à ordem que haviam buscado dominar. Finalmente, suas próprias terras nativas — o ponto de partida de suas invasões — seriam vistas como parte da própria China. Eles se veriam buscando interesses nacionais chineses, com o projeto de conquista efetivamente virado do avesso.[29]

A realpolitik chinesa e *A Arte da Guerra* de Sun Tzu

Os chineses têm sido astutos praticantes da realpolitik e estudantes de uma doutrina estratégica distintamente diferente da estratégia e diplomacia que foi favorecida no Ocidente. Uma história turbulenta ensinou aos líderes chineses que nem todo problema tem solução e que uma ênfase exagerada no pleno domínio de eventos específicos poderia perturbar a harmonia do universo. Sempre houve muitos inimigos potenciais do império para que este vivesse em total segurança. Se o destino da China era relativamente seguro, ele também implicava relativa insegurança — a necessidade de aprender a gramática de mais de uma dúzia de Estados vizinhos com histórias e aspirações significativamente diferentes. Em raras ocasiões os estadistas chineses arriscaram o resultado de um conflito em um único embate de tudo ou nada; elaboradas manobras com duração de anos eram mais seu estilo. Enquanto a tradição ocidental prezava o choque decisivo de forças com ênfase em feitos heroicos, o ideal chinês enfatizava a sutileza, as vias indiretas e o paciente acúmulo de vantagem relativa.

Esse contraste se reflete nos respectivos jogos de intelecto preferidos por cada civilização. O jogo mais duradouro da China é o *wei qi* (pronuncia-se algo como "uei tchi", normalmente conhecido no Ocidente por uma variante de seu nome japonês, *go*). *Wei qi* pode ser traduzido como "jogo de peças circundantes"; ele implica um conceito de cerco estratégico. O tabuleiro, uma grade de 19 por 19 linhas, começa vazio. Cada jogador tem 180 peças, ou pedras, a sua disposição, todas de igual valor. Os jogadores se alternam pondo as pedras em algum ponto do tabuleiro, estabelecendo posição de força enquanto tentam cercar e capturar as pedras do oponente. Múltiplas batalhas são disputadas simultaneamente em diferentes regiões do tabuleiro. O equilíbrio de forças muda progressivamente a cada movimento, conforme os jogadores implementam planos estratégicos e reagem às iniciativas uns dos outros. No fim de um jogo bem disputado, o tabuleiro está repleto de domínios estratégicos parcialmente interligados. A margem de vantagem é normalmente exígua, e, para um olho não treinado, o vencedor nem sempre é imediatamente óbvio.[30]

Xadrez, por outro lado, é um jogo de vitória total. A finalidade do jogo é o xeque-mate, deixar o rei oponente em uma posição em que ele não consiga se mexer sem ser destruído. A grande maioria dos jogos termina com a total vitória obtida por atrito ou, mais raramente, alguma jogada dramática e habilidosa. O único outro desfecho possível é um empate, significando o abandono da esperança de vitória para ambos os lados.

Se o xadrez é uma batalha decisiva, *wei qi* é uma campanha prolongada. O jogador de xadrez objetiva a vitória total. O jogador de *wei qi* busca uma vantagem relativa. No xadrez, o jogador tem o tempo todo a capacidade do adversário diante de seus olhos; todas as peças estão sempre todas presentes. O jogador de *wei qi* precisa avaliar não só as pedras sobre o tabuleiro, como também os reforços que o adversário está em condições de mobilizar. O xadrez ensina os conceitos clausewitzianos de "centro de gravidade" e "ponto decisivo" — o jogo normalmente começando como uma luta pelo centro do tabuleiro. O *wei qi* ensina a arte do cerco estratégico. Enquanto um enxadrista habilidoso visa eliminar as peças de seu oponente em uma série de confrontos abertos, um jogador de *wei qi* talentoso move-se pelos espaços "vazios" do tabuleiro, gradualmente mitigando o potencial estratégico das peças de seu oponente. O xadrez produz foco; o *wei qi* gera flexibilidade estratégica.

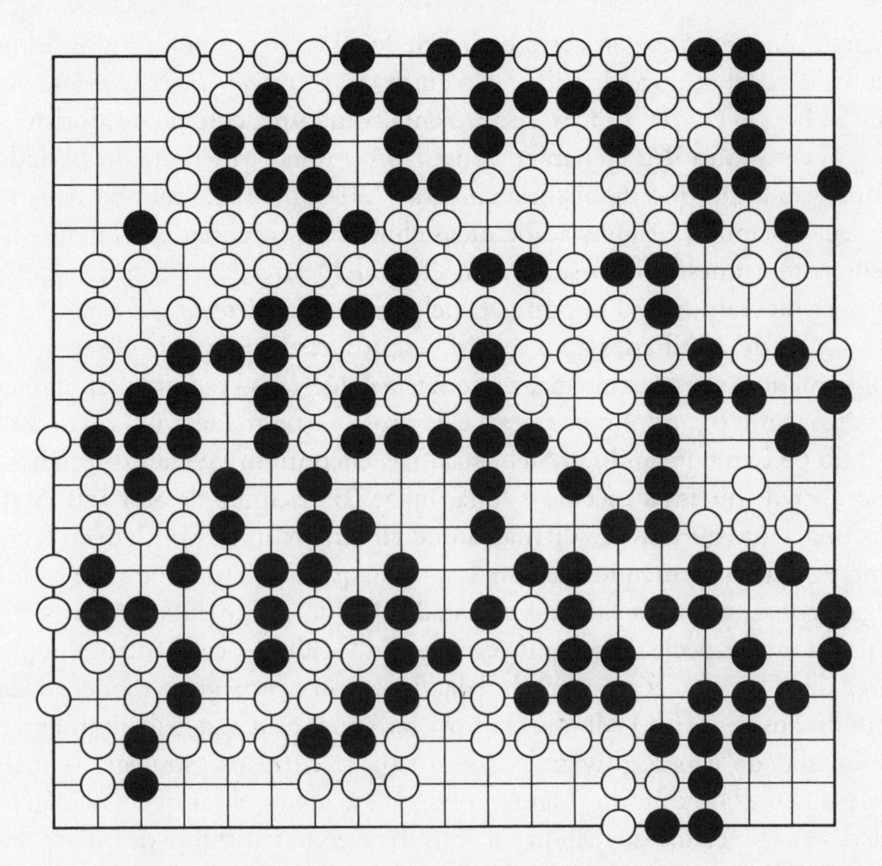

O RESULTADO DE UMA PARTIDA DE *WEI QI* ENTRE DOIS MESTRES DO JOGO.
AS PRETAS VENCERAM POR LIGEIRA MARGEM.

Fonte: David Lai, "Learning from the Stones: A Go *Approach to Mastering China's Strategic Concept,* Shi*" (Carlisle, PA: U.S. Army War College Strategic Studies Institute, 2004).*

Um contraste semelhante existe no caso da teoria militar chinesa. Suas bases foram lançadas durante um período de revoltas, quando lutas implacáveis entre reinos rivais dizimaram a população chinesa. Reagindo à carnificina (e procurando sair vitoriosos dela), os pensadores chineses desenvolveram uma filosofia estratégica que estabelecia uma recompensa pela vitória mediante a vantagem psicológica e pregava evitar o conflito direto.

A figura seminal dessa tradição entrou para a história como Sun Tzu (ou "Mestre Sun"), autor do famoso tratado *A Arte da Guerra*. Curiosamente, ninguém sabe ao certo quem ele foi. Desde tempos antigos, estudiosos têm debatido a identidade do autor de *A Arte da Guerra* e a data em que a obra foi escrita. O livro se apresenta como uma coleção de aforismos de um certo Sun Wu, general e conselheiro militar itinerante do período Primavera e Outono da história chinesa (770-476 a.C.), segundo registro de seus discípulos. Alguns acadêmicos chineses e, recentemente, mais ocidentais têm questionado se de fato esse tal Mestre Sun existiu, e, nesse caso, se foi realmente o responsável pelo texto de *A Arte da Guerra*.[31]

Mais de 2 mil anos após ter sido escrito, esse volume de observações epigramáticas sobre estratégia, diplomacia e guerra — redigido em chinês clássico, a meio caminho da poesia e da prosa — permanece um texto central do pensamento militar. Suas máximas encontram vívida expressão na guerra civil chinesa do século XX nas mãos do discípulo de Sun Tzu, Mao Zedong, e nas guerras do Vietnã, já que Ho Chi Minh e Vo Nguyen Giap empregaram os princípios de Sun Tzu de ataque indireto e combate psicológico contra a França e depois os Estados Unidos. (Sun Tzu também conquistou uma espécie de segunda carreira no Ocidente, com edições populares de *A Arte da Guerra* remodelando-o como um guru moderno do mundo dos negócios.) Mesmo hoje os escritos de Sun Tzu exibem um grau de atualidade e perceptividade que o situam entre os estrategistas mais proeminentes do mundo. Alguém poderia até argumentar que a negligência de seus preceitos exerceu papel considerável no frustrante desenlace das guerras americanas na Ásia.

O que distingue Sun Tzu dos escritores ocidentais sobre estratégia é a ênfase nos elementos psicológicos e políticos acima dos puramente militares. Os grandes teóricos militares europeus Carl von Clausewitz e Antoine-Henri Jomini tratam a estratégia como uma atividade por si só, separada da política. Até mesmo o famoso dito de Clausewitz de que a guerra é a continuação da política por outros meios dá a entender que com a guerra o estadista ingressa em uma fase nova e distinta.

Sun Tzu funde os dois campos. Enquanto os estrategistas ocidentais refletem sobre os meios de reunir poder superior no ponto decisivo, Sun Tzu aborda os modos de constituir uma posição política e psicológica dominante, de tal modo que o desfecho de um conflito se torne um resultado já imediatamente previsível. Estrategistas ocidentais testam suas máximas pelas vitórias em batalhas; Sun Tzu, pelas vitórias em que batalhas se tornaram desnecessárias.

O texto de Sun Tzu sobre a guerra não exibe aquele tom de exaltação de parte da literatura europeia sobre o assunto, assim como tampouco apela ao heroísmo pessoal. Sua qualidade sombria reflete-se na prodigiosa abertura de *A Arte da Guerra*:

A guerra é
Um grave assunto de Estado;
É um lugar
De vida e morte,
Uma estrada
Para a sobrevivência e a extinção,
Uma questão
A ser ponderada cuidadosamente.[32]

E, como as consequências da guerra são tão graves, a prudência é o valor a ser mais prezado:

Um governante
Não deve jamais
Mobilizar seus homens
Movido pela raiva;
Um general não deve jamais
Lançar-se ao combate
Movido pelo rancor...

Raiva
Pode tornar-se
Prazer;
Rancor
Pode tornar-se
Alegria.
Mas uma nação destruída
Nunca mais
Poderá ser refeita outra vez;
Um homem morto

Não pode
Ser trazido de volta à vida.

Assim o governante esclarecido
É prudente;
O general eficiente
É cauteloso.
Esse é o Caminho
Para manter uma nação
Em paz
E um exército
Intacto.[33]

Em que um homem de Estado deve se mostrar prudente? Para Sun Tzu, a vitória não é simplesmente o triunfo das forças armadas. Em vez disso, é a realização dos objetivos políticos supremos que o conflito militar pretendia assegurar. Muito melhor do que desafiar o inimigo no campo de batalha é solapar a moral do inimigo ou empurrá-lo para uma posição desfavorável da qual seja impossível escapar. Pelo fato de a guerra ser uma empreitada desesperada e complexa, o autoconhecimento é crucial. A estratégia se resolve em uma disputa psicológica:

A suprema excelência está
Não em vencer
Toda batalha
Mas em derrotar o inimigo
Sem sequer combater.
A mais elevada forma de guerrear
É atacar
A própria estratégia [do inimigo]
Em seguida,
Atacar [suas]
Alianças.
Em seguida,
Atacar

Exércitos;
A mais baixa forma de guerra é
Atacar
Cidades.
Cercos
São os últimos recursos...

O Estrategista Habilidoso
Derrota o inimigo
Sem batalhar,
Captura a cidade
Sem executar cercos,
Esmaga o Estado inimigo
Sem uma guerra prolongada.[34]

De modo ideal, o comandante atingiria uma posição de tal domínio que evitaria a batalha inteiramente. Ou então ele usaria armas para desferir um golpe de misericórdia após uma análise extensa e preparativos logísticos, diplomáticos e psicológicos. Desse modo Sun Tzu aconselha que

O exército vitorioso
É vitorioso primeiro
E busca a batalha depois;
O exército derrotado
Realiza a batalha primeiro
E busca a vitória depois.[35]

Como os ataques contra a estratégia de um oponente e suas alianças envolvem psicologia e percepção, Sun Tzu coloca considerável ênfase no uso de subterfúgio e desinformação. "Quando hábil", aconselhava,

Finja inabilidade;
Quando mobilizando,
Aparente não estar.
Quando perto,

Aparente estar longe;
Quando longe,
Aparente estar perto.[36]

Para o comandante que segue os preceitos de Sun Tzu, uma vitória alcançada indiretamente por meio de logro e manipulação é mais humanitária (e certamente mais econômica) do que um triunfo por meio de uma força superior. *A Arte da Guerra* aconselha o comandante a induzir seu oponente a concretizar os objetivos do próprio comandante ou forçá-lo a uma posição tão impossível que ele opte pela rendição de seu exército ou de seu Estado ileso.

Talvez a visão mais importante de Sun Tzu tenha sido de que, em uma disputa militar ou estratégica, tudo é relevante e está interligado: clima, terreno, diplomacia, relatórios de espiões e agentes duplos, suprimentos e logística, o equilíbrio de forças, percepções históricas, fatores intangíveis como surpresa e moral. Cada fator desses influencia os demais, dando surgimento a sutis mudanças de ímpeto e vantagem relativa. Não há eventos isolados.

De tal modo que a tarefa de um estrategista é menos analisar uma situação particular do que determinar seu relacionamento com o contexto onde ela ocorre. Nenhuma constelação particular pode estar estática; qualquer padrão é temporário e em essência está evoluindo. O estrategista deve capturar a direção dessa evolução e fazer com que sirva a seus fins. Sun Tzu usa a palavra *shi* para essa qualidade, um conceito que não conhece correspondente ocidental.[37] No contexto militar, *shi* designa a tendência estratégica e a "energia potencial" de uma situação em transformação, "o poder inerente no arranjo particular de elementos e [...] sua tendência de desenvolvimento".[38] Em *A Arte da Guerra*, a palavra designa a sempre cambiante configuração de forças bem como sua tendência geral.

Para Sun Tzu, o estrategista que domina o *shi* é semelhante à água fluindo colina abaixo, automaticamente encontrando o curso mais rápido e fácil. Um comandante bem-sucedido espera antes de se jogar de cabeça na batalha. Ele se esquiva diante da força do inimigo; passa o tempo observando e cultivando mudanças na paisagem estratégica. Ele estuda os preparativos do inimigo e sua moral, poupa esforços e os define cuidadosamente, e joga com as fraquezas psicológicas de seu oponente — até enfim perceber o momento oportuno para atingir o inimigo em seu ponto mais fraco. Em seguida mobiliza seus recursos de modo rápido e súbito, "colina abaixo" pela trilha de menor resistência, em uma afirmação de superioridade que o *timing* e a preparação apropriados tornaram um fato consumado.[39] *A Arte da Guerra* articula menos uma doutrina de conquista territorial do que de dominação psicológica; foi desse modo que os norte-vietnamitas lutaram contra os americanos (embora Hanói geralmente traduzisse suas vitórias psicológicas também como genuínas conquistas territoriais).

Em geral, a habilidade chinesa de governar exibe uma tendência a ver toda a paisagem estratégica como parte de um único todo: bom e mau, perto e longe, força e fraqueza, passado e futuro, tudo inter-relacionado. Ao contrário da abordagem ocidental de tratar a história como um processo de modernidade atingindo uma série de vitórias absolutas sobre o mal e o atraso, a visão tradicional chinesa da história enfatiza um processo cíclico de decadência e retificação, em que a natureza e o mundo podem ser ambos compreendidos, mas não completamente dominados. O melhor que se pode realizar é crescer em harmonia com isso. A estratégia e a arte do governo tornam-se meios de "coexistência combativa" com os oponentes. O objetivo é manipulá-los a se enfraquecer enquanto o próprio *shi*, ou posicionamento estratégico, é construído.[40]

Essa abordagem "de manobra" é, sem dúvida, o ideal, mas nem sempre corresponde à realidade. Durante toda sua história, os chineses conheceram sua cota de conflitos brutais e "pouco sutis", tanto internamente como ocasionalmente no exterior. Uma vez que esses conflitos eclodiram, como durante a unificação da China sob a dinastia Qin, os choques do período dos Três Reinos, a debelação da Rebelião Taiping e a guerra civil do século XX, a China viu-se sujeita a uma perda indiscriminada de vidas em um nível comparável ao das guerras mundiais europeias. Os conflitos mais sangrentos ocorreram como resultado do colapso do sistema interno chinês — em outras palavras, como um aspecto de ajustes internos de um Estado para o qual a estabilidade doméstica e a proteção contra a ameaça de invasão estrangeira são preocupações equivalentes.

Para os sábios clássicos da China, o mundo nunca poderia ser conquistado; governantes sábios podiam esperar, quando muito, harmonizar-

-se com suas tendências. Não havia um Novo Mundo a ser povoado, nenhuma redenção aguardando a humanidade em praias distantes. A terra prometida era a China, e os chineses já estavam lá. As dádivas da cultura do Império do Meio podiam teoricamente ser estendidas, pelo exemplo superior da China, aos estrangeiros da periferia do império. Mas não havia glória a ser obtida em se aventurar do outro lado do oceano para converter "pagãos" aos modos chineses; os costumes da dinastia Celestial estavam muito além do alcance dos bárbaros distantes.

Esse pode ser o significado mais profundo do abandono chinês de sua tradição naval. Numa palestra na década de 1820, falando sobre sua filosofia da história, o filósofo alemão Hegel descreveu a tendência chinesa de ver o imenso oceano Pacífico a leste do país como uma vastidão estéril. Ele observou que a China, de um modo geral, não se aventurava pelos mares e em vez disso dependia de sua grande massa de terra. A terra impunha "uma variedade infinita de dependências", ao passo que o oceano impelia as pessoas "para além desses círculos limitados de pensamento e ação": "Esse estiramento mar adentro, para além das limitações da terra, é uma lacuna nos esplêndidos edifícios políticos dos Estados asiáticos, embora eles próprios margeiem o oceano — como por exemplo a China. Para eles, o mar é apenas o limite, a cessação da terra; eles não mantêm relações positivas com o oceano." O Ocidente se fez ao mar para disseminar seu comércio e seus valores mundo afora. Nesse aspecto, Hegel argumentou, restringida à terra firme, a China — que na verdade fora um dia a maior potência naval do mundo — foi "afastada dos acontecimentos históricos gerais".[41]

Com essas tradições distintivas e hábitos de superioridade milenares, a China entrou na idade moderna como um tipo singular de império: um Estado reivindicando relevância universal devido a sua cultura e a suas instituições, mas empenhando poucos esforços em fazer proselitismo; o país mais rico do mundo, mas que era indiferente ao comércio exterior e à inovação tecnológica; uma cultura de cosmopolitismo supervisionada por uma elite política cega ao início da era ocidental da exploração; e uma unidade política de extensão geográfica sem paralelos que ignorava as correntes tecnológicas e históricas que em breve ameaçariam sua existência.

CAPÍTULO 2

A questão do *kowtow* e a Guerra do Ópio

NO CREPÚSCULO do século XVIII, a China estava no auge de sua grandeza imperial. A dinastia Qing, estabelecida em 1644 por tribos manchus que cavalgaram até a China pelo nordeste, havia transformado a nação em uma grande potência militar. Combinando a destreza militar manchu e mongol com as realizações culturais e a destreza em governar dos chineses han, o país embarcou em um programa de expansão territorial a norte e a leste, estabelecendo uma profunda esfera de influência chinesa na Mongólia, no Tibete e na atual região de Xinjiang. A China ocupava uma posição predominante na Ásia; podia no mínimo rivalizar com qualquer império da terra.[1]

Contudo, o ponto alto da dinastia Qing também se tornou o ponto crítico de seu destino. Pois a riqueza e a extensão da China atraíram a atenção dos impérios ocidentais e das companhias comerciais operando completamente fora dos limites e instrumentos conceituais da tradicional ordem mundial chinesa. Pela primeira vez na história, a China se defrontou com "bárbaros" que não almejavam tirar o lugar da dinastia chinesa e reivindicar o Mandato Celestial para si mesmos; em vez disso, propunham substituir o sistema sinocêntrico por uma visão inteiramente nova da ordem mundial — com o livre-comércio, não o tributo, embaixadores residentes na capital chinesa e um sistema de intercâmbio diplomático que não aludisse aos chefes de Estado não chineses como "honoráveis bárbaros" prestando vassalagem ao seu imperador em Pequim.

Desconhecidas das elites chinesas, essas sociedades estrangeiras haviam desenvolvido novos métodos industriais e científicos que, pela primeira vez em séculos — ou talvez em toda a história —, suplantavam os da China. Energia a vapor, estradas de ferro e novos métodos de produção e formação de capital possibilitaram enormes avanços na produtividade do Ocidente. Imbuídos de um impulso conquistador que os lançou dentro da esfera de dominação tradicional da China, as potências ocidentais consideraram risíveis as pretensões chinesas de soberania universal sobre a Europa e a Ásia. Estavam determinadas a impor à China seus próprios padrões de conduta internacional, se necessário, à força. O confronto resultante desafiou a cosmologia chinesa básica e deixou feridas que ainda não haviam cicatrizado mais de um século depois, numa era de restauração da proeminência chinesa.

No início do século XVII, as autoridades chinesas haviam notado a quantidade cada vez maior de comerciantes europeus na costa sudeste da China. Não viam grandes diferenças entre os europeus e outros estrangeiros operando nas fronteiras do império, salvo talvez sua particularmente evidente falta de dotes culturais chineses. Na visão oficial do país, esses "bárbaros do Mar Ocidental" eram classificados como "enviados de tributo" ou "mercadores bárbaros". Em raras ocasiões, alguns recebiam permissão para viajar a Pequim, onde — se admitidos na presença do imperador — deveriam realizar o ritual do *kowtow*, prostrando-se reverentemente e tocando o chão com a testa por três vezes.

Para os representantes estrangeiros, os pontos de entrada na China e as rotas para a capital eram estritamente circunscritas. O acesso ao mercado chinês estava limitado a um comércio sazonal estritamente regulamentado em Guangzhou (conhecida à época como Cantão). Todo inverno, mercadores estrangeiros recebiam ordens de navegar de volta para seus países. Não lhes era permitido se aventurar pelo interior da China. Os regulamentos deliberadamente os mantinham à distância. Era contra a lei ensinar a língua chinesa a esses bárbaros ou lhes vender livros sobre história ou cultura chinesa. A comunicação com eles tinha de ser feita por mercadores locais dotados de uma autorização especial.[2]

As noções de livre-comércio, embaixadas residentes e igualdade soberana — a essa altura, os direitos mínimos conquistados pelos europeus em quase qualquer outro canto do mundo — eram desconhecidas da China.

Uma tácita exceção havia sido feita à Rússia. Sua rápida expansão rumo leste (os domínios do czar agora bordejavam os territórios Qing em Xinjiang, na Mongólia e Manchúria) a deixara em uma posição única para ameaçar a China. A dinastia Qing, em 1715, permitiu o estabelecimento de uma missão ortodoxa russa em Pequim; ela acabou assumindo o papel de uma embaixada de fato, a única missão estrangeira desse tipo na China durante mais de um século.

Os contatos estendidos aos comerciantes da Europa Ocidental, por mais limitados que fossem, eram vistos pelos Qing como uma indulgência considerável. O Filho do Céu havia, sob a perspectiva chinesa, mostrado sua benevolência permitindo-lhes participação no comércio chinês — particularmente chá, seda, objetos de laca e ruibarbo, pelos quais os bárbaros do Mar Ocidental haviam desenvolvido um apetite voraz. A Europa era distante demais do Império do Meio para algum dia ser sinizada nas linhas da Coreia ou do Vietnã.

Inicialmente, os europeus aceitaram o papel de suplicantes na ordem tributária chinesa, em que eram rotulados como "bárbaros", e seu comércio, como "tributo". Mas, à medida que as potências ocidentais cresciam em riqueza e convicção, esse estado de coisas ficava insustentável.

A missão Macartney

Os pressupostos da ordem mundial chinesa eram particularmente ofensivos para os britânicos ("bárbaros de cabelos vermelhos", em alguns registros chineses). Como principal potência naval e comercial do Ocidente, a Inglaterra se enfurecia com o papel a ela designado na cosmologia do Império do Meio, cujo exército, observaram os britânicos, ainda utilizava sobretudo arcos e flechas e cuja marinha era praticamente inexistente. Os comerciantes britânicos se ressentiam das crescentes "taxas" pagas aos mercadores chineses licenciados em Guangzhou, por cujo intermédio todos os negócios dos ocidentais deviam ser conduzidos, segundo as leis chinesas. Eles buscavam acesso ao restante do mercado chinês além da costa sudeste.

A primeira grande tentativa britânica de remediar a situação foi a missão de 1793-1794 de Lord George Macartney para a China. Foi o mais notável, bem-concebido e menos "militarista" esforço europeu de alterar o formato prevalecente das relações sino-ocidentais e de conquistar o livre--comércio e a representação diplomática em iguais termos. Fracassou completamente.

É instrutivo examinar a missão Macartney detalhadamente. O diário do enviado ilustra como a percepção chinesa de seu papel funcionava na prática — e o abismo existente entre os conceitos ocidental e chinês de diplomacia. Macartney era um funcionário público de renome com anos de experiência internacional e um agudo senso de diplomacia "oriental". Era também um homem de notáveis realizações culturais. Havia servido três anos como enviado extraordinário à corte de Catarina, a Grande, em São Petersburgo, onde negociou um tratado de amizade e comércio. Ao regressar, publicou um bem-recebido volume de observações sobre a história e cultura russas. Posteriormente, servira como governador em Madras. Estava tão bem-equipado quanto qualquer um de seus contemporâneos para inaugurar uma nova diplomacia entre civilizações.

Os objetivos da missão Macartney na China teriam parecido modestos para qualquer britânico instruído da época — sobretudo se comparado com o domínio britânico recém-estabelecido sobre sua vizinha gigante, a Índia. O secretário do Home Office britânico, Henry Dundas, concebeu as instruções a Macartney como uma tentativa de atingir "uma comunicação livre com um povo, talvez o mais singular do globo". Os principais objetivos eram o estabelecimento de embaixadas recíprocas em Pequim e Londres e acesso comercial a outros portos ao longo da costa chinesa. Quanto a esse último aspecto, Dundas encarregou Macartney de chamar a atenção chinesa para o sistema de regulamentações "desencorajador" e "arbitrário" em Guangzhou que impedia os comerciantes ingleses de participar da "competição justa do Mercado" (conceito sem contrapartida direta na China de Confúcio). Ele devia ainda, enfatizou Dundas, negar quaisquer ambições territoriais na China — garantia que fatalmente seria considerada um insulto ao ser recebida, pois dava a entender que a Inglaterra tinha a opção de acalentar tais ambições.[3]

O governo britânico tratava a corte chinesa em termos de igualdade, o que para os ocupantes do poder na Inglaterra parecia significar conceder a um país não ocidental um grau incomum de dignidade, enquanto na

China isso seria visto como um gesto insolente de insubordinação. Dundas instruiu Macartney a aproveitar "a primeira oportunidade" para deixar a impressão entre a corte chinesa de que o rei George III via a incumbência de seu enviado como "uma missão diplomática à mais antiga e também mais populosa Nação do Mundo, a fim de observar suas célebres instituições e transmitir e receber os benefícios que devem resultar de um intercâmbio sem reservas e amigável entre os dois países". Dundas instruiu Macartney a consentir com "todos os cerimoniais daquela Corte que não venham a comprometer a honra de seu Soberano ou atentar contra sua própria dignidade, de modo a não colocar em risco o sucesso de sua negociação". Não deveria, enfatizou Dundas, "permitir que nenhuma formalidade frívola se interpusesse no caminho dos importantes benefícios que podiam ser obtidos" pelo sucesso de sua missão.[4]

Para ajudá-lo em seu objetivo, Macartney trouxe consigo inúmeros exemplos dos feitos científicos e industriais ingleses. O grupo de Macartney incluía um cirurgião, um médico, um mecânico, um metalúrgico, um relojoeiro, um fabricante de instrumentos matemáticos e "Cinco Músicos Alemães" que deveriam se apresentar toda noite. (Essas apresentações iriam se constituir num dos aspectos mais bem-sucedidos da missão.) Seus presentes para o imperador incluíam produtos manufaturados destinados ao menos em parte a mostrar os fabulosos benefícios que a China poderia obter no comércio com a Inglaterra: peças de artilharia, uma carruagem, relógios de pulso cravejados de diamantes, porcelana inglesa (copiada, observaram os funcionários Qing de modo aprovador, do artesanato chinês) e retratos do rei e da rainha pintados por Joshua Reynolds. Macartney levou até um balão de ar quente vazio, planejando enviar membros de sua própria missão num voo de demonstração sobre Pequim, mas o plano fracassou.

A missão Macartney não cumpriu nenhum de seus objetivos específicos; as diferenças de percepção eram simplesmente grandes demais. Macartney pretendera demonstrar os benefícios da industrialização, mas o imperador entendeu seus presentes como um tributo. O enviado britânico esperava que seus anfitriões chineses reconhecessem que haviam ficado irremediavelmente para trás com o progresso da civilização tecnológica e buscassem um relacionamento especial com os britânicos para corrigir esse atraso. Na verdade, os chineses trataram os britânicos como uma tribo bárbara arrogante e desinformada cortejando favor especial junto ao Filho do Céu. A China permaneceu aferrada aos seus costumes agrários, com sua população crescente tornando a produção de alimento mais urgente do que nunca, e sua burocracia confucionista ignorando os elementos-chave da industrialização: energia a vapor, crédito e capital, propriedade privada e ensino público.

A primeira nota discordante ocorreu quando Macartney e sua entourage se encaminhavam a Jehol, a capital de verão a noroeste de Pequim, percorrendo a costa em iates chineses generosamente carregados com presentes e iguarias, mas portando letreiros em chinês que proclamavam "O Embaixador Inglês levando tributo ao Imperador da China". Macartney resolveu, conforme as instruções de Dundas, "não me queixar a respeito, aguardando para comentar caso uma oportunidade apropriada se apresente".[5] Quando se aproximava de Pequim, contudo, os mandarins encarregados de administrar a missão deram início a uma negociação que lançou essas diferenças de percepção sob uma luz mais nítida. A questão era se Macartney iria fazer o *kowtow* diante do imperador ou se, como ele insistia, seguiria o costume britânico de abaixar sobre um joelho.

O lado chinês iniciou o debate de um modo tortuoso, observando, como Macartney registrou em seu diário, "os diferentes modos de trajar predominantes entre as diferentes nações". Os mandarins concluíram que as roupas chinesas eram, afinal de contas, superiores, uma vez que permitiam à pessoa realizar com mais conforto "as genuflexões e prostrações que eram, eles disseram, costumeiramente feitas por todas as pessoas sempre que o imperador aparecia em público". Acaso a delegação britânica não acharia mais confortável se despir de suas pesadas jarreteiras e fivelas nos joelhos antes de se aproximar da presença augusta do imperador? Macartney contra-argumentou dizendo que o imperador provavelmente apreciaria que o enviado lhe prestasse "a mesma reverência que dedicava ao meu próprio soberano".[6]

A discussão sobre a "questão do *kowtow*" continuou de forma intermitente por mais várias semanas. Os mandarins sugeriram que as opções de Macartney eram fazer o *kowtow* ou voltar para casa de mãos abanando; Macartney resistiu. No fim, ficou acertado que Macartney poderia seguir o costume europeu e abaixar sobre um joelho. Isso se mostrou o único ponto em que Macartney levou a melhor (pelo menos enquanto conduta de fato; o relatório chinês oficial registrou que Macartney, tomado pela impressionante majestade do imperador, havia realizado o *kowtow*, no fim das contas).[7]

Tudo isso ocorreu dentro da intrincada estrutura do protocolo chinês, que mostrou a Macartney tratamento muito atencioso enquanto frustava e rejeitava suas propostas. Cercado de todos os lados pelo onipresente protocolo e advertido de que cada aspecto dele possuía um propósito cosmicamente ordenado e inalterável, Macartney se viu numa posição dificilmente propícia a sequer começar suas negociações. Enquanto isso, observava com uma mistura de respeito e desconforto a eficiência da vasta burocracia chinesa, registrando que "cada circunstância que nos diga respeito e cada palavra saída de nossos lábios é minuciosamente registradas e lembradas".[8]

Para consternação de Macartney, as maravilhas tecnológicas da Europa não causaram qualquer impressão discernível em seus anfitriões. Quando seu grupo montou e fez uma demonstração com os canhões, "nosso guia fingiu fazer pouco caso deles e falou como se tais coisas não fossem novidade alguma na China".[9] Suas lentes, carruagem, balão de ar quente, foram todos postos de lado com polida condescendência.

Um mês e meio depois, o embaixador continuava esperando por uma audiência com o imperador, o intervalo sendo consumido em banquetes, entretenimentos e discussões sobre o protocolo apropriado para uma possível audiência imperial. Finalmente, ele foi convocado às quatro da manhã a uma "tenda enorme e muito bela", a fim de aguardar o imperador, que pouco depois apareceu com grande cerimônia, carregado em um palanquim. Macartney ficou maravilhado com a magnificência do protocolo chinês, em que "cada função da cerimônia foi realizada com tal silêncio e solenidade como se em certa medida para se assemelhar à celebração de um mistério religioso".[10] Após entregar presentes a Macartney e seu grupo, o imperador cortejou o grupo britânico "enviando-nos diversos pratos de sua própria mesa" e depois dando "a cada um de nós, com suas próprias mãos, uma taça de vinho morno, que imediatamente bebemos em sua presença".[11] (Observe-se que o imperador ter servido vinho pessoalmente para enviados estrangeiros era especificamente mencionado entre os cinco chamarizes da dinastia Han para lidar com bárbaros.)[12]

No dia seguinte, Macartney e seu grupo compareceram a uma convocação para comemorar o aniversário do imperador. Finalmente, o imperador convocou Macartney ao seu camarote em uma apresentação teatral. Agora, presumia Macartney, ele poderia conduzir os negócios de sua missão. Em vez disso, o imperador o repeliu com outro presente, uma caixa de pedras preciosas e, registrou Macartney, "um pequeno livro, escrito e pintado à mão por ele próprio, que era seu desejo ver presenteada ao rei, meu mestre, como símbolo de sua amizade, dizendo que a caixa estava em sua família havia oitocentos anos".[13]

Agora que esses símbolos de benevolência imperial haviam sido concedidos, os funcionários chineses sugeriram que, em vista do inverno iminente, chegara a hora de Macartney partir. Macartney protestou que os dois lados ainda precisavam "entrar em negociação" a respeito de pontos de suas instruções oficiais; que ele "mal iniciara sua incumbência". Era desejo do rei George, frisou Macartney, que recebesse autorização de residir na corte chinesa de forma permanente, como embaixador britânico.

No início da manhã de 3 de outubro de 1793, um mandarim acordou Macartney e o convocou, plenamente trajado em uniforme de gala, à Cidade Proibida, onde receberia a resposta ao seu pedido. Após uma espera de várias horas, conduziram-no por uma escadaria até uma poltrona coberta de seda, sobre a qual não estava o imperador, mas uma carta do imperador para o rei George. Os funcionários chineses fizeram o *kowtow* para a carta, permitindo que Macartney fizesse a reverência para ela sobre um joelho. Finalmente, a missiva imperial foi transportada de volta para os aposentos de Macartney com toda pompa. Como se veria, era uma das mensagens mais humilhantes dos anais da diplomacia britânica.

O decreto começava comentando a "respeitosa humildade" do rei George em enviar uma missão diplomática à China:

> Vós, ó Rei, viveis além dos confins de muitos oceanos, entretanto, impelido por vosso humilde desejo de compartilhar dos benefícios de nossa civilização, despachastes uma missão respeitosamente portando vosso memorial.

O imperador então rejeitava todos os pedidos relevantes que Macartney fizera, incluindo a proposta de que o enviado recebesse permissão de residir em Pequim como diplomata:

> Quanto a vossa solicitação de enviar um de seus conterrâneos para ser acolhido em minha Corte Celestial e ficar no controle do comércio de vosso país com a China, esse pedido é contrário a todos os costumes de minha dinastia e não pode de modo algum ser cogitado. [...] [Ser-lhe-ia impossível] permitir liberdade de movimento e o privilégio de se corresponder com seu país natal; de modo que vossa alteza proveito algum extrairia de tê-lo residindo em nosso meio.

A proposta de que a China enviasse seu próprio embaixador para Londres, continuava o decreto, era ainda mais absurda:

> Supondo que eu enviasse um embaixador para residir em vosso país, como vós poderíeis de algum modo providenciar para ele os necessários arranjos? A Europa consiste de muitas outras nações além da vossa: se cada uma e todas elas exigissem ser representadas em nossa Corte, como poderíamos de algum modo consentir? A coisa é inteiramente impraticável.

Talvez, calculava o imperador, o rei George houvesse enviado Macartney para aprender as bênçãos da civilização com a China. Mas isso, também, estava fora de questão:

> Se vós asseverais que vossa reverência por Nossa Dinastia Celestial vos enche do desejo de adquirir nossa civilização, nossos cerimoniais e nosso código de leis divergem tão completamente dos vossos que, ainda que vosso enviado fosse capaz de adquirir os rudimentos de nossa civilização, vós não poderíeis de modo algum transplantar nossos modos e costumes para vosso solo estrangeiro.

Quanto às propostas de Macartney relativas aos benefícios do comércio entre Inglaterra e China, a Corte Celestial já concedera aos britânicos grande mercê ao lhes permitir "plena liberdade para comerciar no Cantão durante um ano inteiro"; qualquer coisa além disso era "completamente despropositada". Quanto aos supostos benefícios do comércio britânico com a China, Macartney estava tristemente equivocado:

> Objetos exóticos e caros não me interessam. Se ordenei que as oferendas por vós enviadas como tributo, ó Rei, fossem aceitas, foi somente em consideração pelo espírito que vos impeliu a despachá-las de tão longe. [...] Como vosso embaixador pode ver por si mesmo, possuímos todas as coisas.[14]

Dado esse estado de coisas, o comércio além do que já tinha lugar era impossível. A Inglaterra nada tinha a oferecer que a China quisesse, e a China já concedera à Inglaterra tudo que seus divinos regulamentos permitiam.

Uma vez que aparentemente nada mais havia a ser feito, Macartney decidiu regressar à Inglaterra via Guangzhou. Enquanto se preparava para partir, observou que, após a brusca rejeição do imperador aos pedidos britânicos, os mandarins, se de fato mudaram alguma coisa, estavam mais atenciosos, levando Macartney a refletir que talvez a corte estivesse incerta de sua decisão. Ele fez perguntas nesse sentido, mas os chineses já estavam por aqui de cortesias diplomáticas. Uma vez que o bárbaro suplicante parecia não compreender sutilezas, foi regalado com um decreto imperial beirando a ameaça. O imperador assegurava ao rei George que estava consciente da "localização solitária e remota de vossa ilha, separada do mundo por uma vastidão de oceano". Mas a capital chinesa era "o eixo e o centro em torno do qual todos os cantos do mundo giravam. [...] Os súditos de nossos protetorados nunca receberam permissão de abrir locais para negociar em Pequim". Ele concluía com uma admoestação:

> Portanto já vos esclareci quanto aos fatos em detalhe, e é vosso sagrado dever levar meus sentimentos em consideração e obedecer a essas instruções doravante e para sempre, de modo que possais usufruir as bênçãos da perpétua paz.[15]

O imperador, claramente não familiarizado com a capacidade dos líderes ocidentais para a violência ávida, estava brincando com fogo, embora não fizesse ideia. A avaliação de Macartney ao deixar a China foi ominosa:

> Umas poucas fragatas inglesas excederiam em poderio a inteira potência naval de seu império [...] em metade de um verão poderiam arruinar toda a navegação de suas costas e reduzir os habitantes das províncias marítimas, que subsistem principalmente de peixe, à absoluta fome.[16]

Por mais arrogante que a conduta chinesa pudesse parecer nesse momento, devemos ter em mente que funcionara durante séculos para organizar e sustentar uma ordem internacional de proporções significativas. Na época de Macartney, as bênçãos do comércio com o Ocidente estavam longe de serem óbvias: uma vez que o PIB chinês era ainda cerca de sete vezes maior que o da Grã-Bretanha, o imperador talvez pudesse ser perdoado por achar que era Londres que precisava do auxílio de Pequim, e não o contrário.[17]

Sem dúvida a corte imperial se parabenizou por lidar habilmente com aquela missão bárbara, que não se repetiu durante os vinte anos seguintes. Mas o motivo para esse intervalo foi menos a habilidade da diplomacia chinesa do que as Guerras Napoleônicas, que consumiram os recursos dos Estados europeus. Nem bem se viram livres de Napoleão, e uma nova missão britânica apareceu no litoral da China, em 1816, liderada por Lord Amherst. Dessa vez, o impasse protocolar cede lugar a uma altercação física entre os enviados britânicos e os mandarins da corte perfilados fora da sala do trono. Quando Amherst se recusou a fazer o *kowtow* diante do imperador, a quem os chineses insistiam em se referir como "o soberano universal", a missão foi abruptamente dispensada. O príncipe regente da Inglaterra recebia ordens de se conduzir com "obediência" para "fazer progresso na direção da transformação civilizada"; nesse meio-tempo, nenhum outro embaixador era necessário "para provar que sois de fato nosso vassalo".[18]

Em 1834, o secretário de Assuntos Estrangeiros britânico, Lord Palmerston, enviou outra missão para tentar uma solução definitiva. Palmerston, que não era conhecido por sua perícia em regulamentos da dinastia

Qing, despachou o oficial naval escocês Lord Napier com as instruções contraditórias de "se conformar às leis e aos usos da China", enquanto, ao mesmo tempo, solicitava relações diplomáticas permanentes e uma embaixada britânica residente em Pequim, acesso a mais portos ao longo da costa chinesa e, para completar, livre-comércio com o Japão.[19]

Quando Napier chegou a Guangzhou, ele e o governador local viram-se num impasse: ambos se recusavam a receber as cartas um do outro alegando que isso significaria um aviltamento ao travar relações com um indivíduo de status tão inferior. Napier, que as autoridades locais, a essa altura, haviam batizado com um nome chinês que significava "Diligentemente Vil", começou a espalhar cartazes beligerantes por toda Guangzhou usando os serviços de um tradutor local. O destino finalmente resolveu esse incômodo problema bárbaro para os chineses quando tanto Napier quanto seu tradutor contraíram malária e faleceram. Antes de morrer, contudo, Napier notara a existência de Hong Kong, um afloramento rochoso esparsamente povoado que, assim calculava, forneceria um excelente porto natural.

Os chineses podiam se orgulhar de ter forçado mais uma remessa de bárbaros rebelados a se dobrar. Mas era a última vez que os britânicos aceitariam a rejeição. A cada ano que passava, a insistência britânica ficava mais ameaçadora. O historiador francês Alain Peyrefitte resumiu a reação na Grã-Bretanha após a missão de Macartney: "Se a China continuasse fechada, as portas teriam de ser derrubadas."[20] Todas as manobras diplomáticas e rejeições abruptas da China só fizeram adiar um inevitável acerto de contas com o sistema internacional moderno, concebido como era nos moldes europeus e americanos. Esse acerto de contas imporia uma das mais brutais pressões sociais, intelectuais e morais sobre a sociedade chinesa em sua longa história.

O choque de duas ordens mundiais: A Guerra do Ópio

As potências industriais ocidentais em ascensão definitivamente não tolerariam por muito tempo um mecanismo diplomático que se referia a elas como "bárbaros" prestando "tributo", tampouco um comércio sazonal rigidamente regulamentado e limitado a uma única cidade portuária chinesa. De sua parte, os chineses se dispunham a fazer limitadas concessões ao apetite por "lucro" (um conceito vagamente imoral para o pensamento confucionista) dos mercadores ocidentais; mas eles estavam aterrorizados com as insinuações dos enviados do Ocidente de que a China pudesse ser simplesmente um Estado entre muitos, ou de que o país teria de viver em contato diário permanente com emissários bárbaros na capital chinesa.

Para o olhar moderno, nenhuma das propostas iniciais dos enviados ocidentais era particularmente ultrajante pelos padrões do Ocidente: os objetivos de livre-comércio, contatos diplomáticos regulares e embaixadas residentes não ofendem muitas sensibilidades contemporâneas e são tratados como um modo padrão de conduzir a diplomacia. Mas o embate decisivo girou em torno de um dos aspectos mais vergonhosos da intrusão ocidental: a insistência na importação irrestrita de ópio para dentro da China.

Em meados do século XIX, o ópio era tolerado na Grã-Bretanha e proibido na China, embora consumido por um número cada vez maior de chineses. A Índia britânica era o centro da maior parte do cultivo de papoula no mundo, e os comerciantes britânicos e americanos, trabalhando em aliança com contrabandistas chineses, conduziam um negócio agitado. O ópio era, na verdade, um dos poucos produtos estrangeiros a ter progredido no mercado chinês; as célebres manufaturas britânicas eram desprezadas como curiosidades sem valor ou como inferiores aos produtos chineses. A opinião da classe educada ocidental via o comércio do ópio como algo vergonhoso. Entretanto, os mercadores relutavam em largar esse lucrativo negócio.

A corte Qing debateu a legalização do ópio e o controle da venda; mas no fim decidiu desmantelar e erradicar sua comercialização por completo. Em 1839, Pequim despachou Lin Zexu, um oficial de comprovada e considerável habilidade, para acabar com o tráfico em Guangzhou e forçar os mercadores ocidentais a respeitar a proibição oficial. Um mandarim confucionista tradicional, Lin tratou o problema do modo como faria com qualquer assunto bárbaro particularmente intransigente: mediante uma mistura de força e persuasão moral. Ao chegar a Guangzhou, exigiu que as missões comerciais ocidentais entregassem todo seu estoque de ópio para ser destruído. Quando isso fracassou, prendeu todos os estrangeiros — incluindo os que nada tinham a ver com o comércio de ópio — em suas fábricas, anunciando que seriam libertados apenas ao ceder seu contrabando.

Em seguida, Lin despachou uma carta à rainha Vitória, louvando, com toda a deferência que o protocolo tradicional requeria, a "polidez e submissão" de seus predecessores em mandar "tributo" para a China. O ponto central da carta era que a rainha Vitória se encarregasse da erradicação do ópio dos territórios britânicos na Índia:

> Em inúmeras regiões da Índia sob vosso controle, tais como Bengala, Madras, Bombaim, Patna, Benares e Malwa [...] o ópio [tem] sido plantado de uma colina a outra, e açudes foram construídos para sua produção. [...] O cheiro odioso sobe pelo ar, irritando o céu e assustando os espíritos. Na verdade vós, ó Rei, podeis erradicar a plantação de ópio nesses lugares, carpir inteiramente os campos cultivados e semear em seu lugar os cinco grãos. Qualquer um que se atreva a tentar plantar e produzir ópio deve ser severamente punido.[21]

O pedido era razoável, mesmo quando expressado na tradicional presunção de soberania chinesa:

> Suponde que um homem de outro país vá à Inglaterra para comerciar, ele mesmo assim deve obedecer às leis inglesas; em que medida não deve também obedecer na China às leis da Dinastia Celestial? [...] Os mercadores bárbaros de vosso país, se desejam realizar negócios por um período prolongado, precisam obedecer respeitosamente a nossos estatutos e cortar permanentemente a fonte de ópio. [...]
>
> Possais vós, ó Rei, coibir vossos ímpios e joeirar vossos depravados antes que venham à China, a fim de garantir a paz de vossa nação, com o fim de demonstrar ainda mais a sinceridade de sua polidez e submissão, e permitir que os dois países gozem juntos das bênçãos da paz. Que auspicioso, que auspicioso, deveras! Após receber este despacho, queira nos enviar imediatamente uma pronta resposta concernente aos detalhes e circunstâncias da interrupção do tráfico de ópio. Assegurai-vos de não postergar tal medida.[22]

Superestimando a posição da China, o ultimato de Lin ameaçava cortar a exportação de produtos chineses, que segundo supunha eram essenciais para a existência dos bárbaros ocidentais: "Se a China cortar esses benefícios sem mostrar qualquer compaixão pelos que virão a sofrer, então com quem os bárbaros poderão contar para sobreviver?" A China nada tinha a temer com uma retaliação: "os artigos que entram na China vindo de fora podem ser usados apenas como brinquedos. Podemos perfeitamente viver com eles ou sem eles".[23]

A missiva de Lin parece jamais ter chegado à rainha Vitória. Nesse meio-tempo, a opinião pública britânica tratou o cerco de Lin à comunidade inglesa de Guangzhou como uma afronta inaceitável. Os lobistas do "comércio com a China" pleitearam uma declaração de guerra junto ao Parlamento. Palmerston despachou uma carta a Pequim exigindo "satisfações e reparação pelas afrontas infligidas pelas autoridades chinesas aos súditos britânicos residentes na China, e pelos insultos feitos por essas mesmas autoridades à Coroa britânica", bem como a concessão permanente de "uma ou mais ilhas suficientemente grandes e apropriadamente situadas na costa da China" para servir de entreposto ao comércio britânico.[24]

Em sua carta, Palmerston admitiu que o ópio era "contrabando" sob as leis chinesas, mas pendeu por uma defesa legalista do comércio, argumentando que a proibição chinesa, sob os princípios legais ocidentais, falhara graças à conivência direta de oficiais corruptos. Esse argumento não tinha chance de convencer ninguém, e Palmerston não permitiu que o impedisse em sua firme determinação de pôr todas as cartas na mesa: à luz da "importância urgente" da questão e da grande distância que separava a Inglaterra da China, o governo britânico ordenava que uma frota imediatamente "bloqueasse os principais portos chineses", tomasse "todas as embarcações chinesas que [esta] cruzasse pelo caminho" e tomasse "alguma parte conveniente do território chinês" até Londres ter recebido satisfações.[25] A Guerra do Ópio começara.

Inicialmente chineses avaliaram a perspectiva de uma ofensiva britânica como uma ameaça sem fundamento. Um funcionário argumentou diante do imperador que a vasta distância entre a China e a Inglaterra deixaria os ingleses impotentes: "Os bárbaros ingleses são uma raça insignificante e detestável, confiando cegamente em seus navios poderosos e enormes canhões; mas a distância imensa que terão atravessado tornará a chegada periódica de provisões impossível, e seus soldados, após uma única derrota, vendo-se privados de suprimentos, ficarão desencorajados e perdidos."[26] Mesmo depois de os ingleses terem bloqueado o rio das Pérolas e tomado diversas ilhas diante da cidade portuária de Ningbo como uma demonstração de força, Lin escreveu indignado à rainha Vitória: "Vossos selvagens dos oceanos distantes ficaram tão ousados, aparentemente, a ponto de desafiar e insultar nosso poderoso império. A bem da verdade, já está mais do que na hora de 'receberdes uma descompostura e purificardes vosso coração', e de corrigirdes vossos modos. Se vos submeterdes humildemente à dinastia Celestial e oferecerdes vossa sujeição, talvez isso vos dê uma chance de purgardes vossos pecados passados."[27]

Séculos de primazia distorceram o senso de realidade da Corte Celestial. A pretensão de superioridade apenas fez acentuar a inevitável humilhação. Os navios britânicos romperam facilmente as defesas costeiras chinesas e bloquearam os principais portos do país. Os canhões outrora desprezados pelas contrapartes mandarins de Macartney entraram em ação com consequências brutais.

Um funcionário chinês, Qishan, o vice-rei de Zhili (a divisão administrativa que na época englobava Pequim e as províncias circundantes), veio a compreender a vulnerabilidade da China quando foi enviado para estabelecer contato preliminar com uma frota inglesa que se dirigira ao norte para Tianjin. Ele reconheceu que os chineses eram incapazes de fazer frente ao poder de fogo naval dos britânicos: "Sem o menor vento, ou mesmo maré favorável, eles [os navios a vapor] deslizam contra a corrente e são capazes de fantástica velocidade. [...] Suas peças de artilharia são montadas sobre suportes giratórios, possibilitando aos canhões serem virados e apontados para todas as direções." Por outro lado, Qishan estimava que as armas chinesas eram refugos da dinastia Ming, e que "os encarregados dos assuntos militares são funcionários estudiosos de literatura [...] não têm o menor conhecimento de armamentos".[28]

Concluindo que a cidade estava indefesa diante do poder naval britânico, Qishan optou por acalmar e distrair os britânicos, assegurando-lhes que a confusão em Guangzhou fora um mal-entendido, e que não refletia "as intenções moderadas e justas do imperador". Os funcionários chineses iriam "investigar e tratar a questão com toda a justiça", mas antes era "imperativo que [a armada britânica] partisse para o sul" e aguardasse os inspetores chineses por lá. Surpreendentemente, até certo ponto, essa manobra funcionou. A força inglesa recuou para os portos ao sul, deixando as vulneráveis cidades do norte ilesas.[29]

Baseado nesse triunfo, Qishan foi então enviado a Guangzhou para substituir Lin Zexu e lidar mais uma vez com os bárbaros. O imperador, que parece não ter captado a extensão da vantagem tecnológica inglesa, instruiu Qishan para segurar os representantes britânicos com extensas discussões enquanto a China reunia suas forças: "Depois que a prolongada negociação houver exaurido e enfraquecido os bárbaros", comentou com sua pena embebida em vermelhão imperial, "poderemos atacá-los subitamente e desse modo subjugá-los".[30] Lin Zexu teve uma expulsão desonrosa do cargo por ter provocado um ataque bárbaro. Seu destino foi o exílio interno no distante oeste chinês, onde refletiu sobre a superioridade dos armamentos ocidentais e redigiu relatórios secretos aconselhando a China a desenvolver seus próprios.[31]

Uma vez em seu posto na China meridional, porém, Qishan viu-se confrontado com uma situação mais desafiadora. Os ingleses exigiam concessões territoriais e uma indenização. Haviam se deslocado para o sul a fim de esperar satisfações; não iriam mais se deixar deter por táticas de procrastinação. Depois que as forças britânicas abriram fogo contra diversos pontos da costa, Qishan e sua contraparte britânica, o capitão Charles Elliot, negociaram a prévia de um acordo, a Convenção de Chuan-pi, que garantia aos britânicos direitos especiais em Hong Kong, prometia uma indenização de 6 milhões de dólares e garantia que futuras negociações entre dignitários chineses e britânicos teriam lugar em iguais termos (isto é, os ingleses seriam poupados do protocolo normalmente reservado aos suplicantes bárbaros).

Esse acordo foi rejeitado tanto pelo governo chinês como pelo britânico, ambos os quais viram seus termos como uma humilhação. Por ter excedido suas instruções e feito concessões demais aos bárbaros, o imperador ordenou que Qishan fosse posto a ferros e depois o sentenciou à morte (mais tarde comutando a pena para exílio). O negociador britânico, Charles Elliot, conheceu destino um pouco mais brando, embora Palmerston o tivesse repreendido nos termos mais ásperos por ter obtido tão pouco: "Durante todo o decorrer de seus procedimentos", lamentou Palmerston, "o senhor parece ter considerado que minhas instruções não passavam de papel usado". Hong Kong era "uma ilha inóspita quase sem construção alguma"; Elliot fora longe demais em seu esforço de conciliação e por não assegurar um território mais valioso ou pressionar termos mais duros.[32]

Palmerston designou um novo enviado, Sir Henry Pottinger, a quem instruiu que adotasse uma linha mais enérgica, pois o "governo de Sua Majestade não pode permitir que, em uma transação entre a Grã-Bretanha e a China, as práticas irracionais dos chineses suplantem as práticas razoáveis de todo o resto da humanidade".[33] Ao chegar à China, Pottinger incrementou a vantagem inglesa, bloqueando mais portos e interrompendo o tráfego ao longo do Grande Canal e do baixo Yangtzé. Com os britânicos a postos para atacar a antiga capital, Nanquim, os chineses pediram para negociar a paz.

A diplomacia de Qiying: acalmando os bárbaros

Pottinger agora se via diante de mais um negociador chinês, o terceiro a ser enviado nessa tarefa supremamente ingrata determinada por uma corte ainda vendo a si mesma como suprema no universo, o príncipe manchu Qiying. O método de Qiying para lidar com os britânicos era uma estratégia chinesa tradicional ao se confrontar com a derrota. Depois de tentar o desafio e a diplomacia, a China buscaria cansar os bárbaros mostrando aparente submissão. Negociando à sombra da armada inglesa, Qiying avaliou que convinha aos ministros da corte repetir o que as elites do Império do Meio haviam feito tantas vezes no passado: por intermédio de uma combinação de postergação, circunlóquios e favores cuidadosamente concedidos, iriam acalmar e domesticar os bárbaros, enquanto ganhavam tempo para sobreviver ao ataque.

Qiying concentrou suas atenções em estabelecer uma relação pessoal com o "chefe dos bárbaros", Pottinger. Cobriu Pottinger de presentes e passou a se dirigir a ele como seu estimado colega e amigo "íntimo" (uma palavra transliterada especialmente para a língua chinesa com esse propósito específico). Como expressão da profunda amizade entre eles, Qiying chegou a ponto de propor que ambos trocassem retratos das respectivas esposas e proclamou até o desejo de adotar o filho de Pottinger (que vivia na Inglaterra, mas passou a partir de então a ser conhecido como "Frederick Keying Pottinger").[34]

Em um notável despacho, Qiying explicou a abordagem para a Corte Celestial, que achou o processo de sedução difícil de entender. Ele descreveu de que maneira esperava apaziguar os bárbaros britânicos: "Com esse tipo de gente alheia aos limites da civilização, que são cegos e ignorantes dos estilos de se dirigir a alguém e das formas de cerimonial [...] ainda que nossas línguas estivessem duras e nossas gargantas secas (de tanto insistir que aprendessem nosso costume), ainda assim não conseguiriam deixar de tapar seus ouvidos e agir como se fossem surdos."[35]

Desse modo os banquetes de Qiying e seu extravagante afeto para com Pottinger e sua família serviram a um propósito essencialmente estratégico, em que a conduta chinesa era calculada em doses específicas e em que qualidades como confiança e sinceridade eram armas; se refletiam ou não convicções, isso era secundário. Ele continuava:

> Certamente temos de dobrá-los por meio da sinceridade, mas tem se mostrado ainda mais necessário controlá-los por métodos hábeis. Há ocasiões em que é possível fazer com que sigam nossas instruções, permanecendo no entanto sem compreender os motivos. Às vezes, expomos tudo, de modo que não fiquem desconfiados, e portanto podemos dissipar sua inquietação rebelde. Às vezes, nós os agraciamos com recepções e entretenimentos, após os quais mostraram um sentimento de apreciação. E outras vezes ainda exibimos confiança em suas pessoas de um modo indulgente e consideramos desnecessário entrar em discussões minuciosas, e dessa maneira fomos capazes de obter sua cooperação com o assunto em questão.[36]

Os resultados dessa interação entre a força ocidental esmagadora e a habilidade psicológica chinesa foram dois tratados negociados por Qiying e Pottinger, o Tratado de Nanquim e o complementar Tratado de Bogue. O acordo concedia mais do que a Convenção Chuan-pi. Era essencialmente humilhante, embora os termos fossem menos duros do que a situação militar teria possibilitado aos britânicos impor. Ele estabelecia o pagamento de uma indenização de 6 milhões pela China, a cessão de Hong Kong e a abertura de cinco "portos signatários" pelo litoral, em que os ocidentais teriam permissão para residir e fazer negócios. Isso efetivamente desmantelou o "Sistema de Cantão" pelo qual a corte chinesa regulara o comércio com o Ocidente e o confinou a mercadores licenciados. Ningbo, Xangai, Xiamen e Fuzhou foram acrescentadas à relação de portos do tratado. Os britânicos asseguravam o direito de manter ligações permanentes nas cidades portuárias e de negociar diretamente com funcionários locais, ignorando a corte em Pequim.

Os ingleses também conquistaram o direito de exercer jurisdição sobre seus cidadãos residentes nos portos do tratado. Operacionalmente, isso significava que os comerciantes estrangeiros de ópio estariam submetidos às leis e aos regulamentos de seus próprios países, não aos da China. Esse princípio de "extraterritorialidade", entre as disposições menos controversas do tratado na época, terminaria por ser encarado como uma grave transgressão da soberania chinesa. Uma vez que o conceito europeu de soberania era desconhecido, porém, na China a extraterritorialidade veio a simbolizar, na época, não tanto a violação de uma norma legal mas o declínio do poder imperial. A consequente diminuição do Mandato Celestial levou à deflagração de um turbilhão de rebeliões domésticas.

O tradutor do século XIX Thomas Meadows observou que a maioria dos chineses inicialmente não compreendeu as duradouras repercussões da Guerra do Ópio. Trataram as concessões como uma aplicação do tradicional método de absorver os bárbaros e esgotá-los. "A nação como um todo", conjeturou ele, "só consegue enxergar a recente guerra como uma irrupção rebelde de uma tribo de bárbaros, que, na segurança de seus poderosos navios, atacaram e tomaram alguns lugares ao longo do litoral, e até mesmo conseguiram se apossar de um importante ponto no grande canal, por meio do quê forçaram o imperador a fazer determinadas concessões".[37]

Mas as potências ocidentais não se deixavam aplacar assim tão facilmente. Cada concessão chinesa tendia a gerar exigências adicionais do Ocidente. Os tratados, concebidos no início como uma concessão temporária, em vez disso inauguraram um processo pelo qual a corte Qing perdeu o controle da maior parte da política comercial e externa chinesa. Seguindo-se ao tratado britânico, o presidente dos Estados Unidos John Tyler prontamente enviou uma missão à China para obter concessões similares para os americanos, ação que precedeu a posterior política de "Portas Abertas". Os franceses negociaram seu próprio tratado em termos análogos. Cada um desses países, por sua vez, incluiu uma cláusula da "Nação Mais Favorecida" que estipulava que qualquer concessão oferecida pela China a outros países devia também ser concedida ao signatário. (A diplomacia chinesa mais tarde usou essa cláusula para limitar exigências estimulando a competição entre os vários reclamantes de privilégio especial.)

Esses tratados são infames, com razão, na história chinesa como os primeiros de uma série de "tratados desiguais" firmados à sombra da força militar estrangeira. Na época, as disposições mais amargamente contestadas foram suas estipulações de igualdade de status. Até aquele momento a China insistia na posição superior enraizada em sua identidade nacional e refletida no sistema tributário. Agora o país enfrentava uma potência estrangeira determinada a apagar seu nome da relação de "Estados tributários" da China sob a ameaça de uso da força e para se provar dona de uma soberania igual à da dinastia Celestial.

Os líderes de ambos os lados compreenderam que havia muito mais em jogo do que simplesmente ópio ou protocolo. A corte Qing estava disposta a apaziguar os ávidos estrangeiros com dinheiro e comércio; mas, se o princípio de igualdade política dos bárbaros com o Filho do Céu fosse estabelecido, toda a ordem global chinesa estaria ameaçada; a dinastia arriscava-se a perder o Mandato Celestial. Palmerston, em seus comunicados frequentemente cáusticos com seus negociadores, tratava a quantia da indenização como em parte simbólica; mas devotava grande atenção repreendendo-os por condescender com cartas chinesas cuja linguagem revelava "pressupostos de superioridade por parte da China" ou que davam a entender que a Inglaterra, vitoriosa na guerra, continuava sendo um suplicante das graças divinas do imperador.[38] No fim, o ponto de vista de Palmerston prevaleceu, e o Tratado de Nanquim incluiu uma cláusula assegurando explicitamente que dignitários chineses e britânicos passariam dali em diante a "corresponder-se [...] em pé de perfeita igualdade"; chegava a ponto de listar caracteres específicos no texto chinês com conotações aceitavelmente neutras. Os registros chineses (ou pelo menos aqueles aos quais estrangeiros tinham acesso) não mais descreveriam os ingleses como "implorando" às autoridades chinesas ou "obedecendo trêmulos" a suas "ordens".[39]

A Corte Celestial começara a compreender a inferioridade militar da China, mas não ainda a forma apropriada de lidar com isso. No início, aplicou os tradicionais métodos para administrar os bárbaros. A derrota não era desconhecida no curso da longa história chinesa. Os soberanos chineses haviam lidado com ela aplicando os tais cinco chamarizes descritos no capítulo anterior. Eles viam a característica comum desses invasores como sendo seu desejo de partilhar da cultura chinesa; eles desejavam se fixar em solo chinês e partilhar de sua civilização. Poderiam desse modo gradualmente ser amansados por alguns dos métodos psicológicos ilustrados pelo príncipe Qiying e, no devido tempo, tornar-se parte da vida chinesa.

Mas os invasores europeus não tinham tais aspirações nem objetivos limitados. Considerando a si mesmos como sociedades mais avançadas, seu objetivo era explorar a China visando o proveito econômico, não aderir a seu modo de vida. Suas exigências eram desse modo limitadas unicamente por seus recursos e sua ganância. Relacionamentos pessoais não podiam ser decisivos, pois os líderes dos invasores não eram de um povo vizinho, mas viviam a milhares de quilômetros dali, onde eram governados por motivações insensíveis à sutileza e à dissimulação de estratégias como a utilizada por Qiying.

No espaço de uma década, o Império do Meio passara de uma posição de proeminência a objeto de contenda de forças coloniais rivais. Suspensa entre duas eras e duas concepções distintas de relações internacionais, a China lutava por uma nova identidade e, acima de tudo, por conciliar os valores que marcavam sua grandeza com a tecnologia e o comércio nos quais teria de basear sua segurança.

CAPÍTULO 3

Da preeminência ao declínio

À MEDIDA QUE O SÉCULO XIX PROGREDIA, a China experimentava quase todo choque imaginável para a imagem histórica que fazia de si mesma. Antes da Guerra do Ópio, o país concebia a diplomacia e o comércio internacional sobretudo como formas de reconhecimento de sua posição de proeminência. Agora, ao mesmo tempo entrava em um período de tumulto interno, o país enfrentava três desafios estrangeiros, cada um dos quais suficiente para derrubar uma dinastia. Essas ameaças vinham de toda direção e materializadas em formas até então dificilmente concebíveis.

Através de oceanos no Ocidente vinham as nações europeias. Elas traziam, mais do que ameaças à defesa do território, concepções irreconciliáveis de ordem mundial. Em sua maior parte, as potências ocidentais se limitavam a extrair concessões econômicas do litoral chinês e exigir direitos de livre-comércio e atividade missionária. Paradoxalmente, essa prática era ameaçadora porque os europeus não a viam de modo algum como conquista. Não estavam buscando substituir a dinastia existente — estavam simplesmente impondo uma ordem mundial inteiramente nova e, em essência, incompatível com a chinesa.

Do norte e do oeste, uma Rússia expansionista e militarmente dominante tentava arrancar vastos territórios remotos da China. A cooperação da Rússia podia ser temporariamente comprada, mas o país não reconhecia nenhuma fronteira entre seus próprios domínios e os domínios exteriores da China. E, ao contrário de conquistadores precedentes, a Rússia não foi absorvida pela cultura chinesa; os territórios em que penetrou constituíram uma perda permanente para o império.

Mesmo assim, nem as potências ocidentais nem a Rússia tinham qualquer pretensão de derrubar os Qing e reclamar o Mandato Celestial; no fim das contas, chegaram à conclusão de que tinham muito a perder com a queda da dinastia. O Japão, por outro lado, não tinha qualquer interesse na sobrevivência das antigas instituições chinesas ou na ordem mundial sinocêntrica. A partir do leste, começou não só a ocupar porções significativas do território chinês, como também a suplantar Pequim como o centro de uma nova ordem internacional leste-asiática.

As subsequentes catástrofes são vistas com considerável desalento na China contemporânea, como parte de um infame "século de humilhação" que terminou apenas com a reunificação do país sob uma forma de comunismo assertivamente nacionalista. Ao mesmo tempo, a era de dificuldades chinesa constitui de muitos modos um testemunho da notável capacidade do país de superar crises que poderiam destruir outras sociedades.

Enquanto exércitos estrangeiros marchavam pela China e forçavam a nação a acatar termos humilhantes, a Corte Celestial em nenhum momento deixou de insistir em sua reivindicação de autoridade central e conseguiu implementá-la na maior parte do território chinês. Os invasores eram tratados como outros invasores haviam sido em séculos precedentes, como um aborrecimento, uma indesejada interrupção do ritmo eterno da vida chinesa. A corte em Pequim podia agir desse modo porque as incursões estrangeiras ocorriam na maior parte na periferia do país e porque os invasores estavam em busca de comércio; desse modo era interesse dos invasores que as vastas regiões centrais, incluindo a maior parte da população, permanecessem quiescentes. Desse modo, o governo em Pequim obteve uma margem de manobra. Todas as exigências tinham de ser negociadas com a corte imperial, que ficava assim em posição de jogar os invasores uns contra os outros.

Os estadistas chineses usaram com considerável habilidade as cartas fracas de que dispunham e preveniram o que poderia ter sido uma catástrofe ainda pior. Do ponto de vista da balança de poder, a configuração objetiva de forças sugeriria a impossibilidade da sobrevivência da China como um Estado uniário, de proporções continentais. Mas, com a visão tradicional da preeminência chinesa diante de desafios muitas vezes violentos e o país assolado por ondas de depredação colonial e sublevação interna, a China acabou superando suas atribulações pelos próprios esforços. Mediante um processo doloroso e muitas vezes humilhante, os estadistas da China no fim preservaram o moral e as reivindicações territoriais de sua ordem mundial em desintegração.

Talvez o mais notável seja terem feito isso quase inteiramente pelos métodos tradicionais. Um segmento da classe dominante Qing escreveu eloquentes memoriais no estilo clássico sobre os desafios apresentados pelo Ocidente, pela Rússia e por um Japão em ascensão, e a consequente necessidade chinesa de praticar o "autofortalecimento" e aperfeiçoar suas próprias capacidades tecnológicas. Mas a elite confucionista da China e sua população geralmente conservadora viam este conselho com ambiguidade. Muitos viram na importação de textos em língua estrangeira e de tecnologia ocidental um perigo para a essência cultural e a ordem social chinesas. Após batalhas às vezes brutais, a facção prevalecente decidiu que se modernizar nas linhas ocidentais equivalia a deixar de ser chinês e que nada justificava abandonar essa herança única. Assim a China enfrentou a era de expansão imperial sem o benefício de um moderno aparato militar em nenhum tipo de escala nacional, e somente com gradativas adaptações a inovações financeiras e políticas estrangeiras.

Para resistir à tempestade, a China confiou não em tecnologia ou poderio militar, mas em dois recursos profundamente tradicionais: a capacidade analítica de seus diplomatas e a resistência e confiança cultural de seu povo. A nação desenvolveu engenhosas estratégias para jogar os novos bárbaros uns contra os outros. Funcionários encarregados de controlar as relações externas chinesas ofereceram concessões em várias cidades — mas deliberadamente convidavam múltiplos grupos de estrangeiros a partilhar do butim, de modo que pudessem "usar bárbaros contra bárbaros" e evitar a dominação de uma única potência. Eles acabaram insistindo na escrupulosa aderência aos "tratados desiguais" com o Ocidente e a princípios estrangeiros de direito internacional não porque os dignitários chineses acreditassem que fossem válidos, mas porque tal conduta provia um meio de restringir as ambições estrangeiras. Confrontados com dois potencialmente imbatíveis candidatos à dominação no nordeste da China, e destituídos praticamente de qualquer força capaz de repeli-los, os diplomatas chineses jogaram a Rússia e o Japão um contra o outro, atenuando em algum grau o alcance e a duração dos avanços de ambos.

À luz do contraste entre a quase impotência militar da China e sua visão exagerada de seu papel mundial, a defesa da retaguarda para manter um governo chinês independente foi uma realização notável. Nenhuma celebração vitoriosa acompanhou esse feito; foi um empreendimento incompleto que durou décadas e foi marcado por inúmeros reveses e opositores internos, sobrevivendo a seus proponentes e ocasionalmente derrubando-os. Essa luta veio a um considerável custo para o povo chinês — cuja paciência e persistência serviram, não pela primeira nem pela última vez, como derradeira linha defensiva. Mas isso preservou o ideal da China como uma realidade continental no controle de seu próprio destino. Com grande disciplina e autoconfiança, manteve as portas abertas para uma era posterior de ressurgimento chinês.

O projeto de Wei Yuan: "Usar bárbaros contra bárbaros", aprendendo suas técnicas

Abrindo caminho em meio à traiçoeira passagem de ataques de nações europeias ocidentais, com sua tecnologia superior, e as novas ambições tanto da Rússia como do Japão, a China estava bem-servida por sua coesão cultural e a extraordinária habilidade de seus diplomatas — tanto mais notável em face da geral obtusidade da corte imperial. Em meados do século XIX, apenas alguns poucos membros da elite chinesa haviam começado a compreender que a China não mais vivia em um sistema marcado por sua predominância e que a China tinha de aprender a gramática de um sistema de blocos de poder em competição.

Um desses funcionários foi Wei Yuan (1794-1856), mandarim confucionista de status intermediário e ligado a Lin Zexu, o governador de Guangzhou cuja repressão ao comércio do ópio levara à intervenção britânica e no fim o forçara ao exílio. Embora leal à dinastia Qing, Wei Yuan estava profundamente preocupado com sua complacência. Ele escreveu um estudo pioneiro de geografia estrangeira usando materiais obtidos e traduzidos com mercadores estrangeiros e missionários. Seu propósito era encorajar a China a enxergar além dos países tributários em suas fronteiras imediatas.

Os "Planos para uma Defesa Marítima" de Wei Yuan, de 1842, em essência um estudo sobre o fracasso chinês na Guerra do Ópio, propunham aplicar as lições da diplomacia de balança de poder europeia aos problemas contemporâneos da China. Reconhecendo a fraqueza material da China em face das potências estrangeiras — uma premissa que seus contemporâneos geralmente não aceitavam —, Wei Yuan sugeriu métodos pelos quais a China pudesse ganhar alguma margem de manobra. Wei Yuan propôs uma estratégia em várias frentes:

> Existem dois métodos para atacar os bárbaros, a saber, estimular países hostis aos bárbaros a realizar um ataque contra eles e aprender as técnicas superiores dos bárbaros a fim de controlá-los. Existem dois métodos para fazer a paz com os bárbaros, a saber, deixar que as diversas nações comerciantes conduzam seu comércio de modo a manter a paz com os bárbaros, e apoiar o primeiro tratado da Guerra do Ópio de modo a manter o comércio internacional.[1]

Foi uma demonstração da habilidade analítica da diplomacia chinesa que, confrontada com um adversário superior e exigências potencialmente crescentes, compreendeu que se prender a um tratado, por mais humilhante que fosse, estabelecia um limite para futuras demandas.

Enquanto isso, Wei Yuan analisou os países que, baseados nos princípios europeus de equilíbrio, poderiam exercer pressão sobre a Inglaterra. Citando antigos precedentes em que as dinastias Han, Tang e as primeiras Qing haviam trabalhado as ambições de tribos agressivas, Wei Yuan examinou o globo, reconsiderando "os países inimigos dos quais os bárbaros britânicos têm medo". Escrevendo como se o slogan "deixemos os bárbaros lutar contra os bárbaros" fosse capaz de se implementar por si mesmo, Wei Yuan apontou para "Rússia, França e América" no Ocidente e "os gurkhas [do Nepal], Burma, Sião [Tailândia] e Annam [norte do Vietnã]" no Oriente como candidatos possíveis. Wei Yuan imaginou um ataque em duas frentes, de russos e gurkhas, contra os interesses britânicos mais distantes e mal defendidos, seu império indiano. Estimular animosidades de longa data de franceses e americanos contra a Grã-Bretanha, levando-os a atacar o país por mar, era outra arma concebida pela análise de Wei Yuan.

Era uma solução altamente original atrapalhada apenas pelo fato de que o governo chinês não fazia a menor ideia de como implementá-la. Ele possuía um conhecimento apenas limitado dos potenciais países aliados em questão e nenhum representante em qualquer de suas capitais. Wei Yuan veio a compreender os limites da China. Numa era de política global, afirmou, a questão não era que "os bárbaros vindos de fora não podem ser usados"; antes, que "precisamos de gente capaz de lidar com eles" e que saibam "suas localizações [e] as relações entre eles de amizade e inimizade".[2]

Tendo fracassado em deter o avanço britânico, continuava Wei Yuan, Pequim precisava enfraquecer a posição relativa de Londres no mundo e na China. Ele teve outra ideia original: convidar outros bárbaros para a China e criar uma competição entre a ganância deles e a dos britânicos, de modo que a China pudesse emergir como a fiel da balança entre aqueles que a dividiam. Wei Yuan prosseguia:

> Hoje os bárbaros britânicos não só ocuparam Hong Kong e conquistaram muitas riquezas, além de um ar de soberba perante os demais bárbaros, como também decretaram a abertura dos portos e cortaram diversas taxas de modo a conceder favor aos outros bárbaros. Em lugar de permitirmos que os bárbaros britânicos sejam bons para eles a fim de aumentar seus seguidores, não seria melhor que nós mesmos fôssemos bons, de modo a poder controlá-los como os dedos em um braço?[3]

Em outras palavras, a China ofereceria concessões para todas as nações que a cobiçavam, em vez de permitir que os britânicos os extorquissem e se beneficiassem da oferta de dividir o butim com outros países. O mecanismo para atingir esse objetivo foi o princípio da Nação Mais Favorecida — de que qualquer privilégio concedido a uma potência devia automaticamente ser estendido a todas as demais.[4]

O tempo não é neutro. O benefício das sutis manobras de Wei Yuan teria de ser medido pela capacidade da China de se armar usando "as técnicas superiores dos bárbaros". A China, aconselhava Wei Yuan, devia "trazer os artífices ocidentais a Cantão", da França ou dos Estados Unidos, "para se encarregar da construção de navios e feitura de armas". Wei Yuan resumiu a nova estratégia afirmando que "antes do acordo de paz, cabe a nós usar bárbaros contra bárbaros. Depois do acordo, é apropriado que aprendamos suas técnicas superiores a fim de controlá-los".[5]

Embora no início desprezando os rogos por modernização tecnológica, a Corte Celestial adotou de fato a estratégia de aderir à letra aos tratados da Guerra do Ópio, de modo a estabelecer um teto para as exigências ocidentais. O país iria, escreveu um funcionário mais tarde, "agir de acordo com os tratados e não permitir aos estrangeiros nem de leve excedê-los"; assim os funcionários chineses deveriam "ser sinceros e cordiais, mas calmamente tentar mantê-los na linha".[6]

O desgaste da autoridade: rebeliões domésticas e o desafio das transgressões estrangeiras

As potências ocidentais signatárias dos tratados não tinham a menor intenção de andar na linha — e na esteira das negociações Qiying-Pottinger, um novo desencontro de expectativas começou a surgir. Para a corte chinesa, os tratados eram uma concessão temporária à força bárbara, a serem seguidos na medida em que fosse necessário, mas nunca voluntariamente ampliados. Para o Ocidente, os tratados eram o início de um processo de longo prazo pelo qual a China seria cada vez mais atraída para as normas ocidentais de relações políticas e econômicas. Mas o que o Ocidente concebia como um processo de esclarecimento era visto por alguns na China como uma agressão filosófica.

É por isso que os chineses se recusaram a se submeter a exigências estrangeiras de ampliar os termos dos tratados para incluir o livre-comércio em toda a China e representação diplomática permanente na capital chinesa. Pequim entendia — a despeito de seu conhecimento extremamente limitado em relação ao Ocidente — que a combinação de força superior dos estrangeiros, atividade estrangeira liberada dentro da China e multiplicação das legações ocidentais em Pequim significaria um severo golpe às premissas da ordem mundial chinesa. Uma vez que a China se tornasse um Estado "normal", perderia seu caráter de autoridade moral única na história; seria apenas mais uma frágil nação assaltada por invasores. Nesse contexto, disputas aparentemente pequenas sobre prerrogativas diplomáticas e econômicas tornaram-se um grande confronto.

Tudo isso aconteceu contra um cenário de intensas sublevações do povo chinês, mascaradas em grande medida pela imperturbável autoconfiança projetada pelos funcionários chineses encarregados de administrar os contatos com os estrangeiros — um traço inalterado no período moderno. Macartney já observara em 1793 a desconfortável acomodação entre a classe dominante manchu dos Qing, a elite burocrática chinesa han e uma população de maioria han. "Quase nem um ano inteiro transcorre", comentou, "sem uma insurreição em alguma província".[7]

Tendo posto em dúvida o Mandato Celestial dinástico, os antagonistas internos ampliaram o escopo de seu desacato. Suas objeções eram tanto religiosas como étnicas, dando base para conflitos de brutalidade generalizada. As distantes fronteiras ocidentais do império testemunharam rebeliões muçulmanas e a declaração de canatos separatistas de vida curta, suprimidos apenas a um alto custo financeiro e humano. Na China central, um levante conhecido como Rebelião Nian atraiu considerável apoio das classes trabalhadoras han e, começando em 1851, conduziu uma insurgência que durou quase duas décadas.

O desafio mais sério veio da Rebelião Taiping (1850-1864), organizada por uma seita cristã chinesa no sul. Missionários existiam há séculos, embora severamente restringidos. Eles começaram a entrar no país em grande número após a Guerra do Ópio. Liderada por um carismático místico chinês que afirmava ser o irmão mais novo de Jesus e um parceiro seu que dizia ser dono de poderes telepáticos, a Rebelião Taiping visava substituir os Qing por um novo "Reino Celestial da Grande Paz", orientado pela grotesca interpretação dada por seus líderes a textos missionários importados. As forças Taiping conseguiram arrancar dos Qing o controle de Nanquim e de grande parte da China meridional e central, governando ao modo de uma dinastia nascente. Embora pouco conhecido da historiografia ocidental, o conflito entre os Taiping e os Qing foi um dos conflitos mais devastadores da história, com baixas estimadas em dezenas de milhões. Embora inexistam números oficiais, estima-se que durante as sublevações Taiping, muçulmana e Nian a população chinesa tenha declinado de cerca de 410 milhões em 1850 para aproximadamente 350 milhões em 1873.[8]

O Tratado de Nanquim e suas contrapartidas francesa e americana voltaram à mesa de negociações na década de 1850, quando a China estava dividida por esses conflitos civis. As potências signatárias insistiam que seus diplomatas tivessem permissão de residir o ano todo na capital chinesa, significando que não eram meros enviados tributários, mas os representantes de Estados soberanos em pé de igualdade com a China. Os chineses lançaram mão de seu amplo leque de táticas dilatórias com o incentivo adicional de que, dado o destino dos negociadores precedentes, nenhum funcionário Qing iria em hipótese alguma querer fazer essa concessão à querela da representação diplomática permanente.

Em 1856, uma inspeção chinesa intrusiva de um navio chinês com registro britânico, o *Arrow*, e o alegado desrespeito a sua bandeira britânica forneceram o pretexto para a retomada das hostilidades. Como no conflito de 1840, o *casus belli* não foi exatamente heroico (o registro do navio, mais tarde se descobriria, havia tecnicamente expirado); mas ambas as partes entenderam que lutavam por questões mais amplas. Com as defesas chinesas ainda em um estado incipiente de desenvolvimento, as forças britânicas tomaram Guangzhou e os Fortes de Dagu no norte da China, de onde poderiam facilmente marchar sobre Pequim.

Durante as negociações que se seguiram, o desencontro de percepções ficou maior do que nunca. Os britânicos continuaram a insistir com convicção missionária, apresentando seus pontos de negociação como um serviço público capaz de finalmente levar a China a alcançar o passo do mundo moderno. Eis como o negociador assistente de Londres, Horatio Lay, resumiu a visão prevalecente ocidental: "a representação diplomática será tanto para o seu bem quanto para o nosso, como certamente verão. O remédio talvez seja desagradável, mas os efeitos serão grandiosos".[9]

As autoridades Qing não mostravam nem de longe o mesmo entusiasmo. Concordaram com os termos do tratado somente após uma enxurrada de angustiada correspondência interna entre a corte imperial e seu negociador e uma nova ameaça britânica de marchar sobre Pequim.[10]

O ponto central do resultante Tratado de Tianjin, em 1858, foi a concessão que Londres buscara em vão por mais de seis décadas — o direito a uma embaixada permanente em Pequim. O tratado permitia ainda viagens estrangeiras pelo rio Yangtzé, abria novos "portos signatários" para o comércio ocidental e protegia chineses convertidos ao cristianismo e a atividade missionária ocidental na China (perspectiva particularmente difícil para os Qing, dada a Rebelião Taiping). Os franceses e americanos concluíram seus próprios tratados em termos similares sob as cláusulas da Nação Mais Favorecida.

As potências signatárias agora concentravam seus esforços em estabelecer embaixadas residentes numa capital claramente hostil. Em maio de 1859, o novo enviado da Grã-Bretanha, Frederick Bruce, desembarcou na China para trocar ratificações do tratado que lhe garantiria o direito de residência em Pequim. Encontrando a principal via fluvial para a capital bloqueada com correntes e estacas de ferro, ordenou a um contingente de fuzileiros britânicos que retirassem os obstáculos. Mas as forças chinesas deixaram a delegação de Bruce chocada ao abrir fogo dos recém-fortificados Fortes de Dagu. A batalha que se seguiu resultou em 519 soldados britânicos mortos e 456 feridos.[11]

Foi a primeira vitória chinesa em batalha contra as modernas forças ocidentais e pôs por terra, ao menos temporariamente, a imagem de impotência militar chinesa. Contudo, isso iria deter o avanço do embaixador britânico apenas temporariamente. Palmerston despachou Lord Elgin para liderar uma marcha conjunta de ingleses e franceses sobre Pequim, com ordens de ocupar a capital e "trazer o imperador à razão". Como retaliação pela "Repulsa de Dagu" e demonstração simbólica do poderio ocidental, Elgin ordenou o incêndio do Palácio de Verão do imperador, destruindo inestimáveis tesouros artísticos no processo — ato que continuaria a ser fonte de rancor na China um século e meio depois.

A campanha chinesa de setenta anos de resistência contra as normas ocidentais sobre relações interestatais haviam chegado agora a uma inegável crise. Esforços de procrastinação diplomática haviam se exaurido; força havia sido confrontada com força superior. As reivindicações bárbaras de igualdade soberana, outrora desprezadas em Pequim como risíveis, adquiriam contornos de demonstrações ominosas de supremacia militar. Exércitos estrangeiros ocuparam a capital chinesa e forçaram uma interpretação ocidental de igualdade política e privilégios diplomáticos.

A essa altura, mais um reclamante do patrimônio da China entrou na briga. Em 1860, os russos já possuíam representação em Pequim há mais de 150 anos — com uma missão eclesiástica, eram o único país europeu com permissão de fixar residência. Os interesses russos haviam em alguns aspectos ido na esteira dos das outras potências europeias; o país conquistara todos os benefícios estendidos às potências signatárias sem se juntar aos ingleses em seus periódicos exercícios de força. Por outro lado, seu objetivo geral ia muito além de fazer proselitismo religioso ou comercial ao longo da costa. Moscou viu no declínio Qing uma oportunidade para desmembrar o império chinês e anexar seus "domínios exteriores" à Rússia. Ela voltou sua mira em particular para as vastas regiões negligentemente administradas e ambiguamente demarcadas da Manchúria (a área central do território manchu no nordeste da China), Mongólia (a estepe tribal, na época quase autônoma, no norte da China) e Xinjiang (a região de montanhas e desertos no oeste distante, então povoada principalmente por povos muçulmanos). Com essa finalidade, a Rússia se movera gradualmente e com determinação para expandir sua presença ao longo dessas fronteiras afastadas, obtendo as lealdades de príncipes locais mediante ofertas de status e benefício material, apoiada por uma cavalaria ameaçadora.[12]

No momento em que a China corria maior risco, a Rússia emergiu como uma potência colonial, oferecendo-se para mediar o conflito de 1860 — ato que significava, na verdade, um modo de ameaçar intervir. A diplomacia engenhosa — traiçoeira, outros poderiam argumentar — foi escorada na ameaça implícita de força. O conde Nikolai Ignatieff, brilhante e insidioso jovem plenipotenciário do Czar em Pequim, conseguiu convencer a corte chinesa de que apenas a Rússia seria capaz de assegurar a retirada das potências ocidentais que ocupavam a capital chinesa, e convencer as potências ocidentais de que apenas a Rússia poderia assegurar o cumprimento chinês dos tratados. Tendo facilitado a marcha anglo-francesa sobre Pequim com mapas detalhados e inteligência, Ignatieff fez o jogo inverso e convenceu as forças de ocupação de que, com a aproximação do inverno, o Beihe, a via fluvial que permitia entrar e sair de Pequim, iria congelar, deixando-as cercadas por turbas chinesas hostis.[13]

Por esses serviços, Ignatieff cobrou um preço territorial estonteante: uma ampla fatia de território na assim chamada Manchúria Exterior, ao longo da costa do Pacífico, incluindo a cidade portuária hoje conhecida como

Vladivostok.[14] De um só golpe, a Rússia obtivera uma nova e importante base naval, uma posição avançada no mar do Japão e 900 mil quilômetros quadrados de território antes considerados chineses. Ignatieff também negociou uma cláusula abrindo Urga (hoje Ulan Bator), na Mongólia, e a distante cidade de Kashgar para o comércio e os consulados russos. Coroando a humilhação, Elgin assegurou à Grã-Bretanha uma expansão de sua colônia em Hong Kong sobre o território adjacente de Kowloon. A China requisitara a Rússia para prevenir o que ela acreditava ser mais um ataque promovido pelas potências signatárias que dominavam a capital e o litoral chineses; mas em uma era de fragilidade chinesa, "usar bárbaros contra bárbaros" tinha lá seu preço.

Administrando o declínio

A China não sobrevivera durante 4 mil anos como uma civilização ímpar e por dois milênios como um Estado unificado permanecendo passiva diante das invasões estrangeiras quase desenfreadas. Por todo esse período, os conquistadores haviam sido obrigados a adotar a cultura chinesa ou se ver gradualmente engolidos por seus súditos, que dissimulavam sua natureza prática atrás de uma máscara de paciência. Outro período de provação como esse estava a caminho.

No período subsequente ao conflito de 1860, o imperador e a facção da corte que insistiram em resistir à legação britânica deixaram a capital. O príncipe Gong, meio-irmão do imperador, assumiu o papel de chefe efetivo do governo. Tendo negociado a conclusão das hostilidades, o príncipe Gong resumiu, em um relatório ao imperador, em 1861, as assustadoras opções estratégicas:

> Agora a rebelião Nian está se alastrando pelo norte e a Taiping no sul, nossos suprimentos militares estão exauridos e nossas tropas esgotadas. Os bárbaros tiram vantagem de nossa posição enfraquecida e tentam controlar-nos. Se em vez de refrearmos nossa ira prosseguirmos com as hostilidades, estaremos sujeitos a uma súbita catástrofe. Por outro lado, se ignorarmos o modo como nos infligiram danos e não fizermos qualquer preparativo contra eles, então estaremos legando uma fonte de pesar para nossos filhos e netos.[15]

Era o clássico dilema do derrotado: pode uma sociedade manter sua coesão ao mesmo tempo em que parece se adaptar ao conquistador — e como aumentar a capacidade de reverter o equilíbrio de forças desfavorável? O príncipe Gong invocou um ditado chinês ancestral: "Recorra à paz e à amizade quando temporariamente obrigado a tal coisa; use a guerra e a defesa como verdadeira política."[16]

Uma vez que não havia nenhuma solução grandiosa disponível, o relatório Gong estabelecia uma prioridade entre os perigos, em essência baseado no princípio de derrotar os bárbaros próximos com o auxílio dos bárbaros distantes. Foi uma estratégia chinesa clássica que seria revisitada mais ou menos cem anos depois por Mao. O relatório Gong demonstrou grande discernimento geopolítico em sua avaliação do tipo de ameaça representada pelos diversos invasores. A despeito da iminente e real ameaça inglesa, o relatório Gong punha a Grã-Bretanha por último na ordem de perigos de longo alcance à coesão do Estado chinês e a Rússia em primeiro:

> Tanto a Rebelião Taiping como a Nian estão obtendo vitórias e se constituindo numa doença orgânica. A Rússia, com seu território adjacente ao nosso, visando mordiscar pedaços de nosso país como um bicho-da-seda, pode ser considerada uma ameaça ao nosso âmago. Quanto à Inglaterra, seu propósito é o comércio, mas ela age com violência, sem consideração pela decência humana. Se não for mantida dentro dos limites, talvez não sejamos capazes de nos manter de pé. Por esse motivo, ela pode ser comparada a uma aflição de nossos membros. Logo, devemos suprimir Taiping e Nian primeiro, pôr os russos sob controle em seguida e cuidar dos britânicos por último.[17]

Para cumprir com esses objetivos de longo alcance em relação às potências estrangeiras, o príncipe Gong propôs o estabelecimento de um novo órgão governamental — um ministério das relações exteriores embrionário — a fim de conduzir os negócios com as potências ocidentais e analisar jornais estrangeiros em busca de informações sobre acontecimentos além das fronteiras chinesas. Ele previa esperançosamente que essa seria uma necessidade temporária, a ser abolida "assim que as campanhas militares forem concluídas e os negócios dos vários países forem simplificados".[18] Esse novo departamento só foi relacionado no registro oficial de repartições metropolitanas e nacionais em 1890. Seus funcionários tendiam a ser emprestados por outros departamentos mais importantes, numa espécie de incumbência temporária. A rotação era frequente. Embora algumas de suas cidades estivessem ocupadas por forças estrangeiras, a China tratava a política externa como um expediente temporário, mais do que uma característica permanente do futuro chinês.[19] O nome completo do novo ministério era Zongli Geguo Shiwu Yamen ("Gabinete para Administração Geral dos Negócios de Todas as Nações"), um fraseado ambíguo aberto à interpretação de que a China não estava conduzindo diplomacia com povos estrangeiros, mas sim administrando os negócios deles como parte de seu império universal.[20]

A implementação da política do príncipe Gong caiu nas mãos de Li Hongzhang, um mandarim de alto escalão que fora alçado a sua posição proeminente comandando forças nas campanhas Qing contra a Rebelião Taiping. Ambicioso, polido, impassível diante da humilhação, sumamente versado na tradição clássica chinesa, mas extraordinariamente ciente do perigo que ela corria, Li serviu durante quase quatro décadas como o rosto da China para o mundo exterior. Ele se apresentava como um intermediário entre as insistentes exigências das potências estrangeiras por concessões territoriais e econômicas e as megalomaníacas pretensões de superioridade política da corte chinesa. Por definição, sua diplomacia jamais contaria com a completa aprovação de nenhuma das partes. Dentro da China em particular, Li deixou um legado controverso, sobretudo entre os que desejavam mais confrontação. Contudo, seus esforços — tornados infinitamente mais complexos pela beligerância da facção tradicionalista da corte chinesa, que periodicamente insistia em engajar o país em batalha contra as potências estrangeiras com pouco preparo — demonstram notável capacidade de navegar, e ocasionalmente mitigar, as alternativas desagradáveis que a China encontrava no fim do período Qing.

Li construiu sua reputação em meio a crises, emergindo como um especialista em assuntos militares e "gerenciamento de bárbaros" durante as rebeliões de meados do século na China. Em 1862, Li foi enviado para administrar a abastada província oriental de Jiangsu, onde encontrou as principais cidades sitiadas por rebeldes Taiping, mas protegida por exércitos chefiados por ocidentais determinados a defender seus novos privilégios comerciais. Aplicando as máximas contidas no memorando Gong, Li se aliou — e se estabeleceu como comandante supremo — às forças ocidentais, visando destruir o inimigo comum. Durante o que foi efetivamente uma campanha de contrainsurgência conjunta entre chineses e ocidentais, Li forjou uma relação de trabalho com Charles "o chinês" Gordon, o famoso aventureiro britânico posteriormente morto pelas tropas do Mahdi no sítio de Cartum, no Sudão. (Li e Gordon acabariam rompendo relações quando Li ordenou a execução de líderes rebeldes capturados para quem Gordon prometera clemência.) Com a ameaça Taiping afastada, em 1864, Li foi promovido a uma série de postos cada vez mais proeminentes, chegando a ministro efetivo das relações exteriores da China e principal negociador em suas frequentes crises internacionais.[21]

O representante de uma sociedade sitiada por países vastamente mais poderosos e culturas significativamente diferentes tem duas escolhas. Ele pode tentar transpor o abismo cultural, adotando os costumes do militarmente mais forte e, desse modo, reduzindo as pressões resultantes da tentação de discriminar uma cultura estrangeira. Ou pode insistir na validade de sua própria cultura, alardeando suas características especiais e ganhando respeito pela força de suas convicções.

No século XIX, os líderes japoneses optaram pela primeira estratégia, ajudados pelo fato de que, ao travar contato com o Ocidente, o país já se encontrava num estágio avançado de industrialização e demonstrara sua coesão social. Li, representando um país arrasado por uma rebelião interna que, para ser sufocada, o obrigava a recorrer à ajuda estrangeira, não tinha essa opção. Tampouco abriria mão de suas origens confucionistas, fossem quais fossem os benefícios de tal estratégia.

Um relato das viagens de Li Hongzhang pela China serve como registro dos tumultos no país: em um período razoavelmente representativo de dois anos, entre 1869 e 1871, ele foi mandado para o sudoeste da China, onde representantes franceses haviam se insurgido em um protesto contra tumultos anticristãos; para o norte, onde uma nova série de tumultos fora deflagrada; de volta ao extremo sudoeste, onde uma minoria tribal na fronteira vietnamita havia se rebelado; depois para o noroeste, a fim de tratar de uma grande rebelião muçulmana; dali para o porto de Tianjin, no nordeste, onde um massacre de cristãos atraíra navios de guerra franceses e uma ameaça de intervenção militar; e finalmente para o sudeste, onde uma nova crise fermentava na ilha de Taiwan (na época conhecida no Ocidente como Formosa).[22]

Li era uma figura notável em um palco diplomático dominado por códigos de conduta definidos por ocidentais. Usava os mantos esvoaçantes de um mandarim confucionista e exibia orgulhosamente antigas designações de posição, como "Pluma de Pavão com Dois Olhos" e "Jaqueta Amarela", que suas contrapartes ocidentais só conseguiam observar com perplexidade. Usava a cabeça raspada — no estilo Qing —, a não ser por uma longa trança de rabo de cavalo, e coberta com o chapéu oblongo do serviço público. Falava de modo epigramático numa linguagem que somente um punhado de estrangeiros compreendia. Portava-se com tal serenidade e distanciamento que um contemporâneo britânico o comparou, com uma mistura de admiração e incompreensão, a um visitante de outro planeta. As aflições e concessões chinesas, seu comportamento parecia sugerir, não passavam de obstáculos temporários no caminho do triunfo final da civilização chinesa. Seu mentor, Zeng Guofan, um erudito confucionista de alto escalão e comandante veterano das campanhas Taiping, aconselhara Li, em 1862, a usar o princípio confucionista básico de autocontrole como ferramenta diplomática: "Ao se relacionar com estrangeiros, sua conduta e seu procedimento não devem ser excessivamente altivos, e deveis exibir uma aparência ligeiramente vaga e casual. Deixai que seus insultos, dissimulações e desprezo por tudo pareçam ser compreendidos por vós, mas ao mesmo tempo parecendo não ter sido compreendidos, pois deveis parecer um pouco estúpido."[23]

Como qualquer outro alto funcionário chinês de sua era, Li acreditava na superioridade dos valores morais chineses e na justiça de suas prerrogativas imperiais tradicionais. Onde ele diferia era menos em sua avaliação da superioridade chinesa do que em seu diagnóstico de que o país carecia, no momento, de uma base material ou militar. Após ter estudado os armamentos ocidentais durante o conflito Taiping e buscado informação sobre as tendências econômicas estrangeiras, ele se deu conta de como a China estava ficando perigosamente defasada em relação ao resto do mundo. Ele advertiu o imperador, sem meias palavras, em um comunicado de 1872: "Viver hoje e continuar a dizer 'rejeitem os bárbaros' e 'expulsem os bárbaros de nosso território' é certamente um discurso superficial e absurdo. [...] Dia após dia eles produzem seus armamentos para competir conosco pela supremacia e pela vitória, opondo suas técnicas superiores contra nossas inadequações."[24]

Li chegara a uma conclusão similar à de Wei Yuan — embora a essa altura o problema da reforma fosse exponencialmente mais urgente do que na época de Wei Yuan. Assim, Li advertia:

> A presente situação é uma em que, externamente, faz-se necessário que nos mostremos em harmonia com os bárbaros e, internamente, faz-se necessário que reformemos nossas instituições. Se permanecermos conservadores, sem efetuar qualquer mudança, a nação será reduzida e enfraquecida dia após dia. [...] Atualmente todos os países estrangeiros passam por uma reforma depois da outra e progridem todo dia como o vapor que se eleva. Apenas a China continua a preservar suas instituições tradicionais tão cautelosamente que, ainda que ela seja arruinada e extinta, os conservadores não irão lamentar o fato.[25]

Durante uma série de cruciais debates políticos na China na década de 1860, Li e seus aliados burocráticos delinearam um curso de ação que denominaram "autofortalecimento". Em um memorando de 1863, Li tomou como ponto de partida (e como um meio de suavizar o impacto sobre o Imperador) que "tudo no sistema civil e militar chinês é muito superior ao que existe no Ocidente. Apenas em armas de fogo é impossível comparar-se a eles".[26] Mas à luz das catástrofes recentes, aconselhava Li, a elite chinesa não poderia mais se permitir olhar com desprezo para as inovações estrangeiras, "zombando das apuradas armas dos países estrangeiros como objetos produzidos mediante técnicas estranhas e engenho complicado, que consideram desnecessário aprender".[27] A China necessitava era de armas de fogo, navios a vapor e maquinário pesado, bem como de conhecimento e de técnicas para fabricá-los.

A fim de ampliar a capacidade chinesa para o estudo de textos e projetos estrangeiros e para dialogar com especialistas ocidentais, os jovens chineses precisavam receber treinamento em línguas estrangeiras (um esforço até ali visto como desnecessário, uma vez que todo estrangeiro presumivelmente aspirava a se tornar chinês). Li argumentava que a China devia abrir escolas em suas principais cidades — incluindo sua capital, que lutara tanto tempo por se salvaguardar da influência estrangeira — para o ensino de línguas e técnicas de engenharia estrangeiras. Li caracterizou o projeto como desafiador: "Serão a sabedoria e a inteligência dos chineses inferiores às dos ocidentais? Se chegarmos de fato a dominar as línguas ocidentais e, por conseguinte, ensinarmos uns aos outros, então todas suas técnicas engenhosas de navios a vapor e armas de fogo poderão ser gradual e inteiramente aprendidas."[28]

O príncipe Gong bateu em tecla semelhante em sua proposta de 1866 instando o imperador a apoiar o estudo das inovações científicas ocidentais:

> O que desejamos é que nossos alunos cheguem ao cerne dessas matérias [...] pois somos da firme convicção de que, se nos mostrarmos capazes de dominar os mistérios dos cálculos matemáticos, das investigações físicas, da observação astronômica, da construção de motores, da engenharia de cursos d'água, isso, e apenas isso, assegurará o firme crescimento do poder do império.[29]

A China necessitava se abrir para o mundo exterior — e aprender com nações até então consideradas vassalas e bárbaras —, primeiro para fortalecer sua estrutura tradicional e depois para recuperar sua posição preeminente.

Isso teria sido uma missão heroica, caso a corte chinesa estivesse unida no apoio à política externa idealizada pelo príncipe Gong e executada por Li Hongzhang. Na verdade, um vasto fosso separava esses funcionários mais abertos à influência estrangeira da facção tradicional mais isolacionista. Esta última era adepta da visão clássica de que a China nada tinha a aprender com estrangeiros, como expressou o antigo filósofo Mêncio na era de Confúcio: "Já ouvi falar de homens usando as doutrinas de nossa grande terra para mudar os bárbaros, mas ainda não ouvi dizer de nenhum deles sendo mudado pelos bárbaros."[30] Nessa mesma veia Wo-ren, chanceler da prestigiosa Academia Hanlin de confucionismo, atacou os planos do príncipe Gong de contratar instrutores estrangeiros nas escolas chinesas:

> A fundação de um império repousa sobre a propriedade e a retidão, não em esquemas e estratagemas. Seus alicerces estão enraizados nos corações dos homens, não em habilidades e perícia de ofício. Agora, em nome de uma aptidão trivial, vamos honrar os bárbaros como nossos mestres. [...] O império é vasto e abundante em talentos humanos. Se a astronomia e a matemática devem ser estudadas, decerto há alguns chineses que serão bem versados nelas.[31]

A crença na autossuficiência chinesa representava a experiência combinada de milênios. Contudo, ela não fornecia resposta alguma para como o país iria confrontar a ameaça imediata, especialmente como alcançar a tecnologia ocidental. Muitos funcionários de alto escalão continuavam a presumir que a solução para os problemas da China com estrangeiros residia em executar ou exilar seus negociadores. Li Hongzhang foi despojado de seu cargo em desgraça três vezes enquanto Pequim desafiava as potências estrangeiras; mas em todas as ocasiões foi chamado de volta porque seus opositores foram incapazes de apresentar uma alternativa melhor do que depender das habilidades diplomáticas de Li para resolver as crises que eles haviam gerado.

Dividida entre os imperativos de um Estado fraco e a presunção de um império universal, a China prosseguiu com as reformas a um passo hesitante. Finalmente, um golpe palaciano forçou a abdicação de um imperador de inclinação reformista e ocasionou a volta dos tradicionalistas, liderados pela imperatriz viúva Cixi, a uma posição de predominância. Na ausência de uma fundamental modernização e reforma interna, os diplomatas chineses deveriam, em essência, limitar os prejuízos à integridade territorial da China e estancar posteriores desgastes a sua soberania sem dispor de meios para alterar a fraqueza básica do país. Teriam de ganhar tempo sem um plano para usar o tempo que ganhassem. E nunca esse desafio foi mais agudo do que na ascensão de um novo participante na balança de poder no nordeste da Ásia — um Japão que se industrializava rapidamente.

O desafio japonês

Ao contrário da maioria dos vizinhos da China, o Japão resistiu por séculos a ser incorporado à ordem mundial sinocêntrica. Situado em um arquipélago a menos de 200 quilômetros da Ásia continental, no ponto de travessia mais curto, o Japão cultivava havia muito tempo suas tradições e cultura particular em isolamento. Dono de uma virtual homogeneidade étnica e linguística e uma ideologia oficial que enfatizava a ancestralidade divina do povo japonês, o país nutria um compromisso quase religioso para com sua identidade única.

No topo da sociedade japonesa e de sua própria ordem mundial ficava o imperador japonês, uma figura concebida, como o Filho do Céu chinês, como um intermediário entre o humano e o divino. Tomada de forma literal, a filosofia política tradicional do Japão postulava que os imperadores japoneses eram deidades descendentes da Deusa Sol, que deu à luz o primeiro imperador e dotou seus descendentes de um direito eterno de governar. De modo que o Japão, como a China, concebia a si mesmo com algo mais que um mero Estado.[32] O próprio título "imperador" — insistentemente exibido em despachos diplomáticos japoneses para a corte chinesa — era um desafio direto à ordem mundial chinesa. Na cosmologia da China, a humanidade tinha apenas um imperador, e seu trono era na China.[33]

Se o excepcionalismo chinês representava a pretensão de um império universal, o excepcionalismo japonês brotava das inseguranças de uma ilha-nação que devia muito a sua vizinha, mas com receio de ser dominada por ela. O senso de singularidade chinês asseverava que a China era a única civilização verdadeira e convidava bárbaros para o Império do Meio a "vir e ser transformados". A atitude japonesa presumia uma pureza racial e cultural única de seu povo, e abria mão de estender seus benefícios ou de sequer se explicar para os nascidos fora de suas ancestrais fronteiras sagradas.[34]

Por longos períodos, o Japão se mantivera afastado de assuntos internacionais quase completamente, como se até mesmo contatos intermitentes com estrangeiros pudessem comprometer a identidade única do Japão. Na medida em que participava de uma ordem internacional, o Japão o fazia por intermédio de seu próprio sistema de tributos nas ilhas Ryukyu (moderna Okinawa e ilhas circundantes) e em vários reinos na península coreana. Com certa ironia, os líderes japoneses tomaram emprestada essa que era a mais chinesa das instituições como um meio de assegurar sua independência da China.[35]

Outros povos asiáticos aceitavam o protocolo do sistema de tributos chinês, rotulando seu comércio como "tributo" a fim de obter acesso aos mercados chineses. O Japão se recusava a conduzir seu comércio com a China sob o pretexto de tributo. O país insistia no mínimo em uma igualdade com a China, quando não em sua superioridade. A despeito dos laços naturais de comércio entre China e Japão, discussões no século XVII sobre comércio bilateral ficavam num impasse porque nenhum dos lados queria honrar o protocolo exigido pelas pretensões do outro de ser o centro do mundo.[36]

Se a esfera de influência chinesa florescia e decaía ao longo de suas extensas fronteiras de acordo com o poder do império e das tribos circundantes, os líderes japoneses concebiam seu dilema de sua segurança como muito mais grave. Possuindo um senso de superioridade tão pronunciado quanto o da corte chinesa, mas percebendo sua margem de erro como muito menor, os estadistas japoneses olhavam com desconfiança para o oeste — para um continente dominado por uma sucessão de dinastias chinesas, algumas das quais estendendo seus éditos até a vizinha mais próxima do Japão, a Coreia — e tendiam a ver um desafio existencial. Desse modo, a política externa japonesa alternava, às vezes com uma rapidez alarmante, entre a indiferença em relação ao continente asiático e audaciosas tentativas de conquista engendradas para suplantar a ordem sinocêntrica.

O Japão, assim como a China, entrou em contato com a tecnologia desconhecida e a força esmagadora dos navios ocidentais em meados do século XIX — no caso do Japão, com a chegada, em 1853, do comodoro americano Matthew Perry e seus "navios negros". Mas o Japão extraiu do desafio uma conclusão oposta à da China: o país abriu as portas à tecnologia estrangeira e renovou suas instituições numa tentativa de copiar o progresso das potências ocidentais. (No Japão, essa conclusão talvez tenha sido ajudada pelo fato de que ideias estrangeiras não eram vistas como ligadas à questão da dependência do ópio, que o Japão conseguiu evitar quase completamente.) Em 1868, o imperador Meiji, em sua Carta de Juramento, anunciou a determinação japonesa de que o "Conhecimento deve ser buscado no mundo todo e desse modo as fundações do governo imperial devem ser fortalecidas".[37]

A Restauração Meiji japonesa e o ímpeto de dominar a tecnologia ocidental abriram as portas para um assombroso progresso econômico. Conforme o Japão desenvolvia uma economia moderna e um aparato militar formidável, passou a insistir nas prerrogativas concedidas às grandes potências ocidentais. Sua elite governante concluiu que, nas palavras de Shimazu Nariakira, um nobre do século XIX e principal defensor da modernização tecnológica, "se tomarmos a iniciativa, poderemos dominar; se não o fizermos, seremos dominados".[38]

Já em 1863, Li Hongzhang concluiu que o Japão se tornaria a principal ameaça à segurança da China. Mesmo antes da Restauração Meiji, Li escreveu sobre a reação japonesa ao desafio ocidental. Em 1874, depois que o Japão se aproveitou de um incidente entre a população tribal de Taiwan e uma tripulação naufragada das ilhas Ryukyu para montar uma expedição punitiva,[39] ele escreveu sobre o Japão:

> Seu poder cresce a cada dia, e sua ambição não é pequena. Desse modo eles ousam exibir sua força em terras ao leste, desprezam a China e empreendem a ação de invadir Taiwan. Embora as diversas potências europeias sejam poderosas, elas continuam a 70 mil li de distância de nós, ao passo que o Japão fica tão próximo quanto o pátio ou limiar e está se intrometendo em nosso vazio e solidão. Sem dúvida, ele vai se tornar uma causa permanente de grande ansiedade para a China.[40]

Vendo o gigante trôpego a oeste com suas pretensões cada vez mais vãs de supremacia mundial, os japoneses começaram a alimentar a ideia de suplantar a China como potência asiática predominante. A luta entre essas duas aspirações conflitantes chegou a um clímax em um país que ficava no cruzamento das ambições de seus vizinhos maiores — a Coreia.

Coreia

O Império Chinês era extenso, mas não intrusivo. Ele exigia tributo e reconhecimento da soberania do imperador. Mas o tributo era mais simbólico que real, e a soberania era exercida de modo a permitir autonomia quase indistinguível da independência. No século XIX, os ferozmente independentes coreanos haviam atingido uma acomodação prática com a gigante China a norte e a oeste. A Coreia era tecnicamente um Estado tributário e os reis coreanos enviavam regularmente tributo a Pequim. A Coreia adotara os códigos morais confucionistas e os caracteres escritos chineses para correspondência formal. Pequim, por sua vez, tinha forte interesse nos acontecimentos da península, cuja posição geográfica fazia dela um potencial corredor para invadir a China pelo mar.

A Coreia desempenhava em alguns aspectos um papel inverso na concepção japonesa sobre seus imperativos estratégicos. O Japão, também, via a dominação estrangeira da Coreia como uma ameaça potencial. A posição da península, projetando-se do continente asiático na direção do Japão, servira de tentação para os mongóis usarem-na como ponto de partida para duas invasões malogradas do arquipélago japonês. Agora, com a influência imperial chinesa diminuindo, o Japão queria assegurar uma posição de supremacia na península coreana e começou a insistir nas próprias exigências econômicas e políticas.

Durante as décadas de 1870 e 1880, China e Japão envolveram-se numa série de intrigas palacianas em Seul, brigando pela predominância entre facções da realeza. Conforme a Coreia se via cercada por ambições estrangeiras, Li Hongzhang aconselhou os soberanos coreanos a aprender com a experiência chinesa com invasores. O país deveria organizar uma competição entre potenciais colonizadores, convidando-os a entrar. Em outubro de 1879, numa carta para um delegado do governo coreano, Li aconselhou que a Coreia buscasse apoio entre os bárbaros distantes, especialmente os Estados Unidos:

> O senhor poderia dizer que o meio mais simples de evitar problemas seria se fechar e ficar em paz. Infelizmente, no que diz respeito ao Oriente, isso não é possível. Não existe intervenção humana capaz de pôr um freio no movimento expansionista do Japão: acaso seu governo não foi obrigado a inaugurar uma nova era firmando um Tratado de Comércio com eles? Do modo como estão as coisas, portanto, não é nosso melhor curso de ação neutralizar um veneno com outro, jogar uma energia contra a outra?[41]

Com base nisto, Li propôs que a Coreia devia "aproveitar cada oportunidade para estabelecer relações com as nações ocidentais, fazendo uso disso para impedir o avanço do Japão". O comércio ocidental, advertia, traria "influências corruptas", como o ópio e o cristianismo; mas, ao contrário do Japão e da Rússia, que buscavam ganhos territoriais, as potências ocidentais "teriam por único objetivo fazer comércio com o seu reino". A meta seria contrabalaçar os perigos de cada potência de fora, para não permitir a predominância de nenhuma: "Já que estão cientes da força de seus adversários, use todos os meios possíveis para dividi-los; proceda com cautela, use a esperteza — assim os coreanos se provarão bons estrategistas."[42] Li omitia o interesse chinês na Coreia — fosse por pressupor que a supremacia chinesa não era uma ameaça da mesma natureza que outras influências estrangeiras, fosse por haver concluído que a China não tinha meios práticos de assegurar uma Coreia livre da influência estrangeira.

Inevitavelmente, as reivindicações chinesa e japonesa de uma relação especial com a Coreia tornaram-se incompatíveis. Em 1894, tanto Japão como China despacharam tropas reagindo a uma rebelião coreana. O Japão acabou por capturar o rei coreano e instaurou um governo pró-japonês. Nacionalistas tanto de Pequim como de Tóquio clamaram pela guerra; apenas o Japão, porém, contava com o benefício de uma força naval moderna, os fundos inicialmente arrecadados para a modernização da marinha chinesa tendo sido requisitados para reformas no Palácio de Verão.

Poucas horas após a deflagração da guerra, o Japão destruiu as negligenciadas forças navais da China, o resultado enganoso de décadas de autofortalecimento. Li Hongzhang foi novamente convocado de uma de suas periódicas aposentadorias forçadas para ir à cidade japonesa de Shimonoseki e negociar um tratado de paz, com a missão quase impossível de salvar a dignidade chinesa da catástrofe militar. O lado vitorioso em uma guerra normalmente tem um incentivo para adiar um acordo, sobretudo se a sua posição na negociação fica mais forte a cada dia que passa. Foi por isso que o Japão havia potencializado a humilhação chinesa rejeitando uma série de negociadores que a China havia proposto, alegando falta de status protocolar — um insulto deliberado para um império que até então apresentara seus diplomatas como a encarnação das prerrogativas celestiais e desse modo distinguindo-se acima de qualquer um, fosse qual fosse seu status na China.

Os termos a serem discutidos em Shimonoseki constituíram um choque brutal para a visão chinesa de preeminência. A China foi obrigada a ceder Taiwan ao Japão; a abrir mão da cerimônia tributária com a Coreia e a reconhecer sua independência (na prática, abrindo-a a uma maior influência japonesa); a pagar uma significativa indenização de guerra; e a ceder para o Japão a península de Liaodong, na Manchúria, incluindo os portos estrategicamente localizados de Dalian e Lushun (Port Arthur). Apenas o pretenso atentado de um nacionalista japonês poupou a China de um desfecho ainda mais degradante. Acertando o rosto de Li de raspão no palco das negociações, o fato foi uma vergonha que obrigou o governo japonês a deixar de lado algumas de suas exigências mais abrangentes.

Li continuou a negociar de seu leito hospitalar, para mostrar que não se curvava à humilhação. Seu estoicismo talvez tenha sido influenciado por saber que, mesmo enquanto as negociações prosseguiam, os diplomatas chineses se aproximavam de outras potências com interesses na China, em particular a Rússia, cuja expansão para o Pacífico era objeto de preocupação da diplomacia chinesa desde o fim da guerra de 1860. Li havia previsto a rivalidade entre Japão e Rússia na Coreia e na Manchúria, e instruíra seus diplomatas, em 1894, a tratar a Rússia com a máxima sensibilidade. Nem bem Li regressara de Shimonoseki, ele assegurou a liderança da Rússia numa "Tríplice Intervenção" conduzida por Rússia, França e Alemanha que forçou o Japão a devolver a península de Liaodong à China.

Foi uma manobra que trouxe consequências de longo alcance. Pois mais uma vez a Rússia praticava sua, a essa altura, bem-estabelecida interpretação da amizade sino-russa. Pelos serviços prestados, o país extraiu direitos especiais em outra imensa fatia do território chinês. Dessa vez sutil o bastante para não fazê-lo de forma direta. Em lugar disso, na esteira da Tríplice Intervenção, Li foi convocado a Moscou para assinar um tratado secreto contendo uma cláusula engenhosa e transparentemente gananciosa estipulando que, a fim de garantir a segurança da China contra potenciais ataques futuros do Japão, a Rússia construiria uma extensão da ferrovia Transiberiana através da Manchúria. No acordo secreto, a Rússia garantia não usar a ferrovia como um "pretexto para uma violação do território chinês, ou para transgredir os justos direitos de S[ua] I[mperial] M[ajestade], o Imperador da China"[43] — o que foi, entretanto, exatamente o que a Rússia faria em seguida. Inevitavelmente, assim que a ferrovia foi construída, os representantes do tsar insistiram que o território adjacente exigiria forças russas para proteger o investimento. Em alguns anos, a Rússia obtivera controle sobre a área que o Japão fora forçado a entregar, e significativamente mais.

Isso se provou o legado mais controverso de Li. A intervenção prevenira o avanço do Japão, pelo menos temporariamente, mas ao custo de estabelecer a Rússia como influência dominante na Manchúria. A criação de uma esfera de influência czarista na Manchúria precipitou uma briga por concessões comparáveis entre todas as potências estabelecidas. Cada país reagia aos avanços dos demais. A Alemanha ocupou Qingdao na península Shandong. A França obteve um enclave em Guangdong e solidificou seu controle sobre o Vietnã. A Grã-Bretanha expandiu sua presença nos Novos Territórios margeando Hong Kong e adquiriu uma base naval em frente a Port Arthur.

A estratégia de equilibrar os bárbaros funcionara até certo grau. Nenhum deles se tornara totalmente predominante na China e, com essa margem, o governo de Pequim conseguiria operar. Mas a astuciosa manobra de preservar a essência chinesa trazendo as potências estrangeiras para conduzir suas maquinações de balança de poder em território chinês só funcionaria a longo prazo se a China permanecesse forte o suficiente para ser levada a sério. E a pretensão chinesa de um controle central estava se desintegrando.

O apaziguamento se tornou um epíteto no que resultou da conduta das democracias ocidentais em relação a Hitler na década de 1930. Mas o confronto pode ser buscado com segurança apenas se o lado mais fraco está em posição de fazer com que sua derrota tenha um custo que esteja além da tolerância do mais forte. Caso contrário, algum grau de conciliação é o único curso de ação prudente. As democracias infelizmente o praticaram quando foram militarmente mais fortes. Mas o apaziguamento é também politicamente arriscado e ameaça a coesão social. Pois exige que o povo mantenha a confiança em seus líderes mesmo quando eles parecem ceder às exigências dos vitoriosos.

Tal era o dilema de Li ao longo das décadas em que buscou achar um caminho para a China entre a avidez europeia, russa e japonesa e a obtusidade intransigente de sua própria corte. Gerações chinesas posteriores deram o devido crédito à capacidade de Li Hongzhang, mas mostraram-se ambivalentes ou hostis quanto às concessões em que apôs sua assinatura, mais notavelmente para Rússia e Japão, bem como a ceder Taiwan ao Japão. Uma política assim atentava contra a dignidade de uma sociedade orgulhosa. Entretanto, permitiu à China preservar os elementos de soberania, por mais atenuados que fossem, durante um século de expansão colonial em que todos os demais países visados perdiam inteiramente sua independência. Ela transcendeu a humilhação ao parecer que se adaptava a ela.

Li resumiu o ímpeto de sua diplomacia em um pesaroso relatório enviado à imperatriz pouco antes de sua morte, em 1901:

> Desnecessário se faz afirmar quão grande seria meu júbilo se fosse possível à China ingressar em uma guerra gloriosa e triunfante; seria a alegria de meus derradeiros dias ver as nações bárbaras subjugadas finalmente e se sujeitando à obediência, respeitosamente prestando homenagem ao Trono do Dragão. Infelizmente, contudo, não posso fazer outra coisa a não ser admitir o fato melancólico de que a China não está à altura de tal empreitada, e que nossas forças não são de modo algum aptas a levá-la a cabo. Olhando para a questão como algo que afeta principalmente a integridade de nosso Império, quem seria tolo a ponto de lançar projéteis contra um rato na proximidade de uma inestimável peça de porcelana?[44]

A estratégia de opor a Rússia ao Japão na Manchúria produziu uma rivalidade em que ambas as potências progressivamente testaram uma à outra. Em sua incansável expansão, a Rússia descartou o acordo tácito entre os países que exploravam a China de manter certo equilíbrio entre suas respectivas exigências e permitir em algum grau a continuidade da soberania chinesa.

As exigências conflitantes de Japão e Rússia no nordeste da China levaram a uma guerra pela supremacia, em 1904, terminando com a vitória japonesa. O Tratado de Portsmouth de 1905 deu ao Japão a posição dominante na Coreia e potencialmente na Manchúria, embora menos do que sua vitória poderia ter possibilitado, devido à intervenção do presidente americano Theodore Roosevelt. Suas mediações do fim da Guerra Russo-Japonesa baseadas no princípio da balança de poder, fato raro na diplomacia americana, impediram o Japão de tomar posse da Manchúria e preservaram um equilíbrio na Ásia. Obstruída na Ásia, a Rússia voltou suas prioridades estratégicas para a Europa, processo que acelerou o início da Primeira Guerra Mundial.

A Revolta dos Boxers e uma nova era de Estados Combatentes

No fim do século XIX, a ordem mundial chinesa estava totalmente desarticulada; a corte em Pequim não funcionava mais como um fator significativo na proteção da cultura ou da autonomia chinesas. A frustração popular veio à tona em 1898, na que passaria a ser conhecida como a Revolta dos Boxers. Praticando uma forma de misticismo antigo e alegando imunidade mágica às balas estrangeiras, os Boxers — assim chamados ("boxeadores") por seu treinamento em artes marciais tradicionais — se insurgiram numa violenta campanha contra estrangeiros e os símbolos da nova ordem por eles imposta. Diplomatas, cristãos chineses, estradas de ferro, linhas telegráficas e escolas ocidentais passaram todos a enfrentar ataques. Talvez julgando que a corte manchu (ela própria uma imposição "estrangeira", e não particularmente das mais eficazes) corresse o risco de ser o próximo alvo, a imperatriz acolheu os insurgentes, exaltando seus ataques. O epicentro do conflito foram mais uma vez as longamente contestadas embaixadas estrangeiras em Pequim — que os Boxers sitiaram na primavera de 1900. Após um século vacilando entre desdém arrogante, atitude desafiadora e conciliação ressentida, a China agora abraçava um estado de guerra contra todas as potências estrangeiras simultaneamente.[45]

A consequência foi mais um duro golpe. Uma força expedicionária de oito países — consistindo de França, Grã-Bretanha, Estados Unidos, Japão, Rússia, Alemanha, Áustria-Hungria e Itália — chegou a Pequim em agosto de 1900 para render as embaixadas. Após suprimir os Boxers e as tropas Qing aliadas (e devastando grande parte da capital nesse processo), eles impuseram mais um "tratado desigual", exigindo uma indenização em dinheiro e concedendo maiores direitos de ocupação às potências estrangeiras.[46]

Uma dinastia incapaz de prevenir repetidas marchas estrangeiras sobre a capital chinesa ou de evitar a usurpação estrangeira de fatias do território chinês havia claramente perdido o Mandato Celestial. A dinastia Qing, após prolongar sua existência por sete surpreendentes décadas, desde o choque inicial com o Ocidente, ruiu em 1912.

A autoridade central chinesa estava mais uma vez fragmentada, e o país ingressou em um novo período de Estados Combatentes. Uma República Chinesa, profundamente dividida desde o nascimento, emergiu em um ambiente internacional perigoso. Mas ela nunca teve a oportunidade de praticar as virtudes democráticas. O líder nacionalista Sun Yat-sen foi proclamado presidente da nova república em janeiro de 1912. Como que obedecendo a alguma lei misteriosa que exigisse a unidade imperial, Sun, depois de apenas seis semanas no governo, entregou o poder a Yuan Shikai, comandante da única força militar capaz de unificar o país. Após o fracasso de Yuan em declarar uma nova dinastia imperial em 1916, o poder político voltou às mãos dos governantes regionais e comandantes militares. Entrementes, no coração da China, o novo Partido Comunista Chinês, estabelecido em 1921, dirigia uma espécie de governo paralelo e uma ordem social alternativa mais ou menos alinhados com o movimento comunista mundial. Cada um desses aspirantes ao poder reclamava o direito de governar, mas nenhum deles era forte o bastante para prevalecer sobre os demais.

Vendo-se sem uma autoridade central universalmente aceita, a China carecia do instrumento para a condução de sua diplomacia tradicional. No fim da década de 1920, o Partido Nacionalista, liderado por Chiang Kai-shek, exercia controle, teoricamente, sobre a totalidade do antigo império Qing. Na prática, contudo, as prerrogativas territoriais tradicionais chinesas eram cada vez mais desafiadas.

Exauridas pelos seus esforços na guerra e em um mundo influenciado por princípios wilsonianos de autodeterminação, as potências ocidentais não estavam mais em posição de estender suas esferas de influência na China; mal eram capazes de sustentar as já existentes. A Rússia consolidava sua revolução interna e não tinha como tentar se expandir ainda mais. A Alemanha fora completamente privada de suas colônias.

Dos antigos concorrentes à dominação na China, apenas um restara, embora o mais perigoso para a independência chinesa: o Japão. A China não tinha força suficiente para se defender. E nenhum outro país estava à disposição para contrabalançar militarmente o Japão. Após a derrota da Alemanha na Primeira Guerra Mundial, o Japão ocupou as antigas concessões alemãs em Shandong. Em 1932, Tóquio engendrou a criação de um Estado separatista sob domínio japonês na Manchúria, chamado Manchukuo. Em 1937, o país embarcou em um programa de conquista por grande parte do leste da China.

O Japão agora se via na posição de conquistadores anteriores. Já era suficientemente difícil conquistar um país tão vasto; era impossível administrá-lo sem se entregar a alguns de seus preceitos culturais, coisa que o Japão, orgulhoso do caráter único de suas próprias instituições, nunca esteve preparado para fazer. Gradualmente, os antigos parceiros — as potências europeias, apoiadas pelos Estados Unidos — começaram a se opor ao Japão, primeiro politicamente, e, enfim, militarmente. Foi uma espécie de culminação da diplomacia de autofortalecimento, com os antigos colonialistas agora cooperando para defender a integridade da China.

Os líderes desse esforço foram os Estados Unidos, e seu instrumento foi a política de Portas Abertas proclamada pelo secretário de Estado John Hay, em 1899. Originalmente concebida para reclamar para os Estados Unidos os benefícios do imperialismo individual de outros países, na década de 1930 ela foi transformada em um modo de preservar a independência chinesa. As potências ocidentais se uniram ao esforço. A China seria agora capaz de superar a fase imperialista, contanto que conseguisse sobreviver à Segunda Guerra Mundial e mais uma vez forjar sua unidade.

Com a rendição japonesa em 1945, a China ficou devastada e dividida. Tanto nacionalistas como comunistas aspiravam a uma autoridade central. Dois milhões de soldados japoneses permaneciam em território chinês aguardando repatriação. A União Soviética reconhecia o governo nacionalista, mas mantivera suas opções em aberto fornecendo armas para o Partido Comunista; ao mesmo tempo, despejara uma força militar maciça e indesejada no nordeste da China, a fim de restaurar parte de suas antigas pretensões coloniais. O tênue controle de Pequim sobre Xinjiang erodira ainda mais. Tibete e Mongólia haviam gravitado para a quase autonomia, alinhados com as respectivas órbitas do Império Britânico e da União Soviética.

A opinião pública norte-americana simpatizava com Chiang Kai-shek como um aliado em tempos de guerra. Mas Chiang Kai-shek governava um fragmento de país já fragmentado pela ocupação estrangeira. A China era tratada como uma das "Cinco Grandes" que iriam organizar o mundo no pós-guerra e tinham poder de veto no Conselho de Segurança das Nações Unidas. Das cinco nações, apenas os Estados Unidos e a União Soviética estavam em condições de realizar tal missão.

Uma retomada da guerra civil chinesa se seguiu. Washington tentou aplicar sua solução padrão para um conflito civil desse tipo, que já fracassara seguidas vezes e continuaria a fracassar nas décadas seguintes. Ela recomendava uma coalizão entre nacionalistas e comunistas, que vinham lutando entre si por vinte anos. O embaixador norte-americano Patrick Hurley convocou uma reunião entre Chiang Kai-shek e o líder do Partido Comunista, Mao Zedong, em setembro de 1945, na capital do líder nacionalista, Chongqing. Ambos respeitosamente compareceram, preparando-se para um acerto de contas definitivo.

Nem bem a reunião de Hurley se encerrou, os dois lados retomaram as hostilidades. As forças nacionalistas de Chiang optaram por uma estratégia de tomar cidades, enquanto os exércitos guerrilheiros de Mao se espalhavam pelo campo; um tentava cercar o outro usando estratégias típicas do *wei qi*.[47] Em meio ao clamor pela intervenção americana em apoio aos nacionalistas, o presidente Harry Truman enviou o general George Marshall a China, que durante um ano se esforçou para encorajar os dois lados a concordar em trabalhar juntos. Durante esse tempo, a posição militar nacionalista entrou em colapso.

Derrotadas pelos comunistas no continente, as tropas nacionalistas se retiraram para a ilha de Taiwan em 1949. Os nacionalistas levaram consigo seu aparato militar, classe política e o que restou da autoridade nacional (incluindo tesouros artísticos e culturais chineses da coleção do Palácio Imperial).[48] Decretaram a mudança da capital da República da China para Taipei e afirmaram que poupariam forças para um dia regressar ao continente. E mantiveram seu lugar no Conselho de Segurança das Nações Unidas.

Entrementes, o país se unificava outra vez, sob a recém-proclamada República Popular da China. A China comunista se lançava em um novo mundo: estruturalmente, uma nova dinastia; em substância, uma nova ideologia pela primeira vez na história chinesa. Estrategicamente, seu território era limítrofe com uma dúzia de países vizinhos, com fronteiras abertas e meios inadequados de lidar simultaneamente com cada ameaça potencial — o mesmo desafio que confrontara os governos chineses ao longo de toda a história. Acima de todas essas preocupações, os novos líderes chineses enfrentavam o envolvimento dos Estados Unidos nos assuntos asiáticos, que haviam saído da Segunda Guerra Mundial como uma confiante superpotência, insatisfeita com sua passividade ao ser confrontada com a vitória comunista na guerra civil chinesa. Todo estadista precisa equilibrar a experiência do passado com as exigências do futuro. Em nenhum lugar isso foi mais verdadeiro do que na China que Mao e o Partido Comunista haviam acabado de tomar.

CAPÍTULO 4

A revolução contínua de Mao

O ADVENTO DE UMA NOVA DINASTIA desenvolvera, ao longo dos milênios, um ritmo distinto. A antiga dinastia começava a ser percebida como fracasso em sua missão de proteger a segurança da população chinesa ou de atender a suas aspirações fundamentais. Raramente como resultado de uma catástrofe única, mais frequentemente pelo impacto cumulativo de uma série de desastres, a dinastia no poder, na visão do povo chinês, perdia o Mandato Celestial. A nova dinastia era vista como tendo-o conquistado, em parte pelo mero fato de haver se estabelecido.

Esse tipo de sublevação ocorrera inúmeras vezes na dramática história chinesa. Mas nenhum novo governante jamais se propusera a derrubar o sistema de valores de toda a sociedade. Candidatos precedentes ao Mandato Celestial — até mesmo, e talvez especialmente, conquistadores estrangeiros — haviam se legitimado reafirmando os antigos valores da sociedade que dominaram e governando segundo suas máximas. Mantinham a burocracia que herdaram, nem que fosse apenas para conseguir governar um país mais populoso e rico do que qualquer outro. Essa tradição foi o mecanismo do processo de sinização. Ela estabeleceu o confucionismo como a doutrina governante da China.

À testa da nova dinastia que, em 1949, veio como uma avalancha do campo para tomar as cidades estava um colosso: Mao Zedong. Assertivo e implacável em sua influência, frio e impiedoso, poeta e guerreiro, profeta e opressor, ele unificou a China e lançou o país numa jornada que quase arruinou sua sociedade civil. Ao fim desse processo traumático, a China despontava como uma das maiores potências mundiais e o único país comunista, excetuando Cuba, Coreia do Norte e Vietnã, cuja estrutura política sobreviveu ao colapso do comunismo em todos os demais lugares.

Mao e a Grande Harmonia

Revolucionários são, por natureza, personalidades poderosas e obstinadas. Quase invariavelmente começam de uma posição adversa ante o ambiente político e dependem para seu triunfo do carisma e da capacidade de mobilizar o ressentimento geral e capitalizar a fraqueza psicológica de adversários em decadência.

A maioria das revoluções ocorre em nome de uma causa específica. Uma vez bem-sucedidas, passam a ser institucionalizadas em um novo sistema de ordem. A revolução maoista não tinha um lugar de descanso final; o objetivo último da "Grande Harmonia" por ele proclamada era uma visão vaga, mais próxima à exaltação espiritual do que à reconstrução política. Os quadros do Partido Comunista eram seu sacerdócio, a não ser pelo fato de que a missão deles era empreender uma cruzada, não cumprir com um programa específico. Sob Mao, estes também levavam uma vida à beira da ruína. Para eles, sempre havia o perigo — com o tempo, quase certeza — de serem engolidos nas próprias sublevações que eram incitados a promover. O rol de líderes da segunda geração (a de Deng Xiaoping) sofreu quase todo esse mesmo destino, voltando ao poder apenas depois de períodos de grande provação pessoal. Todo aliado próximo de Mao durante o período revolucionário — incluindo, no fim, seu primeiro-ministro e principal diplomata de longa data, Zhou Enlai — acabou expurgado.

Não era por acaso que o soberano chinês que Mao mais admirava fosse o imperador fundador Qin Shihuang, que terminou o período dos Estados Combatentes triunfando sobre todos os demais rivais e unificando-os em um sistema único de governo em 221 a.C. Qin Shihuang é geralmente considerado o fundador da China como Estado unificado. Contudo, nunca conquistou o respeito máximo na história chinesa porque queimou livros e perseguiu estudiosos confucionistas tradicionais (enterrando 460 deles com vida). Mao certa vez observou que governar a China exigia uma combinação de métodos de Marx com os de Qin Shihuang, e louvou o imperador em um poema:

> *Por favor, não difame o imperador Qin Shihuang, Senhor*
> *Pois o episódio dos livros queimados deve ser reconsiderado.*
> *Nosso dragão ancestral, embora morto, vive em espírito,*
> *Enquanto Confúcio, embora renomado, não foi ninguém, de fato.*
> *A ordem de Qin tem sobrevivido ao longo das eras.*[1]

A China de Mao era, por desígnio, um país em crise permanente; desde os primeiros dias de governo comunista, Mao desencadeou onda após onda de lutas. Ao povo chinês não seria permitido sequer repousar sobre suas conquistas. O destino que Mao prescreveu para eles era purificar sua sociedade e a si mesmos mediante o empenho virtuoso.

Mao foi o primeiro governante desde a unificação da China a acabar com as tradições chinesas como um ato deliberado de política de Estado. Ele se concebia rejuvenescendo a China ao desmantelar, às vezes violentamente, sua antiga herança. Como declarou ao filósofo francês André Malraux, em 1965:

> O pensamento, a cultura e os costumes que trouxeram a China ao ponto onde a encontramos devem desaparecer, e o pensamento, os costumes e a cultura da China proletária, que ainda não existem, devem surgir. [...] O pensamento, a cultura, os costumes devem nascer da luta, e a luta deve continuar enquanto ainda houver perigo de volta ao passado.[2]

A China, jurou Mao certa vez, devia ser "esmagada" como um átomo, a fim de destruir a antiga ordem, mas, ao mesmo tempo, produzir uma explosão de energia popular para erguê-la a níveis de realização cada vez mais elevados:

> Agora nosso entusiasmo foi despertado. A nossa é uma nação ardorosa, agora varrida por uma maré de fogo. Há uma boa metáfora para isso: nossa nação é como um átomo. [...] Quando o núcleo desse átomo é esmagado, a energia termal liberada terá um poder tremendo. Vamos ser capazes de fazer coisas que não conseguíamos antes.[3]

Como parte desse processo, Mao gerou um ataque profundo sobre o pensamento político chinês tradicional: onde a tradição confucionista valorizava a harmonia universal, Mao idealizava a rebelião e o choque de forças opostas, tanto nos assuntos domésticos como externos (e, de fato, ele via os dois como conectados — regularmente combinando crises no exterior com expurgos domésticos ou campanhas ideológicas). A tradição confucionista valorizava a doutrina dos meios e o cultivo do equilíbrio e da moderação; quando a reforma ocorria, era feita de forma incremental e apresentada como a "restauração" de valores antigos. Mao, por outro lado, buscou uma transformação radical e instantânea e uma total ruptura com o passado. A teoria política chinesa tradicional tinha a força militar em relativa falta de estima e insistia que os soberanos chineses alcançavam a estabilidade interna e a influência no exterior por meio da virtude e da compaixão. Mao, compelido por sua ideologia e sua angústia por um século de humilhação chinesa, produziu uma militarização da vida chinesa sem precedentes. Onde a China tradicional reverenciava o passado e acalentava uma rica cultura literária, Mao declarava guerra à arte, à cultura e aos modos de pensar tradicionais.

Em muitas maneiras, porém, Mao encarnava as contradições dialéticas que alegava manipular. Declarava-se apaixonada e publicamente anticonfucionista, mas era amplamente versado nos clássicos chineses e costumava citar os textos antigos. Mao proclamava a doutrina da "revolução contínua", mas, quando o interesse nacional chinês exigia, sabia ser paciente e enxergar a longo prazo. A manipulação das "contradições" era sua estratégia proclamada, porém ela estava a serviço de um objetivo último extraído do conceito confucionista conhecido como *da tong*, ou a Grande Harmonia.

Desse modo, a forma de governo maoista se transformou numa versão da tradição confucionista através do espelho, proclamando total ruptura com o passado ao mesmo tempo em que se apoiava em inúmeras instituições tradicionais da China, incluindo um estilo imperial de governar; o Estado como projeto ético; e uma burocracia mandarim que Mao odiava, periodicamente destruía, e, no fim, que foi igualmente de forma periódica obrigado a recriar.

Os objetivos supremos de Mao não podiam ser expressos em uma única estrutura organizacional ou ser alcançados pela realização de uma série específica de objetivos políticos. Sua meta era sustentar o processo revolucionário em si mesmo, que segundo sentia era uma missão especial sua empreender mediante sublevações cada vez maiores, nunca permitindo um ponto de repouso até seu povo emergir da provação purificado e transformado:

> Ser derrotado é doloroso e insuportável de contemplar para aqueles que são derrotados, como, por exemplo, para os reacionários do Kuomintang [o Partido Nacionalista] que agora estamos derrotando e para o imperialismo japonês que junto com outros povos derrotamos algum tempo atrás. Mas para a classe trabalhadora, os operários e o Partido Comunista a questão não diz respeito a ser derrotado, mas a trabalhar duro para criar as condições em que as classes, o poder de Estado e os partidos políticos irão morrer muito naturalmente e a humanidade vai ingressar no domínio da Grande Harmonia.[4]

Na China tradicional, o imperador constituía a peça-chave da Grande Harmonia de todas as coisas vivas. Por seu exemplo virtuoso, ele era concebido como mantenedor da articulação da ordem cósmica existente e do equilíbrio entre céu, homem e natureza. Na visão chinesa, o imperador "transformava" os rebeldes bárbaros e os punha sob controle; ele era o pináculo da hierarquia confucionista, designando a todas as pessoas seu lugar apropriado na sociedade.

É por isso que, até o período moderno, a China não perseguiu o ideal de "progresso" no sentido ocidental. O ímpeto chinês pelo serviço público era o conceito de retificação — trazer a ordem a uma sociedade que se deixara cair em um perigoso desequilíbrio. Confúcio decretou como sua missão tentar *recuperar* verdades profundas que sua sociedade havia negligenciado, desse modo restaurando-a a uma idade de ouro.

Mao via seu papel como diametralmente oposto. A Grande Harmonia vinha no fim de um doloroso processo capaz de reclamar como vítimas todos que o atravessassem. Na interpretação maoista da história, a ordem confucionista mantivera a China fraca; sua "harmonia" era uma forma de subjugação. O progresso viria apenas através de uma série de testes brutais colocando forças contraditórias umas contra as outras, tanto no plano doméstico como no internacional. E, se essas contradições não aparecessem por si mesmas, era obrigação do Partido Comunista e seu líder manter um levante permanente acontecendo, contra si mesmo, se necessário.

Em 1958, no início de um programa nacional de coletivização econômica conhecido como Grande Salto Adiante, Mao delineou sua visão da China em perpétuo movimento. Cada onda de esforço revolucionário, proclamou, era organicamente uma precursora de um novo levante cujo começo precisava ser apressado, de outro modo os revolucionários tornavam-se indolentes e começavam a repousar em seus louros:

> Nossas revoluções são como batalhas. Após uma vitória, devemos imediatamente nos lançar a uma nova tarefa. Desse modo, os quadros e as massas estarão sempre cheios de fervor revolucionário, em vez de vaidade. Na verdade, nem terão tempo para a vaidade, ainda que gostem de se sentir envaidecidos. Com novas tarefas em seus ombros, sua única preocupação serão os problemas para executá-las.[5]

Os quadros revolucionários deviam ser testados por desafios cada vez mais difíceis a intervalos cada vez mais curtos. "O desequilíbrio é uma regra geral, objetiva", escreveu Mao:

> O ciclo, que é infinito, evolui do desequilíbrio ao equilíbrio e depois volta ao desequilíbrio. Cada ciclo, contudo, nos leva a um nível mais elevado de desenvolvimento. O desequilíbrio é normal e absoluto, ao passo que o equilíbrio é temporário e relativo.[6]

Mas de que modo pode um Estado em permanente rebelião participar do sistema internacional? Se ele aplica literalmente a doutrina da revolução contínua, vai se ver envolvido em constante tumulto e, provavelmente, guerra. Os Estados que prezam pela estabilidade se unirão contra ele. Mas, se ele tenta moldar uma ordem internacional aberta a outros, um choque com os entusiastas da revolução contínua é inevitável. Esse dilema perseguiu Mao toda a sua vida e nunca foi definitivamente resolvido.

Mao e as relações internacionais: o estratagema da cidade vazia, deterrência chinesa e a busca de uma vantagem psicológica

Mao proclamou sua atitude básica em relação aos assuntos internacionais às vésperas de tomar o poder. Perante a recém-reunida Conferência Consultiva Política do Povo Chinês, ele resumiu a atitude chinesa para com a ordem internacional prevalecente na frase "O povo chinês se ergueu":

> Compartilhamos o sentimento de que nosso trabalho entrará para a história da humanidade e irá demonstrar claramente que os chineses, que compreendem um quarto da humanidade, começaram a se erguer. Os chineses sempre foram um povo grande, corajoso e industrioso. Foi apenas em tempos recentes que ficaram para trás, e isso se deveu apenas à opressão e à exploração do imperialismo estrangeiro e do governo doméstico reacionário. [...] Nossos predecessores nos instruíram a levar sua obra a ser completada. Estamos fazendo isso agora. Nós nos unimos e derrotamos tanto nossos opressores estrangeiros como domésticos por meio da guerra de libertação popular e da grande revolução popular, e proclamamos o estabelecimento da República Popular da China.[7]

Erguer-se diante do mundo era uma perspectiva ousada para a China em 1949. O país era subdesenvolvido, sem a capacidade militar para impor suas preferências a um mundo que era amplamente superior em recursos e, acima de tudo, em tecnologia. Quando a República Popular emergiu no palco mundial, os Estados Unidos eram a principal superpotência nuclear (a União Soviética acabara de detonar sua primeira arma nuclear). Os Estados Unidos haviam apoiado Chiang Kai-shek durante a guerra civil chinesa, transportando tropas nacionalistas para cidades chinesas do norte após a rendição japonesa na Segunda Guerra Mundial, a fim de evitar a ocupação dos exércitos comunistas. A vitória de Mao Zedong foi recebida com desânimo em Washington e suscitou um debate sobre quem "perdera" a China. Isso significava, pelo menos em Pequim, que haveria uma eventual tentativa de reverter o resultado — convicção reforçada em 1950 quando, no momento em que a Coreia do Norte invadiu a do Sul, o presidente Truman moveu a Sétima Frota para o estreito de Taiwan, prevenindo uma tentativa do novo governo no continente de reconquistar Taiwan.

A União Soviética era uma aliada ideológica e foi inicialmente necessária como parceira estratégica para contrabalançar os Estados Unidos. Mas os líderes chineses não haviam esquecido a série de "tratados desiguais" forçados ao longo de um século para estabelecer a possessão russa de suas províncias marítimas no Extremo Oriente e uma zona de influência especial na Manchúria e em Xinjiang, tampouco que a União Soviética continuava reclamando a validade de concessões no norte da China extraídas de Chiang Kai-shek em acordos de tempos de guerra em 1945. Stalin tinha como certa a dominação soviética no mundo comunista, posição incompatível a longo prazo com o feroz nacionalismo de Mao e sua ambição por importância ideológica.

A China também estava envolvida em uma disputa fronteiriça com a Índia nos Himalaias, sobre o território conhecido como Aksai Chin, no oeste, e sobre a assim chamada Linha McMahon, no leste. A região disputada não era assunto menor: com cerca de 125 mil quilômetros quadrados, o total da área contestada era aproximadamente do tamanho da Pensilvânia ou, como observou Mao posteriormente a seus principais comandantes, da província chinesa de Fujian.[8]

Mao dividiu esses desafios em duas categorias. Internamente, proclamou a revolução contínua e foi capaz de implementá-la porque progressivamente exercia total controle. No exterior, a revolução mundial era um slogan, talvez um objetivo de longo alcance, mas os líderes chineses eram suficientemente realistas para reconhecer que não contavam com os recursos para desafiar a ordem internacional prevalecente por meios ideológicos. Dentro da China, Mao admitia poucos limites objetivos para suas visões filosóficas além das atitudes arraigadas do povo chinês, que lutou para sobrepujar. No domínio da política externa, ele foi substancialmente mais circunspecto.

Quando o Partido Comunista tomou o poder em 1949, regiões substanciais haviam sido tiradas do Império Chinês histórico, notadamente o Tibete, partes de Xinjiang, partes da Mongólia e as áreas limítrofes de Burma. A União Soviética mantinha uma esfera de influência no nordeste, incluindo uma força de ocupação e uma frota no estrategicamente localizado porto de Lushun. Mao, como inúmeros fundadores de dinastias antes dele, reclamava as fronteiras da China que o império estabelecera no auge de sua extensão histórica. Aos territórios que Mao considerava parte da China histórica — Taiwan, Tibete, Xinjiang, Mongólia, regiões fronteiriças nos Himalaias ou ao norte —, ele aplicou a máxima da política doméstica: Mao foi implacável; buscou impor a autoridade chinesa e em geral foi bem-sucedido. Tão logo a guerra civil terminou, Mao passou a reocupar regiões separatistas como Xinjiang, Mongólia Interior e, finalmente, o Tibete. Nesse contexto, Taiwan era menos um teste para a ideologia comunista do que uma exigência de respeito à história chinesa. Mesmo quando se absteve de medidas militares, Mao apelava a reivindicações de territórios cedidos nos "tratados desiguais" do século XIX — por exemplo, reivindicações do território perdido no Extremo Oriente russo nos acordos de 1860 e 1895.

Quanto ao resto do mundo, Mao introduziu um estilo especial que substituía a força física por militância ideológica e a percepção psicológica. Esse estilo se compunha de uma visão de mundo sinocêntrica, um toque de revolução mundial e uma diplomacia que se valia da tradição chinesa de manipulação dos bárbaros, com grande atenção prestada ao planejamento meticuloso e à dominação psicológica do outro lado.

Mao evitou o que os diplomatas ocidentais viam como um ditame do bom-senso que, para se recuperar de décadas de instabilidade, a China tinha de se reconciliar com as grandes potências. Ele se recusava a transmitir qualquer aparência de fraqueza, preferia o desafio à acomodação e absteve-se de contatos com os países ocidentais após o estabelecimento da República Popular da China.

Zhou Enlai, o primeiro-ministro das Relações Exteriores da República Popular da China, resumiu essa atitude de distanciamento numa série de aforismos. A nova China não iria simplesmente se deixar ingressar em relações diplomáticas existentes. Ela iria estabelecer uma "cozinha separada". As relações com o novo regime teriam de ser negociadas caso a caso. A nova China iria "fazer uma faxina na casa antes de trazer convidados" — em outras palavras, iria limpar os resquícios de influências coloniais antes de estabelecer relações diplomáticas com países "imperialistas" ocidentais. Ela iria usar sua influência para "unir o povo do mundo" — em outras palavras, encorajar a revolução no mundo em desenvolvimento.[9]

Os tradicionalistas diplomáticos teriam rejeitado essa atitude de distanciamento desafiador como impraticável. Porém Mao acreditava no impacto objetivo dos fatores ideológicos e, acima de tudo, psicológicos. Ele se propunha atingir a equivalência ideológica com as superpotências por meio de uma indiferença calculada ante suas capacidades militares.

Uma das histórias clássicas da tradição estratégica chinesa foi o "Estratagema da Cidade Vazia", de Zhuge Liang, encontrada no *Romance dos Três Reinos*. Na história, um comandante observa um exército se aproximando muito superior ao seu. Como resistir é a certeza da destruição, e render-se acarretaria perda de controle do futuro, o comandante opta por um estratagema. Ele abre os portões da cidade, fica ali numa postura relaxada, tocando um alaúde, e atrás dele exibe a vida normal sem qualquer sinal de pânico ou preocupação. O general do exército invasor interpreta esse sangue-frio como sinal da existência de reservas ocultas, detém seu avanço e se retira.

A declarada indiferença de Mao ante a ameaça de guerra nuclear certamente devia algo a essa tradição. Desde o início, a República Popular da China teve de atuar estrategicamente em uma relação triangular com as duas potências nucleares, cada uma delas individualmente capaz de oferecer grande ameaça e, juntas, em posição de esmagar seu país. Mao lidou com esse estado de coisas endêmico fingindo que ele não existia. Alegava ser impermeável à ameaça nuclear; na verdade, desenvolveu uma postura pública de se mostrar disposto a aceitar centenas de milhões de baixas, até mesmo acolhendo-as como a garantia de uma vitória mais rápida da ideologia comunista. Se Mao acreditava de fato nos próprios pronunciamentos sobre a guerra nuclear é impossível dizer. Mas ele claramente conseguiu fazer com que a maior parte do mundo acreditasse que falava a sério — um supremo teste de credibilidade. (Claro que no caso da China a cidade não estava inteiramente "vazia". A China acabou desenvolvendo suas próprias armas nucleares, embora em escala muito menor do que a União Soviética ou os Estados Unidos.)

Mao conseguiu aprender com a longa tradição do estismo chinês de realizar objetivos de longo prazo a partir de uma posição de relativa fraqueza. Por séculos, estadistas chineses enredaram os "bárbaros" em relações que os mantinham a uma distância segura e calculadamente alimentavam a ficção política de superioridade por meio de um jogo de cena diplomático. Desde o início da República Popular, a China desempenhou um papel mundial que ultrapassava sua força objetiva. Como consequência de sua feroz defesa do que definia como seu patrimônio nacional, a República Popular da China tornou-se uma força influente no Movimento dos Não Alinhados — o grupo de países recém-independentes procurando se posicionar entre as superpotências. A China se estabeleceu como uma grande potência a ser levada a sério ao mesmo tempo que conduzia uma redefinição da identidade chinesa internamente e desafiava as potências nucleares diplomaticamente, às vezes as duas ao mesmo tempo, às vezes uma seguida da outra.

Na execução dessa agenda de política externa, Mao devia mais a Sun Tzu do que a Lenin. Ele obtinha inspiração na leitura dos clássicos chineses e da tradição que publicamente desdenhava. Ao planejar iniciativas de política externa, era menos provável que se referisse à doutrina marxista do que a obras tradicionais chinesas: textos confucionistas; as canônicas "24 Histórias Dinásticas", que contavam a ascensão e queda das dinastias imperiais chinesas; Sun Tzu, *O Romance dos Três Reinos*; e outros textos sobre a arte da guerra e da estratégia; narrativas de aventura e rebelião como *Os Bandidos do Pântano*; e o romance de amor e intriga palaciana *O Sonho da Câmara Vermelha*, que Mao alegava ter lido cinco vezes.[10] Numa repetição dos funcionários-eruditos confucionistas tradicionais que denunciava como opressores e parasitas, Mao escrevia poesia e ensaios filosóficos e extraía grande orgulho de sua caligrafia inortodoxa. Esses elementos literários e artísticos não eram um refúgio de seus esforços na política, mas parte integrante dela. Quando Mao, após uma ausência de 32 anos, voltou a seu vilarejo nativo em 1959, escreveu um poema não sobre marxismo ou materialismo, mas de traço romântico: "São os amargos sacrifícios que fortalecem nossa firme determinação, e que nos dão a coragem para ousar mudar o firmamento e os céus, mudar o sol, e construir um mundo novo."[11]

Essa tradição literária estava tão enraizada que, em 1969, num momento decisivo da política externa de Mao, quatro conselheiros indicados por Mao para delinear suas opções estratégicas ilustraram suas recomendações da necessidade de estabelecer relações com o arqui-inimigo americano citando *O Romance dos Três Reinos*, que estava banido na China mas que podiam ter certeza de que Mao havia lido. Assim, também, mesmo em meio aos ataques mais devastadores à herança chinesa antiga, Mao concebia suas doutrinas de política externa em termos de analogias com jogos de intelecto altamente tradicionais. Ele descrevia suas manobras iniciais na Guerra Sino-Indiana como "cruzar a fronteira Han-Chu", uma antiga metáfora extraída da versão chinesa do xadrez.[12] Ele via o tradicional jogo de azar, o mahjong, como uma escola para o pensamento estratégico: "Se o senhor soubesse jogar", disse ao seu médico, "iria compreender a relação entre o princípio da probabilidade e o princípio da certeza".[13] E nos conflitos chineses tanto com os Estados Unidos como com a União Soviética, Mao e seus principais colegas concebiam a ameaça em termos do *wei qi* — o de impedir o cerco estratégico.

Era precisamente nesses aspectos mais tradicionais que as superpotências tinham a maior dificuldade em compreender as motivações estratégicas de Mao. Olhando pelas lentes da análise estratégica ocidental, a maioria dos empreendimentos militares de Pequim nas primeiras três décadas da Guerra Fria eram projetos improváveis e, ao menos no papel, impossíveis. Lançando a China contra potências normalmente muito mais fortes e ocorrendo em territórios previamente considerados de importância estratégica secundária — Coreia do Norte, as ilhas ao largo do estreito de Taiwan, regiões esparsamente povoadas dos Himalaias, trechos congelados de território no rio Ussuri —, essas intervenções e ofensivas chinesas pegaram todos os observadores estrangeiros — e cada um dos adversários — de surpresa. Mao estava determinado a impedir o cerco por qualquer potência ou combinação de potências, independentemente da ideologia, que no seu entender estivesse conquistando muitas "pedras" do *wei qi* em torno da China, mediante uma ruptura de suas maquinações.

Isso foi o catalisador que levou a China à Guerra da Coreia a despeito de sua fraqueza relativa — e isso, após a morte de Mao, levaria Pequim à guerra com o Vietnã, um aliado recente, desafiando um tratado de defesa mútua entre Hanói e Moscou e enquanto a União Soviética mantinha um milhão de tropas nas fronteiras setentrionais da China. Cálculos de longo alcance sobre a configuração de forças em torno da periferia chinesa eram considerados mais significativos do que um cálculo literal do equilíbrio de poder imediato. Essa combinação entre visão de longo alcance e elemento psicológico também se expressava na abordagem maoista à dissuasão das possíveis ameaças militares.

Por mais que Mao tenha assimilado a história da China, nenhum governante chinês anterior combinou elementos tradicionais com a mesma mistura de autoridade, impiedade e alcance global do que ele: ferocidade diante do desafio e diplomacia hábil quando as circunstâncias impediam sua preferência por iniciativas esmagadoras e drásticas. Suas iniciativas de política externa vastas e ousadas, por mais que suas táticas fossem tradicionais, eram empreendidas em meio a uma violenta ebulição da sociedade chinesa. O mundo todo, prometia ele, seria transformado, e as coisas se transformariam em seus opostos:

> De todas as classes do mundo o proletariado é a que se mostra mais ansiosa em mudar sua posição, e depois dela vem o semiproletariado, pois aquele não possui coisa alguma, ao passo que este dificilmente se vê em melhores condições. Os Estados Unidos hoje controlam a maioria das Nações Unidas e dominam muitas partes do mundo — esse estado de coisas é temporário e será modificado um dia desses. A posição da China como país pobre com seus direitos negados nos negócios internacionais também irá mudar — o país pobre vai se tornar rico, o que tem seus direitos negados passará a usufruir deles —, uma transformação das coisas em seus opostos.[14]

No entanto, Mao era realista demais para buscar a revolução mundial como uma meta prática. Como resultado, o impacto tangível da China na revolução mundial era largamente ideológico e consistia de um serviço de inteligência de apoio aos Partidos Comunistas locais. Mao explicou essa postura em uma entrevista a Edgar Snow, o primeiro jornalista americano a descrever a base comunista chinesa em Yan'an durante a guerra civil, em 1965: "A China apoiava movimentos revolucionários, mas não invadindo países. Claro que, sempre que uma luta de libertação existisse, a China faria seus pronunciamentos oficiais e convocaria manifestações para apoiá-la."[15]

Nessa mesma veia, "Longa vida à vitória da guerra popular", panfleto de 1965 escrito por Lin Biao, na época o presumível sucessor de Mao, argumentava que a zona rural do mundo (isto é, os países em desenvolvimento) iria derrotar as cidades do mundo (isto é, os países desenvolvidos), muito ao modo como o Exército de Libertação Popular derrotara Chiang Kai-shek. O governo Lyndon Johnson interpretou isso como um projeto chinês de apoio — e provavelmente de envolvimento direto — à subversão comunista no mundo todo e sobretudo na Indochina. O panfleto de Lin foi um fator que contribuiu para a decisão norte-americana de mandar tropas ao Vietnã. Os estudiosos contemporâneos, porém, tratam esse documento como uma declaração dos limites do apoio militar chinês para o Vietnã e outros movimentos revolucionários. Pois, na verdade, Lin estava proclamando que: "A libertação das massas é realizada pelas próprias massas — esse é um princípio básico do marxismo-leninismo. A revolução ou a guerra popular em qualquer país é assunto das massas desse país e deve ser efetuada primordialmente pelos próprios esforços; não existe outra maneira."[16]

Essa restrição refletia uma avaliação realista do verdadeiro equilíbrio de forças. Não temos como saber o que Mao teria decidido se o equilíbrio houvesse pendido em favor do lado comunista. Mas, fosse como um reflexo do realismo ou da motivação filosófica, a ideologia revolucionária era um meio de transformar o mundo pela performance, mais do que pela guerra, algo muito parecido com o modo como os imperadores chineses enxergavam seu próprio papel.

Uma equipe de estudiosos chineses com acesso aos Arquivos Centrais de Pequim escreveu um relato fascinante sobre a ambivalência de Mao: dedicado à revolução mundial, pronto para encorajá-la sempre que possível; contudo, também protetor em relação às necessidades de sobrevivência da China.[17] Essa ambivalência ganhou expressão em uma conversa com o presidente do Partido Comunista australiano, E. F. Hill, em 1969, quando Mao considerava uma abertura para os Estados Unidos, com os quais a China estivera entravada em uma relação antagônica durante duas décadas. Ele propôs uma questão a seu interlocutor: Estamos caminhando para uma revolução que vai impedir a guerra? Ou para uma guerra que vai produzir a revolução?[18] Se fosse aquela, a aproximação com os Estados Unidos seria imprudente; se fosse esta, seria imperativa, para impedir um ataque à China. No fim, após alguma hesitação, Mao optou pela aproximação com a América. Impedir a guerra (que, a essa altura, muito provavelmente envolveria um ataque soviético contra a China) era mais importante do que encorajar a revolução global.

A revolução contínua e o povo chinês

A abertura de Mao aos Estados Unidos era uma importante decisão tanto ideológica como estratégica. Mas isso não alterou seu comprometimento com o conceito de revolução contínua no âmbito doméstico. Ainda em 1972, ano em que o presidente Nixon visitou a China, ele mandou distribuir por todo o país uma carta que enviara a sua esposa, Jiang Qing, no início da Revolução Cultural, seis anos antes:

> A situação muda de uma grande rebelião para uma grande paz a cada sete ou oito anos. Fantasmas e monstros pulam por conta própria. [...] Nossa presente tarefa é varrer os direitistas do Partido e de todo o país. Devemos inaugurar outro movimento para varrer os fantasmas e monstros após sete ou oito anos, e lançaremos mais desse movimento depois.[19]

Esse clamor pelo comprometimento ideológico também ilustrou o dilema de Mao como sendo o de qualquer revolução vitoriosa: uma vez que os revolucionários tomam o poder, são obrigados a governar hierarquicamente, se querem evitar a paralisia ou o caos. Quanto mais radical a derrubada do governo anterior, mais a hierarquia deve assumir o lugar do consenso que mantém unida uma sociedade funcional. Quanto mais elaborada é a hierarquia, maior a probabilidade de que se transforme em uma outra versão ainda mais elaborada do opressivo establishment que foi substituído.

Assim, desde o início, Mao engajou-se numa busca cujo fim lógico só podia ser um ataque às próprias instituições do comunismo, mesmo as que ele mesmo criara. Onde o leninismo assegurara que o advento do comunismo resolveria as "contradições" da sociedade, a filosofia de Mao não conhecia ponto de descanso. Não era suficiente industrializar o país como fizera a União Soviética. Na busca de uma singularidade chinesa histórica, a ordem social necessitava estar em fluxo constante para impedir o pecado do "revisionismo", do qual Mao cada vez mais acusava a Rússia pós-Stalin. Um Estado comunista, segundo Mao, não devia se transformar em uma sociedade burocrática; a força motivadora devia ser a ideologia, em vez de a hierarquia.

Desse modo, Mao gerou uma série de contradições internas. Na busca da Grande Harmonia, ele lançou a Campanha das Cem Flores, em 1956, que convidou ao debate público e depois se voltou contra os intelectuais que a praticaram; o Grande Salto Adiante, em 1958, destinado a alcançar a industrialização ocidental em um período de três anos, mas que levou a uma das fomes mais disseminadas na história moderna e gerou uma ruptura no Partido Comunista; e a Revolução Cultural de 1966, em que uma geração de líderes treinados, professores, diplomatas e especialistas foi enviada ao campo para trabalhar em fazendas e aprender com as massas.

Milhões morreram para implementar a busca do líder por uma virtude igualitária. Porém, em sua revolta contra a onipresente burocracia chinesa, ele continuou a se debater com o dilema de que a campanha para salvar seu povo de si mesmo gerava burocracias ainda maiores. No fim, destruir os próprios discípulos tornou-se a vasta empreitada de Mao.

A fé de Mao no sucesso último de sua revolução contínua tinha três fontes: ideologia, tradição e nacionalismo chinês. A mais importante, individualmente, era sua fé na perseverança, capacidades e coesão do povo chinês. E, na verdade, é impossível pensar em outro povo que teria sido capaz de aguentar o implacável tumulto imposto por Mao sobre a sociedade. Ou cujo líder poderia ter tornado crível a ameaça maoista constantemente repetida de que o povo chinês prevaleceria mesmo que fugisse de todas as suas cidades contra um invasor estrangeiro ou sofresse dezenas de milhões de baixas numa guerra nuclear. Mao podia assim fazer devido a sua profunda fé na capacidade de o povo chinês manter sua essência em meio a todas as vicissitudes.

Isso era uma diferença fundamental em relação à Revolução Russa uma geração antes. Lenin e Trotsky viam sua revolução como um evento desencadeador da revolução mundial. Convencidos de que a revolução mundial era iminente, eles concordaram em ceder um terço da Rússia europeia para o controle alemão no Tratado de Brest-Litovsk de 1918. Quaisquer que fossem elas, as consequências para a Rússia seriam absorvidas pela revolução iminente no resto da Europa, que, assim presumiam Lenin e Trotsky, varreria a ordem política existente.

Uma tal abordagem teria sido impensável para Mao, cuja revolução era largamente sinocêntrica. A revolução da China talvez exercesse um impacto na revolução mundial, mas, nesse caso, seria mediante o esforço, o sacrifício e o exemplo do povo chinês. Com Mao, a grandeza do povo chinês sempre foi seu princípio organizador. Em um antigo ensaio de 1919, ele enfatizou as qualidades únicas do povo chinês:

> Aventuro-me a fazer uma afirmação singular: um dia, a reforma do povo chinês será mais profunda do que a de qualquer outro povo, e a sociedade do povo chinês será mais radiante do que a de qualquer outro povo. A grande união do povo chinês será alcançada antes do que a de qualquer outro povo ou lugar.[20]

Vinte anos depois, em meio à invasão japonesa e à guerra civil chinesa, Mao exaltava as realizações históricas da nação chinesa de um modo que os soberanos dinásticos teriam compartilhado:

> Por toda a história da civilização chinesa sua agricultura e seus talentos artesanais têm sido renovados pelo seu alto nível de desenvolvimento; houve inúmeros grandes pensadores, cientistas, inventores, estadistas, soldados, homens de letras e artistas, e possuímos um rico cabedal de obras clássicas. A bússola foi inventada na China há muitos anos. A arte da fabricação de papel foi descoberta há distantes 1.800 anos. A xilografia foi inventada há 1.300 anos, e a prensa de tipos móveis, há oitocentos anos. O uso da pólvora era conhecido dos chineses antes dos europeus. Assim, a China tem uma das civilizações mais antigas do mundo; seu registro histórico remonta a quase 4 mil anos.[21]

Mao continuava retornando a um dilema tão antigo quanto a própria China. Intrinsecamente universal, a tecnologia moderna oferece uma ameaça à pretensão de singularidade de qualquer sociedade. E a singularidade sempre fora a pretensão característica da sociedade chinesa. Para preservar sua singularidade, a China se recusara a imitar o Ocidente no século XIX, arriscando-se à colonização e à consequente humilhação. Um século mais tarde, o único objetivo da Revolução Cultural maoista — da qual de fato derivava seu nome — fora erradicar precisamente esses elementos de modernização que ameaçavam envolver a China em uma cultura universal.

Em 1968, Mao completara o círculo. Impelido por uma mistura de fervor ideológico e premonição de mortalidade, ele se voltou para a juventude a fim de purificar as forças armadas e o Partido Comunista e deixar no poder uma nova geração de comunistas ideologicamente puros. Mas a realidade decepcionou o envelhecido líder. Provou-se impossível dirigir um país pela exaltação ideológica. Os jovens que atenderam as instruções de Mao criaram mais caos do que comprometimento e foram por sua vez deslocados para o remoto interior rural; alguns dos líderes inicialmente alvos da purificação foram trazidos de volta a fim de restabelecer a ordem — sobretudo entre os militares. Em abril de 1969, quase metade do Comitê Central do Partido — 45% — era formada por militares, comparado a 19% em 1956; a média de idade dos novos membros era de 60 anos.[22]

Um pungente lembrete desse dilema veio à tona na primeira conversa entre Mao e o presidente Nixon em fevereiro de 1972. Nixon cumprimentou Mao por ter transformado uma antiga civilização, ao que Mao respondeu: "Eu não fui capaz de mudá-la. Só fui capaz de mudar alguns lugares nos arredores de Pequim."[23]

Após uma vida inteira de lutas titânicas para extirpar as raízes da sociedade chinesa, não era pequeno o *pathos* na resignada admissão de Mao quanto à onipresença da cultura chinesa e do povo chinês. Um dos governantes chineses historicamente mais poderosos colidira de frente com aquela massa paradoxal — ao mesmo tempo obediente e independente, submissa e autoconfiante, impondo limites menos por desafios diretos do que pela hesitação em executar ordens que considerava incompatíveis com o futuro de suas famílias.

Desse modo, no fim, Mao apelou não tanto aos aspectos materiais de sua revolução marxista como à fé dela. Uma das histórias favoritas tiradas do folclore chinês clássico era a do "velho tolo", que acreditava ser capaz de mover montanhas com as mãos nuas. Mao contou essa história em uma conferência do Partido Comunista, do seguinte modo:

> Há uma antiga fábula chinesa chamada "O Velho Tolo que Removia Montanhas". Ela conta de um velho que vivia no norte da China há muito, muito tempo, e era conhecido como o Velho Tolo da Montanha do Norte. Sua casa ficava de frente para o sul e diante de sua porta erguiam-se dois grandes picos, o Taihang e o Wangwu, obstruindo seu caminho. Ele chamou seus filhos e, enxadas na mão, começaram a cavar essas montanhas com grande determinação. Outro senhor de barbas grisalhas, conhecido como o Velho Sábio, viu o que faziam e comentou com zombaria: "Como vocês são tolos de fazer isso! É totalmente impossível removerem essas duas imensas montanhas." O Velho Tolo replicou: "Quando eu morrer, meus filhos continuarão; quando eles morrerem, será a vez de meus netos, e depois dos filhos deles e de seus netos, e assim por diante, até o infinito. Por mais altas que sejam, essas montanhas não podem crescer mais e, a cada pedaço que escavamos, elas ficam muito menores. Por que não podemos removê-las?" Tendo refutado o ponto de vista equivocado do Velho Sábio, ele prosseguiu cavando todos os dias, inabalável em sua convicção. Deus ficou comovido com isso e enviou dois anjos, que partiram carregando consigo a montanha em suas costas. Atualmente, duas grandes montanhas jazem como um peso morto sobre o povo chinês. Uma é o imperialismo; a outra, o feudalismo. O Partido Comunista chinês tomou há muito tempo a resolução de escavá-las. Devemos perseverar e trabalhar sem cessar, e desse modo também nós iremos tocar o coração divino.[24]

Uma ambivalente combinação de fé no povo chinês e desdém por suas tradições possibilitou a Mao empreender um surpreendente tour de force: uma sociedade empobrecida recém emergindo de uma dilacerante guerra civil se dividiu a intervalos cada vez mais curtos e, durante esse processo, disputou guerras com os Estados Unidos e a Índia, desafiou a União Soviética e restaurou as fronteiras do Estado chinês quase a sua máxima extensão histórica.

Emergindo em um mundo de duas superpotências nucleares, a China conseguiu, a despeito de sua insistente propaganda comunista, se conduzir essencialmente como um "agente livre" geopolítico na Guerra Fria. Diante de sua relativa fraqueza, ela desempenhou um papel totalmente independente e de enorme influência. A China passou da hostilidade a uma situação de quase aliança com os Estados Unidos e seguiu uma direção oposta em relação à União Soviética — indo da aliança à confrontação. Talvez o mais notável, a China conseguiu, no fim, se libertar da União Soviética e acabar no lado "vencedor" da Guerra Fria.

Mesmo assim, com todas as suas realizações, a insistência de Mao em virar o antigo sistema de pernas para o ar não conseguiu escapar ao eterno ritmo da vida chinesa. Quarenta anos após sua morte, depois de uma jornada violenta, dramática e intensa, seus sucessores voltaram a descrever sua sociedade cada vez mais próspera como confucionista. Em 2011, uma estátua de Confúcio foi erguida na praça Tiananmen (Praça da Paz Celestial), à vista do mausoléu de Mao — a única outra personalidade a merecer tal homenagem. Somente um povo resistente e paciente como o chinês poderia emergir unificado e dinâmico após uma viagem tão acidentada ao longo da história.

CAPÍTULO 5

Diplomacia triangular e a Guerra da Coreia

EM SEU PRIMEIRO GRANDE ATO de política externa, Mao Zedong viajou para Moscou em 16 de dezembro de 1949, pouco mais de dois meses após ter proclamado a República Popular da China. Foi sua primeira viagem para fora do país. Seu propósito era formar uma aliança com a superpotência comunista, a União Soviética. Em vez disso, o encontro inaugurou uma série de ações que iriam culminar na transformação da esperada aliança em uma diplomacia triangular, pela qual os Estados Unidos, a China e a União Soviética fizeram suas manobras, ora se aliando, ora atuando uns contra os outros.

Nessa primeira reunião com Stalin, que foi realizada no dia de sua chegada, Mao enfatizou que a China necessitava de um "período de três a cinco anos de paz, que seria usado para trazer a economia de volta aos níveis de antes da guerra e para estabilizar o país de um modo geral".[1] Contudo, menos de um ano após a viagem de Mao, os Estados Unidos e a China estariam em guerra entre si.

Tudo veio à tona mediante as maquinações de um jogador aparentemente menor: Kim Il-sung, o ambicioso governante que os soviéticos puseram no poder na Coreia do Norte, um Estado que fora criado apenas dois anos antes pelo acordo entre os Estados Unidos e a União Soviética baseado nas áreas da Coreia liberada que cada um ocupara ao fim da guerra contra o Japão.

Do modo como se deu, Stalin tinha pouco interesse em ajudar na recuperação da China. Ele não esquecera a dissidência de Josip Broz Tito, líder da Iugoslávia e o único líder comunista europeu a ter chegado ao poder pelo próprio esforço, e não como resultado da ocupação soviética. Tito rompera com a União Soviética durante a guerra recente. Stalin estava determinado a evitar um desfecho similar na Ásia. Ele compreendia a significação geopolítica da vitória comunista na China; seu objetivo estratégico era manipular as consequências disso e se beneficiar de seu impacto.

Stalin não deveria ter grandes dúvidas de que, em Mao, estava lidando com uma figura formidável. Os comunistas chineses haviam prevalecido na guerra civil chinesa contra as expectativas soviéticas e ignorando a recomendação dos soviéticos. Embora Mao houvesse anunciado a intenção da China de "pender para um lado" — o de Moscou — nos assuntos internacionais, de todos os líderes comunistas ele era um dos que menos devia sua posição a Moscou e agora governava o país comunista mais populoso do mundo. Assim, o encontro entre os dois gigantes do comunismo levou a um intrincado minueto que culminou, seis meses mais tarde, com a Guerra da Coreia, que envolveu a China e os Estados Unidos diretamente e a União Soviética por tabela.

Convencido de que o acalorado debate norte-americano sobre quem "perdeu" a China prefigurava uma eventual tentativa americana de reverter o resultado — ponto de vista ao qual a ideologia comunista o levou, em todo caso —, Mao empenhou-se em obter o maior apoio material e militar possível da União Soviética. Uma aliança formal era seu objetivo.

Mas os dois autocratas comunistas não estavam destinados a cooperar facilmente. Stalin, a essa altura, ocupava o poder havia quase trinta anos. Ele triunfara sobre toda a oposição interna e levara seu país a uma vitória contra os invasores nazistas a um terrível custo em vidas humanas. Autor de expurgos periódicos envolvendo milhões de vítimas e, mesmo nessa época, no processo de iniciar uma nova série de expurgos, Stalin a essa altura estava além da ideologia. Sua liderança foi, em vez disso, marcada por um maquiavelismo cínico e impiedoso baseado em sua brutal interpretação da história nacional russa.

Durante as longas lutas da China com o Japão, nas décadas de 1930 e 1940, Stalin deplorara o potencial das forças comunistas e depreciara a estratégia rural, baseada em camponeses, de Mao. Nesse ínterim, Moscou manteve laços oficiais com o governo nacionalista. No fim da guerra contra o Japão, em 1945, Stalin obrigara Chiang Kai-shek a conceder privilégios à União Soviética na Manchúria e em Xinjiang, comparáveis aos que haviam sido conquistados pelo regime czarista, e a reconhecer a Mongólia Exterior como uma República Popular nominalmente independente sob o controle soviético. Stalin encorajava ativamente forças separatistas em Xinjiang.

Em Yalta, nesse mesmo ano, Stalin insistiu com seus colegas, Franklin D. Roosevelt e Winston Churchill, no reconhecimento internacional de direitos especiais soviéticos na Manchúria, incluindo uma base naval em Lushun (antigo Port Arthur) e um porto em Dalian, como condição para entrar na guerra contra os japoneses. Em agosto de 1945, Moscou e as autoridades nacionalistas assinaram um tratado afirmando os acordos de Yalta.

Nessas circunstâncias, a reunião dos dois titãs comunistas em Moscou não poderia de modo algum ser o abraço caloroso que a ideologia compartilhada pedia. Como se recordou Nikita Khrushchev, então um membro do Politburo de Stalin:

> Stalin adorava exibir sua hospitalidade para seus estimados convidados e ele sabia como fazer isso muito bem. Mas durante a estadia de Mao, Stalin chegou às vezes a ficar sem ir ao seu encontro por dias a fio — e como Stalin não procurava Mao nem tampouco ordenava que algum outro fosse entretê-lo, *ninguém* ousava vê-lo. [...] Mao fez saber que se a situação continuasse ele iria embora. Quando Stalin ouviu falar das queixas de Mao, acho que ofereceu outro jantar para ele.[2]

Estava claro desde o início que Stalin não considerava a vitória comunista um motivo para abrir mão das conquistas que obtivera para a União Soviética como um preço por entrar na guerra contra o Japão. Mao começou a conversa enfatizando sua necessidade de paz, dizendo a Stalin: "Decisões sobre questões de suma importância para a China dependem da perspectiva de um futuro pacífico. Tendo isso em mente o [Comitê Central do Partido Comunista da China] incumbiu-me de averiguar com você, camarada Stalin, de que maneira e por quanto tempo a paz internacional será preservada."[3]

Stalin o tranquilizou quanto à perspectiva de paz, talvez para retardar qualquer pedido de assistência emergencial e para minimizar a urgência de promover uma aliança:

> A questão da paz preocupa enormemente a União Soviética também, embora já estejamos gozando de paz nos últimos quatro anos. Com respeito à China, não existe ameaça imediata no presente momento: o Japão ainda precisa se erguer sobre os pés e, desse modo, não está preparado para a guerra; a América, a despeito de seu clamor pela guerra, atualmente teme mais a guerra do que qualquer coisa; a Europa tem medo da guerra; em essência, não há ninguém para lutar com a China, não a menos que Kim Il-sung decida invadir a China? A paz vai depender de nossos esforços. Se continuarmos a nos manter em termos amigáveis, a paz talvez dure não apenas cinco ou dez anos, mas vinte ou 25, e talvez ainda mais.[4]

Se esse era o caso, uma aliança militar não era realmente necessária. Stalin tornou explícitas suas reticências quando Mao tocou formalmente no assunto. Ele fez a surpreendente declaração de que um novo tratado de aliança era supérfluo; o tratado existente, que havia sido firmado com Chiang Kai-shek em circunstâncias completamente diferentes, bastaria. Stalin sustentou esse argumento com a alegação de que a posição soviética destinava-se a evitar proporcionar a "Estados Unidos e Inglaterra a base legal para impor questões acerca de uma modificação" nos acordos de Yalta.[5]

Em essência, Stalin argumentava que o comunismo na China estava mais bem-protegido por meio de um acordo russo feito com o governo que Mao acabara de derrubar. Stalin gostava tanto desse argumento que também o aplicou às concessões que a União Soviética extraíra de Chiang Kai-shek com respeito a Xinjiang e Manchúria, o qual, em sua opinião, deveria agora ter prosseguimento a pedido de Mao. Mao, sempre o nacionalista ferrenho, rejeitou essas ideias redefinindo o pedido de Stalin. Os presentes acordos ao longo da ferrovia na Manchúria, argumentava ele, correspondiam aos "interesses chineses" na medida em que provessem "uma escola técnica para o preparo de um núcleo chinês treinado em ferrovia e indústria".[6] Funcionários chineses precisavam assumir assim que obtivessem treinamento. Consultores soviéticos podiam ficar até que esse treinamento estivesse completo.

Em meio a protestos de amizade e afirmações de solidariedade ideológica, dois eminentes maquiavelistas executavam suas manobras visando a predominância suprema (bem como extensões consideráveis de território na periferia chinesa). Stalin era o mais velho e, por algum tempo, foi o mais poderoso; Mao, num sentido geopolítico, era o mais autoconfiante. Ambos eram estrategistas de primeira linha e, desse modo, compreendiam que, no curso do que estavam planejando formalmente, seus interesses estavam quase fadados a acabar em rota de colisão.

Após um mês barganhando, Stalin cedeu e concordou com um tratado de aliança. Contudo, insistiu que Dalian e Lushun continuariam sendo bases soviéticas até que um tratado de paz com o Japão fosse assinado. Moscou e Pequim finalmente concluíram um Tratado de Amizade, Aliança e Assistência Mútua em 14 de fevereiro de 1950. Ele estipulava o que Mao havia buscado e Stalin tentara evitar: uma obrigação de assistência recíproca no caso de um conflito com uma terceira potência. Teoricamente, obrigava a China a acorrer em auxílio da União Soviética globalmente. Em termos operacionais, proporcionava a Mao uma rede de segurança se as várias crises que assomavam pelas fronteiras chinesas começassem a escalar.

O preço que a China tinha de pagar era exorbitante: mineras, ferrovias e outras concessões na Manchúria e em Xinjiang; o reconhecimento da independência da Mongólia Exterior; o uso soviético do porto de Dalian; e a utilização, até 1952, da base naval de Lushun. Anos mais tarde, Mao ainda se queixaria amargamente para Khrushchev sobre a tentativa de Stalin de estabelecer "semicolônias" na China por meio dessas concessões.[7]

Quanto a Stalin, o surgimento de um vizinho potencialmente poderoso no Oriente representava um pesadelo político. Nenhum governante russo poderia ignorar a extraordinária disparidade demográfica entre a China e a Rússia ao longo de uma fronteira de 3 mil quilômetros: uma população chinesa de mais de 500 milhões fazia divisa com um total russo de menos de 40 milhões na Sibéria. Em que ponto no desenvolvimento da China os números começariam a fazer diferença? O aparente consenso ideológico enfatizava, mais do que diminuía, a preocupação. Stalin era cínico demais para duvidar que, quando homens poderosos conquistam uma posição de proeminência pelo que consideram seus próprios esforços, eles resistem à pretensão de ortodoxia superior feita por um aliado, por mais próximo que seja. Stalin, tendo formado seu juízo acerca de Mao, devia ter consciência de que ele jamais concederia a primazia doutrinária.

Acheson e o chamariz do titoísmo chinês

Um episódio que ocorreu durante a estadia de Mao em Moscou foi sintomático tanto das problemáticas relações com o mundo comunista como do papel potencial e crescente dos Estados Unidos nesse emergente triângulo. A ocasião foi uma tentativa do secretário de Estado Dean Acheson de responder ao coro de críticos domésticos sobre quem "perdera" a China. Sob suas instruções, o Departamento de Estado circulou um Livro Branco em agosto de 1949 tratando do colapso dos nacionalistas. Embora os Estados Unidos ainda reconhecessem os nacionalistas como o governo legítimo de toda a China, o Livro Branco os descrevia como "corruptos, reacionários e ineficientes".[8] Acheson assim concluíra e aconselhava Truman na carta de transmissão do Livro Branco, que

> o fato infeliz mas inescapável é que o resultado ominoso da guerra civil na China ficou além do controle do governo dos Estados Unidos. Nada do que este país fez ou poderia ter feito dentro dos limites razoáveis de sua capacidade teria modificado esse resultado. [...] Ela foi o produto de forças internas chinesas, forças que este país tentou influenciar sem sucesso.[9]

Em um pronunciamento ao National Press Club em 12 de janeiro de 1950, Acheson reforçou a mensagem do Livro Branco e apresentou uma radical nova política para a Ásia. Seu discurso continha três pontos de importância fundamental. O primeiro era de que Washington estava lavando as mãos na guerra civil chinesa. Os nacionalistas, proclamou Acheson, haviam mostrado tanto inadequação política como "a mais grosseira incompetência jamais vivenciada por qualquer comando militar". Os comunistas, argumentou Acheson, "não criaram essa condição", mas exploraram habilmente a abertura que ela propiciava. Chiang Kai-shek era agora "um refugiado numa pequena ilha ao largo da costa da China com o resto de seus exércitos".[10]

Tendo concedido o continente para controle comunista e fosse lá o impacto geopolítico que pudesse advir, não fazia sentido resistir às tentativas comunistas de ocupar Taiwan. Isso era na verdade a avaliação do NSC-48/2, um documento refletindo a política nacional preparado pela equipe do Conselho de Segurança Nacional e aprovado pelo presidente. Adotado em 30 de dezembro de 1949, concluía que "a importância estratégica de Formosa [Taiwan] não justifica a ação militar aberta". Truman defendera um ponto de vista similar em uma coletiva de imprensa em 5 de janeiro: "O governo dos Estados Unidos não fornecerá ajuda militar ou conselhos para as forças chinesas em Formosa."[11]

Em segundo, e de forma mais significativa, Acheson não deixou dúvida sobre o que ameaçava a independência da China no longo prazo:

> Esse conceito e essas técnicas de cunho comunista proporcionaram ao imperialismo russo uma nova e mais insidiosa arma de penetração. Dotada desses novos poderes, o que está acontecendo na China é que a União Soviética está separando da China as províncias [áreas] chinesas ao norte e as está anexando ao território soviético. Esse processo é complementado na Mongólia Exterior. Está quase completado na Manchúria, e tenho certeza de que na Mongólia Interior e em Sinkiang há relatórios bastante otimistas sendo enviados pelos agentes soviéticos para Moscou. Isso é o que está acontecendo.[12]

O último novo ponto no discurso de Acheson foi ainda mais fundo quanto a suas implicações para o futuro. Pois sugeria nada menos que a opção de um titoísmo explícito para a China. Propondo basear as relações com a China no interesse nacional, Acheson assegurava que a integridade chinesa era um assunto de interesse nacional norte-americano independentemente da ideologia doméstica da China: "Devemos assumir a posição que sempre assumimos — de que qualquer um que viole a integridade da China é o inimigo da China e está agindo contra nossos próprios interesses."[13]

Acheson delineava uma perspectiva para um novo relacionamento sino-americano baseado no interesse nacional, não na ideologia:

> [Hoje] é um dia em que as antigas relações entre o Oriente e o Ocidente se foram, relações que em seus piores momentos foram de exploração e, nos melhores, de paternalismo. Essa relação terminou, e a relação entre Oriente e Ocidente deve agora no Extremo Oriente ser de mútuo respeito e mútua ajuda.[14]

Uma tal opinião em relação à China comunista não seria enunciada outra vez por um representante americano de primeiro escalão senão dali a duas décadas, quando Richard Nixon se pronunciou em termos similares perante seu gabinete.

O discurso de Acheson foi arquitetado de forma brilhante para atingir os nervos mais expostos de Stalin. E Stalin de fato mordeu a isca e tentou fazer alguma coisa a respeito. Ele despachou seu primeiro-ministro, Andrey Vyshinsky, e seu ministro mais antigo, Vyacheslav Molotov, para se reunir com Mao, ainda em Moscou, para as negociações de aliança, a fim de adverti-lo da "calúnia" sendo difundida por Acheson e, em essência, cobrar uma palavra de tranquilização. Foi de certo modo um gesto desesperado de Stalin, em desacordo com sua usual perspicácia. Pois o mero pedido de tranquilização define a potencial capacidade de inconfiabilidade do outro lado. Se um parceiro é julgado como sendo capaz de deserção, como a promessa de confiança pode ser digna de crédito? Ou, caso contrário, por que ela seria necessária? Além do mais, tanto Mao como Stalin sabiam que a "calúnia" de Acheson era uma descrição precisa da presente relação sino-soviética.[15]

Os dois soviéticos pediram a Mao para desmentir as acusações de Acheson de que a União Soviética podia estar tentando arrancar partes da China, ou obter uma posição dominante nelas, e recomendaram que descrevesse isso como um insulto para a China. Mao não dialogou com os emissários de Stalin, exceto para pedir uma cópia do discurso e perguntar sobre as possíveis motivações de Acheson. Após alguns dias, Mao aprovou uma declaração atacando sarcasticamente Acheson — mas, ao contrário da reação de Moscou, que foi divulgada em nome do ministro das Relações Exteriores soviético, Pequim deixou que o chefe do escritório da agência de notícias oficial da República Popular da China rejeitasse as propostas de Acheson.[16] A linguagem do comunicado depreciava a "calúnia" de

Washington, mas seu nível protocolar relativamente baixo mantinha as opções chinesas em aberto. Mao decidiu não abordar todas as implicações das palavras de Acheson enquanto estivesse em Moscou, tentando construir uma rede de segurança para seu país ainda isolado.

Mao revelou mais tarde seus verdadeiros sentimentos sobre a possibilidade de se separar de Moscou, em dezembro de 1956, com característica complexidade, a pretexto de rejeitar a opção uma vez mais, embora de um modo mais brando:

> A China e a União Soviética estão juntas. [...] Ainda há pessoas que alimentam dúvidas quanto a essa política. [...] Elas acham que a China deveria tomar um curso intermediário e ser uma ponte entre a União Soviética e os Estados Unidos. [...] Se a China se põe entre a União Soviética e os Estados Unidos, ela parece estar numa posição favorável, e ser independente, mas na verdade ela não pode ser independente. Os Estados Unidos não são confiáveis, o país abriria mão de alguma coisa, mas não muito. Como poderia o imperialismo entregar-lhe a refeição completa? Isso não vai acontecer.[17]

Mas e se os Estados Unidos estivessem prontos para oferecer o que Mao chamou de "refeição completa"? Essa pergunta só seria respondida em 1972, quando o presidente Nixon iniciou a abertura com a China.

Kim Il-sung e a eclosão da guerra

As coisas poderiam ter prosseguido numa espécie de luta contra a própria sombra por vários, talvez muitos, anos, conforme os dois governantes absolutos morbidamente desconfiados se calibravam atribuindo suas próprias motivações ao outro. Em vez disso, Kim Il-sung, o líder norte-coreano que Stalin havia ridicularizado em sua primeira reunião com Mao, em dezembro de 1949, entrou na contenda geopolítica com resultados alarmantes. Na reunião que tiveram em Moscou, Stalin se esquivara de uma aliança militar entre China e União Soviética sugerindo de forma debochada que a única ameaça à paz viria da Coreia do Norte, se "Kim Il-sung decidir invadir a China".[18]

Não foi isso que Kim Il-sung decidiu. Em vez disso, optou por invadir a Coreia do Sul e, no processo, atraiu os maiores países do mundo para a beira de uma guerra global, e a China e os Estados Unidos para um efetivo confronto militar.

Antes de a Coreia do Norte invadir a do Sul, teria parecido inconcebível que a China, mal se reerguendo de uma guerra civil, pudesse entrar em guerra com os Estados Unidos nuclearmente armados. Que a guerra tenha irrompido deve-se à desconfiança que os dois gigantes comunistas alimentavam um em relação ao outro e à capacidade de Kim Il-sung, embora inteiramente dependente de seus aliados incomparavelmente mais poderosos, de manipular suas desconfianças mútuas.

A Coreia fora incorporada ao Japão imperial em 1910 e rapidamente se tornou o ponto de partida para as incursões japonesas pela China. Em 1945, após a derrota do Japão, a Coreia foi ocupada ao Norte pelos exércitos soviéticos, ao Sul pelas forças americanas. A linha divisória entre eles, o paralelo 38, era arbitrária. Refletia simplesmente os limites que suas forças haviam atingido ao final da guerra.[19]

Quando as potências ocupantes se retiraram em 1949 e as zonas até então ocupadas se tornaram Estados com plena soberania, nenhum dos dois se sentia confortável dentro de suas fronteiras. Seus líderes, Kim Il-sung no Norte e Syngman Rhee no Sul, tinham passado suas vidas lutando por suas causas nacionais. Não viam motivo para abandoná-las agora, e ambos reivindicaram a liderança do país todo. Choques militares na divisa eram frequentes.

Começando pela retirada das forças americanas da Coreia do Sul em junho de 1949, Kim Il-sung tentara durante 1949 e 1950 inteiros convencer tanto Stalin quanto Mao a concordar com uma invasão do Sul em larga escala. Ambos no início rejeitaram a proposta. Durante a visita de Mao a Moscou, Stalin perguntou a Mao qual era sua opinião sobre tal invasão, e Mao, embora favorável ao objetivo, avaliou o risco de intervenção norte-americana como elevado demais.[20] Ele achava que qualquer projeto para conquistar a Coreia do Sul deveria ser adiado até o encerramento da guerra civil chinesa com a conquista de Taiwan.

Foi precisamente esse objetivo chinês que forneceu um dos incentivos para o projeto de Kim Il-sung. Por mais ambíguas que fossem as declarações americanas, Kim Il-sung estava convencido de que os Estados Unidos dificilmente aceitariam duas conquistas militares comunistas. Desse modo, ele ficou impaciente em conquistar seus objetivos na Coreia do Sul antes que Washington mudasse de posição caso a China fosse bem-sucedida na ocupação de Taiwan.

Meses mais tarde, em abril de 1950, Stalin reverteu sua posição anterior. Durante uma visita de Kim Il-sung a Moscou, Stalin deu sinal verde ao pedido de Kim. Stalin enfatizou sua convicção de que os Estados Unidos não interfeririam. Um documento diplomático soviético dizia que:

> O camarada Stalin confirmou a Kim Il-sung que o ambiente internacional mudou o suficiente para permitir uma posição mais ativa na unificação da Coreia. [...] Agora que a China assinou um tratado de aliança com a URSS, os americanos se mostrarão ainda mais hesitantes em desafiar os comunistas na Ásia. Segundo informação vinda dos Estados Unidos, é isso mesmo. O ânimo predominante é de não interferir. Tal ânimo é reforçado pelo fato de que a URSS tem agora a bomba atômica e de que nossas posições estão solidificadas em Pyongyang.[21]

Depois disso não há qualquer registro de um diálogo sino-soviético sobre o assunto. Kim Il-sung e seus enviados tornaram-se o veículo por meio do qual os dois gigantes comunistas se comunicavam um com o outro na Coreia. Tanto Stalin como Mao tramavam uma influência dominante na Coreia ou, no mínimo, impedir o parceiro de obtê-la. Durante esse processo, Mao concordou em transferir para a Coreia mais de 50 mil tropas, junto com suas armas, de etnia coreana que serviam nas unidades do Exército de Libertação Popular. Seria sua motivação encorajar o projeto de Kim Il-sung ou provar seu apoio ideológico ao mesmo tempo que limitava um compromisso militar chinês final? Sejam quais tenham sido as intenções verdadeiras de Mao, o resultado prático foi deixar Pyongyang em uma posição militar significativamente fortalecida.

No debate doméstico americano sobre a Guerra da Coreia, o discurso de Dean Acheson sobre a política asiática em janeiro de 1950 acabou sendo amplamente criticado por situar a Coreia fora do "perímetro defensivo" americano no Pacífico, desse modo supostamente fornecendo o "sinal verde" para a invasão norte-coreana. Em seu relato dos compromissos americanos no Pacífico, o discurso de Acheson não era uma inovação. O general Douglas MacArthur, comandante em chefe do U.S. Far East Command, similarmente situara a Coreia fora do perímetro defensivo americano em uma entrevista concedida em março de 1949, em Tóquio:

> Agora o Pacífico se tornou um lago anglo-saxão, e nossa linha defensiva passa através da cadeia de ilhas que margeia a costa da Ásia.
>
> Ela começa nas Filipinas e continua pelo arquipélago de Ryukyu, que inclui seu principal bastião, Okinawa. Depois ela se curva de volta pelo Japão e a cadeia das ilhas Aleutas até o Alasca.[22]

Desde então, os Estados Unidos já tinham retirado a maior parte de suas forças da Coreia. Um projeto de lei internacional para a Coreia estava em trâmite no Congresso, onde enfrentava considerável resistência. Acheson teve de repetir a descrição de Mac Arthur, afirmando que "a segurança militar na área do Pacífico" envolvia um "perímetro defensivo [que] vai das ilhas Aleutas ao Japão e então às ilhas Ryukyu... [e] vai de Ryukyu às Filipinas.[23]

Sobre a questão específica da Coreia, Acheson apresentou uma visão ambígua refletindo o presente estado de indecisão americana. Agora que a Coreia do Sul era "um país independente e soberano reconhecido por praticamente todo o resto do mundo", Acheson argumentava que "nossas responsabilidades são mais diretas e nossas oportunidades mais claras" (embora quais fossem essas responsabilidades e oportunidades, Acheson não tenha explicado — especificamente, se incluíam defesa contra invasão). Se um ataque armado fosse ocorrer em uma área do Pacífico não explicitamente a sul ou a leste do perímetro defensivo norte-americano, Acheson sugeria que: "A confiança inicial deve recair sobre o povo atacado resistir e depois sobre os compromissos de todo o mundo civilizado sob a Carta das Nações Unidas." [24] Considerando que a deterrência exige clareza acerca das intenções de um país, o pronunciamento de Acheson deixou a desejar.

Nenhuma referência específica a esse aspecto do discurso de Acheson até hoje emergiu em qualquer documento chinês ou soviético. Documentos diplomáticos recém-disponibilizados sugerem, entretanto, que Stalin baseou a mudança de posição em parte no acesso ao NSC-48/2, que sua rede de espionagem, provavelmente pelo vira-casaca britânico Donald Maclean, havia descoberto. Esse relatório também situava a Coreia especificamente fora do perímetro defensivo norte-americano. Uma vez que era altamente secreto, o documento deve ter parecido particularmente digno de crédito para os analistas soviéticos.[25]

Outro elemento na reviravolta de Stalin talvez tenha sido sua desilusão com Mao originada das negociações levando ao Tratado de Amizade sino-soviético descrito anteriormente. Mao deixara bastante claro que os privilégios especiais russos na China não iriam durar. O controle russo sobre o porto de Dalian estava fadado a ser temporário. Stalin podia muito bem ter concluído que uma Coreia comunista unificada talvez se mostrasse mais conveniente para as necessidades navais soviéticas.

Sempre tortuoso e complexo, Stalin insistiu com Kim que conversasse sobre esse assunto com Mao, observando que ele tinha uma "boa compreensão dos assuntos orientais".[26] Na realidade, Stalin estava transferindo o máximo de responsabilidade que podia para os ombros chineses. Ele disse a Kim para não "esperar grande ajuda e apoio da União Soviética", explicando que Moscou estava preocupada e apreensiva com "a situação no Ocidente".[27] E advertiu Kim: "Se você ficar na mão, não vou mexer uma palha. Vai ter de pedir a Mao para ajudar."[28] Isso era bem de Stalin: arrogante, abrangente, manipulador, precavido e grosseiro, produzindo um benefício geopolítico para a União Soviética enquanto passava os riscos do esforço para a China.

Stalin, que havia encorajado a eclosão da Segunda Guerra Mundial ao isentar a retaguarda de Hitler por meio do pacto nazi-soviético, aplicou sua habilidade e experiência em se garantir de todos os lados. Se os Estados Unidos interviessem, a ameaça contra a China aumentaria, assim como a dependência chinesa da União Soviética. Se a China respondesse ao desafio americano, ela precisaria de assistência soviética maciça, conquistando o mesmo resultado. Se a China ficasse de fora, a influência de Moscou sobre uma Coreia do Norte desiludida iria crescer.

Kim em seguida viajou a Pequim para uma entrevista secreta com Mao entre 13 e 16 de maio de 1950. Em uma reunião na noite de sua chegada, Kim revelou a Mao sobre a aprovação de Stalin do plano de invasão e lhe pediu que confirmasse seu apoio.

A fim de limitar ainda mais seus riscos, Stalin, pouco antes do ataque que havia encorajado, procurou reassegurar-se ainda mais retirando todos os consultores soviéticos de unidades norte-coreanas. Quando isso tolheu os movimentos do exército norte-coreano, ele mandou os consultores de volta, embora sob o disfarce de correspondentes da TASS, a agência de notícias soviética.

Como um aliado menor dos dois gigantes comunistas desencadeou uma guerra de graves consequências globais foi resumido pelo intérprete de Mao, Shi Zhe, para o historiador Chen Jian, que parafraseou o conteúdo da conversa-chave entre Mao e Kim Il-sung:

> [Kim] contou a Mao que Stalin aprovara seus planos de atacar o Sul. Mao pediu as opiniões de Kim sobre uma possível reação americana caso a Coreia do Norte atacasse a do Sul, enfatizando que na medida em que o governo de Syngman Rhee fora apoiado pelos Estados Unidos e que a Coreia era perto do Japão, a possibilidade de uma intervenção americana não podia ser totalmente excluída. Kim, contudo, parecia confiante de que os Estados Unidos não comprometeriam suas tropas, ou, pelo menos, de que não teriam tempo para enviá-las, pois os norte-coreanos seriam capazes de encerrar os confrontos em duas a três semanas. Mao de fato perguntou a Kim se a Coreia do Norte necessitava do apoio militar da China e ofereceu destacar três exércitos chineses ao longo da fronteira entre a China e a Coreia. Kim respondeu "arrogantemente" (nas palavras do próprio Mao, segundo Shi Zhe) que, com as próprias forças norte-coreanas e a cooperação dos guerrilheiros comunistas no Sul, poderiam resolver o problema por si mesmos, e que, desse modo, a intervenção militar chinesa era desnecessária.[29]

Os fatos apresentados por Kim aparentemente balançaram Mao o bastante para que encerrasse o encontro mais cedo e ordenasse que Zhou Enlai telegrafasse para Moscou exigindo uma "resposta urgente" e "esclarecimento pessoal" de Stalin.[30] No dia seguinte, a resposta chegou de Moscou, com Stalin mais uma vez devolvendo o ônus para o líder chinês. O telegrama explicava que

> [e]m suas conversas com os camaradas coreanos, [Stalin] e seus amigos [...] concordaram com os coreanos em relação ao plano de se mover rumo à reunificação. Nesse aspecto, uma restrição foi feita, de que o assunto fosse enfim decidido pelos camaradas chineses e coreanos entre si, e, no caso de discordância dos camaradas chineses, de que a decisão sobre a questão fosse postergada aguardando posterior discussão.[31]

Isso, é claro, jogou a culpa pelo veto ao projeto inteiramente nas costas de Mao. Dissociando-se ainda mais do resultado (e fornecendo a Kim uma oportunidade adicional para o exagero e a deturpação), Stalin evitou um possível telegrama em resposta de Pequim explicando que "os camaradas coreanos podem lhe contar os detalhes da conversa".[32]

Nenhum registro da conversa subsequente de Mao e Kim foi disponibilizado até o momento. Kim regressou a Pyongyang em 16 de maio com as bênçãos de Mao para invadir a Coreia do Sul — ou pelo menos foi assim que ele descreveu o cenário para Moscou. Mao talvez possa também ter calculado que a aquiescência na conquista da Coreia do Sul pudesse estabelecer uma premissa para a assistência militar soviética para um subsequente ataque chinês a Taiwan. Nesse caso, foi um terrível erro de cálculo. Pois, mesmo que os Estados Unidos tivessem permitido a conquista da Coreia do Sul, a opinião pública norte-americana não teria permitido que o governo Truman ignorasse outra ação militar comunista no estreito de Taiwan.

Dez anos depois, Moscou e Pequim ainda não haviam entrado em um acordo sobre que lado realmente dera a Kim o sinal verde para empreender sua invasão. Num encontro em Bucareste em junho de 1960, Khrushchev, na época secretário-geral soviético, insistiu com o membro do Politburo chinês Peng Zhen que "se Mao Zedong não tivesse concordado, Stalin não teria feito o que fez". Peng retrucou que isso estava "totalmente errado" e que "Mao Zedong era contra a guerra. [...] Foi Stalin quem concordou".[33]

Assim, os dois gigantes comunistas entraram em uma guerra sem pensar nas implicações globais caso as previsões otimistas de Kim Il-sung e Stalin se provassem equivocadas. Uma vez os Estados Unidos entrando na guerra, se veriam obrigados a considerá-las.

A intervenção americana: resistindo à agressão

O problema do planejamento político é que suas análises não são capazes de prever o estado de espírito no qual uma decisão tem de ser tomada. Os vários pronunciamentos de Truman, Acheson e MacArthur refletiram corretamente o pensamento americano quando foram feitos. A natureza do envolvimento americano com a segurança internacional era objeto de controvérsia doméstica e não havia ainda sequer considerado a defesa da Coreia. A Otan ainda estava em processo de formação. Mas, quando os tomadores de decisão norte-americanos ficaram face a face com uma real invasão comunista, eles ignoraram as análises de seus próprios *policy papers*.

Os Estados Unidos surpreenderam os líderes comunistas após o ataque de Kim Il-sung em 25 de junho, não apenas intervindo, como também ligando a Guerra da Coreia à guerra civil chinesa. Forças terrestres americanas foram enviadas para a Coreia a fim de estabelecer um perímetro defensivo em torno de Pusan, a cidade portuária ao sul. Essa decisão foi apoiada por uma resolução do Conselho de Segurança da ONU que só foi possível porque a União Soviética se absteve de votar, como protesto contra o fato de que o assento chinês no Conselho de Segurança continuava ocupado por Taipei. Dois dias depois, o presidente Truman ordenou que a frota americana do Pacífico "neutralizasse" o estreito de Taiwan impedindo ataques militares vindos de qualquer direção. O motivo era obter o apoio mais amplo do Congresso e do público para a Guerra da Coreia; não há evidência de que Washington considerasse que estava, de fato, expandindo a guerra num confronto com a China.

Até essa decisão, Mao planejara atacar Taiwan como seu próximo gesto militar e mobilizara enormes forças na província Fujian, da China, com essa finalidade. Os Estados Unidos haviam concedido inúmeros pronunciamentos — incluindo uma coletiva de imprensa feita por Truman em 5 de janeiro — no sentido de que não bloqueariam tal esforço.

A decisão de Truman de enviar a Sétima Frota para o estreito de Taiwan foi planejada para aplacar a opinião pública e limitar o risco americano na Coreia. Anunciando o envio da frota, Truman citou a importância de defender Taiwan, mas também conclamou "o governo chinês de Formosa a cessar todas as operações aéreas contra o continente". Truman posteriormente advertiu: "A Sétima Frota vai assegurar que isso seja feito."[34]

Para Mao, um gesto imparcial era inimaginável; ele interpretava palavras de tranquilização como hipocrisia. Até onde lhe dizia respeito, os Estados Unidos estavam reingressando na guerra civil chinesa. Um dia após o anúncio de Truman, em 28 de junho de 1950, Mao se dirigiu à Oitava Sessão do Comitê do Governo Popular Central, durante a qual descreveu as medidas americanas como uma invasão da Ásia:

> A invasão norte-americana na Ásia só pode despertar uma resistência ampla e determinada do povo asiático. Truman disse em 5 de janeiro que os Estados Unidos não interviriam em Taiwan. Agora ele próprio provou que estava simplesmente mentindo. Ele também rasgou todos os acordos internacionais garantindo que os Estados Unidos não interfeririam nos assuntos internos da China.[35]

Na China, os instintos de *wei qi* entravam em ação. Ao enviar tropas para a Coreia e a armada para o estreito de Taiwan, os Estados Unidos haviam, aos olhos chineses, lançado duas pedras no tabuleiro de *wei qi*, ambas as quais ameaçavam a China com um temido cerco.

Os Estados Unidos não tinham plano militar para a Coreia quando a guerra irrompeu. O propósito americano declarado na Guerra da Coreia era derrotar a "agressão", um conceito jurídico denotando o uso de força não autorizado contra uma entidade soberana. Como o sucesso seria definido? Uma volta ao status quo no nível do paralelo 38, em que cada agressor descobriria que o pior resultado foi que não venceu — possivelmente encorajando outra tentativa? Ou exigia a destruição da capacidade militar norte-coreana para empreender agressões? Não há evidência de que essa questão foi sequer colocada nos primeiros estágios do envolvimento militar americano, em parte porque toda atenção do governo era necessária para defender o perímetro em torno de Pusan. O resultado prático foi permitir que as operações militares determinassem as decisões políticas.

Após a impressionante vitória de MacArthur em Inchon, em setembro de 1950 — onde um desembarque anfíbio surpresa longe do front em Pusan interrompeu o ímpeto do avanço norte-coreano e abriu uma rota para a recaptura da capital sul-coreana de Seul —, o governo Truman optou pela continuidade das operações militares até que a Coreia fosse reunificada. Ele presumiu que Pequim acataria a presença de forças americanas ao longo da tradicional rota de invasão da China.

A decisão de avançar as operações pelo território norte-coreano foi formalmente autorizada por uma resolução das Nações Unidas em 7 de outubro, dessa vez pela Assembleia Geral subordinada a um dispositivo parlamentar recém-adotado, a resolução Unidos para a Paz, que permitia à Assembleia Geral tomar decisões sobre segurança internacional por um voto de dois terços. Ela autorizava "todos os atos constituintes" para promover um governo unificado, independente e democrático no Estado soberano da Coreia".[36] A intervenção chinesa contra forças norte-americanas estava supostamente além das capacidades chinesas.

Nenhum desses pontos de vista coincidia remotamente com o modo como Pequim encarava os assuntos internacionais. Assim que as forças americanas intervieram no estreito de Taiwan, Mao tratou a mobilização da Sétima Frota como uma "invasão" da Ásia. China e Estados Unidos aproximavam-se de um enfrentamento ao interpretar equivocadamente os planos estratégicos um do outro. Os Estados Unidos se empenharam em forçar a China a aceitar seu conceito de ordem internacional, baseados em organizações internacionais como as Nações Unidas, para as quais não conseguiam imaginar uma alternativa. Desde o início, Mao não teve a menor intenção de aceitar um sistema internacional em cujo esquema o país não tinha voz alguma. Como consequência, o resultado da estratégia militar americana seria inevitavelmente, na melhor das hipóteses, um armistício em torno de quaisquer que fossem as linhas que emergissem — ao longo do rio Yalu, que demarcava a fronteira entre a Coreia do Norte e a China, se o plano americano prevalecesse; ao longo de alguma outra linha a ser combinada, se a China interviesse ou os Estados Unidos decidissem unilateralmente parar antes da fronteira norte da Coreia (por exemplo, no paralelo 38 ou numa linha, Pyongyang a Wonsan, que surgiu mais tarde em uma mensagem de Mao para Zhou).

O mais improvável era a aquiescência chinesa com a presença norte-americana em uma fronteira que era uma tradicional rota de invasão da China e especificamente a base de onde o Japão empreendera a ocupação da Manchúria e a invasão do norte da China. A probabilidade de que a China permanecesse passiva era ainda menor por uma tal postura envolver um recuo estratégico em duas frentes: o estreito de Taiwan e a Coreia — em parte porque Mao, até certo ponto, perdera o controle sobre os acontecimentos no período que precedeu a Coreia. Os juízos equivocados de ambas as partes se combinaram. Os Estados Unidos não esperavam a invasão; a China não esperava a reação. Cada lado reforçou os equívocos do outro com as próprias ações. No fim do processo esperavam dois anos de guerra e vinte de isolamento.

Reações chinesas: uma forma diferente de deterrência

Nenhum estudioso de assuntos militares jamais teria pensado que fosse concebível que o Exército de Libertação Popular, recém-saído de uma guerra civil e na maior parte equipado com armas capturadas dos nacionalistas, enfrentaria um exército moderno contando com armamentos nucleares. Mao, porém, não era um estrategista militar convencional. As ações de Mao na Guerra da Coreia exigem um entendimento sobre como ele enxergava o que, na estratégia ocidental, seria chamado deterrência ou mesmo preempção e que, ao modo de pensar chinês, combina os elementos de longo prazo, estratégicos e psicológicos.

No Ocidente, a Guerra Fria e a capacidade destrutiva das armas nucleares produziram o conceito de deterrência: impor riscos de destruição a um potencial agressor que seja desproporcional a qualquer possível ganho. A eficácia da ameaça é medida por coisas que não acontecem, ou seja, as guerras que são evitadas.

Para Mao, o conceito ocidental de deterrência era passivo demais. Ele rejeitava uma postura em que a China fosse obrigada a esperar por um ataque. Sempre que possível, ele se empenhava em ter a iniciativa. Em um nível, isso era semelhante ao conceito ocidental de guerra preemptiva — antecipar um ataque desferindo o primeiro golpe. Mas, na doutrina ocidental, a guerra preemptiva busca a vitória e a vantagem militar. A abordagem de Mao à guerra preemptiva diferia na atenção extraordinária que ele prestava aos elementos psicológicos. Sua força motivadora era menos infligir um primeiro golpe militar decisivo do que mudar o equilíbrio psicológico, não tanto para derrotar o inimigo como para alterar seus cálculos em relação aos riscos. Como veremos nos capítulos posteriores, as ações chinesas nas Crises do Estreito de Taiwan de 1954 a 1958, no confronto da fronteira com a Índia em 1962, no conflito com os soviéticos ao longo do rio Ussuri de 1969 a 1971 e na Guerra Sino-Vietnamita de 1979 tiveram todas elas a característica comum de um golpe súbito seguido rapidamente de uma fase política. Tendo restaurado a equação psicológica, aos olhos chineses, a genuína deterrência fora atingida.[37]

Quando a visão de preempção encontra o conceito ocidental de deterrência, um círculo vicioso pode advir: ações concebidas como defensivas na China podem ser encaradas como agressivas no mundo exterior; movimentações visando a deterrência feitas pelo Ocidente podem ser interpretadas na China como tentativa de cerco. Os Estados Unidos e a China enfrentaram esse dilema repetidamente durante a Guerra Fria; em certa medida, até hoje não encontraram uma forma de transcendê-lo.

A sabedoria convencional costuma atribuir a decisão chinesa de entrar na Guerra da Coreia à decisão americana de cruzar o paralelo 38 no começo de outubro de 1950 e ao avanço das forças das Nações Unidas para o rio Yalu, a fronteira de China e Coreia. Outra teoria era a da agressividade comunista inata nos moldes dos ditadores europeus de uma década antes. Estudos recentes demonstram que nenhuma das duas teorias está correta. Mao e seus companheiros de governo não tinham nenhum plano estratégico para a Coreia no sentido de desafiar sua soberania; antes da guerra, estavam mais preocupados em contrabalançar a Rússia ali. Tampouco esperavam desafiar os Estados Unidos em termos militares. Eles entraram na guerra somente depois de longas deliberações e muita hesitação, numa espécie de movimento preemptivo.

O evento que precipitou esse plano foi o despacho inicial de tropas americanas para a Coreia combinado à neutralização do estreito de Taiwan. A partir desse momento, Mao ordenou o planejamento para a entrada chinesa na Guerra da Coreia com o propósito, no mínimo, de impedir o colapso da Coreia do Norte — e ocasionalmente para o objetivo revolucionário máximo de expulsar inteiramente as forças americanas da península.[38] Ele presumiu — muito antes que as forças americanas ou sul-coreanas houvessem se movido para o norte no paralelo 38 — que, a menos que a China interviesse, a Coreia do Norte seria dominada. Deter o avanço americano para o Yalu era um elemento secundário. Isso criou, na concepção de Mao, uma oportunidade para um ataque surpresa e uma chance de mobilizar a opinião pública; não foi o principal fator motivador. Uma vez tendo os Estados Unidos repelido o avanço inicial norte-coreano em agosto de 1950, a intervenção chinesa tornou-se altamente provável; quando os Estados Unidos inverteram o rumo da guerra surpreendendo o exército norte-coreano em Inchon e depois atravessaram o paralelo 38, a intervenção chinesa se tornou inevitável.

A estratégia chinesa geralmente exibe três características: análise meticulosa de tendências de longo prazo, estudo cuidadoso de opções táticas e exploração imparcial de decisões operacionais. Zhou Enlai iniciou esse processo convocando conferências entre líderes chineses em 7 e 10 de julho — duas semanas após a mobilização americana na Coreia —, a fim de analisar o impacto das ações americanas na China. Os participantes concordaram em remobilizar tropas originalmente destinadas à invasão de Taiwan para a fronteira da Coreia e constituí-las num Exército de Defesa da Fronteira Norte com a missão de "defender as fronteiras a nordeste e preparar a base para as operações de guerra do Exército Popular Coreano, se necessário". Em fins de julho — ou mais de dois meses antes que as forças norte-americanas atravessassem o paralelo 38 —, mais de 250 mil tropas chinesas haviam sido mobilizadas na fronteira coreana.[39]

As reuniões do Politburo e da Comissão Militar Central continuaram durante o mês de agosto. Em 4 de agosto, seis semanas antes do desembarque em Inchon, quando a situação militar ainda era favorável às forças invasoras norte-coreanas e o front continuava situado bem adentro do território sul-coreano, perto da cidade de Pusan, Mao, cético quanto à capacidade da Coreia do Norte, disse ao Politburo: "Se os imperialistas americanos saírem vitoriosos, o sucesso vai lhes subir à cabeça, e ficarão em posição de nos ameaçar. Temos de ajudar a Coreia; temos de ir em seu auxílio. Isso pode ser feito na forma de uma força voluntária, e no momento de nossa escolha, mas devemos começar a nos preparar."[40] Na mesma reunião, Zhou empreendeu a mesma análise básica: "Se os imperialistas americanos esmagarem a Coreia do Norte, ficarão inchados de arrogância, e a paz estará ameaçada. Se queremos assegurar a vitória, devemos ampliar o fator China; isso pode produzir uma mudança na situação internacional. Devemos adotar uma visão de longo prazo."[41] Em outras palavras, era a derrota da Coreia do Norte que ainda avançava, não a localização particular das forças americanas, que a China precisava resistir. No dia seguinte, Mao ordenou ao seu alto-comando que "completassem seus preparativos em um mês e ficassem prontos para as ordens de iniciar as operações de guerra".[42]

Em 13 de agosto, a 13ª Corporação do Exército da China realizou uma conferência entre seus líderes militares de alto escalão para discutir a missão. Embora expressando reservas quanto ao prazo final de agosto, os participantes concluíram que a China "deveria tomar a iniciativa, cooperar com o Exército Popular Coreano, marchar adiante sem relutância e esmagar o sonho inimigo de agressão".[43]

Nesse meio-tempo estavam sendo feitas análises de estado-maior e exercícios cartográficos. Eles levaram os chineses a conclusões que os ocidentais teriam julgado contraintuitivas, no sentido de que a China poderia vencer uma guerra contra as forças armadas americanas. Os compromissos dos Estados Unidos pelo mundo, assim rezava o argumento, limitariam a mobilização norte-americana a um máximo de 500 mil, enquanto a China tinha um exército de 4 milhões a que recorrer. A proximidade chinesa do campo de batalha dava-lhe uma vantagem logística. Os planejadores chineses achavam que contariam com uma vantagem psicológica também devido ao fato de que a maioria dos povos mundiais apoiaria a China.[44]

Nem mesmo a possibilidade de um ataque nuclear desencorajava os estrategistas chineses — talvez porque não tivessem uma experiência de primeira mão com armas nucleares e nenhum meio de adquiri-las. Eles concluíram (embora não sem alguma manifesta dissensão) que uma reação nuclear americana era improvável em face da capacidade nuclear soviética, bem como do risco, devido ao "padrão de zigue-zague" das tropas na península, de que um ataque nuclear americano contra as tropas chinesas que avançavam para a Coreia pudesse destruir também as forças norte-americanas.[45]

Em 26 de agosto, Zhou, numa conversa com a Comissão Militar Central, resumiu a estratégia chinesa. Pequim "não deveria tratar o problema coreano como meramente dizendo respeito a um país irmão ou como relativo aos interesses na área a nordeste". Em vez disso, a Coreia "deveria ser encarada como um importante assunto internacional". A Coreia, argumentava Zhou, "é na verdade o foco das lutas no mundo. [...] Após conquistar a Coreia, os Estados Unidos certamente vão se voltar para o Vietnã e outros países colonizados. Logo, o problema coreano é no mínimo a chave para o Oriente".[46] Zhou concluiu que devido aos recentes reveses norte-coreanos, "nosso dever é hoje muito mais pesado [...] e devemos nos preparar para o pior, e que seja rápido". Zhou enfatizou a necessidade de sigilo, de modo que "possamos entrar na guerra e desferir no inimigo um golpe súbito".[47]

Tudo isso estava acontecendo semanas antes do desembarque anfíbio de MacArthur em Inchon (que um grupo de especialistas chineses havia previsto) e bem menos de um mês antes que forças das Nações Unidas cruzassem o paralelo 38. Em resumo, a China entrou na guerra com base em uma avaliação de tendências estratégicas cuidadosamente considerada, não como reação a uma manobra tática americana — tampouco em virtude de alguma determinação legalista em defender a sacralidade do paralelo 38. Uma ofensiva chinesa era uma estratégia preventiva contra perigos que ainda não haviam se materializado e se baseavam em juízos acerca das definitivas intenções norte-americanas em relação à China que não foram bem compreendidas. Era também uma expressão do papel crucial desempenhado pela Coreia nos cálculos chineses de longo prazo — condição talvez ainda mais relevante no mundo contemporâneo. A insistência de Mao em seu curso de ação também foi provavelmente influenciada pela crença de ser o único modo de remediar seu consentimento com a estratégia de invasão de Kim Il-sung e Stalin. De outro modo, ele poderia ter sido acusado pelos outros líderes chineses de contribuir para o agravamento da situação estratégica da China pela presença da Sétima Frota no estreito de Taiwan e de forças americanas nas fronteiras chinesas.

Os obstáculos à intervenção chinesa eram tão desencorajadores que toda a liderança de Mao foi necessária para conquistar a aprovação de seus colegas. Dois importantes comandantes, incluindo Lin Biao, recusaram o comando do Exército de Defesa da Fronteira Nordeste sob vários pretextos antes de Mao encontrar em Peng Dehuai um comandante preparado para assumir a incumbência.

Mao prevaleceu, como prevalecera em todas as decisões importantes, e os preparativos para a entrada de forças chinesas na Coreia foram inexoravelmente adiante. Outubro viu forças americanas e aliadas deslocando-se na direção do Yalu, determinadas a unificar a Coreia e resguardá-la mediante resolução da ONU. Seu propósito era defender o novo status quo com essas forças, tecnicamente constituindo um comando da ONU. A movimentação dos dois exércitos na direção um do outro desse modo adquiriu uma qualidade fatalista; os chineses estavam preparando um ataque, enquanto os americanos e seus aliados permaneciam cegos ao desafio que os aguardava no fim de sua marcha para o norte.

Zhou foi cuidadoso em iniciar o estágio diplomático. Em 24 de setembro ele protestou junto à ONU sobre o que caracterizava como esforços americanos em "estender a guerra de agressão contra a Coreia, empreender a agressão armada contra Taiwan e estender além sua agressão contra a China".[48] Em 3 de outubro, ele advertiu o embaixador indiano K. M. Panikkar de que as tropas norte-americanas iriam cruzar o paralelo 38 e que "se as tropas dos EUA realmente o fizerem, não podemos ficar sentados sem fazer nada e permanecer indiferentes. Vamos intervir. Por favor, transmita isso ao primeiro-ministro de seu país".[49] Panikkar respondeu que esperava que a travessia ocorresse dentro das 12 horas seguintes, mas que o governo indiano "não seria capaz de tomar nenhuma ação efetiva" até 18 horas após o recebimento do seu cabograma.[50] Zhou respondeu: "Isso é assunto dos americanos. O propósito da conversa dessa noite é fazê-lo saber nossa atitude em relação a uma das questões levantadas pelo primeiro-ministro Nehru em sua carta."[51] A conversa foi mais para fazer um registro do que já estava decidido do que um último apelo pela paz, como é tratada com tanta frequência.

Nesse ponto, Stalin reentrou na cena como um *deus ex machina* para a continuação do conflito que ele havia encorajado e cujo encerramento não estava nos seus planos. O exército norte-coreano estava entrando em colapso, e outro desembarque americano no litoral oposto era esperado pelo serviço de informações soviético perto de Wonsan (equivocadamente). Preparativos chineses para a intervenção estavam muito mais adiantados, mas a situação ainda não era irrevogável. Stalin desse modo decidiu, em uma mensagem em 1º de outubro para Mao, pedir a intervenção chinesa. Após Mao ter protelado uma decisão, mencionando o perigo da intervenção americana, Stalin enviou um telegrama com uma informação adicional. Ele estava preparado, insistia, em se comprometer a um apoio militar soviético numa guerra total caso os Estados Unidos reagissem à intervenção chinesa:

> Claro, levei em consideração também [a possibilidade de] que os Estados Unidos, a despeito de sua indisposição para uma guerra de grandes proporções, possam ser atraídos a uma guerra dessas por [motivos de] prestígio, o que, por sua vez, arrastaria a China para a guerra, e junto com ela arrastaria para a guerra a URSS, que está apalavrada com a China pelo Pacto de Assistência Mútua. Devemos temer isso? Na minha opinião, não devemos, porque juntos seremos mais fortes que os Estados Unidos e a Inglaterra, enquanto os outros Estados capitalistas europeus (com exceção da Alemanha, que é incapaz de fornecer qualquer auxílio para os norte-americanos no momento) não apresentam forças militares sérias. Se uma guerra é inevitável, então que seja travada já, e não daqui a alguns anos, quando o militarismo japonês será restaurado como um aliado dos EUA e o Japão disporá de uma cabeça de ponte à disposição no continente, na forma de toda a Coreia governada por Syngman Rhee.[52]

Pelo seu valor de face, esse comunicado extraordinário parecia afirmar que Stalin estava pronto para entrar em guerra com os Estados Unidos a fim de impedir a Coreia de se tornar parte da esfera estratégica norte-americana. Uma Coreia unida, pró-Estados Unidos — da qual, aos olhos de Stalin, mais cedo ou mais tarde um Japão ressurgente se tornaria parceiro —, representava, nessa análise, a mesma ameaça na Ásia que a emergência da Otan na Europa. Os dois juntos talvez se tornassem mais do que a União Soviética podia dar conta.

Na ocasião, quando posto à prova, Stalin se mostrou pouco inclinado a demonstrar o comprometimento total que prometera a Mao — ou mesmo qualquer aspecto de confronto direto com os Estados Unidos. Ele sabia que a balança de poder era desfavorável demais para um acerto de contas, que dizer de uma guerra em duas frentes. Ele procurou amarrar o potencial militar americano na Ásia e envolver a China em empreitadas que ampliassem sua dependência do apoio soviético. O que a carta de Stalin realmente demonstra é quão seriamente os analistas soviéticos e chineses avaliavam a importância estratégica da Coreia, ainda que por motivos muito diferentes.

A carta de Stalin deixou Mao em um dilema. Uma coisa era planejar a intervenção de modo abstrato em parte como um exercício de solidariedade revolucionária. Outra era efetivamente executá-la, especialmente quando o exército norte-coreano estava à beira da desintegração. A intervenção chinesa tornava imperativos suprimentos soviéticos e, acima de tudo, cobertura aérea decente, uma vez que o Exército de Libertação Popular não contava com força aérea digna do nome. Assim, quando a questão da intervenção foi apresentada perante o Politburo, Mao recebeu uma resposta surpreendentemente ambígua, levando-o a esperar antes de dar sua palavra final. Em vez disso, Mao despachou Lin Biao (que rejeitara o comando das forças chinesas, alegando problemas de saúde) e Zhou para a Rússia a fim de discutir as perspectivas da assistência soviética. Stalin estava no Cáucaso de férias, mas não viu motivo para alterar sua agenda. Ele obrigou Zhou a ir para o seu retiro mesmo que (ou, talvez, justamente porque) Zhou não tivesse meio de se comunicar com Pequim da datcha de Stalin, exceto por canais soviéticos.

Zhou e Lin Biao haviam sido instruídos a advertir Stalin de que, sem receber uma garantia de suprimentos, a China não poderia, no fim, empreender o que viera preparando por dois meses. Pois a China seria o palco principal do conflito que Stalin estava promovendo. Suas perspectivas dependeriam dos suprimentos e do apoio direto que Stalin disponibilizaria. Quando confrontados com essa realidade, a reação dos chefes de governo de Mao foi ambivalente. Alguns opositores chegaram até ao ponto de argumentar que a prioridade devia ser dada ao desenvolvimento doméstico. Ao menos uma vez na vida Mao parecia hesitar, nem que por um minuto apenas. Seria isso uma manobra para obter uma garantia de apoio de Stalin antes que as forças chinesas fossem irrevogavelmente comprometidas? Ou ele estava de fato indeciso?

Um sintoma de divisões internas chinesas é o misterioso caso de um telegrama de Mao para Stalin enviado na noite de 2 de outubro, do qual duas versões contraditórias são mantidas nos arquivos de Pequim e Moscou.

Em uma versão do telegrama de Mao — rascunhado na caligrafia de Mao, arquivado em Pequim, publicado em uma coletânea chinesa *neibu* ("apenas para circulação interna") dos manuscritos de Mao, mas muito provavelmente nunca despachado de fato para Moscou —, o líder chinês escreveu que Pequim "decidira enviar parte de nossas tropas para a Coreia sob o nome de Voluntários [Populares Chineses] para combater os Estados Unidos e seu lacaio Syngman Rhee e para ajudar os camaradas coreanos".[53] Mao citou o perigo de que, na ausência de uma intervenção chinesa, "a força revolucionária coreana conhecerá uma derrota acachapante, e os agressores americanos avançarão com fúria descontrolada assim que ocuparem a totalidade da Coreia. Isso será desfavorável para todo o Oriente".[54] Mao observou que "devemos estar preparados para uma declaração de guerra dos Estados Unidos e para o subsequente uso da força aérea norte-americana bombardeando inúmeras das principais cidades e bases industriais chinesas, bem como para um ataque da marinha americana contra nossas regiões costeiras". O plano chinês era enviar 12 divisões do sul da Manchúria em 15 de outubro. "No estágio inicial", escreveu Mao, eles iriam mobilizar as tropas a norte do paralelo 38 e "meramente empreender a guerra defensiva" contra tropas inimigas que cruzem o paralelo. Nesse meio-tempo, "eles vão esperar pela chegada de armas soviéticas. Uma vez bem-equipados, vão cooperar com os camaradas coreanos em contra-ataques para aniquilar as tropas agressoras americanas".[55]

Em uma versão diferente do telegrama de 2 de outubro de Mao — enviado por intermédio do embaixador soviético em Pequim, recebido em Moscou e guardado nos arquivos presidenciais russos —, Mao informava Stalin que Pequim *não* estava preparada para enviar tropas. Ele aventou a possibilidade de que, após posteriores conversas com Moscou (e, deu a entender, promessas de apoio militar soviético adicional), Pequim se mostraria inclinada a entrar no conflito.

Durante anos estudiosos analisaram a primeira versão do telegrama como se fosse a única operante; quando a segunda versão emergiu, alguns se perguntaram se um dos documentos não poderia ser falso. A explicação mais plausível é a proposta pelo estudioso chinês Shen Zhihua: a de que Mao esboçou a primeira versão do telegrama pretendendo enviá-lo, mas que a liderança chinesa estava tão dividida que um telegrama mais equívoco foi substituído. A discrepância sugere que, mesmo enquanto as tropas chinesas avançavam na direção da Coreia, a liderança chinesa continuava debatendo sobre por quanto tempo ainda aguardar por um compromisso de apoio definitivo do aliado soviético antes de dar o último e irrevogável passo.[56]

Os dois autocratas comunistas haviam sido treinados em uma dura escola de política do poder, que agora aplicavam um no outro. Nesse caso, Stalin se mostrava o jogador inflexível quintessencial. Ele friamente informou a Mao (por meio de um telegrama conjunto com Zhou) que, em vista da hesitação chinesa, a melhor opção seria a retirada do que restava das forças norte-coreanas para a China, onde Kim Il-sung poderia formar um governo provisório no exílio. Os doentes e incapacitados poderiam ir para a União Soviética. Ele não se incomodava em ter americanos em sua fronteira asiática, afirmou Stalin, uma vez que já os confrontava ao longo das linhas divisórias europeias.

Stalin sabia que o único resultado que Mao queria menos do que forças americanas às portas da China era um governo coreano provisório na Manchúria em contato com a minoria coreana que vivia ali, reivindicando algum tipo de soberania e pressionando constantemente por empreitadas militares na Coreia. E ele deve ter sentido que Mao ultrapassara o ponto sem volta. A escolha da China, nessa situação, era entre um exército americano no Yalu, ameaçando diretamente a metade da indústria chinesa facilmente ao alcance, e uma União Soviética descontente, negaceando suprimentos, talvez voltando a reivindicar seus "direitos" sobre a Manchúria. Ou então a China prosseguiria no curso que Mao continuara a buscar mesmo enquanto barganhava com Stalin. Ele estava em uma posição onde tinha de intervir, paradoxalmente em parte para se proteger contra as intenções soviéticas.

Em 19 de outubro, depois de vários dias de protelação à espera de uma garantia de suprimentos soviéticos, Mao ordenou que o exército entrasse na Coreia. Stalin prometeu apoio logístico substancial, contanto apenas que não envolvesse confronto direto com os Estados Unidos (por exemplo, cobertura aérea sobre a Manchúria, mas não sobre a Coreia).

A desconfiança mútua era tão desenfreada que Zhou nem bem regressara a Moscou, de onde podia se comunicar com Pequim, e Stalin aparentemente já voltara atrás. Para impedir Mao de usar a União Soviética de modo que esta aguentasse o fardo de equipar o Exército de Libertação Popular sem receber o benefício de segurar as forças americanas em combate na Coreia, Stalin informou Zhou de que nenhum suprimento começaria a ser enviado até que as forças chinesas houvessem efetivamente entrado na Coreia. Mao deu a ordem em 19 de outubro, na verdade sem uma confirmação do apoio soviético. Depois disso, o apoio soviético originalmente prometido foi restabelecido, embora o sempre cauteloso Stalin restringisse o apoio aéreo ao território chinês. Lá se ia a prontidão expressa em sua carta anterior a Mao de arriscar uma guerra geral por causa da Coreia.

Ambos os líderes comunistas haviam explorado as necessidades e inseguranças um do outro. Mao conseguira obter os suprimentos militares soviéticos para modernizar seu exército — algumas fontes chinesas alegam que durante a Guerra da Coreia ele recebeu equipamento para 64 divisões de infantaria e 22 divisões aéreas[57] — e Stalin amarrara as mãos da China num conflito com os Estados Unidos na Coreia.

O confronto sino-americano

Os Estados Unidos eram um observador passivo dessas maquinações internas comunistas. O país não explorou nenhum meio termo entre se deter no paralelo 38 e a unificação da Coreia, e ignorou a série de advertências chinesas sobre as consequências de cruzar essa linha. Espantosamente, Acheson não as considerou informações oficiais e achou que podiam ser ignoradas. Ele provavelmente achou que poderia dobrar Mao.

Nenhum dos inúmeros documentos publicados até hoje de todos os lados revela qualquer discussão séria de uma opção diplomática vinda de alguma parte. As inúmeras reuniões de Zhou com a Comissão Militar Central ou o Politburo não revelam nenhuma intenção nesse sentido. Contrariamente à percepção popular, a "advertência" de Pequim a Washington de não atravessar o paralelo 38 foi quase certamente uma tática diversionária. A essa altura, Mao já enviara suas tropas do ELP de etnia coreana da Manchúria para a Coreia a fim de ajudar os norte-coreanos, deslocara uma significativa força militar de Taiwan na direção da fronteira coreana e prometera apoio chinês a Stalin e Kim.

A única chance que podia ter existido para evitar o combate imediato envolvendo Estados Unidos e China pode ser encontrada nas instruções que Mao enviou numa mensagem para Zhou, ainda em Moscou, sobre seu projeto estratégico em 14 de outubro, conforme as tropas chinesas se preparavam para atravessar a fronteira coreana:

> Nossas tropas continuarão a aperfeiçoar [suas] obras defensivas se tiverem tempo suficiente. Se o inimigo defender tenazmente Pyongyang e Wonsan e não avançar [para o norte] nos próximos seis meses, nossas tropas não irão atacar Pyongyang e Wonsan. Nossas tropas irão atacar Pyongyang e Wonsan apenas quando estiverem bem-equipadas e treinadas, e contarem com superioridade clara de forças sobre o inimigo tanto no ar como no solo. Em resumo, não vamos falar em empreender ofensivas por seis meses.[58]

Não havia chance, é claro, de que em seis meses a China pudesse ter atingido clara superioridade em nenhum aspecto.

Se as forças americanas houvessem se detido naquela linha, de Pyongyang a Wonsan (o estreito gargalo da península coreana), será que isso teria criado uma zona tampão que acalmaria os receios estratégicos de Mao? Algum movimento diplomático norte-americano em relação a Pequim teria feito alguma diferença? Mao teria se dado por satisfeito em usar sua presença na Coreia para reequipar suas forças? Talvez a pausa de seis meses que Mao mencionou para Zhou houvesse fornecido uma ocasião para contato diplomático, para advertências militares ou para que Mao ou Stalin mudassem de ideia. Por outro lado, uma zona tampão em território até então comunista quase certamente não era a ideia que Mao fazia de seu dever revolucionário ou estratégico. Mesmo assim, ele era suficientemente um discípulo de Sun Tzu para perseguir ao mesmo tempo estratégias aparentemente contraditórias. Os Estados Unidos, em todo caso, não tinham essa capacidade. Eles adotaram uma linha demarcatória endossada pelas Nações Unidas ao longo do Yalu, a qual podiam proteger com suas próprias forças e sua diplomacia ao longo do estreito gargalo da península coreana.

Desse modo, cada lado da relação triangular moveu-se rumo a uma guerra com os ingredientes de um conflito global. As linhas de batalha iam e vinham. Forças chinesas tomaram Seul, mas foram rechaçadas até que um impasse militar estabelecesse a zona de combate dentro da estrutura de negociações de armistício que duravam quase dois anos, ao longo dos quais as forças americanas se abstiveram de operações ofensivas — o resultado quase ideal, do ponto de vista soviético. O aconselhamento soviético durante todo esse tempo foi arrastar as negociações, e desse modo a guerra, pelo maior tempo possível. Um acordo de armistício emergiu em 27 de julho de 1953, estabelecendo-se essencialmente ao longo da linha de antes da guerra do paralelo 38.

Nenhum dos participantes conquistou todos os seus objetivos. Para os Estados Unidos, o acordo de armistício concretizou o propósito pelo qual o país entrara na guerra: ele negava o sucesso da agressão norte-coreana, mas, ao mesmo tempo, impedia a China, em um momento de grande fraqueza, de enfrentar uma superpotência nuclear, levando-a a uma posição de paralisia e obrigando-a a rejeitar maiores avanços. Isso preservou a credibilidade americana em proteger os aliados, mas ao custo de uma revolta aliada incipiente e da discórdia doméstica. Observadores não conseguiam deixar de lembrar o debate que se desenvolvera nos Estados Unidos quanto aos objetivos da guerra. O general MacArthur, empregando máximas tradicionais, buscava a vitória; o governo, interpretando a guerra como um artifício para atrair a América à Ásia — o que sem dúvida era a estratégia de Stalin —, estava preparado para um empate militar (e provavelmente um revés político de longo prazo), a primeira vez que um tal resultado ocorreria numa guerra lutada pelos Estados Unidos. A incapacidade de harmonizar objetivos políticos e militares talvez tenha tentado outros rivais asiáticos a acreditarem na vulnerabilidade doméstica americana para guerras sem resultados claramente definidos — dilema que reapareceu com toda a força no conflito do Vietnã, uma década mais tarde.

Tampouco se pode dizer que Pequim atingiu todos seus objetivos, pelo menos não em termos militares convencionais. Mao não triunfou em libertar toda a Coreia do "imperialismo americano", como a propaganda chinesa alegou inicialmente. Mas ele entrara na guerra com objetivos mais amplos e em alguns aspectos mais abstratos, até românticos: testar a "Nova China" com uma prova de fogo e purgar o que Mao percebia como sendo o caráter historicamente brando e passivo da China; provar para o Ocidente (e, em certa medida, para a União Soviética) que a China era agora uma potência militar e usaria a força para reivindicar seus interesses; assegurar a liderança chinesa do movimento comunista na Ásia; e empreender um ataque contra os Estados Unidos (que Mao acreditava estar planejando uma eventual invasão da China) em um momento percebido como oportuno. A principal contribuição da nova ideologia não eram seus conceitos estratégicos tanto quanto a força de vontade para desafiar as nações mais fortes e estabelecer uma rota própria.

Nesse sentido mais amplo, a Guerra da Coreia foi algo mais do que um empate. Ela estabeleceu a recém-fundada República Popular da China como potência militar e centro da revolução asiática. Também determinou uma credibilidade militar que a China, como um adversário digno de se temer e respeitar, iria usufruir ao longo das diversas décadas seguintes. A lembrança da intervenção chinesa na Coreia iria mais tarde refrear significativamente a estratégia americana no Vietnã. Pequim triunfaria em usar a guerra e a propaganda associada de "Resistir à América, Ajudar a Coreia" e a campanha punitiva para obtenção de duas metas centrais para Mao: eliminar a oposição doméstica à supremacia do Partido e instilar "entusiasmo revolucionário" e orgulho nacional na população. Nutrindo ressentimento contra a população ocidental, Mao rotulou a guerra como uma luta para "derrotar a arrogância americana"; realizações no campo de batalha eram tratadas como forma de rejuvenescimento espiritual após décadas de fraqueza e abuso da China. O país emergiu da guerra exausto mas redefinido, tanto aos seus próprios olhos como aos do mundo.

Ironicamente, quem mais saiu perdendo com a Guerra da Coreia foi Stalin, que dera o sinal verde para Kim Il-sung iniciá-la e insistira com Mao, e até mesmo o chantageara, para intervir maciçamente. Encorajado pela aquiescência americana com a vitória comunista na China, ele havia calculado que Kim Il-sung podia repetir o padrão na Coreia. A intervenção americana frustrou esse objetivo. Ele insistiu na intervenção de Mao, esperando que esse ato criasse uma hostilidade duradoura entre a China e os Estados Unidos e aumentasse a dependência chinesa de Moscou.

Stalin estava certo quanto a sua previsão estratégica, mas errou gravemente em avaliar as consequências. A dependência chinesa da União Soviética era uma faca de dois gumes. O rearmamento da China empreendido pela União Soviética, no fim das contas, encurtou o tempo em que a China seria capaz de agir por conta própria. O cisma sino-americano que Stalin promovia não levou a uma melhoria das relações sino-soviéticas, tampouco reduziu a opção titoísta chinesa. Pelo contrário, Mao calculou que podia desafiar ambas as superpotências simultaneamente. Os conflitos americanos com a União Soviética eram tão profundos que Mao julgou não precisar pagar qualquer preço pelo apoio soviético na Guerra Fria; na verdade, achou que poderia usar isso como uma ameaça mesmo sem sua aprovação, como fez em inúmeras crises subsequentes. Começando com o encerramento da Guerra da Coreia, as relações soviéticas com a China se deterioraram, provocadas não em pequena parte pela opacidade com que Stalin encorajara a aventura de Kim Il-sung, a brutalidade com que pressionara a China a intervir e, acima de tudo, o modo relutante com que veio o apoio soviético, todo ele na forma de empréstimos reembolsáveis. Dentro de uma década, a União Soviética se tornaria a principal adversária da China. E, antes que mais uma década se passasse, outra reviravolta de aliança teria lugar.

CAPÍTULO 6

A China confronta as duas superpotências

Otto von Bismarck, provavelmente o maior diplomata da segunda metade do século XIX, disse certa vez que, em uma ordem mundial de cinco nações, é sempre desejável ser parte de um grupo de três. Aplicando-se isso à interação de três países, seria de se pensar que é sempre desejável estar em um grupo de dois.

Essa verdade escapou aos principais atores do triângulo China-URSS-EUA por uma década e meia — em parte devido às manobras sem precedentes de Mao. Na política externa, os estadistas muitas vezes conquistam seus objetivos trazendo à baila uma confluência de interesses. A política de Mao se baseava no oposto. Ele aprendeu a explorar hostilidades sobrepostas. O conflito entre Moscou e Washington foi a essência estratégica da Guerra Fria; a hostilidade entre Washington e Pequim dominou a diplomacia asiática. Mas os dois Estados comunistas jamais conseguiriam fundir sua respectiva hostilidade em relação aos Estados Unidos — exceto de forma breve e incompleta na Guerra da Coreia —, devido à rivalidade crescente entre Mao e Moscou em relação à primazia ideológica e à análise geoestratégica.

Do ponto de vista da tradicional política de poder, Mao, sem dúvida, não estava em posição de agir como um membro igual da relação triangular. Ele era de longe o mais fraco e vulnerável. Mas, jogando com a hostilidade mútua das superpotências nucleares e criando a impressão de ser imune à devastação nuclear, conseguiu criar uma espécie de santuário diplomático para a China. Mao adicionou uma nova dimensão para a política do poder, uma da qual eu não conheço precedentes. Longe de buscar o apoio de uma ou outra superpotência — como a tradicional teoria do equilíbrio de poder teria aconselhado —, ele explorou o medo que soviéticos e americanos nutriam um em relação ao outro desafiando ambos os rivais simultaneamente.

Em um ano após o fim da Guerra da Coreia, Mao confrontou os Estados Unidos militarmente em uma crise no estreito de Taiwan. Quase ao mesmo tempo, começou a confrontar a União Soviética no campo ideológico. Ele sentia confiança em perseguir ambos os cursos de ação, pois calculava que nenhuma das duas superpotências permitiria que fosse derrotada pela outra. Foi uma aplicação brilhante da Estratégia da Cidade Vazia de Zhuge Liang, descrita anteriormente, que transforma a fraqueza material em recurso psicológico.

No fim da Guerra da Coreia, os tradicionais estudiosos de assuntos internacionais — principalmente os especialistas do Ocidente — esperavam que Mao buscasse uma pausa para respirar. Desde a vitória dos comunistas, não houvera sequer um mês de tranquilidade pelo menos aparente. A reforma agrária, uma implementação do modelo econômico soviético, e a destruição da oposição doméstica haviam constituído uma agenda doméstica abarrotada e dramática. Simultaneamente, o país, ainda em larga medida subdesenvolvido, engajava-se numa guerra contra uma superpotência nuclear em posse de tecnologia militar avançada.

Mao não tinha intenção de entrar para a história pelo sossego que ele proporcionara a sua sociedade. Em vez disso, lançou a China numa série de novas sublevações: dois conflitos com os Estados Unidos no estreito de Taiwan, o início do conflito com a Índia e uma controvérsia ideológica e geopolítica crescente com a União Soviética.

Para os Estados Unidos, por outro lado, o fim da Guerra da Coreia e o advento do governo Dwight Eisenhower marcaram a volta da "normalidade" doméstica que duraria pelo resto da década. Internacionalmente, a Guerra da Coreia tornou-se um modelo-padrão para o compromisso comunista de expansão mediante a subversão política ou agressão militar sempre que possível. Outras partes da Ásia forneceram evidência corroborante: a guerra de guerrilha na Malásia; a violenta luta pelo poder dos esquerdistas em Cingapura; e, cada vez mais, as guerras na Indochina. Onde a percepção americana se equivocou parcialmente foi ao pensar no comunismo como algo monolítico e ao deixar de compreender o grau de profundidade da desconfiança, já nesses estágios iniciais, entre os dois gigantes comunistas.

O governo Eisenhower lidou com a ameaça de agressão mediante métodos emprestados da experiência americana na Europa. Ele tentou reforçar a viabilidade de países fronteiriços com o mundo comunista seguindo o exemplo do Plano Marshall e construiu alianças no estilo da Otan, como a Organização do Tratado do Sudeste Asiático (ou Seato, na sigla em inglês), entre as novas nações fazendo fronteira com a China no Sudeste Asiático. Ele não considerou plenamente a diferença essencial entre as condições europeias e as da periferia asiática. Os países europeus do pós-guerra eram Estados estabelecidos com instituições elaboradas. A viabilidade deles dependia de se preencher a lacuna entre a expectativa e a realidade, provocada pelas destruições da Segunda Guerra Mundial — um projeto extenso que se mostrou exequível, entretanto, em um período de tempo relativamente breve, para padrões da história. Com a estabilidade doméstica essencialmente assegurada, o problema da segurança passou a ser a defesa contra um potencial ataque militar por fronteiras internacionais estabelecidas.

Mas na Ásia, em torno das fronteiras chinesas, os Estados ainda se achavam em processo de formação. O desafio era criar instituições políticas e um consenso político a partir de divisões étnicas e religiosas. Essa era uma tarefa menos militar do que conceitual; a ameaça à segurança era a insurreição doméstica ou a guerra de guerrilha, mais do que unidades organizadas atravessando fronteiras militares. Isso foi um desafio particular na Indochina, onde o fim do projeto colonial francês deixou quatro países (Vietnã do Norte, Vietnã do Sul, Camboja e Laos) com fronteiras contestadas e tradições nacionais independentes fracas. Esses conflitos tinham uma dinâmica própria, não controlável em detalhes a partir de Pequim, Moscou ou Washington, e contudo influenciados pelas políticas do triângulo estratégico. Na Ásia, assim, havia poucos, se quaisquer, desafios puramente militares. A estratégia militar e a reforma social e política estavam inextricavelmente ligadas.

A primeira Crise do Estreito de Taiwan

Pequim e Taipei proclamavam o equivalente a duas versões conflitantes da mesma identidade nacional chinesa. Na visão nacionalista, Taiwan não era um Estado independente: era a sede do governo exilado da República da China, que havia sido temporariamente deposto pelos usurpadores comunistas, mas que — como a propaganda nacionalista proclamava com insistência — voltaria para assumir seu lugar de direito no continente. Na concepção de Pequim, Taiwan era uma província renegada cuja separação do continente e aliança com potências estrangeiras representavam o último vestígio do "século da humilhação" chinês. Ambos os lados na China concordavam que Taiwan e o continente eram parte da mesma entidade política. A discordância era sobre *que* governo chinês era o soberano de direito.

Washington e seus aliados periodicamente aventavam a ideia de reconhecer a República da China e a República Popular da China como Estados separados — a assim chamada solução das duas Chinas. Mas as partes chinesas rejeitavam virulentamente essa proposta, defendendo que isso as impediria de cumprir o dever nacional sagrado de libertar a outra. Contrariando sua apreciação inicial, Washington ratificou a posição de Taipei de que a República da China era o "verdadeiro" governo chinês, com direito ao assento da China nas Nações Unidas e em outras instituições. O subsecretário de Estado para assuntos do Oriente, Dean Rusk — posteriormente secretário de Estado —, articulou essa posição para o governo Truman em 1951, afirmando que, a despeito das aparências indicando em contrário, "o regime de Peiping [na época o nome dos nacionalistas para Pequim] não é o governo da China. [...] Não é chinês. Ele não está autorizado a falar em nome da China na comunidade de nações".[1] A República Popular da China, com sua capital em Pequim, era, para Washington, uma não entidade legal e diplomática, a despeito de seu controle de fato da maior população do mundo. Essa permaneceria, com apenas pouca variação, a posição americana oficial pelas duas décadas seguintes.

A consequência não-intencional foi o envolvimento americano na guerra civil chinesa. Isso fazia dos Estados Unidos, na visão de Pequim sobre assuntos internacionais, o último de uma série de potências estrangeiras vistas como conspirando durante um século para dividir e dominar a China. Na visão de Pequim, enquanto Taiwan permanecesse sob uma autoridade administrativa à parte recebendo assistência política e militar estrangeira, o projeto de fundar uma "Nova China" permaneceria incompleto.

Os Estados Unidos, aliado primário de Chiang, tinham pouco apetite para uma reconquista nacionalista do continente. Embora os congressistas favoráveis a Taipei nos Estados Unidos periodicamente solicitassem que a Casa Branca "soltasse Chiang da coleira", nenhum presidente americano considerou a sério fazer uma campanha para reverter a vitória comunista na guerra civil chinesa — fonte de profundo mal-entendido no lado comunista.

A primeira crise direta de Taiwan eclodiu em agosto de 1954, pouco mais de um ano após o fim das hostilidades abertas na Guerra da Coreia. O pretexto para isso foi uma pequena querela territorial envolvendo a retirada nacionalista do continente: a permanência de forças nacionalistas em diversas ilhas pesadamente fortificadas ao largo da costa chinesa. Essas ilhas, muito mais próximas do continente do que Taiwan, incluíam Quemoy, Matsu e vários outros pequenos promontórios.[2] Dependendo do ponto de vista, essas ilhotas podiam ser a primeira linha defensiva de Taiwan ou, como proclamava a propaganda nacionalista, suas bases de operações avançadas para uma eventual reconquista do continente.

Essas ilhas próximas foram uma localização singular para o que se transformou em duas das maiores crises no período de uma década, nas quais, a certa altura, tanto a União Soviética como os Estados Unidos insinuaram estar prontos para o uso de armas nucleares. Nem a União Soviética nem os Estados Unidos tinham qualquer interesse estratégico nas ilhas. Tampouco, como se revelou, a China. Porém, Mao as usou como pretexto para obter uma posição mais vantajosa nas relações internacionais: como parte de sua estratégia contra os Estados Unidos na primeira crise e contra a União Soviética — sobretudo Khrushchev — na segunda.

No trecho mais próximo, Quemoy ficava a cerca de 3 quilômetros da importante cidade portuária de Xiamen; Matsu ficava similarmente próxima da cidade de Fuzhou.[3] As ilhas eram visíveis a olho nu do continente e ficavam ao alcance da artilharia. Taiwan ficava a mais de 150 quilômetros de distância. As incursões do ELP contra as ilhotas em 1949 foram rechaçadas

Duas ordens mundiais se encontram:
o imperador da China se prepara para receber o embaixador britânico em 1793.

GETTY IMAGES

Li Hongzhang,
diplomata chefe da China
no final do século XIX.

CORBIS

Mao Zedong discursando para as tropas em 1938.

GETTY IMAGES

Líderes chineses, soviéticos e da Europa Oriental se reúnem em uma conferência de partidos comunistas em Moscou, em 1957. GETTY IMAGES

Mao recebe seu colega soviético Nikita Khrushchev em Pequim em agosto de 1958, durante o período de grande tensão em suas relações. GETTY IMAGES

O premiê chinês Zhou Enlai e o primeiro-ministro indiano Jawaharlal Nehru em Pequim, em outubro de 1954. CORBIS

Tropas indianas patrulhando Ladakh em 1962: os interesses conflitantes chineses e indianos na fronteira dos Himalaias levou a uma série de conflitos. CORBIS

A Revolução Cultural: Guardas Vermelhos acenam com o "Pequeno Livro Vermelho" de citações de Mao, em frente à embaixada soviética de Pequim em agosto de 1966. AP

Uma cena de Guangzhou:
"Cartazes com caracteres gigantes" proclamam a vigilância ideológica e militarista da China.
GETTY IMAGES

Zhou Enlai e o autor em Pequim:
depois de mais de duas décadas de hostilidade sino-americana,
nossa tarefa era explorar caminhos para a cooperação.

LIBRARY OF CONGRESS, HENRY KISSINGER ARCHIVES

Zhou e o autor em Pequim: durante a visita secreta de 1971, Zhou combinou comprometimento ideológico moderno com uma longa tradição da diplomacia chinesa. LIBRARY OF CONGRESS, HENRY KISSINGER ARCHIVES

O autor e seu ajudante Winston Lord dão uma pausa na negociação do texto do Comunicado de Xangai em uma visita de outubro de 1971 a Pequim.

WHITE HOUSE PHOTO OFFICE COLLECTION

O presidente Richard Nixon chega ao aeroporto de Pequim, em fevereiro de 1972.

LIBRARY OF CONGRESS, HENRY KISSINGER ARCHIVES

Mao e Nixon em 1972.

LIBRARY OF CONGRESS, HENRY KISSINGER ARCHIVES

O presidente Gerald Ford conversa com Deng Xiaoping, recém-reabilitado, em dezembro de 1975. Nancy Tang é a intérprete. GETTY IMAGES

Deng Xiaoping e o presidente Jimmy Carter em janeiro de 1970, em Washington D.C. GETTY IMAGES

O secretário do Tesouro Michael Blumenthal e o chefe interino da missão J. Stapleton Roy convertem o Departamento de Ligação Americano de Pequim em uma embaixada, em março de 1979. AP

Deng em um rodeio no Texas durante sua viagem aos Estados Unidos, em 1979.
GETTY IMAGES

Deng Xiaoping e o autor nos anos 1980. As reformas de Deng abriram as portas a impressionante crescimento econômico. COLEÇÃO PESSOAL DO AUTOR

O presidente Ronald Reagan e Nancy Reagan visitam os guerreiros terracota em Xi'an, em abril de 1984. GETTY IMAGES

O governador britânico Chris Patten recebe a bandeira britânica em 30 de junho de 1997, depois de ser baixada pela última vez em Hong Kong.

GETTY IMAGES

O presidente Jiang Zemin e o autor, em 1990.
COLEÇÃO PESSOAL DO AUTOR

O presidente Bill Clinton assina um ato concedendo à China o status comercial de Nação Mais Favorecida, em 2000. GETTY IMAGES

Jiang Zemin e o autor em um momento de descontração, em Washington D.C., em 1997.

GETTY IMAGES

O presidente americano George W. Bush, o presidente russo Vladimir Putin e o presidente chinês Hu Jintao em uma cúpula de Cooperação Econômica da Ásia-Pacífico no Vietnã, em novembro de 2006.

GETTY IMAGES

A inauguração de uma nova era:
cerimônia de abertura dos Jogos Olímpicos de Verão em Pequim, em 2008. GETTY IMAGES

O autor e o presidente chinês Hu Jintao em Pequim.
COLEÇÃO PESSOAL DO AUTOR

O presidente Barack Obama na Cidade Proibida,
durante visita oficial à China, em novembro de 2009.

GETTY IMAGES

pela forte defesa nacionalista. O envio por parte de Truman da Sétima Frota para o estreito de Taiwan, no início da Guerra da Coreia, forçou Mao a postergar seus planos de invadir Taiwan indefinidamente, e os apelos de Pequim a Moscou por apoio na plena "libertação" de Taiwan foram respondidos com evasivas — um primeiro estágio rumo a um estranhamento final.

A situação ficou mais complexa ainda quando Eisenhower sucedeu Truman na presidência. Em seu primeiro discurso sobre o "Estado da União", em 2 de fevereiro de 1953, Eisenhower anunciou o encerramento da patrulha da Sétima Frota no estreito de Taiwan. Como a frota impedira ataques em ambas as direções, Eisenhower argumentava que a missão havia "significado, na prática, que a Marinha dos Estados Unidos era convocada para servir de arma defensiva na China comunista", mesmo com as forças chinesas matando tropas americanas na Coreia. Agora ele ordenava que deixassem o estreito, uma vez que os americanos "certamente não tinham a menor obrigação de proteger uma nação que luta contra nós na Coreia".[4]

Na China, a mobilização da Sétima Frota no estreito fora vista como uma grande ofensiva norte-americana. Agora, paradoxalmente, a desmobilização lançava o estágio de uma nova crise. Taipei começou a reforçar Quemoy e Matsu com milhares de tropas adicionais e uma reserva significativa de equipamentos militares.

Ambos os lados agora enfrentavam um dilema. A China jamais abandonaria seu compromisso de voltar a Taiwan, mas poderia protelar sua ação em face de obstáculos intransponíveis como a presença da Sétima Frota. Após a retirada da frota, não havia mais obstáculos para as ilhas. De sua parte, os norte-americanos haviam se comprometido com a defesa de Taiwan, mas uma guerra por causa de ilhas que o secretário de Estado John Foster Dulles descreveu como "um punhado de rochas" era outra questão.[5] O confronto tornou-se mais agudo quando o governo Eisenhower começou a negociar um tratado de defesa mútua formal com Taiwan, seguido da criação da Organização do Tratado do Sudeste Asiático.

Quando confrontado com um desafio, Mao geralmente tomava o curso mais inesperado e mais intrincado. Enquanto o secretário de Estado John Dulles voava para Manila a fim de cuidar da formação da Seato, Mao ordenou um bombardeio maciço de Quemoy e Matsu — um golpe para a crescente autonomia de Taiwan e um teste para o compromisso de Washington de empreender a defesa multilateral da Ásia.

O fogo de barragem inicial contra Quemoy tirou a vida de dois oficiais americanos e provocou o imediato retorno de três porta-aviões norte-americanos para as proximidades do estreito de Taiwan. Mantendo sua promessa de não mais servir como "arma defensiva" da República Popular da China, Washington agora aprovava a retaliação da artilharia e ataques aéreos das forças nacionalistas contra o continente.[6] Nesse meio-tempo, membros do Estado-Maior Conjunto dos Estados Unidos começaram a desenvolver planos para o possível uso de armas nucleares táticas caso a crise piorasse. Eisenhower se opôs a isso, pelo menos no momento, e aprovou um plano para tentar uma resolução de cessar-fogo no Conselho de Segurança das Nações Unidas. A crise sobre um território que ninguém queria ganhara proporções globais.

A crise não tinha, contudo, nenhum objetivo político. A China não ameaçava Taiwan diretamente; os Estados Unidos não queriam uma mudança no status do estreito. A crise se tornou menos um ímpeto à confrontação — como a mídia a apresentou — do que um exercício sutil de gerenciamento de crises. Ambos os lados engendraram regulamentos complicados destinados a *impedir* o confronto militar que estavam proclamando no nível político. Sun Tzu estava mais vivo do que nunca na diplomacia do estreito de Taiwan.

O desfecho foi a "coexistência combativa", não a guerra. Para deter um ataque causado por uma incompreensão acerca da determinação norte-americana — como na Coreia —, Dulles e o embaixador de Taiwan em Washington rubricaram, em 23 de novembro de 1954, o texto de um longamente planejado tratado entre os Estados Unidos e Taiwan. Entretanto, na questão do território que acabara de sofrer um efetivo ataque, o comprometimento americano era ambíguo: o tratado se aplicava especificamente apenas a Taiwan e às ilhas Pescadores (um grupo maior de ilhas a cerca de 40 quilômetros de Taiwan). Não fazia qualquer menção a Quemoy, Matsu e outros territórios próximos do continente chinês, deixando que ficassem para definir mais tarde, "como deverá ser determinado por mútuo consenso".[7]

De sua parte, Mao proibiu seus comandantes de atacar as forças americanas, enquanto lançava uma ameaça para neutralizar a arma mais intimidadora dos Estados Unidos. A China, proclamou, no incongruente cenário de uma reunião com o novo embaixador finlandês em Pequim, era imune à ameaça de ataque nuclear:

> O povo chinês não vai se deixar acovardar pela chantagem atômica norte-americana. Nosso país tem uma população de 600 milhões e uma área de 9.600.00 quilômetros quadrados. Os Estados Unidos não podem aniquilar a nação chinesa com sua pequena pilha de bombas atômicas. Mesmo que as bombas atômicas norte-americanas fossem tão poderosas que, ao serem lançadas sobre a China, abrissem um buraco até o centro da Terra, ou explodissem o planeta, isso não significaria praticamente nada para o universo como um todo, embora pudesse ser um evento de magnitude para o sistema solar [...] se os Estados Unidos com seus aviões, mais a bomba atômica, lançarem uma guerra de agressão contra a China, então a China, com seu painço, mais seus fuzis, sem dúvida emergirá vitoriosa. O povo do mundo inteiro nos dará apoio.[8]

Uma vez que os dois lados chineses jogavam pelas regras do *wei qi*, o continente começou a se mover no vácuo deixado pelas omissões do tratado. Em 18 de janeiro, a China continental invadiu as ilhas de Dachen e Yijiangshan, dois pequenos grupos de ilhas não especificamente contemplados no tratado. Ambos os lados continuaram a definir cuidadosamente seus limites. Os Estados Unidos não tentaram defender as pequenas ilhas; a Sétima Frota, na verdade, auxiliou com a evacuação de forças nacionalistas. As forças do ELP foram proibidas de disparar contra forças americanas.

Como se veria, a retórica de Mao teve um impacto maior sobre seus aliados soviéticos do que nos Estados Unidos. Pois confrontou Khrushchev com o dilema de apoiar seu aliado numa causa que não refletia qualquer interesse estratégico russo, mas envolvia riscos de guerra nuclear, que Khrushchev cada vez mais descrevia como inaceitável. Os aliados europeus da União Soviética, com suas minúsculas populações, ficaram ainda mais aterrorizados com os pronunciamentos de Mao sobre a capacidade chinesa de perder metade de sua população em uma guerra e ainda assim levar a melhor no fim.

Quanto aos Estados Unidos, Eisenhower e Dulles mostravam-se páreo para a destreza de Mao. Eles não tinham a menor intenção de pôr à prova a resistência chinesa com respeito a uma guerra nuclear. Mas tampouco qualquer um dos dois estava preparado para abandonar a opção de defender os interesses nacionais. Na última semana de janeiro, tomaram as providências para aprovar uma resolução de ambas as câmaras do Congresso autorizando Eisenhower a usar forças norte-americanas para defender Taiwan, as ilhas Pescadores e "posições e territórios relacionados" no estreito de Taiwan.[9] A arte do gerenciamento de crises consiste em subir as apostas até um ponto em que o adversário não acompanhará, mas de uma maneira que evite a retribuição na mesma moeda. Baseado nesse princípio, Dulles, em uma coletiva de imprensa em 15 de março de 1955, anunciou que os Estados Unidos estavam preparados para ir de encontro a qualquer grande nova ofensiva comunista com armas nucleares táticas, que a China não possuía. No dia seguinte, Eisenhower confirmou a advertência, observando que, contanto que os civis fossem poupados, não via motivo para os Estados Unidos deixarem de usar armas nucleares "exatamente como alguém usaria uma bala ou qualquer coisa".[10] Foi a primeira vez que os Estados Unidos fizeram uma ameaça nuclear específica numa crise em andamento.

Mao se mostrou mais propenso a anunciar o caráter impermeável da China a uma guerra nuclear do que a praticá-lo. Ordenou a Zhou Enlai, então na Conferência Asiática-Africana de Países Não Alinhados, em Bandung, Indonésia, a soar o toque de retirada. Em 23 de abril de 1955, Zhou estendeu o ramo de oliveira: "O povo chinês não quer entrar numa guerra contra os Estados Unidos da América. O governo chinês está disposto a sentar na mesa de negociações com o governo norte-americano para discutir a questão do relaxamento de tensão no Extremo Oriente, especialmente a questão do relaxamento de tensão na área de Taiwan."[11] Na semana seguinte, a China encerrou a campanha de bombardeio no estreito de Taiwan.

O resultado, como na Guerra da Coreia, foi um empate, em que cada lado conquistou seus objetivos de curto prazo. Os Estados Unidos enfrentaram a ameaça militar sem pestanejar. Mao, consciente de que as forças do continente não tinham capacidade de ocupar Quemoy e Matsu em face de uma oposição combinada, explicou mais tarde sua estratégia como tendo sido muito mais complexa. Longe de querer ocupar as ilhotas, afirmou a Khrushchev que usara a ameaça contra elas para impedir Taiwan de romper sua ligação com o continente:

> Tudo que queríamos fazer era mostrar nosso potencial. Não queremos que Chiang fique muito longe de nós. Queremos mantê-lo ao nosso alcance. Tê-lo [em Quemoy e Matsu] significa que podemos atingi-lo com nossas baterias da costa assim como com nossa força aérea. Se ocupássemos as ilhas, perderíamos a capacidade de causar-lhe desconforto a qualquer hora que quisermos.[12]

Nessa versão, Pequim bombardeou Quemoy para reafirmar sua reivindicação de uma "China única", mas restringiu sua ação para impedir o surgimento de uma "solução de duas Chinas".

Moscou, com uma abordagem mais literal da estratégia e conhecimento de fato de armas atômicas, achou incompreensível que um líder pudesse chegar à beira de uma guerra nuclear apenas para marcar um tento largamente simbólico. Como se queixou Khrushchev para Mao: "Se você abrir fogo, então deve capturar essas ilhas, e, se não considera necessário capturar as ilhas, então não tem sentido atacar. Não compreendo essa sua política."[13] Foi alegado, numa biografia parcial, mas intelectualmente provocativa do líder chinês, que a verdadeira motivação de Mao nessa crise fora criar um risco de guerra nuclear tão agudo que Moscou se visse obrigada a auxiliar o incipiente programa de armas nucleares de Pequim para aliviar a pressão por uma ajuda soviética.[14] Entre os inúmeros aspectos contraintuitivos da crise, estava a aparente decisão soviética — mais tarde revogada, como resultado da segunda crise das ilhas — de ajudar o programa nuclear de Pequim a fim de impor uma distância entre si mesma e sua problemática aliada em qualquer futura crise deixando a defesa nuclear da China na mão dos próprios chineses.

Interlúdio diplomático com os Estados Unidos

Um resultado da crise foi a retomada de um diálogo formal entre Estados Unidos e China. Na Conferência de Genebra de 1954, para resolver a primeira Guerra do Vietnã entre França e o movimento de independência liderado pelos comunistas, Pequim e Washington concordaram relutantemente em manter contatos mediante funcionários consulares sediados em Genebra.

O arranjo fornecia uma estrutura para uma espécie de rede de segurança a fim de evitar confrontos em caso de mal-entendidos. Mas nenhum lado entrou nisso com alguma convicção. Ou, antes, suas convicções iam em direções opostas. A Guerra da Coreia pusera um fim a todas as iniciativas diplomáticas dirigidas à China no governo Truman. O governo Eisenhower — assumindo o poder com a guerra na Coreia ainda em andamento — considerava a China a mais intransigente e revolucionária das potência comunistas. Logo seu objetivo estratégico primário era a construção de um sistema de segurança na Ásia para conter uma potencial agressão chinesa. Aberturas diplomáticas eram evitadas a fim de não pôr em risco sistemas de segurança ainda frágeis como a Seato e as emergentes alianças com Japão e Coreia do Sul. A recusa de Dulles em trocar um aperto de mãos com Zhou Enlai na Conferência de Genebra refletia tanto rejeição moral quanto planejamento estratégico.

A atitude de Mao espelhava a de Dulles e Eisenhower. A questão de Taiwan criou um motivo de confronto permanente, sobretudo na medida em que os Estados Unidos tratavam as autoridades de Taiwan como o governo legítimo de toda a China. O impasse era inerente à diplomacia sino-americana porque a China se recusava a discutir qualquer outro assunto enquanto os Estados Unidos não concordassem em sair de Taiwan, e os Estados Unidos não conversavam sobre deixar Taiwan até que a China houvesse renunciado ao uso da força para resolver a questão de Taiwan.

Por esse mesmo motivo, o diálogo sino-americano, após a primeira Crise do Estreito de Taiwan, malogrou porque, na medida em que ambos os lados mantinham sua posição básica, não havia sobre o que conversar. Os Estados Unidos reiteraram que o status de Taiwan deveria ser estabelecido mediante negociações entre Pequim e Taipei, que deveriam envolver também os Estados Unidos e o Japão. Pequim interpretava essa proposta como uma tentativa de reabrir a decisão da Conferência do Cairo que, durante a Segunda Guerra Mundial, declarava Taiwan como parte da China. Recusava-se também a renunciar ao uso de força como uma violação do direito soberano chinês de estabelecer controle sobre o próprio território nacional. O embaixador Wang Bingnan, principal negociador chinês durante uma década, resumiu o impasse em suas memórias: "Em retrospecto, era impossível que os Estados Unidos mudassem sua política para a China na época. Sob as circunstâncias, fomos diretamente à questão de Taiwan, que era a mais difícil, menos provável de ser resolvida e a mais emocional. Nada mais natural que as conversas não chegassem a lugar algum."[15]

Apenas dois acordos resultaram dessas discussões. O primeiro era processual: elevar os contatos existentes em Genebra, que haviam sido mantidos em nível consular, à categoria de embaixadores. (O significado desse cargo diplomático é que embaixadores são tecnicamente representantes pessoais de seu chefe de Estado e presumivelmente contam com maior liberdade de ação e influência.) Isso serviu apenas para institucionalizar a paralisia. Cento e trinta e seis reuniões foram feitas durante um período de 16 anos, de 1955 a 1971, entre os embaixadores norte-americanos e chineses locais (a maior parte delas em Varsóvia, que se tornou o palco das conversas em 1958). O único acordo substantivo alcançado veio em setembro de 1955, quando China e Estados Unidos permitiram que os cidadãos aprisionados em seus respectivos países devido à guerra civil voltassem para casa.[16]

Depois disso, por uma década e meia, a política americana permaneceu focada em extrair uma renúncia formal do uso da força na China. "Buscamos ano após ano", declarou o secretário de Estado Dean Rusk perante o comitê de assuntos estrangeiros da Câmara dos Deputados, em março de 1966, "algum sinal de que a China comunista estava pronta para renunciar ao uso da força para resolver disputas. Também procuramos algum indício de que estivesse pronta para abandonar sua premissa de que os Estados Unidos são seu principal inimigo. As atitudes e ações da China comunista têm sido hostis e rígidas".[17]

Nunca a política exterior americana em relação a qualquer outro país foi submetida a uma precondição tão rígida para a negociação quanto uma renúncia cabal do uso da força. Rusk observou com precisão a lacuna entre a feroz retórica chinesa e o desempenho internacional relativamente comedido do país, na década de 1960. Mesmo assim, argumentou que a política americana, com efeito, deveria se basear na retórica — que a ideologia era mais significativa do que a conduta:

> Alguns dizem que devemos ignorar o que os líderes comunistas chineses dizem e julgá-los apenas pelo que fazem. É verdade que têm se mostrado mais precavidos na ação do que nas palavras — mais precavidos em relação aos seus próprios atos do que na incitação do que querem que a União Soviética faça. [...] Mas daí não se infere que deveríamos negligenciar as intenções e os planos para o futuro que eles proclamaram.[18]

Baseados nessas atitudes, em 1957, usando a recusa chinesa em repudiar o uso da força contra Taiwan como pretexto, os Estados Unidos rebaixaram as conversações em Genebra do status de embaixador para o de primeiro-secretário. A China retirou sua delegação, e o diálogo foi suspenso. A segunda Crise do Estreito de Taiwan ocorreu logo depois — embora aparentemente por outro motivo.

Mao, Khrushchev e a cisão sino-soviética

Em 1953, Stalin morreu depois de mais de três décadas no poder. Seu sucessor — após um breve período de transição — foi Nikita Khrushchev. O terror do período stalinista deixara sua marca na geração de Khrushchev. Eles haviam dado seu grande passo na escada dos expurgos da década de 1930, quando toda uma geração de líderes foi varrida de cena. Haviam perseguido a ascensão súbita a uma posição de proeminência ao custo da insegurança emocional permanente. Haviam testemunhado a decapitação por atacado de um grupo governante — e tomado parte dela —, e sabiam que o mesmo destino talvez os aguardasse; na verdade, Stalin estava no processo de começar outro expurgo quando morreu. Eles ainda não estavam prontos para modificar o sistema que havia gerado o terror institucionalizado. Em vez disso, tentaram alterar algumas de suas práticas enquanto reafirmavam as crenças fundamentais às quais haviam dedicado suas vidas, jogando a culpa nos desmandos de poder de Stalin. (Essa foi a base psicológica do que veio a ser conhecido como Discurso Secreto de Khrushchev, a ser discutido mais adiante.)

Com toda sua pose, os novos líderes lá no fundo sabiam que a União Soviética não era competitiva, em um sentido propriamente dito. Grande parte da política externa de Khrushchev pode ser descrita como uma busca de uma "solução rápida": a detonação de um dispositivo termonuclear ultrapoderoso em 1961; a sucessão de ultimatos sobre Berlim; a Crise dos Mísseis Cubanos em 1962. Com a perspectiva de décadas que se passaram, esses movimentos podem ser considerados a busca de uma espécie de equilíbrio psicológico que permitisse uma negociação com um país que Khrushchev no fundo sabia ser consideravelmente mais forte.

Em relação à China, a postura de Khrushchev foi de condescendência com nuances de frustração pelo atrevimento dos autoconfiantes líderes chineses em desafiar a predominância ideológica de Moscou. Ele percebia o benefício estratégico que era a aliança chinesa, mas temia as implicações da versão chinesa da ideologia. Tentou impressionar Mao, mas nunca compreendeu a gramática do que Mao poderia ter levado a sério. Mao usava a ameaça soviética sem fazer caso das prioridades soviéticas. No fim, Khrushchev se afastou de seu compromisso inicial de aliar-se à China e passou a um distanciamento amuado enquanto ampliava gradualmente as forças militares soviéticas ao longo da fronteira chinesa, tentando seu sucessor, Leonid Brezhnev, a explorar com a possibilidade de uma ação preemptiva contra a China.

A ideologia havia unido Pequim e Moscou, e a ideologia os afastara. Havia excessiva história compartilhada suscitando pontos de interrogação. Os líderes chineses não conseguiam esquecer as exigências territoriais dos czares, tampouco a disposição de Stalin, durante a Segunda Guerra Mundial, de entrar num acordo com Chiang Kai-shek em detrimento do Partido Comunista chinês. A primeira reunião entre Stalin e Mao não transcorrera bem. Quando Mao conseguiu um espaço sob o guarda-chuva de segurança de Moscou, levou dois meses para convencer Stalin, e o preço da aliança foram vultosas concessões econômicas na Manchúria e em Xinjiang que debilitaram a unidade da China.

A história era o ponto de partida, mas a experiência contemporânea fornecia atritos aparentemente infinitos. A União Soviética encarava o mundo comunista como uma entidade estratégica homogênea cuja liderança estava em Moscou. Ela estabelecera regimes satélites na Europa

Oriental que dependiam do apoio militar soviético e, em certa medida, econômico. Parecia natural ao Politburo soviético que o mesmo padrão de dominação prevalecesse na Ásia.

Em termos de história chinesa, sua visão própria sinocêntrica e sua visão própria da ideologia comunista, nada poderia ter sido mais aviltante para Mao. As diferenças culturais exacerbavam tensões latentes — especialmente desde que os líderes soviéticos se mostravam de modo geral indiferentes às sensibilidades históricas chinesas. Um bom exemplo é o pedido de Khrushchev para que a China fornecesse trabalhadores para atividades madeireiras na Sibéria. Isso foi um dedo na ferida para Mao, que lhe disse, em 1958:

> Sabe, camarada Khrushchev, por anos tem sido alimentada a ampla opinião de que a China, por ser um país subdesenvolvido e superpovoado, com vasto desemprego, representa uma boa fonte de mão de obra barata. Mas, sabe, nós chineses achamos essa atitude muito ofensiva. Vinda de sua pessoa, é um tanto constrangedora. Se aceitássemos sua proposta, outros [...] poderiam pensar que a União Soviética tem a mesma imagem da China que o Ocidente capitalista.[19]

O sinocentrismo apaixonado de Mao o impedia de compactuar com as premissas básicas do império soviético regido a partir de Moscou. O ponto focal dos esforços defensivos e políticos do império era a Europa, que constituía uma preocupação secundária para Mao. Quando, em 1955, a União Soviética criou o Pacto de Varsóvia dos países comunistas, para contrabalançar a Otan, Mao se recusou a tomar parte dele. A China não iria subordinar a defesa de seus interesses nacionais a uma coalizão.

Em vez disso, Zhou Enlai foi enviado para a Conferência Asiática-Africana de 1955 em Bandung. A conferência criou um grupo novo e paradoxal: o alinhamento dos não alinhados. Mao buscara o apoio soviético para contrabalançar uma potencial pressão americana sobre a China, com o intuito de obter uma supremacia norte-americana na Ásia. Mas ao mesmo tempo tentou organizar os países não alinhados em uma rede de segurança contra a hegemonia soviética. Nesse sentido, quase desde o início, os dois gigantes comunistas competiam entre si.

As diferenças fundamentais residiam na essência da imagem que as duas sociedades faziam de si mesmas. A Rússia, salvaguardada de invasores estrangeiros graças à força bruta e à perseverança, nunca reivindicara ser uma fonte de inspiração universal para as outras sociedades. Uma parte significativa de sua população era não russa. Seus maiores soberanos, como Pedro, o Grande, e Catarina, a Grande, haviam trazido para a corte pensadores e especialistas estrangeiros, de modo a aprender com seus conhecimentos mais avançados — um conceito impensável na corte imperial chinesa. Os soberanos russos apelavam ao povo com base em sua perseverança, não em sua magnificência. A diplomacia russa se apoiava, em extraordinária medida, na superioridade militar. A Rússia raramente tinha aliados em países onde não contava com forças militares estacionadas. A diplomacia russa tendia a ser voltada para o poder, agarrando-se tenazmente a posições conquistadas e transformando a política externa numa guerra de trincheira.

Mao representava uma sociedade que, ao longo dos séculos, fora a maior, a mais bem-organizada e, ao menos segundo o ponto de vista chinês, a instituição política mais benéfica do mundo. Que seu desempenho teria um vasto impacto internacional era um fato indiscutível. Quando um governante chinês apelava ao povo para que trabalhasse duro, de modo que se tornasse o maior povo do mundo, ele o exortava a reclamar uma proeminência que, na interpretação chinesa da história, fora apenas recente e temporariamente extraviada. Um país assim inevitavelmente acharia impossível desempenhar o papel de parceiro menor.

Em sociedades baseadas na ideologia, o direito de definir a legitimidade torna-se crucial. Mao, que se descreveu como um professor para o jornalista Edgar Snow e que via a si mesmo como um filósofo importante, jamais teria feito uma concessão à liderança intelectual do mundo comunista. A reivindicação chinesa ao direito de definir a ortodoxia ameaçava a coesão do império de Moscou e abria a porta para outras interpretações essencialmente nacionais do marxismo. O que começou como irritações quanto a nuanças de interpretação transformou-se em disputas sobre prática e teoria e, finalmente, passou a efetivos choques militares.

A República Popular da China começou moldando sua economia de acordo com as políticas econômicas soviéticas das décadas de 1930 e 1940. Em 1952, Zhou chegou a ponto de visitar Moscou para pedir conselhos para o primeiro Plano Quinquenal chinês. Stalin enviou seus comentários no início de 1953, instando Pequim a adotar uma abordagem mais equilibrada e moderar sua meta de crescimento econômico a não mais do que 13% a 14% ao ano.[20]

Mas, em dezembro de 1955, Mao diferenciou abertamente a economia chinesa da soviética e enumerou os desafios "únicos" e "enormes" que os chineses haviam enfrentado e superado, ao contrário de seus aliados soviéticos:

> Tivemos vinte anos de experiência nas bases revolucionárias e fomos treinados em três guerras revolucionárias; nossa experiência [em chegar ao poder] foi extraordinariamente rica. [...] Desse modo, fomos capazes de estabelecer um Estado muito rapidamente, e completar as tarefas da revolução. (A União Soviética era um Estado recém-estabelecido; na época da Revolução de Outubro,[21] não havia nem exército nem aparelho de governo, e os membros do partido eram em pequeno número.) [...] Nossa população é muito numerosa, e nossa posição é excelente. [Nosso povo] trabalha industriosamente e suporta grandes provações. [...] Consequentemente, somos capazes de chegar ao socialismo mais, melhor e rápido.[22]

Em um discurso de abril de 1956 sobre a política econômica, Mao transformou uma diferença prática em filosófica. Ele definiu o caminho chinês para o socialismo como único e superior ao da União Soviética:

> Fizemos melhor do que a União Soviética e diversos países da Europa Oriental. O prolongado fracasso da União Soviética em atingir o estágio mais elevado de produção de grãos anterior à Revolução de Outubro, os graves problemas advindos do gritante desequilíbrio entre o desenvolvimento das indústrias pesada e leve em alguns países da Europa Oriental — tais problemas são inexistentes em nosso país.[23]

Diferenças entre as concepções chinesa e soviética de seus imperativos práticos transformaram-se em um choque ideológico quando, em fevereiro de 1956, Khrushchev se dirigiu ao XX Congresso do Partido Comunista da União Soviética e denunciou Stalin por uma série de crimes, vários dos quais descreveu em detalhes. O pronunciamento de Khrushchev sacudiu o mundo comunista. Décadas de experiência haviam sido baseadas em afirmações rituais da infalibilidade de Stalin, inclusive na China, onde, fossem quais fossem as queixas de Mao acerca da conduta de Stalin como aliado, ele formalmente admitia sua contribuição ideológica particular. Para piorar a afronta, delegados não soviéticos — incluindo os delegados chineses — não tiveram permissão de ficar no auditório enquanto Khrushchev fazia seu discurso, e Moscou se negou a fornecer até a seus aliados fraternos um texto oficial. Pequim formou sua reação inicial baseando-se nas notas incompletas de delegados chineses feitas a partir de uma versão em segunda mão dos comentários de Khrushchev; finalmente, a liderança chinesa foi forçada a se fiar em traduções para o chinês de reportagens publicadas no *New York Times*.[24]

Pequim não perdeu tempo em atacar Moscou por haver "descartado" a "espada de Stalin". O titoísmo chinês que Stalin tanto temera desde o início deu o ar de sua graça na forma de uma defesa chinesa da importância ideológica do legado stalinista. Mao rotulou a desestalinização de Khrushchev como uma forma de "revisionismo" — um novo insulto ideológico —, dando a entender que a União Soviética começava a se afastar do comunismo para ir em direção a seu passado burguês.[25]

Para restaurar a unidade em alguma medida, Khrushchev convocou uma conferência de países socialistas em Moscou, em 1957. Mao compareceu; era apenas a segunda vez que deixava a China, e seria sua última passagem pelo exterior. A União Soviética acabara de lançar o Sputnik — o primeiro satélite orbital —, e o encontro foi dominado pela crença, compartilhada por muitos no Ocidente, de que a tecnologia e o poder soviéticos estavam em ascensão. Mao comprou essa ideia, declarando de modo pungente que o "Vento Oriental" agora prevalecia sobre o "Vento Ocidental". Mas ele extraiu do aparente declínio do poderio americano uma conclusão desconfortável para seus aliados soviéticos, a saber, a de que a China encontrava-se em uma posição cada vez mais forte para assegurar sua autonomia: "Seu verdadeiro propósito", afirmou Mao posteriormente ao seu médico, "é nos controlar. Eles estão tentando atar nossas mãos e pés. Mas estão com a cabeça cheia de ilusões, como idiotas falando sobre seus sonhos".[26]

Nesse ínterim, a conferência de 1957 em Moscou reafirmou a conclamação de Khrushchev para que o bloco socialista lutasse por "coexistência pacífica" com o mundo capitalista, objetivo adotado pela primeira vez no mesmo congresso de 1956 em que Khrushchev realizou seu Discurso Secreto criticando Stalin. Em uma abrupta rejeição à política de Khrushchev, Mao aproveitou a ocasião para convocar seus colegas socialistas a pegar em armas na luta contra o imperialismo, além de fazer seu pronunciamento usual sobre a imunidade chinesa à destruição nuclear. "Não devemos temer a guerra", declarou:

> Não devemos ter medo de bombas e mísseis atômicos. Não importa o tipo de guerra que possa vir — convencional ou termonuclear —, vamos vencer. Quanto à China, se os imperialistas deflagrarem a guerra contra nós, podemos perder mais de 300 milhões. E daí? Guerra é guerra. Os anos vão passar, e vamos trabalhar para produzir mais bebês do que nunca.[27]

Khrushchev achou o discurso "profundamente perturbador" e lembrou-se das risadas tensas e nervosas do público quando Mao descreveu o armagedom nuclear em uma linguagem crua e extravagante. Após o discurso, o líder comunista tcheco Antonin Novotny se queixou: "E quanto a nós? A Tchecoslováquia só tem 12 milhões de pessoas. Iríamos perder todo mundo em uma guerra. Não sobraria ninguém para começar outra vez."[28]

A China e a União Soviética agora estavam envolvidas em controvérsias constantes e, com frequência, públicas, embora formalmente continuassem aliadas. Khrushchev parecia convencido de que a restauração das relações de camaradagem aguardavam apenas alguma nova iniciativa soviética. Ele não compreendia — ou, caso compreendesse, não admitia para si mesmo — que essa política de coexistência pacífica — sobretudo quando acompanhada de pronunciamentos sobre o medo da guerra nuclear — era, aos olhos de Mao, incompatível com a aliança sino-soviética. Pois Mao estava convencido de que, numa crise, o medo da guerra nuclear seria uma carta na manga para conquistar a lealdade do aliado.

Nessas circunstâncias, Mao não perdeu a oportunidade de insistir na autonomia chinesa. Em 1958, Khrushchev propôs, por intermédio do embaixador soviético em Pequim, construir uma estação de rádio na China para se comunicar com submarinos soviéticos e ajudar os chineses na construção de submarinos, em troca do uso de seus portos pela marinha soviética. Uma vez que a China era formalmente uma aliada, e a União Soviética a suprira com grande parte da tecnologia destinada a melhorar suas capacidades militares, Khrushchev aparentemente achava que Mao receberia a proposta de braços abertos. Ele se mostrou desastrosamente equivocado. Mao reagiu com fúria às propostas iniciais dos soviéticos, ralhando com o embaixador soviético em Pequim e causando tal alarme em Moscou que Khrushchev viajou para Pequim com vistas a apaziguar o orgulho ferido de seu aliado.

Uma vez em Pequim, contudo, Khrushchev fez outra proposta ainda menos atraente, que foi oferecer à China acesso especial às bases submarinas soviéticas no oceano Ártico — em troca do uso pela União Soviética dos portos chineses no Pacífico. "Não", retrucou Mao, "não vamos concordar com isso tampouco. Que cada país mantenha suas forças armadas em seu próprio território e no de mais ninguém".[29] Como recordou o líder chinês: "Tivemos os britânicos e outros estrangeiros em nosso território por anos a fio e nunca mais vamos permitir que alguém use nossa terra para seus próprios fins outra vez."[30]

Em uma aliança normal, desacordos sobre uma questão específica normalmente levariam a uma ampliação dos esforços para resolver as diferenças na agenda remanescente. Durante a calamitosa visita de Khrushchev a Pequim em 1958, o tempo restante forneceu ocasião para um rol aparentemente sem fim de queixas de parte a parte.

Khrushchev se pôs em desvantagem ao começar por atribuir a disputa acerca das bases navais a uma reivindicação não autorizada de seu embaixador. Mao, por demais escolado no modo como os Estados comunistas eram organizados, com uma separação estrita entre os canais militar e civil, percebeu facilmente quão inconcebível era essa alegação. A exposição da sequência de eventos levou a um extenso diálogo em que Mao induziu Khrushchev a dar declarações cada vez mais humilhantes e absurdas — ele agiu assim talvez para demonstrar aos quadros chineses a inconfiabilidade do líder que presumivelmente desafiara a imagem de Stalin.

Também forneceu a Mao uma oportunidade de comunicar a profundidade da conduta opressiva de Moscou anteriormente. Mao se queixou do comportamento condescendente de Stalin durante sua visita a Moscou no inverno de 1949-50:

> MAO: [...] Após a vitória de nossa Revolução, Stalin teve dúvidas sobre o caráter dela. Ele acreditava que a China era outra Iugoslávia.
>
> KHRUSHCHEV: Sim, ele considerava isso possível.
>
> MAO: Quando estive em Moscou [dezembro de 1949], ele não quis concluir um tratado de amizade conosco e não quis anular o antigo tratado com o Kuomintang.[31] Lembro que [o intérprete soviético Nikolai] Fedorenko e [o emissário de Stalin para a República Popular, Ivan] Kovalev me transmitiram o conselho [de Stalin] de empreender uma viagem pelo país para dar uma olhada. Mas eu disse a eles, tenho apenas três tarefas: comer, dormir e cagar. Não vim a Moscou só para dar os parabéns a Stalin por seu aniversário. Então eu disse, se vocês não estão interessados em concluir um tratado de amizade, que seja. Vou cuidar das minhas três tarefas.[32]

As alfinetadas mútuas rapidamente passaram da história para as disputas contemporâneas. Quando Khrushchev perguntou a Mao se os chineses realmente consideravam os soviéticos uns "imperialistas vermelhos", Mao deixou claro em que medida o toma lá dá cá pela aliança havia azedado as relações: "Não é questão de ser um imperialista branco ou vermelho. Houve um homem chamado Stalin, que tomou Port Arthur e transformou Xinjiang e a Manchúria em semicolônias, e além disso ele criou quatro empresas sino-soviéticas. Essas foram as boas ações dele."[33]

Mesmo assim, independentemente das queixas que Mao tinha a fazer no plano nacional, as contribuições ideológicas de Stalin ele respeitava:

> KHRUSHCHEV: Você defendeu Stalin. E me criticou por criticar Stalin. E agora faz o contrário.
>
> MAO: Você o criticou por diferentes motivos.
>
> KHRUSHCHEV: No Congresso do Partido eu também falei sobre isso.
>
> MAO: Eu sempre disse, agora, e na época em Moscou, que criticar os erros de Stalin é justificado. Só discordamos quanto à falta de limites definidos para a crítica. Acreditamos que, dos dez dedos de Stalin, três estavam podres.[34]

Mao deu o tom da reunião do dia seguinte recebendo Khrushchev não em um salão protocolar, mas em sua piscina. Khrushchev, que não sabia nadar, foi obrigado a usar boias nos braços. Os dois estadistas conversaram enquanto nadavam, com os intérpretes os seguindo para cima e para baixo, na beira da piscina. Khrushchev iria se queixar mais tarde: "Foi a forma encontrada por Mao de se pôr em uma situação vantajosa. Bom, eu me cansei daquilo. [...] Saí da água, sentei na beirada e fiquei com as pernas dentro da piscina. Agora eu estava no alto e ele embaixo, nadando."[35]

As relações haviam se deteriorado ainda mais um ano depois, quando Khrushchev parou em Pequim, em sua viagem de regresso dos Estados Unidos, para relatar aos seus irritados aliados, em 3 de outubro de 1959, sobre o encontro com Eisenhower. Os líderes chineses, já sumamente desconfiados quanto à passagem de Khrushchev por solo americano, ficaram ainda mais inquietos quando Khrushchev tomou partido da Índia diante dos primeiros choques entre forças indianas e chinesas ocorreram na fronteira dos Himalaias.

Khrushchev, cujo forte não era a diplomacia, acabou tocando no delicado assunto do dalai-lama; poucos temas faziam os chineses reagirem tão prontamente. Ele criticou Mao por não ter sido duro o bastante nas revoltas tibetanas no começo daquele ano, o que culminou com a fuga do dalai-lama para o norte da Índia: "Vou dizer uma coisa que uma visita não deveria dizer: os eventos no Tibete são sua culpa. Vocês mandavam no Tibete, vocês deveriam ter tido um serviço de inteligência por lá e deveriam ter descoberto os planos e intenções do dalai-lama."[36] Depois que Mao objetou, Khrushchev insistiu em continuar batendo nessa tecla ao sugerir ser preferível que os chineses houvessem eliminado o dalai-lama, em vez de deixá-lo escapar:

KHRUSHCHEV: [...] Quanto à fuga do dalai-lama do Tibete, se estivéssemos em seu lugar, jamais o teríamos deixado escapar. Seria melhor se ele estivesse em um caixão. E agora ele está na Índia, e talvez vá para os Estados Unidos. Isso traz alguma vantagem para os países socialistas?

MAO: Isso é impossível; não tínhamos como prendê-lo na época. Não dava para impedir que saísse, já que a fronteira com a Índia é muito extensa, e ele pode ter atravessado em qualquer ponto.

> KHRUSHCHEV: Não é questão de prender; só estou dizendo que vocês erraram em deixar que saísse. Se permitem a ele que tenha uma oportunidade de fugir para a Índia, então o que Nehru tem a ver com isso? Achamos que os eventos no Tibete são culpa do Partido Comunista da China, não culpa de Nehru.[37]

Foi a última vez que Mao e Khrushchev se reuniram. O que é surpreendente é que durante mais uma década o mundo tratou as tensões sino-soviéticas como uma espécie de rixa familiar entre dois gigantes comunistas, e não como a batalha existencial em que aquilo estava se transformando. Em meio a essas tensões crescentes com a União Soviética, Mao deu início a outra crise com os Estados Unidos.

A segunda Crise do Estreito de Taiwan

Em 23 de agosto de 1958, o Exército de Libertação Popular começou outra intensa campanha de bombardeio contra as ilhas de Matsu e Quemoy, fazendo acompanhar o ataque com um bombardeio de propaganda clamando pela libertação de Taiwan. Depois de duas semanas, o fogo cessou, para ser retomado em seguida durante mais 29 dias. No fim, acomodou-se num padrão quase cômico de bombardeio às ilhas nos dias ímpares do mês, com advertências explícitas a seus habitantes e muitas vezes evitando locais de importância militar — manobra que Mao descreveu para seus camaradas mais importantes como um ato de "batalha política", mais do que uma estratégia militar convencional.[38]

Alguns fatores operando nessa crise eram familiares. Pequim mais uma vez buscou testar os limites do compromisso americano em defender Taiwan. O ataque foi também em parte uma reação ao modo como os americanos rebaixaram o status das conversações entre Estados Unidos e China, que haviam sido retomadas após a última crise das ilhas. Mas o ímpeto predominante parece ter sido um desejo de delimitar um papel global para a China. Mao explicou a seus colegas em um retiro de líderes realizado no início da crise que o bombardeio de Quemoy e Matsu foi uma reação chinesa à intervenção norte-americana no Líbano, onde tropas americanas e inglesas haviam desembarcado durante o verão:

> O bombardeio de Jinmen [Quemoy], falando francamente, foi nossa deixa para criar uma tensão internacional com um propósito. Nossa intenção foi ensinar uma lição aos americanos. A América havia nos ameaçado por muitos anos, então, agora que temos uma oportunidade, por que não fazer com que passem uns maus bocados? [...] Os americanos começaram o ataque no Oriente Médio, e nós começamos outro no Extremo Oriente. Queríamos ver o que pretendiam fazer a respeito.[39]

Nesse sentido, o bombardeio das ilhas foi um golpe na disputa com a União Soviética. A imobilidade soviética em face de um movimento americano estratégico no Oriente Médio estava sendo contrastada com a vigilância ideológica e estratégica chinesa.

Tendo demonstrado sua determinação militar, Mao explicou, a China iria agora retomar as conversações com os Estados Unidos e disponibilizar "tanto um foro de ação quanto um foro de diálogo"[40] — uma aplicação do princípio de Sun Tzu de coexistência combativa em sua versão moderna de deterrência ofensiva.

A dimensão mais significativa do ataque às ilhas não foi tanto a provocação contra a superpotência americana quanto o desafio lançado contra a aliada formal dos chineses, a União Soviética. A política de Khrushchev de coexistência pacífica fez do país, aos olhos de Mao, um aliado problemático e talvez até um potencial adversário. Assim, parece ter raciocinado Mao, se a Crise do Estreito de Taiwan fosse levada à beira da guerra, Khrushchev talvez tivesse de escolher entre sua nova política de coexistência pacífica e sua aliança com a China.

Em certo sentido, Mao triunfou. O que conferia uma margem de vantagem especial às maquinações maoistas era que a política chinesa no estreito estava sendo empreendida ostensivamente sob as bênçãos de Moscou, até onde o mundo podia saber. Pois Khrushchev visitara Pequim três semanas antes da segunda Crise do Estreito de Taiwan — para os desastrosos encontros sobre as bases de submarino —, assim como estivera lá durante as semanas iniciais da primeira crise, quatro anos antes. Em nenhuma das duas ocasiões Mao revelara suas intenções para os soviéticos durante a visita. Tanto num caso como no outro, Washington presumiu — e Eisenhower alegou exatamente isso numa carta para Khrushchev — que

Mao estava agindo não apenas com o apoio de Moscou, mas sob suas ordens. Pequim conduzia sua aliada soviética para essa disputa diplomática contra a própria vontade e na verdade sem que Moscou se desse conta de que os russos estavam sendo usados. (Alguns especialistas sustentam até que Mao inventou a "crise das bases para submarinos" para induzir Khrushchev a ir a Pequim e desempenhar o papel que ele lhe designara.)

A segunda Crise do Estreito de Taiwan se diferenciou da primeira principalmente no fato de que a União Soviética participou lançando ameaças nucleares em prol de um aliado que estava em pleno processo de humilhá-la.

Cerca de mil pessoas morreram ou ficaram feridas no bombardeio de 1958. Assim como na primeira Crise do Estreito de Taiwan, Pequim combinou evocações provocativas de guerra nuclear com uma estratégia operacional cuidadosamente calibrada. Mao inicialmente pediu a seus comandantes que empreendessem o ataque de modo a evitar baixas americanas. Quando eles responderam que dar garantia disso era impossível, ele ordenou que não atravessassem o espaço aéreo sobre as ilhas, que disparassem apenas contra navios dos nacionalistas e que não contra-atacassem nem que o fogo viesse de navios norte-americanos.[41] Tanto antes como durante a crise, a propaganda da República Popular da China alardeou o slogan "Temos de libertar Taiwan". Mas, quando a estação de rádio do Exército de Libertação Popular transmitiu a notícia de que um desembarque chinês era "iminente", conclamando as forças nacionalistas a trocar de lado e "unir-se à grandiosa causa da libertação de Taiwan", Mao declarou que foi "um grave erro".[42]

Em John Foster Dulles, Mao encontrou um adversário que sabia jogar o jogo da coexistência combativa. Em 4 de setembro de 1958, Dulles reiterou o compromisso norte-americano de defender Taiwan, incluindo "posições relacionadas, como Quemoy e Matsu". Dulles intuiu os objetivos limitados da China e com efeito indicou a disposição americana de manter a crise dentro de certos limites: "A despeito, contudo, do que os comunistas chineses dizem, e fizeram até o momento, não é uma certeza que seu propósito seja de fato empreender um esforço completo para conquistar pela força Taiwan (Formosa) e as ilhas próximas."[43] Em 5 de setembro, Zhou Enlai confirmou os objetivos limitados da China quando anunciou que o objetivo de Pequim no conflito era a retomada das conversações entre Estados Unidos e China no nível de embaixadores. Em 6 de setembro, a Casa Branca emitiu um comunicado comentando as palavras de Zhou Enlai e indicando que o embaixador norte-americano em Varsóvia estava pronto para representar os Estados Unidos na retomada do diálogo.

Com essa troca de recados, a crise devia ter sido resolvida. Como se ensaiando uma peça já familiar, ambos os lados repetiram ameaças antigas e chegaram a uma conhecida *deus ex machina*, a retomada de conversas entre embaixadores.

A única parte nessa relação triangular que não captou o que estava acontecendo foi Khrushchev. Tendo presenciado Mao proclamando sua imunidade à ameaça nuclear em Moscou um ano antes e recentemente em Pequim, ele ficou dividido entre medos contraditórios de guerra atômica e da potencial perda de um importante aliado se deixasse de ficar ao lado da China. Seu marxismo dedicado tornou para ele impossível compreender que o aliado ideológico passara a adversário estratégico, e contudo seu conhecimento de armas nucleares era grande demais para participar com eles de uma diplomacia que constantemente se apoiava em ameaçar sua utilização.

Quando um estadista aturdido se vê confrontado com um dilema, fica tentado às vezes a seguir todos os cursos de ação simultaneamente. Khrushchev enviou seu ministro de relações exteriores, Andrei Gromyko, a Pequim para insistir na prudência, o que sabia que não seria bem recebido, e, tentando compensar por isso, para mostrar aos líderes chineses o rascunho de uma carta que propunha enviar a Eisenhower, ameaçando apoio total — dando a entender, apoio nuclear — para a China caso a Crise do Estreito de Taiwan se agravasse. A carta enfatizava que "um ataque contra a República Popular da China, que é uma grande amiga, aliada e vizinha de nosso país, é um ataque à União Soviética" e advertia que a União Soviética "fará de tudo [...] para defender a segurança de ambos os Estados".[44]

A iniciativa fracassou nas duas intenções. A carta de Khrushchev foi educadamente rejeitada por Eisenhower em 12 de setembro. Acolhendo a disposição chinesa de retomar o diálogo diplomático e reiterando a insistência de Washington de que Pequim renunciasse ao uso da força contra

Taiwan, Eisenhower impeliu Khrushchev a recomendar prudência a Pequim. Ignorante do fato de que Khrushchev era um ator em uma peça escrita por outros, Eisenhower deduzia a existência de um conluio entre Moscou e Pequim, observando que "essa atividade militar intensa começou em 23 de agosto — cerca de três semanas após sua visita a Peiping".[45]

Em um pronunciamento público feito mais ou menos ao mesmo tempo, em 11 de Setembro de 1958, Eisenhower justificou em termos exaltados o envolvimento americano nas ilhas próximas. O bombardeio de Quemoy e Matsu, advertiu, era análogo à ocupação de Hitler da Renânia, à ocupação de Mussolini da Etiópia ou (em uma comparação que deve ter irritado particularmente os chineses) à conquista japonesa da Manchúria, na década de 1930.

Gromyko não se deu muito melhor em Pequim. Mao reagiu ao rascunho da carta falando abertamente da possibilidade de guerra nuclear e das condições sob as quais os soviéticos deviam retaliar com armas nucleares contra a América. As ameaças eram tanto mais seguras de serem feitas devido ao fato de Mao saber que o perigo da guerra já passara. Em suas memórias, Gromyko relata como ficou "pasmo" com a bravata de Mao e citou as palavras do líder chinês para ele:

> Imagino que os americanos possam chegar a ponto de desencadear uma guerra contra a China. A China tem de contar com essa possibilidade, e o fazemos. Mas não temos a menor intenção de capitular! Se os Estados Unidos atacarem a China com armas nucleares, os exércitos chineses devem se retirar das regiões fronteiriças para o interior remoto do país. Devem atrair o inimigo a se embrenhar de tal forma que as forças norte-americanas se verão presas de uma tenaz dentro da China. [...] Somente quando os americanos estiverem bem nas províncias centrais vocês darão a eles tudo que têm.[46]

Mao não estava pedindo a ajuda soviética até que as forças americanas houvessem penetrado fundo na China — o que ele sabia que não iria acontecer no cenário já concluído. O relatório de Gromyko em Pequim parece ter chocado Khrushchev. Embora o diálogo diplomático já estivesse combinado entre Washington e Pequim, Khrushchev empreendeu mais dois passos para impedir a guerra nuclear. Para apaziguar o que entendia como sendo o temor em Pequim de uma invasão americana, ofereceu enviar unidades de artilharia antiaérea para Fujian.[47] Pequim adiou a resposta e então aceitou o oferecimento quando a crise já havia sido encerrada, impondo a condição de que as tropas soviéticas fossem deixadas sob comando chinês — um desfecho improvável.[48] Em uma demonstração adicional de seu nervosismo, Khrushchev mandou outra carta para Eisenhower em 19 de setembro, insistindo em cautela mas advertindo sobre a iminência de uma guerra nuclear.[49] O problema era que a China e os Estados Unidos, na verdade, já haviam resolvido a questão antes que a segunda carta de Khrushchev chegasse.

Em sua reunião em 3 de outubro de 1959, Khrushchev resumira a atitude soviética durante as crises de Taiwan para Mao:

> Entre nós, de forma confidencial, dizemos que não vamos lutar por Taiwan, mas para o consumo externo, por assim dizer, afirmamos o contrário, que no caso de um agravamento da situação relativa a Taiwan a URSS vai defender a RPC. Por sua vez, os EUA declaram que vão defender Taiwan. Logo, um tipo de situação de pré-guerra emerge.[50]

Khrushchev permitira a Mao atraí-lo para um curso de ação fútil como esse ao tentar ser ao mesmo tempo esperto e cínico. Sobretudo quando decisões supremas de paz e guerra estão envolvidas, um estrategista deve ter consciência de que blefes podem ser pagos para ver e deve levar em conta o impacto de uma ameaça vã para sua futura credibilidade. Em Taiwan, Mao usou a ambivalência de Khrushchev para induzi-lo a fazer uma ameaça nuclear que ele admitidamente não tinha a menor intenção de concretizar, criando uma tensão no relacionamento de Moscou com os Estados Unidos em nome de uma questão que Khrushchev considerava sem importância e de um líder aliado que o desprezava.

Só podemos imaginar a perplexidade de Mao: ele instigara Moscou e Washington a fazerem ameaças recíprocas de guerra nuclear em função de um dos territórios geopolíticos menos importantes do mundo, no que era essencialmente uma parte não militar do teatro político chinês. Além do mais, Mao o fizera em um momento de sua escolha, quando a China permanecia amplamente mais fraca do que os Estados Unidos ou a União Soviética, e de um modo que lhe permitia reivindicar uma significativa vitória da propaganda e retomar os diálogos diplomáticos sino-americanos a partir do que sua propaganda reivindicava ser uma posição de força.

Tendo desencadeado a crise e a levado a um desfecho, Mao afirmou ter conquistado seus objetivos:

> Lutamos nessa campanha, que tornou os Estados Unidos dispostos a conversar. Os Estados Unidos nos abriram suas portas. A situação não parece ser nada boa para eles, e vão se sentir nervosos dia sim dia não se não mantiverem um canal de diálogo conosco a partir de agora. Ok, então vamos conversar. Em relação à situação geral, é melhor resolver as disputas com os Estados Unidos por meio de conversa ou por meios pacíficos, porque somos um povo amante da paz.[51]

Zhou Enlai ofereceu uma análise ainda mais complicada. Ele viu a segunda Crise do Estreito de Taiwan como uma demonstração da capacidade dos dois partidos chineses de se envolver em uma negociação tácita entre si superando as barreiras de ideologias contrárias e até mesmo com as potências nucleares duelando com a ameaça atômica. Quase 15 anos depois, Zhou contou sobre a estratégia de Pequim para Richard Nixon durante a visita do presidente em 1972 à capital chinesa:

> Em 1958, o então secretário Dulles queria que Chiang Kai-shek abrisse mão das ilhas de Quemoy e Matsu, de modo a separar completamente Taiwan do continente e traçar uma linha nesse ponto. Chiang Kai-shek não estava disposto a fazer isso.[52] Nós também o aconselhamos a não se retirar de Quemoy e Matsu. Aconselhamos que não se retirasse disparando projéteis de artilharia contra elas — quer dizer, nós as bombardeávamos nos dias ímpares, e não as bombardeávamos nos dias pares, e nos feriados não as bombardeávamos. De modo que eles compreenderam nossas intenções e não se retiraram. Nenhum outro tipo de mensagem foi necessário; bastou esse método de bombardear para que compreendessem.[53]

Mas essas conquistas brilhantes devem ser contrabalançadas com o impacto mundial da crise. O diálogo diplomático viu-se num beco sem saída tão logo foi retomado. As manobras ambíguas de Mao, na verdade, lançaram as relações sino-americanas numa postura antagônica paralisante da qual os dois países não se recuperariam senão dali a uma década. A ideia de que a China estava determinada a expulsar os Estados Unidos do Pacífico Ocidental assumiu em Washington as proporções de uma profissão de fé, privando ambos os lados de qualquer opção para uma diplomacia mais flexível.

O impacto sobre a liderança soviética foi o oposto do que Mao pretendera. Longe de abandonar a política de coexistência pacífica, Moscou entrou em pânico com a retórica maoista e sentiu inquietude em relação a sua política temerária, suas repetidas considerações sobre os prováveis efeitos positivos da guerra nuclear para o socialismo mundial e sua negligência em consultar Moscou. No período que se seguiu à crise, Moscou suspendeu a cooperação nuclear com Pequim e, em junho de 1959, voltou atrás na promessa de fornecer um modelo de bomba atômica para a China. Em 1960, Khrushchev retirou os técnicos russos da China e cancelou todos os projetos de ajuda, alegando que "não podemos simplesmente ficar de plantão, permitindo que alguns de nossos especialistas mais gabaritados — pessoas que receberam treinamento em nossa própria agricultura e indústria — não recebam outra coisa além de constrangimento em retribuição por sua ajuda".[54]

No plano internacional, Mao obteve outra demonstração da reação imediata da China a possíveis ameaças contra sua segurança nacional ou integridade territorial. Isso iria desencorajar tentativas dos vizinhos chineses de explorar os tumultos domésticos em que Mao estava prestes a lançar sua sociedade. Mas também iniciou um processo de isolamento progressivo que levaria Mao a repensar sua política externa uma década depois.

CAPÍTULO 7

Uma década de crises

Durante a primeira década de existência da República Popular da China, seus bravos líderes assumiram o controle do império decrépito que haviam conquistado e o transformaram em uma grande potência internacional. A segunda década foi dominada pela tentativa de Mao de acelerar a revolução contínua no âmbito doméstico. A força motriz da revolução contínua era a máxima maoista de que o vigor moral e ideológico superaria as limitações físicas. A década começou e terminou em meio ao tumulto doméstico que foi comandado pelos próprios líderes chineses. A crise foi tão abrangente que isolou a China do resto do mundo; quase todos os seus diplomatas foram chamados a Pequim. Duas revisões completas da estrutura doméstica chinesa tiveram lugar: primeiro da economia, com o Grande Salto Adiante no começo da década; e segundo, da ordem social, com a Revolução Cultural no fim. A diplomacia saíra de moda; mas a guerra, não. Quando Mao sentiu que o interesse nacional era desafiado, em meio a todo seu sofrimento autoinfligido, a China se ergueu uma vez mais, para ir à guerra em sua fronteira mais ocidental, nos inóspitos Himalaias.

O Grande Salto Adiante

Os líderes chineses haviam sido obrigados pelo Discurso Secreto de Khrushchev a confrontar o problema de saber, na ausência da pretensão ao caráter de infalibilidade semidivina do líder do Partido, em que consistia a legitimidade política comunista. Nos meses que se seguiram ao discurso de fevereiro de 1956, pareceram sentir o caminho para seu próprio governo mais transparente, presumivelmente evitando a necessidade de choques periódicos de retificação. Referências em tom de veneração a Mao Zedong foram apagadas da constituição do Partido Comunista. O Partido adotou resoluções advertindo contra o "avanço precipitado" no campo econômico e sugerindo que a fase principal da "luta de classes" não se encaminhava para um final.[1]

Mas uma abordagem assim tão prosaica rapidamente entrou em choque com a visão de Mao da revolução contínua. Dentro de alguns meses Mao propôs uma rota alternativa para a retificação política: o Partido Comunista chinês convidaria ao debate e à crítica de seus métodos e se abriria à vida intelectual e artística da China para permitir que "uma centena de flores desabrochassem e uma centena de escolas de pensamento debatessem". Os motivos exatos de Mao ter feito essa conclamação permanecem tema de discussão. A Campanha das Cem Flores costuma ser explicada tanto como um convite sincero para que o Partido rompesse seu isolamento burocrático e ouvisse diretamente o que o povo tinha a dizer quanto um estratagema para iludir seus inimigos e convencê-los a se identificar. Fossem quais fossem os motivos, a crítica popular rapidamente foi além das sugestões para ajustes táticos e passou às críticas do sistema comunista. Estudantes criaram um "mural da democracia" em Pequim. Os críticos protestaram contra os abusos das autoridades locais e as privações impostas pelas políticas econômicas de inspiração soviética; alguns comparavam a primeira década de governo comunista desfavoravelmente em relação à era nacionalista precedente.[2]

Independentemente de sua intenção original, Mao nunca tolerava que desafiassem sua autoridade por muito tempo. Mudou rapidamente de posição e justificou isso como um aspecto de sua abordagem dialética. O movimento das Cem Flores foi transformado em uma "Campanha Antidireitistas", destinada a lidar com aqueles que haviam interpretado errado os limites de seu convite anterior ao debate. O expurgo maciço levou a prisões, reeducação ou exílio interno de milhares de intelectuais. No fim do processo, Mao voltou a se erguer como o líder incontestável da China, tendo tirado da frente os que o criticavam. Ele se valeu dessa posição proeminente para acelerar a revolução contínua, transformando-a no Grande Salto Adiante.

A conferência de partidos socialistas de Moscou, em 1957, presenciara uma fatídica declaração de Mao sobre o desenvolvimento da economia chinesa. Reagindo à previsão de Khrushchev de que a União Soviética ultrapassaria os Estados Unidos economicamente em 15 anos, Mao fez um discurso improvisado proclamando que a China superaria a Grã-Bretanha na produção de aço nesse mesmo período de tempo.[3]

Esse comentário não tardou a assumir o status de uma diretiva. A meta siderúrgica de 15 anos — posteriormente reduzida, em uma série de considerações em grande medida extemporâneas, para *três* anos[4] — foi igualada por uma série de metas agrícolas similarmente ambiciosas. Mao se preparava para lançar a revolução contínua chinesa em uma fase mais ativa e para confrontar o povo chinês com o desafio mais estupendo que ele já enfrentara.

Como tantos dos empreendimentos maoistas, o Grande Salto Adiante combinava aspectos de política econômica, exaltação ideológica e política externa. Para Mao, esses não eram campos distintos de realizações, mas caminhos inter-relacionados do grande projeto da revolução chinesa.[5]

Em seu sentido mais literal, o Grande Salto Adiante estava destinado a concretizar os ideais maoistas mais abrangentes de desenvolvimento industrial e agrícola. Grande parte do que restava de propriedade privada e incentivos individuais da China foi eliminada à medida que o país era reorganizado em "comunas populares" compartilhando posses, comida e trabalho. Os camponeses eram recrutados para integrar brigadas paramilitares em projetos de obras públicas, muitas delas improvisadas.

Esses projetos tinham implicações tanto internacionais quanto domésticas — sobretudo em relação ao conflito com Moscou. Se bem-sucedidos, o Grande Salto Adiante refutaria as prescrições soviéticas de gradualismo e remanejaria efetivamente o centro ideológico do comunismo para a China. Quando Khrushchev visitou Pequim em 1958, Mao insistiu que a China conquistaria o comunismo pleno antes que a União Soviética o fizesse, enquanto a União Soviética adotara uma rota de desenvolvimento mais lenta, mais burocrática e menos inspiradora. Aos ouvidos soviéticos, isso era uma chocante heresia ideológica.

Porém, dessa vez, Mao estabelecera um desafio tão fora da esfera da realidade objetiva que até o povo chinês ficou aquém de sua realização. As metas do Grande Salto Adiante eram exorbitantes, e a perspectiva de dissidência ou fracasso era tão aterrorizante que os quadros locais costumavam fraudar seus números de produção e enviar relatórios com totais inflados para Pequim. Tomando esses relatórios ao pé da letra, Pequim continuou a exportar grãos para a União Soviética em troca de indústria pesada e armamentos. Completou o desastre o fato de que os objetivos de produção de aço de Mao haviam sido implementados de forma tão literal que isso encorajou a prática de derreter ferramentas úteis como se fossem ferro-velho para cumprir as cotas. Contudo, ao fim e ao cabo, as leis da natureza e da economia não puderam ser abolidas, e o acerto de contas do Grande Salto Adiante foi brutal. De 1959 a 1962, a China vivenciou uma das piores fomes da história humana, levando à morte de mais de 20 milhões de pessoas.[6] Mao havia mais uma vez convocado o povo chinês a mover montanhas, só que dessa vez as montanhas não saíram do lugar.

A disputa da fronteira dos Himalaias e a Guerra Sino-Indiana de 1962

Em 1962, mal transcorrida uma década após o estabelecimento da República Popular da China, o país lutara uma guerra contra os Estados Unidos na Coreia e participara de dois confrontos militares envolvendo os Estados Unidos por causa das ilhas próximas de Taiwan. Ela havia restaurado a autoridade chinesa às fronteiras históricas da China imperial (com exceção de Mongólia e Taiwan) ao reocupar Xinjiang e Tibete. A fome ocasionada pelo Grande Salto Adiante mal havia sido superada. Entretanto, Mao não se encolheu diante de outro conflito militar quando considerou que a definição chinesa de suas fronteiras históricas estava sendo desafiada pela Índia.

A crise da fronteira sino-indiana envolvia dois territórios localizados nas altitudes dos Himalaias, na região sem trilhas e largamente desabitada de platôs em meio a montanhas intransponíveis, entre o Tibete e a Índia. Fundamentalmente, a disputa girava em torno da interpretação da história colonial.

A China reivindicava as fronteiras imperiais ao longo do sopé meridional dos Himalaias, abrangendo o que a China considerava "Tibete do Sul", mas que a Índia administrava como o estado de Arunachal Pradesh. A percepção indiana era de origem relativamente recente. Ela evoluíra com o empenho britânico em demarcar uma linha divisória com o Império Russo que avançava rumo ao Tibete. O último documento relevante foi firmado em 1914 entre a Inglaterra e o Tibete, delineando a fronteira no setor leste, chamada de Linha McMahon, o nome do principal negociador britânico.

As relações entre chineses e tibetanos eram antigas. Os mongóis haviam dominado o interior agrícola tanto da China como do Tibete na mesma onda de conquistas do século XIII, estreitando os laços políticos de ambos. Mais tarde a dinastia Qing passara a intervir regularmente no Tibete para expulsar as forças de outros povos não han que faziam incursões ao país pelo norte e oeste. Pequim acabou exercendo uma forma de suserania com "residentes imperiais" em Lhasa. Desde a dinastia Qing, Pequim tratava o Tibete como parte de Tudo Sob o Céu, governada pelo imperador chinês, e se reservava o direito de rechaçar qualquer intruso estrangeiro; mas a distância e a cultura nômade tibetana tornavam a sinização completa algo impraticável. Desse modo, os tibetanos contavam com substancial grau de autonomia em sua vida cotidiana.

No fim da dinastia Qing, em 1912, com a autoridade chinesa gravemente exaurida, a ingerência da China no Tibete havia encolhido. Pouco após o colapso da dinastia, as autoridades inglesas na Índia convocaram uma conferência na estação montanhosa de Simla com representantes chineses e tibetanos, objetivando demarcar as fronteiras entre Índia e Tibete. O governo chinês, sem nenhum efetivo militar para contestar esses acontecimentos, objetou em princípio à cessão de qualquer território ao qual a China tinha uma reivindicação histórica. A posição de Pequim em relação à conferência se refletia no seu representante em Calcutá — então sede do governo indiano da Grã-Bretanha —, Lu Hsing-chi: "Nosso país encontra-se no momento em uma situação debilitada; nossas relações exteriores estão complicadas e difíceis e nossas finanças enfrentam dificuldades. Entretanto, o Tibete é de importância fundamental para ambos [Sichuan e Yunnan, províncias no sudoeste da China] e devemos nos manifestar ao máximo nessa conferência."[7]

O delegado chinês na conferência resolveu o dilema rubricando, mas não assinando, o documento resultante. Delegados tibetanos e britânicos assinaram o documento. Na prática diplomática, uma rubrica congela o texto; significa que as negociações foram concluídas. Assinar o documento faz com que entre em vigor. A China alegou que os representantes tibetanos careciam do status legal para assinar o documento de fronteira, uma vez que o Tibete era parte da China e não estava autorizado ao exercício da soberania. Ela se recusava a reconhecer a validade do governo indiano no território ao sul da Linha McMahon, embora inicialmente não fizesse qualquer tentativa de contestá-lo.

No setor oeste, o território em disputa era conhecido como Aksai Chin. É quase inacessível da Índia, motivo pelo qual levou alguns meses para que a Índia percebesse, em 1955, que a China estava construindo uma estrada através da região ligando Xinjiang e Tibete. A proveniência histórica do território também era problemática. Os ingleses reivindicavam sua posse na maioria de seus mapas oficiais, embora aparentemente nunca o houvessem administrado. Quando a Índia proclamou sua independência da Grã-Bretanha, não proclamou sua independência das reivindicações territoriais britânicas. Isso incluía a região de Aksai Chin, bem como a linha demarcada por McMahon em todos os seus mapas.

Ambas as linhas de demarcação traziam consequências estratégicas. Na década de 1950, existia um certo equilíbrio entre as posições de ambos os lados. A China via a Linha McMahon como um símbolo dos planos britânicos de afrouxar o controle chinês sobre o Tibete ou talvez dominá-lo. O primeiro-ministro indiano, Jawaharlal Nehru, alegava um interesse cultural e sentimental no Tibete baseado nos laços históricos entre a cultura budista clássica da Índia e o budismo tibetano. Mas estava preparado para reconhecer a soberania chinesa no Tibete contanto que uma autonomia substancial fosse mantida. Em busca dessa política, Nehru recusou-se a apoiar petições para levar o status político do Tibete à mesa de negociações das Nações Unidas.

Mas, quando o dalai-lama fugiu, em 1959, e obteve a concessão de asilo na Índia, a China começou a tratar a questão da demarcação de linhas cada vez mais em termos estratégicos. Zhou ofereceu um acordo de substituir as reivindicações chinesas na parte leste da linha por reivindicações indianas no oeste, em outras palavras, acatando a Linha McMahon como base de negociações em troca de reconhecimento das reivindicações chinesas de Aksai Chin.

Quase todos os países pós-coloniais insistiram nas fronteiras dentro das quais conquistaram a independência. Abrir negociações com eles é um convite a controvérsias sem fim e pressão doméstica. Baseado no princípio de que não havia sido eleito para negociar um território que considerava indiscutivelmente indiano, Nehru rejeitou a proposta chinesa ao não respondê-la.

Em 1961, a Índia adotou o que chamou de Política de Avanço. Para apagar a impressão de que não estava reclamando o território em disputa, a Índia deslocou seus postos militares adiante, próximo aos postos chineses previamente estabelecidos ao longo da linha de demarcação preexistente. Os comandantes indianos receberam ordens de atirar nas tropas chinesas à vontade, ordens baseadas na teoria de que os chineses eram invasores no território indiano. Essa política foi reforçada após os primeiros choques em 1959, quando Mao, a fim de evitar uma crise, ordenou que as forças chinesas se retirassem cerca de 20 quilômetros. Os estrategistas indianos concluíram então que as forças chinesas não iriam resistir a um avanço indiano; antes, iriam usar isso como uma desculpa para abrir mão do território. As forças indianas receberam ordens de, nas palavras da história oficial indiana sobre a guerra, "patrulhar o mais adiante possível a partir de presente posição [da Índia] na direção da Fronteira Internacional por nós reconhecida [...] [e] impedir os chineses de avançar mais além e também de dominar qualquer posto chinês já estabelecido em nosso território".[8]

Isso se mostrou um erro de cálculo. Mao imediatamente cancelou as ordens prévias de retirada. Mas continuou cauteloso, afirmando em uma reunião da Comissão Militar Central em Pequim: "Falta de temperança em assuntos pequenos perturba planos grandes. Devemos prestar atenção na situação."[9] Ainda não era uma ordem para o confronto militar; antes, uma espécie de alerta para preparar um plano estratégico. Assim entrava em ação o usual estilo chinês de lidar com decisões estratégicas: análise exaustiva; preparativos cuidadosos; atenção a fatores psicológicos e políticos; busca pela surpresa; rápido desfecho.

Em reuniões da Comissão Militar Central e de líderes de alto escalão, Mao comentou a Política de Avanço de Nehru em um de seus epigramas: "Uma pessoa que dorme em uma cama confortável não é facilmente despertada por outra que ronca."[10] Em outras palavras, as forças chinesas nos Himalaias haviam se mostrado excessivamente passivas em reagir à Política de Avanço indiana — o que, na percepção chinesa, tinha lugar em solo chinês. (Essa, é claro, era a essência da disputa: cada lado argumentava que seu adversário havia se aventurado pelos respectivos territórios.)

A Comissão Militar Central decretou o fim do recuo chinês, afirmando que qualquer novo posto avançado indiano sofreria a resistência de postos chineses construídos nas proximidades, cercando-o. Mao resumiu: "Vocês mostram armas, nós mostramos armas. Ficamos cara a cara e cada um põe em prática sua coragem." Mao definiu a política como "coexistência armada".[11] Era, de fato, o exercício do *wei qi* nos Himalaias.

Instruções precisas foram dadas. O objetivo ainda era declaradamente evitar um conflito maior. As tropas chinesas não estavam autorizadas a atirar a menos que as forças indianas se aproximassem mais do que 50 metros de suas posições. Além disso, ações militares poderiam ser iniciadas apenas com ordens de autoridades superiores.

Os estrategistas indianos notaram que a China havia parado de recuar, mas observaram também a moderação chinesa em abrir fogo. Concluíram que uma nova sondagem resolveria a situação. Em vez de disputar terras vazias, o objetivo tornava-se "empurrar para trás os postos ocupados pelos chineses".[12]

Como os dois objetivos da política oficial chinesa — impedir posteriores avanços indianos e evitar derramamento de sangue — não estavam sendo atingidos, os líderes chineses começaram a considerar se um ataque súbito talvez não forçasse a Índia a buscar a mesa de negociações e cessar as provocações.

Em busca desse objetivo, os líderes chineses ficaram preocupados com a possibilidade de que os Estados Unidos usassem o incipiente conflito sino-indiano para lançar Taiwan contra o continente. Outra preocupação era de que a diplomacia americana que tentava bloquear o empenho de Hanói em transformar o Laos numa base aérea para a guerra no Vietnã pudesse ser o presságio de um eventual ataque americano no sul da China via o Laos. Os líderes chineses não conseguiam acreditar que os Estados Unidos iriam se envolver no grau que o fizeram na Indochina (mesmo nessa época, quando a intensidade do conflito já era grande) por questões de demarcação estratégica local.

Os líderes chineses conseguiram se tranquilizar quanto a esses dois pontos, demonstrando no processo o modo abrangente como a política chinesa estava sendo planejada. As conversações de Varsóvia foram o palco escolhido para determinar as intenções americanas no estreito de Taiwan. O embaixador chinês nesses encontros foi tirado de suas férias e instruído a convocar uma reunião. Nela alegou que Pequim observara preparativos em Taiwan para um desembarque no continente. O embaixador americano, que não ouvira nada a respeito de tais preparativos — uma vez que não estavam, de fato, ocorrendo —, foi instruído a responder que os Estados Unidos desejavam a paz e "sob as presentes circunstâncias" não apoiariam uma ofensiva nacionalista. O embaixador chinês nesses diálogos, Wang Bingnan, comentou em suas memórias que essa informação desempenhou um "enorme papel" na decisão final de Pequim de levar adiante as operações nos Himalaias.[13] Não há evidência de que o governo norte-americano houvesse se perguntado que política havia levado ao pedido de uma reunião especial. Essa era a diferença entre uma estratégia segmentada e uma abrangente.

O problema do Laos se resolveu por conta própria. Na Conferência de Genebra de 1962, a neutralização do Laos e a retirada das forças americanas de seu território eliminaram as preocupações chinesas.

De posse dessas tranquilizações, Mao, no início de outubro de 1962, reuniu líderes chineses para anunciar a decisão final, que era pela guerra:

> Lutamos uma guerra contra o velho Chiang [Kai-shek]. Lutamos uma guerra contra o Japão, e contra a América. Nenhum deles tememos. Em todas elas vencemos. Agora os indianos querem entrar em guerra conosco. Naturalmente, não vamos temer. Não podemos ceder terreno, uma vez que, se o fizéssemos, seria o mesmo que deixar que se apoderassem de um enorme pedaço de território, equivalente à província de Fujian. [...] Como Nehru põe suas asinhas de fora e insiste em brigar, não revidar seria um gesto bem pouco amigável de nossa parte. A cortesia enfatiza a necessidade de reciprocidade.[14]

Em 6 de outubro, uma decisão em princípio foi tomada. O plano estratégico era um ataque maciço para produzir um choque que forçaria uma negociação ou, pelo menos, o fim das provocações militares indianas num futuro próximo.

Antes da decisão final de ordenar a ofensiva, a palavra de Khrushchev fora dada no sentido de que, em caso de guerra, a União Soviética apoiaria a China segundo o disposto no Tratado de Amizade e Aliança de 1950. Foi uma decisão totalmente fora do padrão das relações entre soviéticos e chineses nos anos precedentes e da neutralidade até então praticada pelo Kremlin na questão das relações indianas com a China. Uma explicação plausível é que Khrushchev, consciente da iminência de um confronto devido à mobilização de armamentos nucleares soviéticos em Cuba, queria garantir o apoio chinês na crise caribenha.[15] Ele nunca voltou a fazer o oferecimento depois que a crise cubana terminou.

O ataque chinês ocorreu em dois estágios: uma ofensiva preliminar começando em 20 de outubro que durou quatro dias, seguida de um ataque maciço em meados de novembro, que chegou ao sopé dos Himalaias nas proximidades da tradicional linha demarcatória imperial. Nesse ponto, o Exército de Libertação Popular parou e recuou ao lugar onde começara, bem atrás da linha que reivindicavam. O território em disputa tem permanecido assim até hoje, mas nenhum lado procurou impor suas reivindicações além das linhas de controle existentes.

A estratégia chinesa foi similar à da crise das ilhas. A China não conquistou território algum na Guerra Sino-Indiana de 1962 — embora continuasse a reivindicar o território ao sul da Linha McMahon. Isso pode ter sido reflexo de uma avaliação política ou a compreensão de realidades logísticas. O território conquistado do setor leste só podia ser mantido às custas de linhas de suprimento seriamente estendidas através de um terreno proibitivo.

No fim da guerra, Mao enfrentara — e, nesse caso, superara — outra grande crise, mesmo com a fome mal erradicada na China. Era de certo modo uma repetição da experiência americana na Guerra da Coreia: a China sendo subestimada por seu adversário; avaliações não contestadas de serviço de inteligência sobre a capacidade chinesa; e, para completar, graves erros em compreender como a China interpreta a questão da segurança ao seu território e como ela reage a ameaças militares.

Ao mesmo tempo, a guerra de 1962 trouxe mais um adversário formidável para a China num momento em que as relações com a União Soviética haviam azedado a um ponto sem volta. Pois a oferta soviética de apoio se revelou tão fugaz quanto a presença nuclear dos soviéticos em Cuba.

Assim que os confrontos militares nos Himalaias se intensificaram, Moscou adotou uma postura de neutralidade. Para esfregar sal nas feridas chinesas, Khrushchev justificou sua neutralidade com a afirmação de que estava promovendo o odiado princípio de coexistência pacífica. Um editorial de dezembro de 1962 no *Diário Popular*, o jornal oficial do Partido Comunista chinês, observou raivosamente que essa era a primeira vez que um Estado comunista não ficava ao lado de outro Estado comunista contra um país "burguês": "Para um comunista o mínimo que se exige é que ele faça uma clara distinção entre o inimigo e nós mesmos, que ele seja impiedoso com o inimigo e bondoso com seus próprios camaradas."[16] O editorial acrescentava um pedido em tom lamentoso para que os aliados da China "examinassem sua consciência e se perguntassem o que acontecera com o marxismo-leninismo deles e o que acontecera com seu internacionalismo proletariado".[17]

Em 1964, os soviéticos deixaram até a pretensão de neutralidade. Referindo-se à Crise dos Mísseis Cubanos, Mikhail Suslov, membro do Politburo e ideólogo do Partido, acusou os chineses de agressão contra a Índia em um momento de máxima dificuldade para a União Soviética:

> É um fato que precisamente no auge da crise caribenha a República Popular da China estendeu o conflito armado para a fronteira sino-indiana. Não importa quanto os líderes chineses tenham tentado desde então justificar sua conduta na época, eles não podem fugir à responsabilidade pelo fato de que mediante suas ações eles na verdade ajudaram os círculos mais reacionários do imperialismo.[18]

A China, mal terminando de superar a fome no país, agora tinha adversários declarados em todas as fronteiras.

A Revolução Cultural

Nesse momento de emergência nacional potencial, Mao escolheu esmagar o Estado chinês e o Partido Comunista. Ele lançou o que esperava viesse a se provar um ataque final aos teimosos resquícios da cultura chinesa tradicional — de cujo entulho, ele profetizou, surgiria uma nova geração ideologicamente pura mais bem-equipada para salvaguardar a causa revolucionária contra os inimigos domésticos e estrangeiros. Ele impeliu a China a uma década de frenesi ideológico, sectarismo político feroz e quase guerra civil, que ficou conhecida como a Grande Revolução Cultural Proletária.

Nenhuma instituição foi poupada das ondas de tumulto que se seguiram. Por todo o país, governos locais foram desfeitos em violentos confrontos com "as massas", instigadas pela propaganda de Pequim. Distintos líderes do Partido Comunista e do Exército de Libertação Popular, incluindo líderes das guerras revolucionárias, foram vítimas de expurgo e submetidos a humilhação pública. O sistema educacional chinês — até então espinha dorsal da ordem social chinesa — estacou, com aulas suspensas indefinidamente de modo que a geração mais jovem pudesse andar pelo país e cumprir a exortação de Mao de "aprender a revolução fazendo a revolução".[19]

Muitos desses jovens subitamente livres de qualquer constrangimento se juntaram a facções dos Guardas Vermelhos, milícias de juventudes unidas por fervor ideológico, operando acima da lei e fora das (e muitas vezes em oposição a elas) estruturas institucionais comuns. Mao endossava seu empenho com slogans vagos mas incendiários, como "Rebelar-se é justificado" e "Bombardeiem os quartéis-generais".[20] Ele aprovou seus ataques violentos contra a burocracia existente do Partido Comunista e contra os costumes sociais tradicionais e encorajou-os a não temer a "desordem" conforme lutavam para erradicar os "Quatro Velhos" — velhas ideias, velha cultura, velhos costumes, velhos hábitos — que, para o pensamento maoista, haviam mantido a China enfraquecida.[21] O *Diário Popular* jogou lenha na fogueira com o editorial "Em louvor da ilegalidade" — uma reprovação explícita, sancionada pelo governo, da tradição milenar chinesa de harmonia e ordem.[22]

O resultado foi uma espetacular carnificina humana e institucional, à medida que um a um os órgãos chineses de poder e autoridade — incluindo os postos mais altos do Partido Comunista — sucumbiam aos ataques de adolescentes tropas de choque ideológico. A China — civilização até então conhecida por seu respeito ao aprendizado e à erudição — tornou-se um mundo de cabeça para baixo, com filhos se voltando contra os pais, alunos brutalizando professores e queimando livros e profissionais e altos oficiais mandados para fazendas e fábricas a fim de aprender a prática revolucionária com camponeses analfabetos. Cenas de crueldade se desenrolaram por todo o país, conforme membros dos Guardas Vermelhos e cidadãos aliados a eles — alguns simplesmente escolhendo uma facção ao acaso na esperança de sobreviver à tempestade — voltaram sua fúria contra qualquer alvo que pudesse concebivelmente pressagiar uma volta à antiga ordem "feudal" chinesa.

Que alguns desses alvos fossem indivíduos mortos havia séculos não diminuiu o furor do ataque. Alunos e professores revolucionários de Pequim caíram sobre a aldeia natal de Confúcio, jurando pôr fim à influência do antigo sábio sobre a sociedade chinesa de uma vez por todas, queimando livros antigos, destruindo placas comemorativas e arrasando os túmulos de Confúcio e seus descendentes. Em Pequim, os ataques dos Guardas Vermelhos destruíram 4.922 dos 6.843 assim designados "locais de interesse cultural e histórico". A própria Cidade Proibida foi, segundo se conta, salva apenas com a intervenção pessoal de Zhou Enlai.[23]

Uma sociedade tradicionalmente governada por uma elite de literatos confucionistas agora se voltava a camponeses rústicos como fonte de sabedoria. As universidades foram fechadas. Qualquer um identificado como "especialista" era suspeito, a competência profissional sendo um conceito perigosamente burguês.

A postura diplomática chinesa saiu dos eixos. O mundo foi agraciado com uma visão quase incompreensível da China erguendo-se com fúria indiscriminada contra o bloco soviético, as potências ocidentais e suas próprias história e cultura. Os diplomatas chineses e suas equipes de apoio no exterior instavam os cidadãos dos países onde estivessem a fazer a revolução e se instruir no "Pensamento de Mao Zedong". Em cenas que lembravam a Revolta dos Boxers setenta anos antes, multidões dos Guardas Vermelhos atacaram embaixadas estrangeiras em Pequim, incluindo a pilhagem de uma missão diplomática inglesa, completa com espancamentos e abusos sexuais de seus membros em fuga. Quando o secretário de Relações Exteriores britânico escreveu para o ministro das Relações Exteriores chinês, Marechal Chen Yi, sugerindo que a Inglaterra e a China "enquanto mantendo relações diplomáticas [...] retirassem por ora suas missões e pessoal das capitais dos respectivos países", recebeu o silêncio como resposta: o próprio ministro das Relações Exteriores chinês era vítima da "luta" e não podia responder.[24] No fim, todos os embaixadores chineses, exceto um — o capaz e ideologicamente impecável Huang Hua, no Cairo —, e aproximadamente dois terços das equipes diplomáticas foram chamados de volta ao país para serem reeducados no campo ou participar de atividades revolucionárias.[25] A China se envolveu ativamente em disputas hostis com os governos de dezenas de países durante esse período. Só manteve relações positivas genuínas com um — a República Popular da Albânia.

Emblemático da Revolução Cultural foi o "Pequeno Livro Vermelho" de citações de Mao, compilado em 1964 por Lin Biao, mais tarde designado sucessor de Mao e morto em um obscuro acidente aéreo quando atravessava o país, alegadamente após uma tentativa de golpe. Todos os chineses eram obrigados a carregar um exemplar do "Pequeno Livro Vermelho". Os Guardas Vermelhos, brandindo os seus exemplares, "confiscavam" prédios públicos por toda a China, com a autorização — ou ao menos a tolerância — de Pequim, desafiando violentamente as burocracias das províncias.

Mas os Guardas Vermelhos não estavam mais imunes ao dilema das revoluções se voltando contra eles mesmos do que os quadros que supostamente deveriam purificar. Ligados mais por ideologia do que por treinamento formal, os Guardas Vermelhos se dividiram em facções perseguindo suas próprias preferências pessoais e ideológicas. Conflitos entre eles se tornaram tão intensos que, em 1968, Mao dissolveu oficialmente os Guardas Vermelhos e encarregou líderes partidários e militares leais de restabelecer os governos nas províncias.

Foi anunciada uma nova política de "enviar" uma geração de jovens para áreas remotas do campo a fim de aprender com os camponeses. Nesse ponto, os militares eram a última grande instituição chinesa cuja estrutura de comando permanecia de pé, e ela desempenhou papéis muito além de suas competência normais. Militares assumiram os esvaziados ministérios do governo, cultivaram os campos e administraram fábricas — tudo isso somado a sua missão original de defender o país.

O impacto imediato da Revolução Cultural foi desastroso. Após a morte de Mao, a avaliação da segunda e da terceira gerações de líderes — quase todos eles vítimas em um momento ou outro — fora de condenação.

Deng Xiaoping, principal líder da China de 1979 a 1991, argumentou que a Revolução Cultural quase destruíra o Partido Comunista como instituição e arruinara sua credibilidade, ao menos temporariamente.[26]

Em anos recentes, conforme as lembranças pessoais se apagavam, outra perspectiva começa a surgir hesitantemente na China. Esse ponto de vista admite os colossais equívocos cometidos durante a Revolução Cultural, mas começa a se perguntar se talvez Mao não tivesse levantado uma importante questão, mesmo se sua resposta tenha se provado desastrosa. O problema supostamente identificado por Mao é a relação entre o Estado moderno — sobretudo o Estado comunista — e o povo que ele governa. Em sociedades largamente agrícolas — e até nas que começam o processo de industrialização —, governar diz respeito a questões que estão dentro da capacidade do público geral compreender. Claro que, em sociedades aristocráticas, o público relevante é limitado. Mas seja qual for a legitimidade formal, algum consenso tácito entre aqueles que devem cumprir as diretivas é necessário — a menos que governar seja algo feito completamente por imposição, o que normalmente é insustentável durante um período histórico.

Um desafio do período moderno é que as questões se tornaram tão complexas que o arcabouço legal se torna cada vez mais impenetrável. O sistema político determina diretivas mas a execução é deixada, em grau ainda maior, para burocracias separadas tanto do processo político como do público, cujo único controle são as eleições periódicas, se tanto. Mesmo nos Estados Unidos, decisões legislativas importantes muitas vezes compreendem milhares de páginas que, para pôr em termos brandos, apenas pouquíssimos legisladores leram detalhadamente. Sobretudo nos Estados comunistas, as burocracias operam em unidades autocontidas com suas próprias regras, perseguindo procedimentos que muitas vezes definem para si mesmas. Fissuras são abertas entre as classes política e burocrática e entre ambas e o público geral. Desse modo, uma nova classe mandarim ameaça emergir pelo ímpeto burocrático. A tentativa de Mao de resolver o problema em uma grande investida quase arruinou a sociedade chinesa. Um livro recente do acadêmico e conselheiro do governo Hu Angang afirma que a Revolução Cultural, embora um fracasso, deixou o palco montado para as reformas de Deng nas décadas de 1970 e 1980. Hu hoje propõe usar a

Revolução Cultural como estudo de caso para os modos em que os "sistemas de tomada de decisão" no atual sistema político da China possam se tornar "mais democráticos, científicos e institucionalizados".[27]

Houve uma oportunidade perdida?

Em retrospecto, nós nos perguntamos se os Estados Unidos estavam em posição de iniciar um diálogo com a China talvez uma década antes do que o fez. Poderia o tumulto na China ter se tornado o ponto de partida para um diálogo sério? Em outras palavras, a década de 1960 foi uma oportunidade perdida para a reaproximação sino-americana? A abertura para a China poderia ter ocorrido antes?

Na verdade, o obstáculo fundamental para uma política externa americana mais imaginativa foi o conceito maoista de revolução contínua. Mao estava determinado nesse estágio a se antecipar a qualquer momento de calmaria. Tentativas de conciliação com o arqui-inimigo capitalista não eram concebíveis enquanto a vendeta com Moscou girasse em torno da rejeição obstinada de Mao do comprometimento de Khrushchev com a coexistência pacífica.

Houve algumas tentativas americanas na direção de uma avaliação mais flexível da China. Em outubro de 1957, o senador John F. Kennedy publicou um artigo na revista *Foreign Affairs* comentando "a fragmentação da autoridade dentro da esfera soviética" e afirmando que a política americana para a Ásia era "provavelmente rígida demais". Ele argumentava que a política de não reconhecer a República Popular da China deveria continuar mas que os Estados Unidos deviam se preparar para rever o "conceito frágil de uma China totalitária e inalterável" conforme as circunstâncias evoluíssem. Ele aconselhava que "devemos ter muito cuidado para não prender nossa política numa camisa de força como resultado da ignorância e do fracasso em detectar uma mudança na situação objetiva quando ela aparece".[28]

A percepção de Kennedy era sutil — mas, quando ele se tornou presidente, a mudança seguinte na dialética de Mao foi na direção oposta: rumo a *mais* hostilidade, não menos; e rumo a uma eliminação cada vez mais violenta de oponentes domésticos e estruturas institucionais de regulação do poder, não a uma reforma moderada.

Nos anos imediatamente seguintes ao artigo de Kennedy, Mao iniciou a Campanha Antidireitista em 1957, uma segunda crise no estreito de Taiwan em 1958 (que ele descreveu como uma tentativa de "ensinar uma lição aos americanos"[29]) e o Grande Salto Adiante. Quando Kennedy se tornou presidente, a China empreendeu um ataque militar no conflito fronteiriço com a Índia, um país que o governo Kennedy concebera como oferecendo uma alternativa asiática ao comunismo. Esses não eram os sinais de conciliação e mudança aos quais Kennedy advertira os americanos a ficar atentos.

O governo Kennedy de fato estendeu um gesto humanitário para aliviar a condição agrícola precária da China durante a fome provocada pelo Grande Salto Adiante. Descrito como um esforço para assegurar "comida em troca de paz" (*food for peace*), o oferecimento exigia, porém, um pedido chinês específico admitindo um "sério desejo" de assistência. O compromisso de Mao com a autonomia impedia qualquer admissão de dependência de auxílio estrangeiro. A China, respondeu seu representante nos diálogos diplomáticos de Varsóvia, estava "superando suas dificuldades pelo próprio esforço".[30]

Nos últimos anos da presidência de Lyndon Johnson, membros gabaritados de sua equipe e até mesmo o próprio presidente começaram a considerar a adoção de um curso menos confrontador. Em 1966, o Departamento de Estado instruiu seus negociadores a assumir uma atitude mais de aproximação nos encontros diplomáticos em Varsóvia e os autorizou a iniciar contatos sociais informais às margens das negociações. Em março de 1966, o representante americano nas conversas estendeu o ramo de oliveira afirmando que "o governo dos Estados Unidos estava disposto a aprofundar as relações com a República Popular da China" — a primeira vez que um delegado americano usava o nome oficial pós-1949 para se referir formalmente à China.

Finalmente, o próprio Lyndon Johnson defendeu uma opção pacífica em um discurso de julho de 1966 sobre sua política para a Ásia. "A paz duradoura", observou, "jamais pode chegar à Ásia enquanto os 700 milhões de pessoas do continente chinês estiverem isolados do mundo exterior por causa de seus governantes". Embora prometendo resistir à "política de agressão por procuração" no Sudeste Asiático, ele ansiava por uma eventual era de "cooperação pacífica" e de "conciliação entre nações que hoje se dizem inimigas".[31]

Essas opiniões foram externadas como esperanças abstratas derivadas de certa mudança indefinida nas atitudes chinesas. Nenhuma conclusão prática veio em seguida. Tampouco poderia. Pois essas declarações coincidiram exatamente com o início da Revolução Cultural, quando a China oscilou de volta a uma posição de hostilidade desafiadora.[32]

As políticas chinesas durante esse período contribuíram pouco para convidar — e talvez tivessem sido planejadas para dissuadir — uma abordagem conciliatória dos Estados Unidos. De sua parte, Washington exibia considerável habilidade tática em resistir a desafios militares, como nas duas Crises do Estreito de Taiwan, mas mostrava muito menos imaginação ao moldar sua política externa diante de uma estrutura política fluida, em transformação.

Uma American National Intelligence Estimate (Estimativa de Inteligência Nacional Americana) de 1960 expressou, e talvez tenha ajudado a moldar, a seguinte avaliação:

> Um pilar básico da política externa da China comunista — de estabelecer a hegemonia chinesa no Extremo Oriente — quase certamente não mudará de forma apreciável durante o período compreendido por esta estimativa. O regime continuará a ser violentamente antiamericano e a atacar interesses norte-americanos onde e sempre que puder fazê-lo sem pagar um preço desproporcional. [...] A arrogante autoconfiança, o fervor revolucionário e a visão de mundo distorcida podem levar Peiping a riscos mal calculados.[33]

Havia muitas evidências a apoiar o ponto de vista prevalecente. Mas a análise deixou em aberto a questão de saber em que medida a China possivelmente atingiria objetivos tão abrangentes. Arruinada pelas catastróficas consequências do Grande Salto Adiante, a China da década de 1960 estava esgotada. Em 1966, o país embarcava na Revolução Cultural, que na prática significou uma retirada do mundo, sendo a maioria dos diplomatas requisitados a voltar a Pequim, muitos para reeducação. Quais foram as implicações para a política externa americana? Como era possível falar de um bloco asiático unificado? E quanto à premissa básica da política americana na Indochina de que o mundo enfrentava uma conspiração vinda de Moscou e Pequim? Os Estados Unidos, preocupados com o Vietnã e com o próprio tumulto doméstico, encontravam poucas oportunidades para cuidar dessas questões.

Parte do motivo para a obstinação americana era que, na década de 1950, muitos dos principais especialistas em China haviam deixado o Departamento de Estado durante as várias investigações sobre quem "perdeu" a China. Como resultado, um grupo verdadeiramente extraordinário de especialistas na União Soviétia — incluindo George Kennan, Charles "Chip" Bohlen, Llewellyn Thompson e Foy Kohler — dominou o pensamento do Departamento de Estado sem um contrapeso, e eles estavam convencidos de que qualquer aproximação com a China era uma ameaça de guerra com a União Soviética.

Mas, mesmo que as perguntas corretas houvessem sido feitas, não teria havido oportunidade para testar as respostas. Alguns líderes chineses insistiram com Mao que adaptasse suas políticas aos novos tempos. Em fevereiro de 1962, Wang Jiaxiang, chefe do Departamento Internacional do Comitê Central do Partido Comunista, encaminhou um memorando para Zhou insistindo que um ambiente internacionalmente pacífico seria mais eficaz em ajudar a China a construir um Estado socialista forte e uma economia que crescesse com rapidez do que a postura predominante de confrontação em todas as direções.[34]

Mao não queria nem ouvir falar disso e declarou:

> Em nosso Partido há alguns que defendem as "três moderações e uma redução". Eles dizem que deveríamos ser mais moderados em relação ao imperialismo, mais moderados em relação aos reacionários e mais moderados em relação aos revisionistas, ao passo que, em relação à luta de povos de Ásia, África e América Latina, deveríamos reduzir a assistência. Essa é uma linha revisionista.[35]

Mao insistia na política de desafiar todos os adversários potenciais simultaneamente. Ele retrucou que "a China deve lutar contra os imperialistas, revisionistas e reacionários de todos os países" e que "maior auxílio deve ser concedido aos partidos políticos e facções anti-imperialistas, revolucionários e marxistas-leninistas".[36]

No fim, à medida que a década de 1960 progredia, até Mao começou a admitir que os potenciais perigos para a China se multiplicavam. Ao longo de suas vastas fronteiras, a China via na União Soviética um potencial inimigo; na Índia, um adversário humilhado; uma mobilização maciça norte-americana e uma guerra se agravando no Vietnã; autoproclamados governos exilados em Taipei e no enclave tibetano do norte da Índia; um oponente histórico no Japão; e, do outro lado do Pacífico, uma América que enxergava a China como um adversário implacável. Somente as rivalidades entre esses países impedira um desafio comum até então. Mas nenhum estadista prudente poderia apostar eternamente que esse autocontrole duraria — principalmente porque a União Soviética parecia se preparar para dar um basta às provocações cada vez maiores vindas de Pequim. O líder chinês logo se veria obrigado a provar que sabia ser tão prudente quanto fora ousado.

CAPÍTULO 8

Rumo à reconciliação

NA ÉPOCA EM QUE a improvável dupla de Richard Nixon e Mao Zedong decidiram se mover um na direção do outro, os dois países estavam em plena turbulência. A China quase se exaurira com o tumulto da Revolução Cultural; o consenso político nos Estados Unidos era pressionado pelo crescente movimento de protesto contra a Guerra do Vietnã. A China enfrentava a perspectiva da guerra em todas as fronteiras — especialmente na parte norte, onde choques reais ocorriam entre forças soviéticas e chinesas. Nixon herdou uma guerra no Vietnã e um imperativo doméstico de terminá-la, e entrou na Casa Branca no fim de uma década marcada por assassinatos e conflitos raciais.

Mao tentou enfrentar as ameaças à China retomando o clássico estratagema chinês: jogar os bárbaros uns contra os outros e recrutar inimigos distantes a lutar contra os que estavam próximos. Nixon, fiel aos valores de sua sociedade, invocava princípios wilsonianos ao propor convidar a China para reentrar na comunidade de nações: "Simplesmente não podemos nos dar ao luxo", escreveu em um artigo na *Foreign Affairs*, em outubro de 1967, "de deixar a China para sempre fora da família das nações, ali, cultivando suas fantasias, acalentando seus ódios e ameaçando seus vizinhos. Não existe lugar nesse pequeno planeta para que um bilhão de seus cidadãos potencialmente mais capazes vivam em raivoso isolamento".[1]

Nixon foi além de um pedido de ajuste diplomático, fazendo um apelo pela reconciliação. Ele relacionava o desafio diplomático ao problema da reforma social nas cidades americanas afastadas: "Em ambos os casos os diálogos têm de ser abertos; em ambos os casos a agressão tem de ser restringida enquanto a educação continua; e, não menos, em ambos os casos não podemos nos dar ao luxo de permitir que esses que se autoexilaram da sociedade permaneçam exilados para sempre."[2]

A necessidade deve fornecer o impulso para a política; contudo, ela não define automaticamente os meios. E tanto Mao como Nixon enfrentavam enormes obstáculos para iniciar um diálogo, sem falar de uma conciliação entre Estados Unidos e China. Seus países haviam, por vinte anos, considerado um ao outro como inimigos implacáveis. A China classificara a América como um país "capitalista-imperialista" — em termos marxistas, a forma suprema de capitalismo, que, assim se teorizava, seria capaz de superar suas "contradições" somente por meio da guerra. O conflito com os Estados Unidos era inevitável; a guerra era provável.

A percepção americana espelhava a chinesa. Uma década de conflitos militares, e ameaças de conflitos, aparentemente arraigara o veredicto nacional de que a China, atuando como fonte da revolução mundial, estava determinada a expulsar os Estados Unidos do Pacífico ocidental. Para os americanos, Mao parecia ainda mais implacável do que os líderes soviéticos.

Por todos esses motivos, Mao e Nixon haviam se movido cautelosamente. Os primeiros passos tinham grande probabilidade de ferir as respectivas suscetibilidades públicas básicas e enervar aliados. Era um particular desafio para Mao em plena Revolução Cultural.

A estratégia chinesa

Embora poucos observadores notassem na época, a partir de 1965 Mao começou a alterar ligeiramente seu tom em relação aos Estados Unidos — e, dado seu status quase divino, a menor nuança carregava vastas implicações. Um dos veículos favoritos de Mao para transmitir seu pensamento aos Estados Unidos eram as entrevistas com o jornalista americano Edgar Snow. Eles haviam se conhecido na base revolucionária comunista de Yan'an, na década de 1930. Snow destilara sua experiência em um livro chamado *Red Star over China* (*A estrela vermelha sobre a China*), apresentando Mao como uma espécie de guerrilheiro camponês romântico.

Em 1965, às vésperas da Revolução Cultural, Mao convidou Snow a ir a Pequim e fez alguns comentários surpreendentes — ou melhor, teriam sido surpreendentes caso alguém em Washington prestasse atenção neles. Como Mao contou a Snow: "Naturalmente, lamento pessoalmente que as forças históricas tenham dividido e separado os povos americano e chinês de virtualmente qualquer contato nos últimos 15 anos. Hoje o abismo parece maior do que nunca. Entretanto, eu mesmo não acredito que isso terminará em guerra e em uma das maiores tragédias da história."[3]

Isso vindo de um líder que, por uma década e meia, havia declarado estar pronto para uma guerra nuclear com os Estados Unidos de uma maneira tão objetiva que assustou tanto a União Soviética como seus aliados europeus, que se dissociaram da China. Mas, com a União Soviética em posição ameaçadora, Mao estava mais predisposto do que qualquer um se deu conta na época em considerar a aplicação da máxima de que se deve manter um inimigo por perto, no caso, os Estados Unidos.

Na época da entrevista de Snow, um exército americano aumentava sua presença na fronteira chinesa, no Vietnã. Embora o desafio fosse comparável ao que Mao enfrentara na Coreia uma década e meia antes, dessa vez ele optou por um comportamento mais contido. Limitando-se a apoio que não incluísse, a China forneceu equipamentos e suprimentos, encorajamento moral e cerca de 100 mil tropas logísticas chinesas para operar em comunicações e infraestrutura no Vietnã do Norte.[4] Para Snow, Mao foi explícito no sentido de que a China lutaria contra os Estados Unidos apenas na China, não no Vietnã: "Não vamos começar a guerra por nossa iniciativa; apenas quando os Estados Unidos atacarem vamos atacar de volta. [...] Como já disse, podem ficar tranquilos, não vamos atacar os Estados Unidos."[5]

Para o caso de os americanos ainda não terem entendido, Mao reiterou que, no que dizia respeito à China, os vietnamitas tinham de lidar com "sua situação" por conta própria: "Os chineses estavam muito ocupados com seus assuntos internos. Lutar fora de suas próprias fronteiras era uma atitude criminosa. Por que os chineses fariam tal coisa? Os vietnamitas que lidassem com sua situação."[6]

Mao prosseguia especulando sobre vários possíveis desfechos para a Guerra do Vietnã à maneira de um cientista analisando um evento natural, não de um líder tratando de um conflito militar na fronteira de seu país. O contraste com as reflexões de Mao durante a Guerra da Coreia — quando relacionou de forma consistente os problemas coreanos e chineses — não poderia ter sido mais marcante. Entre os possíveis desfechos aparentemente aceitáveis para o líder estava o de que "uma conferência pode ser realizada, mas as tropas norte-americanas podem ficar em torno de Saigon, como no caso da Coreia do Sul" — em outras palavras, uma continuação dos dois Estados vietnamitas.[7] Qualquer presidente americano lidando com a Guerra do Vietnã teria se mostrado disposto a aceitar um desfecho desses.

Não existe qualquer evidência de que a entrevista com Snow tenha sido algum dia submetida a debates políticos nas esferas mais altas do governo Johnson ou de que as tensões históricas entre China e Vietnã fossem consideradas relevantes em qualquer um dos governos (incluindo o de Nixon) que deram prosseguimento à Guerra do Vietnã. Washington continuou a descrever a China como uma ameaça maior até do que a União Soviética. Em 1965, McGeorge Bundy, que foi assessor de Segurança Nacional do presidente Johnson, deu uma declaração típica da posição americana em relação à China na década de 1960: "A China comunista é um problema bem diferente [da União Soviética], e tanto sua explosão nuclear [referência ao primeiro teste nuclear da China em outubro de 1964] quanto suas atitudes agressivas para com seus vizinhos tornaram-na um grande problema para todos os povos pacíficos."[8]

Em 7 de abril de 1965, Johnson justificou a intervenção americana no Vietnã principalmente com base em uma resistência a um plano combinado entre Pequim e Hanói: "Sobre essa guerra — e toda a Ásia — paira outra realidade: a sombra escura da China comunista. Os governantes em Hanói são instigados por Pequim. [...] A briga no Vietnã é parte de um padrão mais amplo de propósitos agressivos."[9] O secretário de Estado Dean Rusk bateu nessa mesma tecla perante o comitê de assuntos estrangeiros da Câmara dos Deputados, um ano antes.[10]

O que Mao descrevera para Snow era uma espécie de renúncia da tradicional doutrina comunista de revolução mundial: "Onde quer que haja revolução, vamos fazer pronunciamentos e conferências para apoiá-la. Isso é exatamente o que incomoda os imperialistas. Gostamos de dizer palavras vazias e disparar canhões vazios, mas não vamos mandar tropas."[11]

Vendo as declarações de Mao em retrospecto, nós nos perguntamos se levá-las a sério poderia ter afetado a estratégia do governo Johnson no Vietnã. Por outro lado, Mao nunca as traduziu em uma política oficial formal em parte porque para fazê-lo teria sido necessário reverter uma década e meia de doutrinação ideológica em um momento em que a pureza ideológica era seu grito de batalha doméstico e o conflito com a União Soviética estava baseado em uma rejeição da política de coexistência pacífica de Khrushchev. As palavras de Mao para Snow eram quase certamente um hesitante reconhecimento de terreno. Mas Snow não era um veículo ideal para esse tipo de estratégia. Ele desfrutava de confiança em Pequim — pelo menos, até onde um americano podia desfrutar. Mas, em Washington, Snow era considerado um propagandista de Pequim. O instinto normal em Washington teria sido — como foi outra vez, cinco anos depois — esperar por alguma evidência mais concreta de mudança chinesa na orientação política.

Por qualquer cálculo estratégico sóbrio, Mao conduzira a China a uma situação muito perigosa. Se tanto os Estados Unidos como a União Soviética atacassem o país, o outro podia ficar de lado. A logística favorecia a Índia na disputa de fronteira entre os dois países, uma vez que os Himalaias ficavam longe dos centros de força da China. Os Estados Unidos estabeleciam uma presença militar no Vietnã. O Japão, com toda sua bagagem histórica, era uma potência hostil e economicamente ressurgente.

Foi um dos poucos períodos em que Mao pareceu hesitante sobre suas opções nas questões de política externa. Em uma reunião de novembro de 1968 com o líder comunista australiano E. F. Hill, ele mostrou antes perplexidade do que a costumeira segurança embutida na pregação. (Uma vez que as manobras de Mao eram sempre complexas, é possível também que um de seus alvos fossem os demais líderes que iriam ler a transcrição, e que estivesse tentando transmitir-lhes o fato de que explorava novas opções.) Mao parecia preocupado com a possibilidade de que, já que um período mais longo se passara desde o fim da Segunda Guerra Mundial do que o intervalo entre as duas primeiras guerras mundiais, alguma catástrofe global fosse iminente: "Considerando tudo, agora não há nem guerra nem revolução. Uma situação dessas não pode durar muito."[12] Ele pôs uma questão: "Sabe o que os imperialistas vão fazer? Quer dizer, eles vão começar uma guerra mundial? Ou quem sabe não começarão a guerra neste momento, mas começarão um pouco mais tarde? Segundo sua experiência em seu próprio país e em outros países, o que o senhor acha?"[13] Em outras palavras, a China precisa tomar uma decisão já ou esperar os acontecimentos é o caminho mais ajuizado?

Mais do que tudo, qual o significado, Mao queria saber, do que mais tarde chamou de "tumulto sob os céus"?

> Devemos levar em consideração a consciência das pessoas. Quando os Estados Unidos pararam de bombardear o Vietnã do Norte, os soldados americanos no Vietnã ficaram muito felizes e até comemoraram. Isso indica que o moral deles não está alto. O moral dos soldados americanos está alto? O moral dos soldados soviéticos está alto? O moral dos soldados franceses, ingleses, alemães e japoneses está alto? A greve estudantil é um fenômeno novo na história europeia. Estudantes de países capitalistas em geral não realizam greves. Mas hoje, tudo sob o céu é um grande caos.[14]

Qual, em resumo, era o equilíbrio de forças entre a China e seus potenciais adversários? Essas perguntas sobre o moral dos soldados americanos e europeus encerram dúvidas sobre suas capacidades de empreender o papel a eles designados pela estratégia chinesa — paradoxalmente muito similar ao papel deles na estratégia americana — de conter o expansionismo soviético? Mas se as tropas americanas estavam desmoralizadas e as greves estudantis eram um sintoma de um colapso político generalizado da vontade, a União Soviética podia emergir como a potência mundial dominante. Alguns líderes chineses já defendiam uma acomodação com Moscou.[15] Fosse qual fosse o resultado da Guerra Fria, talvez o moral baixo no Ocidente fosse uma prova de que a ideologia revolucionária estava ao menos prevalecendo. A China deveria confiar na onda revolucionária para derrubar o capitalismo ou era melhor se concentrar em manipular a rivalidade dos capitalistas?

Era altamente incomum para Mao fazer perguntas que não sugerissem que estivesse testando seu interlocutor ou que soubesse a resposta mas decidira não revelá-la ainda. Após algumas conversas mais gerais, ele concluiu a reunião com a pergunta que o estava assombrando:

> Deixe-me apresentar uma questão, vou tentar respondê-la, e o senhor tentará respondê-la. Vou refletir sobre ela e vou lhe pedir que reflita sobre ela. Esse é um assunto de significação mundial. Essa é uma questão sobre a guerra. A questão sobre a guerra e a paz. Vamos ver uma guerra, ou vamos ver uma revolução? A guerra vai dar origem à revolução, ou a revolução vai impedir a guerra?[16]

Se a guerra era iminente, Mao precisava tomar uma posição — na verdade, ele podia ser o primeiro alvo dela. Mas se a revolução iria varrer o mundo, Mao tinha de implementar as convicções de sua vida, que era a revolução. Até o fim de sua vida, Mao nunca fez essa escolha plenamente.

Meses mais tarde, Mao escolhera seu curso de ação para o futuro imediato. Seu médico registrou uma conversa de 1969: "Mao me apresentou um enigma. 'Pense nisso', disse para mim certo dia. 'Temos a União Soviética a norte e a oeste, a Índia ao sul e o Japão a leste. Se todos nossos inimigos se unissem, nos atacando do norte, sul, leste e oeste, o que acha que deveríamos fazer?'" Quando o interlocutor de Mao respondeu com perplexidade, o líder continuou: "Pense bem. [...] Além do Japão estão os Estados Unidos. Nossos ancestrais não aconselhavam negociar com países distantes quando há um conflito com os de perto?"[17]

Mao reverteu cautelosamente duas décadas de governo comunista com duas ações: uma simbólica, a outra prática. Ele usou o discurso de posse de Nixon, em 20 de janeiro de 1969, como uma oportunidade para insinuar ao público chinês que um novo pensamento sobre a América começava a nascer. Nessa ocasião, Nixon fizera uma sutil referência a uma abertura para a China, parafraseando o linguajar de seu antigo artigo na *Foreign Affairs*: "Que todas as nações fiquem sabendo que durante nosso governo as linhas de comunicação permanecerão abertas. Queremos um mundo aberto — aberto a ideias, aberto à troca de bens e pessoas —, um mundo em que nenhum povo, grande ou pequeno, viverá em isolamento raivoso."[18]

A reação chinesa deu a entender que Pequim estava interessada em encerrar seu isolamento, mas não tinha a menor pressa de abandonar sua raiva. Os jornais chineses reproduziram o discurso de Nixon; desde que os comunistas passaram a ocupar o poder, nenhum pronunciamento presidencial americano recebera tamanha atenção. Isso não suavizou os ataques. Um artigo no *Diário Popular* de 27 de janeiro zombava do presidente norte-americano: "Embora na ponta da corda, Nixon teve o desplante de falar no futuro. [...] Um homem com o pé na cova tenta se consolar sonhando com o paraíso. É a ilusão e os estertores de uma classe moribunda."[19]

Mao notara a oferta de Nixon e a levara suficientemente a sério para apresentá-la diante de seu povo. Mas ele não estava aberto a um contato por palavras de exortação. Algo mais substancial se fazia necessário — sobretudo com o fato de que um gesto chinês de aproximação com a América podia aumentar os choques militares semanais ao longo da fronteira sino-soviética e passar a algo mais ameaçador.

Quase ao mesmo tempo, Mao começou a explorar as implicações práticas de sua decisão geral trazendo de volta quatro marechais do Exército de Libertação Popular — Chen Yi, Nie Rongzhen, Xu Xiangqian e Ye Jianying — que haviam sido expurgados durante a Revolução Cultural e encaminhados para "investigação e estudo" em fábricas nas províncias, um eufemismo para trabalhos manuais.[20] Mao pediu aos marechais para empreender uma análise das opções estratégicas chinesas.

Foi preciso que Zhou Enlai os convencesse de que isso não era uma manobra para fazer com que se incriminassem, como parte da campanha de autorretificação da Revolução Cultural. Depois de um mês, eles provaram quanto a China havia perdido ao se privar de seus talentos. Eles produziram uma equilibrada avaliação da situação internacional. Repassando as capacidades e intenções de países-chave, eles resumiram o desafio estratégico chinês como o seguinte:

> Para os imperialistas norte-americanos e os revisionistas soviéticos, a verdadeira ameaça é a que existe entre eles próprios. Para todos os demais países, a verdadeira ameaça vem dos imperialistas norte-americanos e dos revisionistas soviéticos. Sob a bandeira de fazer oposição à China, os imperialistas norte-americanos e os revisionistas soviéticos colaboram uns com os outros ao mesmo tempo em que lutam entre si. As contradições existentes entre eles, porém, não diminuem devido à colaboração entre eles; em vez disso, as hostilidades em relação um ao outro estão mais ferozes do que nunca.[21]

Isso pode significar uma afirmação de política existente: Mao seria capaz de continuar a desafiar ambas as superpotências simultaneamente. Os marechais argumentavam que a União Soviética não ousaria uma invasão devido às dificuldades que enfrentaria: falta de apoio popular para uma guerra, linhas de suprimento muito longas, áreas de retaguarda sem segurança e dúvidas acerca da atitude dos Estados Unidos. Os marechais resumiram a atitude americana em um provérbio chinês: "Sentar no topo da montanha para assistir à luta entre dois tigres."[22]

Mas, alguns meses depois, em setembro, modificaram essa avaliação para uma a que Nixon chegou quase simultaneamente. Na nova visão dos marechais, os Estados Unidos, na eventualidade de uma invasão soviética, não seriam capazes de confinar seu papel ao de espectadores. Eles teriam de assumir uma posição: "A última coisa que os imperialistas norte-americanos estão dispostos a ver é uma vitória dos revisionistas soviéticos em uma guerra sino-soviética, já que isso iria [permitir aos soviéticos] construir um enorme império mais poderoso do que o império norte-americano, em recursos e força de trabalho."[23] Em outras palavras, o contato com os Estados Unidos, por mais que fosse alvo de ataques na mídia chinesa naquele momento, era necessário para a defesa do país.

A análise astuciosa terminava com o que parece antes uma conclusão cautelosa, em essência — embora fosse ousada em termos de seu desafio às premissas básicas da política externa chinesa durante a Revolução Cultural. Os marechais insistiram, em março de 1969, que a China deveria pôr um fim ao seu isolamento e que deveria desencorajar o ímpeto soviético ou americano "adotando uma estratégia militar de defesa ativa e uma estratégia política de ofensiva ativa"; "empreendendo ativamente atividades diplomáticas"; e "expandindo a frente unida internacional de anti-imperialismo e antirrevisionismo".[24]

Essas sugestões gerais de que Mao permitisse à China reentrar na diplomacia internacional se mostraram insuficientes para sua visão mais ampla. Em maio de 1969, Mao mandou os marechais de volta à prancheta de desenho para posteriores análises e recomendações. A essa altura, os choques ao longo da fronteira sino-soviética haviam se multiplicado. Como a China reagiria ao perigo crescente? Um relato posterior de Xiong Xianghui, um veterano agente de inteligência e diplomata designado por Mao para servir de secretário particular dos marechais, registrou que o grupo deliberou sobre a questão de "se a China, de uma perspectiva estratégica, deveria apostar na cartada americana no caso de um ataque soviético em larga escala contra a China".[25] Procurando precedentes de um movimento tão pouco ortodoxo, Chen Yi sugeriu que o grupo estudasse o exemplo moderno do pacto de não agressão de Stalin com Hitler.

Ye Jianying propôs um precedente chinês e muito mais antigo tirado do período dos Três Reinos, quando, seguindo-se ao colapso da dinastia Han, o império se dividiu em três Estados lutando por dominação. As disputas dos Estados foram contadas em um romance épico do século XIV, *O Romance dos Três Reinos*, depois banido na China. Ye mencionou a estratégia buscada por um de seus personagens centrais como modelo-padrão: "Podemos consultar o exemplo do princípio orientador estratégico de Zhuge Liang, quando os três Estados de Wei, Shu e Wu confrontaram um ao outro: "Aliar-se com Wu no leste para se opor a Wei no norte."[26] Após décadas vilipendiando o passado da China, Mao era convidado pelos marechais expurgados a buscar nos "ancestrais" chineses inspiração estratégica por intermédio de uma estratégia equivalente a uma reversão das alianças.

Os marechais prosseguiram descrevendo as potenciais relações com os Estados Unidos como um benefício estratégico: "Em grande medida, a decisão dos revisionistas soviéticos de lançar uma guerra de agressão contra a China depende da atitude dos imperialistas norte-americanos."[27] Em um gesto que foi intelectualmente corajoso e politicamente arriscado, os marechais recomendaram a retomada do impasse diplomático com os Estados Unidos. Embora se curvassem à doutrina estabelecida, que tratava ambas as superpotências como ameaças iguais à paz, a recomendação dos marechais deixava pouca dúvida de que consideravam a União Soviética o perigo principal. O marechal Chen Yi submeteu um adendo às opiniões de seus colegas. Ele apontou que, embora os Estados Unidos houvessem no passado rejeitado a abertura chinesa, o novo presidente, Richard Nixon, parecia ansioso em "conquistar a simpatia da China". Ele propôs o que chamou de "ideias malucas":[28] levar os diálogos diplomáticos entre Estados Unidos e China a um patamar mais elevado — no mínimo no nível ministerial, ou talvez ainda mais alto. Ainda mais revolucionária era a proposta de abrir mão da condição prévia de que a devolução de Taiwan tinha de ser acertada antes:

> Primeiro, quando as reuniões em Varsóvia [as conversações diplomáticas] forem retomadas, devemos tomar a iniciativa de propor manter o diálogo sino-americano em nível ministerial ou até mais elevado, de modo que problemas básicos e relacionados nas relações sino-americanas possam ser resolvidos. [...] Segundo, uma reunião sino-americana em níveis mais elevados possui significação estratégica. Não devemos levantar nenhuma precondição. [...] A questão de Taiwan pode ser resolvida gradualmente por conversas em níveis mais elevados. Além do mais, podemos discutir com os americanos outras questões de significação estratégica.[29]

A pressão soviética servia de impulso crescente. Diante das concentrações cada vez maiores de tropas soviéticas e do agravamento da batalha na fronteira de Xinjiang, em 28 de agosto o Comitê Central do Partido Comunista chinês ordenou uma mobilização de todas as unidades militares ao longo das fronteiras da China. A retomada de contato com os Estados Unidos tornara-se uma necessidade estratégica.

A estratégia americana

Quando Richard Nixon fez seu juramento ao assumir o cargo, as inquietações da China ofereciam uma extraordinária oportunidade estratégica, embora isso no início não ficasse óbvio para um governo dividido por causa do Vietnã. Grande parte das elites políticas que haviam tomado a decisão de defender a Indochina contra o que concebiam como sendo um ataque orquestrado por Moscou e Pequim passavam a se questionar. Um segmento significativo do establishment — significativo o suficiente para complicar uma política eficaz — chegara à conclusão de que a Guerra do Vietnã não só era impossível de ser vencida, como também refletia um fracasso moral congênito do sistema político americano.

Nixon não acreditava que era possível encerrar uma guerra em que seus predecessores haviam enviado 500 mil soldados americanos para o outro lado do mundo com uma retirada incondicional — como muitos de seus críticos exigiam. E ele levou a sério os compromissos de seus predecessores de ambos os partidos, cujas decisões conduziram aos dilemas que ele agora enfrentava. Nixon sabia que, independentemente da agonia do envolvimento no Vietnã, os Estados Unidos permaneciam sendo o país mais forte em uma aliança contra a agressão comunista pelo mundo afora, e que a credibilidade americana era crítica. O governo Nixon — no qual servi como assessor de Segurança Nacional e, posteriormente, secretário de Estado — desse modo buscou uma retirada planejada da Indochina para dar ao povo da região uma oportunidade de moldar seu próprio futuro e sustentar a fé mundial no papel americano.

Os críticos de Nixon reduziram a nova abordagem da política externa a uma única questão: essencialmente, a retirada incondicional da Guerra do Vietnã, ignorando os milhões de indochineses que haviam se envolvido confiando na palavra americana e os vários países que haviam entrado no confronto a pedido dos Estados Unidos. Nixon estava comprometido a pôr um fim à guerra, mas igualmente determinado a fornecer ao país um papel dinâmico em reformar a ordem internacional recém emergindo pedaço por pedaço. Nixon pretendia libertar a política americana das oscilações entre extremos de comprometimento e retraimento, e embasá-la em um conceito de interesse nacional que pudesse se manter conforme os governos sucedessem uns aos outros.

Nesse intento, a China desempenhava um papel-chave. Os líderes dos dois países viam seus objetivos comuns de perspectivas diferentes. Mao tratava a aproximação como um imperativo estratégico, Nixon, como uma oportunidade de redefinir a abordagem americana da política externa e da liderança internacional. Ele buscou usar a abertura com a China para demonstrar ao público americano que, mesmo no meio de uma guerra debilitante, os Estados Unidos estavam em posição de propor um plano para uma paz duradoura. Ele e seus colegas de governo lutaram por restabelecer contato com um quinto da população mundial para contextualizar e mitigar o sofrimento de uma retirada inevitavelmente imperfeita de um canto do Sudeste Asiático.

Foi por esse motivo que os caminhos de Mao, o defensor da revolução contínua, e Nixon, o estrategista pessimista, convergiram. Mao estava convencido de que a visão e a força de vontade superariam todos os obstáculos. Nixon estava comprometido com um planejamento cuidadoso, embora dominado pelo medo de que até mesmo os planos mais bem-feitos gorassem como resultado do destino intervindo de um modo imprevisto e imprevisível. Mas ele levou seus planos adiante de um modo ou de outro. Mao e Nixon compartilhavam um traço dominante: uma disposição a seguir a lógica global de suas reflexões e de seus instintos até as últimas consequências. Nixon tendia a ser o mais pragmático. Uma de suas máximas expressadas com frequência era: "Você paga o mesmo preço por fazer alguma coisa pela metade do que se fizer completamente. Então pode muito bem fazer completamente." O que Mao punha em prática com uma vitalidade inerente, Nixon buscava como um reconhecimento resignado das operações e obrigações do destino. Mas, uma vez lançado em um curso de ação, ele o seguia com resolução comparável.

Que China e Estados Unidos achariam um modo de se encontrar era inevitável, dadas as necessidades da época. Teria acontecido mais cedo ou mais tarde, independentemente da liderança em cada país. Que isso tenha ocorrido com tal determinação e seguido em frente com tão poucos desvios é um tributo à liderança que o concretizou. Os líderes não podem criar o contexto em que operam. Sua contribuição distintiva consiste em operar no limite do que uma dada situação permite. Se excedem esses limites, entram em colisão; se lhes falta o que é necessário, suas políticas ficam estagnadas. Se constroem com solidez, podem criar um novo cenário de relacionamentos que se sustém ao longo de um período histórico porque todas as partes o consideram de interesse próprio.

Primeiros passos – choques no rio Ussuri

Embora a conciliação fosse o resultado final, não era fácil para Estados Unidos e China encontrar um caminho para o diálogo estratégico. O artigo de Nixon na *Foreign Affairs* e o estudo dos quatro marechais de Mao chegaram a conclusões paralelas, mas o verdadeiro movimento de ambas as partes foi inibido por complexidades domésticas, experiência histórica e percepções culturais. Os públicos de ambos os lados haviam sido expostos a duas décadas de hostilidade e desconfiança; tinham de ser preparados para uma revolução diplomática.

O problema tático de Nixon era mais complicado do que o de Mao. Assim que tomava uma decisão, Mao estava em condições de implementá-la impiedosamente. E os oponentes não esqueciam o destino de seus críticos anteriores. Mas Nixon tinha de superar um legado de vinte anos de política externa americana baseada na suposição de que a China usaria qualquer oportunidade para enfraquecer os Estados Unidos e expulsar o país da Ásia. Na época em que entrou na Casa Branca, essa opinião congelara em uma doutrina estabelecida.

Nixon desse modo tinha de pisar em ovos, com receio de que a abertura diplomática chinesa se revelasse uma propaganda sem nenhuma mudança séria de abordagem em Pequim. Essa era uma possibilidade distinta, já que o único ponto de contato que os americanos haviam tido com os chineses em vinte anos foram as conversas diplomáticas em Varsóvia, cujas 136 reuniões se distinguiram apenas por seu ritmo monotonamente estéril. Cerca de vinte membros do Congresso tinham de ser atualizados a cada passo, e novas aproximações estavam fadadas a se perder nas pressões conflitantes de fornecer briefings para cerca de 15 países, que precisavam ser informados sobre os diálogos de Varsóvia e incluíam Taiwan — ainda reconhecido pela maioria deles, e sobretudo os Estados Unidos, como o legítimo governo da China.

O projeto geral de Nixon foi transformado em oportunidade como resultado de um choque entre forças soviéticas e chinesas na ilha de Zhenbao (ou Damansky), no rio Ussuri, onde a Sibéria faz fronteira com a China. O confronto talvez não tivesse chamado a atenção da Casa Branca tão rapidamente não fosse o fato de o embaixador soviético, Anatoly Dobrynin, vir a minha sala repetidamente para me relatar a versão soviética do que acontecera. Era algo inédito nesse período da Guerra Fria que a União Soviética nos informasse sobre um acontecimento tão distante de nosso diálogo normal — ou, a propósito, do acontecimento que fosse. Chegamos à conclusão de que a União Soviética era o provável agressor e de que o informe, menos de um ano após a ocupação da Tchecoslováquia, ocultava uma intenção maior. Essa desconfiança foi confirmada por um estudo sobre os choques de fronteira, feitos por Allen Whiting, da RAND Corporation. Whiting concluiu que, como os incidentes ocorreram próximos a bases de suprimento soviéticas e longe das chinesas, os soviéticos eram os prováveis agressores, e o passo seguinte podia muito bem ser um ataque às instalações nucleares chinesas. Se uma guerra sino-soviética era iminente, era necessário que o governo americano tomasse uma posição. Em meu papel como assessor de Segurança Nacional, emiti a ordem para uma avaliação interdepartamental.

Como se descobriu, a análise das causas imediatas dos choques estava equivocada, pelo menos no que dizia respeito ao incidente de Zhenbao. Foi um caso de análise equivocada levando a um juízo correto. Estudos históricos recentes têm revelado que o incidente de Zhenbao fora na verdade iniciado pelos chineses, como Dobrynin alegou; eles haviam preparado uma armadilha em que uma patrulha de fronteira soviética sofreu pesadas baixas.[30] Mas o propósito chinês era defensivo, de acordo com o conceito chinês de deterrência descrito no capítulo anterior. Os chineses planejaram o incidente em questão para que o choque levasse os líderes soviéticos a pôr fim a uma série de confrontos fronteiriços, provavelmente iniciados pelos soviéticos, e que em Pequim eram vistos como um assédio soviético. O conceito de deterrência ofensiva envolve o uso de uma estratégia preemptiva não tanto para derrotar o adversário militarmente quanto para desferir um golpe psicológico que o leve a desistir.

A ação chinesa na verdade teve o efeito oposto. Os soviéticos ampliaram o assédio por toda a fronteira, resultando na destruição de um batalhão chinês nos limites de Xinjiang. Nessa atmosfera, começando pelo verão de 1969, os Estados Unidos e a China começaram a trocar sinais questionáveis. Os Estados Unidos aliviaram algumas restrições menores ao comércio com a China. Zhou Enlai liberou dois iatistas que haviam sido detidos vagando por águas chinesas.

Durante o verão de 1969, os sinais de uma possível guerra sino-soviética se multiplicaram. Tropas soviéticas ao longo da fronteira chinesa chegaram a 42 divisões — mais de um milhão de homens. Funcionários soviéticos de escalão intermediário começaram a sondar seus contatos de nível equivalente em países pelo mundo para descobrir como seus governos reagiriam a um ataque preemptivo soviético contra as instalações nucleares da China.

Esses acontecimentos levaram os Estados Unidos a acelerar suas considerações sobre um potencial ataque em larga escala da União Soviética contra a China. A própria questão ia contra a experiência dos que haviam conduzido a política externa da Guerra Fria. Durante uma geração, a China fora vista como a mais belicosa dentre os dois gigantes comunistas. Que os Estados Unidos tivessem de escolher um lado numa guerra entre eles era algo jamais considerado; o fato de os estrategistas políticos chineses estudarem compulsivamente as prováveis atitudes norte-americanas demonstrava em que medida o longo isolamento obscurecera seu entendimento do processo de tomada de decisão dos americanos.

Mas Nixon estava determinado a definir sua ação por meio de considerações geopolíticas e, nesses termos, qualquer mudança fundamental no equilíbrio de poder tinha de evocar no mínimo uma atitude americana e, se fosse importante, um curso de ação. Mesmo se nossa decisão fosse nos manter a distância, isso deveria ser uma decisão consciente, não realizada por omissão. Em uma reunião do Conselho de Segurança Nacional, em agosto de 1969, Nixon decidiu por uma atitude, já que não por um curso de ação. Ele apresentou a tese na época chocante de que, nas presentes circunstâncias, a União Soviética era o lado mais perigoso e que iria contra os interesses americanos ver a China "esmagada" em uma guerra sino-soviética.[31] O significado disso praticamente não se discutiu então. O que qualquer um familiarizado com o modo de pensar de Nixon deveria inferir era que, na questão da China, a geopolítica superava outras considerações. Com esse intento, divulguei a diretriz de que, no caso de conflitos entre União Soviética e China, os Estados Unidos deveriam adotar uma postura de neutralidade, mas dentro desse contexto inclinada na maior medida possível em favor da China.[32]

Foi um momento revolucionário na política externa norte-americana: um presidente americano declarando que tínhamos um interesse estratégico na sobrevivência de um grande país comunista com o qual não mantivéramos nenhum contato significativo por vinte anos e contra o qual havíamos lutado uma guerra e nos envolvido em dois conflitos militares. Como comunicar essa decisão? As conversações de Varsóvia não vinham ocorrendo havia meses e teriam sido um palco diplomático de escalão baixo demais para apresentar uma questão de tal magnitude. O governo desse modo decidiu se mover para o outro extremo e ir a público com a decisão americana de ver um conflito entre os dois gigantes comunistas como um assunto que afetava o interesse nacional do país.

Em meio a declarações soviéticas inflamadas e belicosas em vários foros ameaçando a guerra, os funcionários americanos foram instruídos a transmitir a mensagem de que os Estados Unidos não estavam indiferentes e não permaneceriam passivos. O diretor da CIA Richard Helms foi incumbido de fornecer um relatório sobre a situação em que revelou que os funcionários soviéticos pareciam estar sondando outros líderes comunistas acerca de suas atitudes em relação a um ataque preventivo contra instalações nucleares chinesas. Em 5 de setembro de 1969, o subsecretário de Estado Elliot Richardson foi explícito em um pronunciamento para a American Political Science Association (Associação Americana de Ciência Política): "Diferenças ideológicas entre os dois gigantes comunistas não são assunto nosso. Não podemos deixar de ficar muito preocupados, porém, com uma escalada dessa briga a um ponto em que abra uma brecha maciça na paz e na segurança internacionais."[33] No código da Guerra Fria, a declaração de Richardson advertia que, fosse qual fosse o curso adotado pelos Estados Unidos, este não seria o da indiferença; que o país agiria segundo seus interesses estratégicos.

Quando essas medidas estavam sendo planejadas, o principal objetivo era criar um contexto psicológico para uma abertura com a China. Tendo visto inúmeros documentos publicados pelas principais partes envolvidas, hoje me inclino pela opinião de que a União Soviética estava muito mais próxima de um ataque preemptivo do que nos dávamos conta e de que a incerteza acerca das reações americanas se provou ser um dos principais motivos para a postergação do projeto. Hoje está claro, por exemplo, que em outubro de 1969 Mao acreditava que o ataque fosse tão iminente que ordenou que todos os líderes (exceto Zhou, necessário para tocar o governo) se dispersassem pelo país e alertassem as forças nucleares chinesas, por mais ínfimas que fossem.

Seja como resultado das advertências americanas ou de uma dinâmica interna própria do mundo comunista, as tensões entre os dois gigantes comunistas amainaram no curso de um ano, e a ameaça imediata de guerra diminuiu. O primeiro-ministro soviético, Aleksei Kosygin, que viajara a Hanói para o enterro de Ho Chi Minh em setembro atravessando a Índia, não a China — uma rota muito mais longa —, alterou repentinamente a viagem de volta e pousou com seu avião em Pequim, o tipo de ação dramática que os países tomam quando querem lançar um ultimato ou anunciar um novo estágio de relações. Nada disso aconteceu ou, dependendo da perspectiva, as duas coisas. Kosygin e Zhou se reuniram durante três horas no aeroporto de Pequim — dificilmente uma acolhida amigável para o primeiro-ministro de um país que continuava tecnicamente um aliado. Zhou Enlai redigiu o esboço de um acordo providenciando as retiradas mútuas de posições disputadas na fronteira norte e outras medidas para aliviar tensões. O documento deveria supostamente ser assinado pelos dois quando Kosygin regressasse a Moscou. Isso não aconteceu. As tensões chegaram a um ponto elevado em outubro, quando Mao ordenou aos líderes chineses que evacuassem Pequim e o ministro da Defesa Lin Biao decretou alerta militar de "prontidão de combate em primeiro grau".[34]

Desse modo se criou um espaço para o início de contatos sino-americanos. Os dois lados se inclinaram para trás a fim de evitar serem vistos como tendo feito o primeiro gesto público — os Estados Unidos porque não contavam com um foro para traduzir a estratégia presidencial em posição formal, a China porque não queria mostrar fraqueza em face das ameaças. O resultado foi um minueto tão intrincado que ambos os lados sempre podiam alegar que não estavam em contato, tão estilizado que nenhum dos dois países precisava carregar o ônus de uma iniciativa que pudesse ser rejeitada, e tão elíptico que as relações políticas existentes podiam ter continuidade sem a necessidade de consulta a um roteiro que ainda estava por ser escrito. Entre novembro de 1969 e fevereiro de 1970, houve pelo menos dez ocasiões em que diplomatas americanos e chineses em várias capitais pelo mundo trocaram palavras — um acontecimento notável primeiramente porque, antes disso, os diplomatas sempre haviam evitado uns aos outros. O impasse foi quebrado quando ordenamos que Walter Stoessel, o embaixador norte-americano em Varsóvia, se aproximasse de diplomatas chineses na ocasião social seguinte e expressasse o desejo de diálogo.

O palco desse encontro foi um evento de moda iugoslavo na capital polonesa. Os diplomatas chineses presentes, que não haviam recebido instrução, deixaram o local. O relato que o adido chinês fez do incidente revela como as relações andavam constrangidas. Entrevistado anos mais tarde, ele recordou ter visto dois americanos conversando e apontando para o grupo chinês do outro lado do salão; isso levou os chineses a se levantar e ir embora, temendo serem chamados à conversa. Os americanos, determinados a cumprir suas instruções, seguiram os chineses. Quando os desesperados diplomatas chineses apertaram o passo, os americanos começaram a correr atrás, gritando em polonês (a única língua mutuamente inteligível de que dispunham): "Somos da embaixada americana. Queremos encontrar seu embaixador. [...] O presidente Nixon disse que gostaria de retomar o diálogo com a China."[35]

Duas semanas mais tarde, o embaixador chinês em Varsóvia convidou Stoessel para uma reunião na embaixada chinesa, a fim de se preparar para uma retomada das conversas em Varsóvia. A reabertura do foro de debate inevitavelmente suscitou questões fundamentais. Sobre o que os dois lados iriam conversar? E com que finalidade?

Isso escancarou as diferentes táticas de negociação e estilo entre as lideranças chinesa e americana — pelo menos com o establishment diplomático americano que havia supervisionado as conversações de Varsóvia ao longo de uma centena de reuniões abortadas. As diferenças haviam sido ignoradas na medida em que ambos os lados acreditavam que o impasse servia a seus propósitos: os chineses exigiriam a devolução de Taiwan à soberania chinesa; os americanos proporiam uma renúncia de controlar o que se apresentava como uma disputa entre dois grupos chineses.

Agora que ambas as partes buscavam progredir, a diferença no estilo de negociar se tornava importante. Os negociadores chineses utilizam a diplomacia para costurar elementos políticos, militares e psicológicos em um projeto estratégico global. A diplomacia para eles é a elaboração de um princípio estratégico. Eles não conferem nenhum significado particular ao processo de negociação como tal; tampouco consideram a abertura de uma negociação particular como um evento transformador. Eles não acham que relações pessoais podem afetar suas avaliações, embora possam invocar laços pessoais para facilitar seus próprios esforços. Eles não têm qualquer dificuldade emocional com impasses; consideram-nos o mecanismo diplomático inevitável. Valorizam gestos de boa vontade apenas se eles servem a um objetivo ou tática definível. E pacientemente visam os efeitos de longo prazo contra interlocutores impacientes, fazendo do tempo seu aliado.

A atitude do diplomata americano varia substancialmente. A visão prevalecente dentro do corpo político americano vê o poderio militar e a diplomacia como fases de ação distintas, em essência, separadas. A ação militar é vista como ocasionalmente criando as condições para negociações, mas, uma vez começadas as negociações, elas são encaradas como sendo impelidas por sua própria lógica interna. Eis por que, no início das negociações, os Estados Unidos reduziram as operações militares na Coreia e concordaram em cessar o bombardeio do Vietnã, em ambos os casos substituindo a tranquilização por pressão e reduzindo incentivos materiais em prol de outros, intangíveis. A diplomacia americana em geral prefere o específico ao geral, o prático ao abstrato. Ela é estimulada a ser "flexível"; sente uma obrigação de quebrar os impasses com novas propostas — inadvertidamente provocando novos impasses para suscitar novas propostas. Essas táticas muitas vezes podem ser usadas por adversários determinados a serviço de uma estratégia de procrastinação.

No caso das conversações de Varsóvia, as propensões americanas tiveram o efeito oposto. A China voltara a dialogar em Varsóvia porque Mao havia tomado uma decisão estratégica de seguir as recomendações dos quatro marechais e buscar uma relação diplomática de alto escalão com os Estados Unidos. Mas os diplomatas americanos (ao contrário de seu presidente) não consideravam — nem sequer conjeturavam — a possibilidade de uma conquista dessas; antes, definiam uma conquista como insuflar vida em um processo que permaneceram acalentando por 134 reuniões até aquela data. Nessa jornada, haviam desenvolvido uma agenda refletindo as questões pragmáticas que haviam se acumulado entre os dois países: acertos de reivindicações econômicas que os dois lados tinham um contra o outro; prisioneiros mantidos por ambas as partes; comércio; controle de armas; intercâmbio cultural. A ideia que os negociadores tinham de uma conquista era a China prontificar-se a discutir essa agenda.

Uma conversa de surdos se desenrolou nos dois encontros diplomáticos de Varsóvia, retomados em 20 de fevereiro e 20 de março de 1970. Como assessor de Segurança Nacional da Casa Branca, eu pedira à equipe de negociação que repetisse o que nossos enviados haviam tentado dizer aos diplomatas chineses em fuga, que os Estados Unidos "estariam preparados para considerar mandar um representante a Pequim para discussões diretas com seu governo, ou receber um representante de seu governo em Washington". Os negociadores chineses repetiram formalmente a posição-padrão de Taiwan, embora com um tom moderado. Mas embutido na resposta automática sobre Taiwan estava um gesto sem precedentes: a China se dispunha a considerar o diálogo fora dos canais de Varsóvia em nível de embaixadores ou por meio de outros canais "para reduzir as tensões entre China e Estados Unidos e melhorar de forma substancial as relações".[36] Não condicionava essas conversas a um acordo sobre a questão de Taiwan.

Os negociadores americanos em Varsóvia buscaram evitar essa aproximação mais ampla. Da primeira vez que foi feita, não responderam. Depois, arrolaram pontos discordantes para transformar a proposta chinesa de uma revisão geral de relações em uma oportunidade de abordar a agenda americana desenvolvida ao longo de duas décadas de conversas sem finalidade.[37]

Nixon não estava menos impaciente para essa aproximação do que Mao devia estar. "Eles vão matar esse bebê antes de nascer", disse Nixon quando apresentado a um plano proposto pela equipe de negociação. Mas ele estava relutante em mandar que iniciassem um diálogo geopolítico por medo de que o sistema de briefings se transformasse numa conflagração e necessitasse de múltiplos comunicados de tranquilização, tudo isso antes que a atitude chinesa fosse esclarecida. A atitude de Mao era mais ambivalente. De um lado, ele queria explorar a aproximação com os Estados Unidos. Mas esses movimentos tinham lugar no início de 1970, quando o governo Nixon enfrentava manifestações em massa protestando contra a decisão de enviar tropas ao Camboja para destruir as bases de operações e redes de suprimentos que sustentavam as ofensivas de Hanói no Vietnã do Sul. A questão para Mao era se essas manifestações assinalavam o início da genuína revolução mundial tão aguardada pelos marxistas e tantas vezes frustrada. Se a China se aproximasse dos Estados Unidos, ela não estaria fazendo isso bem quando a agenda revolucionária mundial começava a ser cumprida? Aguardar esses desdobramentos consumiu grande parte do planejamento de Mao em 1970.[38] Ele usou a incursão militar americana no Camboja como pretexto para cancelar a sessão seguinte de encontros diplomáticos em Varsóvia programados para 20 de maio de 1970. Eles nunca foram retomados.

Nixon procurava um foro de discussão com menos restrições burocráticas e mais sob seu controle direto. Mao buscava um modo de chegar aos níveis mais elevados do governo norte-americano no momento em que houvesse tomado uma decisão firme. Ambos tinham de se mover com cuidado, receando que uma revelação prematura desencadeasse um ataque soviético ou uma rejeição da outra parte frustrasse toda a iniciativa. Quando as conversações de Varsóvia foram por água abaixo, o nível operacional do governo norte-americano pareceu aliviado de se ver livre das perplexidades e riscos domésticos de uma negociação com Pequim. Durante o ano em que Nixon e Mao procuravam foros para um diálogo nas altas esferas do governo, os níveis inferiores do establishment diplomático americano em nenhum momento levantaram uma objeção na Casa Branca sobre o que acontecera com os diálogos de Varsóvia ou sugeriram sua retomada.

Por quase um ano após o cancelamento chinês da reunião proposta em 20 de maio, tanto os líderes americanos como chineses concordaram com o objetivo, mas viram-se frustrados pelo abismo de vinte anos de isolamento. O problema não era mais simplesmente as diferenças culturais entre as abordagens chinesa e americana às negociações. Era que a abordagem de Nixon diferia mais da de seus próprios diplomatas do que da de Mao. Ele e eu queríamos explorar a situação estratégica produzida pelo relacionamento triangular entre a União Soviética, a China e os Estados Unidos. Lutávamos por uma ocasião não tanto para remover empecilhos, como para conduzir um diálogo geopolítico.

Com os dois lados rodeando um ao outro, sua escolha de intermediários dizia muito sobre suas percepções a respeito da missão que se punha a sua frente. Nixon usou a oportunidade de uma viagem pelo mundo em julho de 1970 para dizer aos seus anfitriões no Paquistão e na Romênia que ele procurava um diálogo nos escalões superiores com os líderes chineses e que eles eram livres para comunicar isso a Pequim. Como assessor de Segurança Nacional, mencionei a mesma questão para Jean Sainteny, o ex-embaixador francês em Hanói, um amigo de muitos anos que era próximo do embaixador chinês em Paris, Huang Zhen. Em outras palavras, a Casa Branca escolheu um amigo neutro da China (Paquistão), um membro do Pacto de Varsóvia conhecido por sua busca de independência de Moscou (Romênia) e um membro da Otan distinguido por seu compromisso com a independência estratégica (França — na pressuposição de que Sainteny estava disposto a repassar nossa mensagem para o governo francês). Pequim sinalizou para nós via sua embaixada em Oslo, Noruega (uma aliada da Otan), e, bastante estranhamente, em Cabul, no Afeganistão (talvez sob a hipótese de que o lugar era tão improvável que sem dúvida chamaria nossa atenção). Ignoramos Oslo porque nossa embaixada não estava aparelhada para o necessário apoio em termos de equipe; Cabul, é claro, era ainda mais remota. E não queríamos conduzir o diálogo mais uma vez por meio de embaixadas.

A China ignorou a abordagem direta via Paris, mas acabou respondendo às propostas via Romênia e Paquistão. Antes disso, porém, Mao comunicou-se conosco, mas de forma tão sutil e indireta que não pegamos a deixa. Em outubro de 1970, Mao concedeu outra entrevista a Edgar Snow, considerado pela Casa Branca de Nixon como um maoista simpatizante. Para demonstrar a importância que Mao dedicava à ocasião, ele pôs Snow ao seu lado no camarote de revista durante o desfile de comemoração da vitória comunista na guerra civil de 8 de outubro de 1970. A mera presença de um norte-americano ao lado do líder comunista simbolizava — ou foi planejada para simbolizar perante o povo chinês — que o contato com a América era não só permitido como também uma alta prioridade.

A entrevista prosseguiu de maneira complexa. Snow recebeu uma transcrição da entrevista com a restrição de que poderia utilizar apenas citações indiretas. Foi instruído também a postergar qualquer publicação durante três meses. O raciocínio chinês devia ser que Snow iria submeter o texto literal ao governo norte-americano e que o resumo publicado iria reforçar um processo já em andamento.

Não funcionou dessa forma pelo mesmo motivo que a entrevista de 1965 fracassou em influenciar o governo dos Estados Unidos. Snow era amigo de longa data da República Popular da China; esse mero fato fez com que fosse riscado do establishment da política externa norte-americana como um propagandista de Pequim. Nenhuma transcrição dessa entrevista atingiu as altas esferas do governo, muito menos a Casa Branca, e na altura em que o artigo apareceu, meses mais tarde, havia sido engolido por outras notícias.

Foi uma pena que a transcrição não chegasse até nós, porque o líder chinês fizera alguns pronunciamentos revolucionários. Durante quase uma década, a China se isolara do mundo exterior. Agora Mao anunciava que logo começaria a convidar americanos de todas as tendências políticas para visitar a China. Nixon seria bem-vindo "fosse como turista, fosse como presidente", pois Mao concluíra que "os problemas entre China e Estados Unidos tinham de ser resolvidos com Nixon" — devido à iminente eleição presidencial dentro de dois anos.[39]

Mao saíra de uma posição em que vilipendiava os Estados Unidos para convidar a um diálogo com o presidente norte-americano. E acrescentava um comentário surpreendente sobre a situação doméstica chinesa, que dava a entender que o diálogo aconteceria dentro de uma nova China.

Mao contou a Snow que estava encerrando a Revolução Cultural. O que fora planejado como uma renovação moral e intelectual se transformara em coerção, disse. "Quando estrangeiros noticiavam que a China se encontrava em meio a um grande caos, não estavam mentindo. Era verdade. Uma luta [entre os chineses] estava em curso [...] primeiro com lanças, depois com rifles, em seguida morteiros."[40] Mao, conforme registrou Snow, agora deplorava o culto à personalidade erguido em torno de sua pessoa: "Era difícil", disse o presidente, "que as pessoas superassem os hábitos de 3 mil anos de tradição de veneração ao imperador". Os títulos a ele concedidos, como "Grande Timoneiro [...] seriam todos erradicados mais cedo ou mais tarde". O único título que ele queria conservar era "professor".[41]

Essas eram declarações extraordinárias. Depois de ter convulsionado seu país com tumultos que destruíram até o Partido Comunista, de modo que apenas um culto à personalidade fosse mantido como elemento de coesão, Mao agora decretava o fim da Revolução Cultural. Ficara assim proclamado que o líder podia governar sem inibições doutrinárias ou burocráticas. Isso fora sancionado pelas dilacerantes estruturas existentes e pelo que Mao agora descrevia como "maus-tratos de 'cativos' — membros do partido e outros removidos do poder e submetidos à reeducação".[42]

Onde ficava o governo chinês nisso tudo? Ou era algo que estava sendo dito a um jornalista estrangeiro, ao modo elipticamente errático característico de Mao, visando um objetivo maior, a fim de encorajar uma nova fase na relação entre a China, os Estados Unidos e o mundo, comunicando uma alteração no modo de governar? Como recordou Snow, Mao anunciou que "entre chineses e americanos não havia necessidade de preconceitos. Poderia haver respeito mútuo e igualdade. Ele disse que depositava grandes esperanças nos povos dos dois países".[43]

Nixon, rompendo com a tradição de política externa americana, pedira um relaxamento das tensões com base em considerações geopolíticas, a fim de restituir a China ao sistema internacional. Mas, para o sinocentrista Mao, a principal visão não era tanto o sistema internacional quanto o futuro da China. Para alcançar a segurança do país, ele estava disposto a mudar o centro de gravidade da política chinesa e efetuar uma troca de alianças — não, contudo, em nome de uma teoria de relações internacionais, mas antes de uma nova direção para a sociedade chinesa em que a China poderia até aprender com os Estados Unidos:

> A China deve aprender com o modo como a América se desenvolveu, descentralizando e espalhando a responsabilidade e a riqueza entre os cinquenta Estados. Um governo centralizado não pode fazer tudo. A China precisa depender de iniciativas regionais e locais. Ela não deseja [*abrindo as mãos*] deixar tudo a cargo dele [Mao].[44]

Mao, em resumo, reafirmava princípios clássicos da governança chinesa apresentados em forma de princípios confucionistas de retidão moral. Ele devotou uma parte de sua entrevista a criticar o hábito de mentir, que atribuía não aos americanos, mas aos recém-desempossados Guardas Vermelhos. "Se a pessoa não fala a verdade, concluía Mao, como podia conquistar a confiança alheia? Quem iria acreditar nela?",[45] registrou Snow. O ideólogo radical que cuspia fogo no passado agora aparecia travestido de sábio confucionista. Sua frase conclusiva parecia expressar um sentido de resignação a uma nova circunstância quando não sem, como sempre, zombando de duplos significados: "Ele era, explicou, apenas um monge solitário andando pelo mundo com um guarda-chuva furado."[46]

Havia mais nessa última linha do que a habitual zombaria de Mao ao apresentar o criador do Grande Salto Adiante e da Revolução Cultural como retornando a sua vocação filosófica original de professor solitário. Pois, como diversos comentadores chineses mais tarde observaram, a citação no texto em inglês de Snow nada mais era que o primeiro verso de uma familiar rima chinesa.[47] Completando-a, os versos estão mais para ominosos do que zombeteiros. O que faltou dizer, ou pelo menos traduzir, foi a segunda linha do poema: "*Wu fa wu tian.*" Literalmente, os caracteres chineses significam "sem cabelo, sem céu" — isto é, o monge é calvo, e, como segura um guarda-chuva, não vê o céu acima dele. Mas na tonal língua chinesa, o verso é um jogo de palavras. Pronunciado de maneira ligeiramente diferente, ele assume um novo significado: "sem lei, sem céu" — ou, menos literalmente: "desafiando leis tanto humanas como divinas"; "sem temer nem a Deus nem às leis"; "pisoteando a lei sem nem bater uma pálpebra".[48]

A ressalva final de Mao era, em outras palavras, de alcance ainda maior e mais sutil do que inicialmente aparentava. Mao projetava a si mesmo como um sábio clássico errante, mas também como uma lei em si mesma. Estaria Mao brincando com seu entrevistador anglófono? Poderia de algum modo ter achado que Snow compreenderia o trocadilho, que, para um ouvido ocidental, é quase impossivelmente obscuro? (Mao de fato às vezes superestimava a sutileza ocidental, assim como o Ocidente às vezes exagerava a sua.) Dado o contexto, a probabilidade é de que o jogo de palavras de Mao fosse dirigido a seu público doméstico, particularmente aqueles líderes que podiam se opor a uma aproximação com os até então odiados Estados Unidos e cuja oposição mais tarde culminou na crise — e alegado golpe — de Lin Biao, pouco após a abertura americana para a China. Mao estava efetivamente anunciando que estava prestes a virar o mundo de cabeça para baixo outra vez. Nessa missão, ele não seria restringido por "leis humanas ou divinas", nem sequer as leis de sua própria ideologia. Advertia a quem duvidasse para sair do caminho.

O texto da entrevista de Mao sem dúvida circulou nos altos escalões de Pequim, mesmo tendo sido ignorado em Washington. Havia sido pedido a Snow que adiasse a publicação, de modo que a China pudesse elaborar uma iniciativa oficial. Mao decidiu romper com o minueto de comunicações de terceiros dirigindo-se diretamente ao governo americano no escalão mais alto. Em 8 de dezembro de 1970, uma mensagem de Zhou Enlai foi entregue ao meu gabinete na Casa Branca. Revivendo uma prática diplomática de séculos precedentes, o embaixador paquistanês trouxe-a de Islamabad, onde fora entregue em um comunicado escrito à mão. O bilhete de Pequim acusava formalmente o recebimento das mensagens por meio de intermediários. Ele notava um comentário feito por Nixon ao presidente Agha Muhammad Yahya Khan, do Paquistão, quando Yahya ligou para a Casa Branca semanas antes, com a finalidade de que os Estados Unidos, em suas negociações com a União Soviética, não participasse de uma "codominação contra a China" e se preparasse para enviar um emissário a um lugar mutuamente conveniente a fim de fazer os arranjos para contatos de alto escalão com a China.[49]

Zhou Enlai respondeu de um modo que não fizera com mensagens prévias porque, disse, era a primeira vez que uma mensagem vinha "de um Chefe, por intermédio de um Chefe, para um Chefe".[50] Frisando que sua resposta havia sido aprovada por Mao e Lin Biao, na época indicado como herdeiro de Mao, Zhou convidou um emissário especial a Pequim para discutir "a desocupação de territórios chineses chamados Taiwan", que "permanecem sendo ocupados por tropas estrangeiras dos Estados Unidos nos últimos 15 anos".[51]

Era um documento astucioso. Pois o que exatamente Zhou Enlai se propunha a discutir? A devolução de Taiwan para a China ou a presença de tropas americanas na ilha? Não havia referência ao tratado de assistência mútua. Independentemente do que significasse, eram os termos mais brandos com que Pequim se referia a Taiwan em vinte anos. Será que se aplicavam apenas às forças americanas estacionadas em Taiwan, a maior parte das quais eram forças de apoio para o Vietnã? Ou de fato compreendiam uma exigência mais radical? Em todo caso, convidar o representante dos vilipendiados "capitalistas monopolistas"[52] a Pequim tinha de refletir algum imperativo mais profundo do que o desejo de discutir Taiwan, para o qual um foro já existia; tinha de envolver a segurança da China.

A Casa Branca optou por deixar a resposta em aberto para contatos diretos autênticos. Nossa resposta aceitava o princípio de um emissário, mas definia sua missão como "o amplo leque de assuntos pendentes entre a República Popular da China e os Estados Unidos" — em outras palavras, o emissário norte-americano não concordava em confinar a agenda a Taiwan.[53]

Sem querer se arriscar a uma chance de que o canal paquistanês pudesse não funcionar eficientemente, Zhou Enlai enviou uma mensagem paralela via Romênia, que, por algum motivo jamais explicado, chegou um mês após a mensagem paquistanesa, em janeiro. Essa mensagem, também, assim nos informaram, fora "revista pelo presidente Mao e por Lin Piao [Lin Biao]".[54] Descrevia Taiwan como a única questão premente entre China e

Estados Unidos e adicionava um elemento inteiramente novo: uma vez que o presidente Nixon já visitara Belgrado e Bucareste — capitais de países comunistas —, ele também seria bem-vindo em Pequim. À luz dos choques militares da última década e meia, era significativo que Taiwan estivesse listada como a *única* pendência entre China e Estados Unidos; em outras palavras, o Vietnã claramente não era um obstáculo para a conciliação.

Mandamos a resposta pelo canal romeno aceitando a ideia de um emissário, mas ignorando o convite do presidente. Nesse estágio inicial de contatos, aceitar uma visita presidencial parecia por demais importuno, para não dizer arriscado. Comunicamos nossa definição de uma agenda apropriada formulada, para evitar confusão, nos moldes idênticos da mensagem enviada via Paquistão, no sentido de que os Estados Unidos estavam preparados para discutir todas as questões preocupantes para ambos os lados, incluindo Taiwan.

Zhou Enlai vira Yahya em outubro e o vice-premiê romeno em novembro. Mao recebera Snow no início de outubro. Que todas essas mensagens viessem à tona com poucas semanas uma da outra refletia o fato de que a diplomacia fora além dos aspectos táticos e estava sendo orquestrada para uma solução mais ampla.

Mas para nossa surpresa — e não pequena inquietação — ficamos sem resposta por três meses. Provavelmente, isso se devia à ofensiva sul-vietnamita, sustentada por poderio aéreo americano, contra a Trilha Ho Chi Minh através do sul do Laos, a principal rota de suprimento das forças norte-vietnamitas no Sul. Mao aparentemente estava pensando melhor a respeito das perspectivas de uma revolução americana em vista das manifestações contra a Guerra do Vietnã.[55] Talvez fosse porque Pequim prefira se mover a um ritmo que demonstra sua impenetrabilidade a meras considerações táticas e se previna contra qualquer mostra de ansiedade dos chineses, muito menos de fraqueza. Mas mais provavelmente Mao precisava de tempo para conquistar a adesão de seu próprio público doméstico.

Foi apenas no início de abril que tivemos notícias da China outra vez. O país não escolheu nenhum dos canais que havíamos estabelecido, mas optou por um método próprio, que forçava a deixar claro o desejo chinês de obter um relacionamento melhor com a América e que fosse menos dependente das ações do governo dos Estados Unidos.

Esse é o cenário do episódio que entrou para o folclore como diplomacia do pingue-pongue. Uma equipe chinesa de pingue-pongue participava de um torneio internacional no Japão, a primeira vez que uma equipe esportiva chinesa competia fora da China desde o início da Revolução Cultural. Em anos recentes, viera à tona que o iminente encontro entre as equipes chinesa e americana causava considerável debate interno entre os líderes chineses. O ministério de Relações Exteriores da China inicialmente recomendou que se evitasse completamente o torneio, ou pelo menos que se mantivesse distância da equipe americana. Zhou encaminhou a questão para a reconsideração de Mao, que deliberou por dois dias. Mais tarde nessa noite, após um de seus periódicos acessos de insônia, Mao caiu "prostrado sobre a mesa" em um torpor induzido por comprimidos. De repente ele murmurou para sua enfermeira, dizendo-lhe que telefonasse para o ministro das Relações Exteriores — "para convidar a equipe americana a visitar a China". A enfermeira se lembra de ter lhe perguntado: "Sua palavra ainda vale depois de ter tomado pílulas para dormir?" Mao respondeu: "Sim, conta, cada palavra conta. Aja rápido, ou será tarde demais!"[56]

Com essa ordem de Mao no bolso, os chineses aproveitaram a ocasião para convidar a equipe americana a visitar a China. Em 14 de abril de 1971, os admirados jovens americanos viram-se no Grande Salão do Povo, na presença de Zhou Enlai, o que era mais do que a vasta maioria dos embaixadores estrangeiros lotados em Pequim já havia conseguido.

"Vocês abriram um novo capítulo nas relações entre os povos americano e chinês", afirmou o premiê chinês. "Estou confiante de que o início de nossa amizade certamente contará com o apoio da maioria de nossos povos." Os atletas, perplexos por se verem lançados no jogo diplomático de tamanha importância, não responderam, levando Zhou Enlai a encerrar a frase do modo que mais tarde passamos a reconhecer como característico: "Não acham?" — evocando uma salva de palmas.[57]

Como sempre com a diplomacia chinesa, Mao e Zhou operavam em muitos níveis. Em um nível, a diplomacia do pingue-pongue constituía uma resposta às mensagens americanas de janeiro. Comprometia a China publicamente no curso até então restrito aos canais diplomáticos mais secretos. Nesse sentido, era tranquilizador. Mas era também uma advertência sobre que curso a China poderia seguir onde as comunicações secretas malogravam. Pequim podia então empreender uma campanha pública — o que seria hoje chamado de "diplomacia de povo para povo" —, assim como Hanói estava fazendo para impor seus objetivos no Vietnã, e apelar às crescentes manifestações de protesto na sociedade americana com base em outra "chance perdida para a paz".

Zhou logo deixou claro que o canal diplomático permanecia sua opção preferencial. Em 29 de abril, o embaixador paquistanês trouxe outra mensagem escrita à mão de Pequim datada de 21 de abril. Ela explicava o longo silêncio pela "situação da época",[58] sem explicar se isso se referia a condições domésticas ou internacionais, mas reiterando a disposição de receber um enviado especial. Zhou foi específico sobre o emissário que Pequim tinha em mente, indicando a mim ou o secretário de Estado William Rogers, ou "até mesmo o próprio presidente dos Estados Unidos".[59] Como condição para restaurar as relações, Zhou mencionou apenas a retirada das forças armadas americanas de Taiwan e do estreito de Taiwan — de longe, a questão menos espinhosa — e omitiu a devolução de Taiwan.

Nesse ponto, o sigilo com que a diplomacia fora conduzida quase arruinou a empreitada e o teria feito em qualquer período prévio na relação com Pequim. Nixon decidira que o canal com Pequim deveria ficar restrito à Casa Branca. Nenhum outro departamento do governo ficara sabendo sobre os dois comunicados de Zhou Enlai em dezembro e janeiro. Assim, em um relatório público de 28 de abril, um porta-voz do Departamento de Estado declarou a posição americana como sendo de que a soberania sobre Taiwan era "uma questão não resolvida submetida a uma resolução internacional futura". E quando o secretário de Estado, comparecendo a uma reunião diplomática em Londres, apareceu na tevê no dia seguinte, comentou a entrevista de Snow e descartou o convite a Nixon como "feito de modo mais para casual" e não "a sério". Descreveu a política externa chinesa como "expansionista" e "um tanto paranoica". O progresso nas negociações — e uma possível viagem de Nixon à China — seria possível apenas se a China decidisse se unir à comunidade internacional de algum modo indefinido e aceitasse "as regras do direito internacional".[60]

Dava uma medida dos imperativos estratégicos chineses o fato de que o progresso para a retomada do diálogo continuasse. A referência a Taiwan como uma questão não resolvida foi denunciada pelo porta-voz do governo como "fraudulenta" e uma "intervenção descarada nos assuntos do povo chinês" . Mas a invectiva se fez acompanhar de uma reafirmação de que a visita da equipe de tênis de mesa era um novo desdobramento na amizade entre os povos chinês e americano.

Em 10 de maio, aceitamos o convite de Zhou a Nixon, mas reiteramos nossa insistência em uma agenda mais ampla. Nossa comunicação dizia: "Em uma tal reunião, ambos os lados estariam livres para levantar a questão da preocupação principal para isso."[61] A fim de se preparar para o encontro, o presidente propôs que como seu assessor de Segurança Nacional eu o representasse em uma reunião preliminar secreta com Zhou. Indicamos uma data específica. O motivo da data não foi nada envolvendo grandes lances diplomáticos. Durante o fim da primavera e começo do verão, o gabinete e a Casa Branca haviam planejado uma série de viagens, e era a primeira vez que um avião para funcionários de alto escalão ficava disponível.

Em 2 de junho, recebemos a resposta chinesa. Zhou nos informou que havia relatado para Mao a aceitação de Nixon do convite chinês "com grande prazer"[62] e que me acolheria em Pequim para as conversações preliminares na data proposta. Prestamos pouca atenção ao fato de que o nome de Lin Biao fora deixado de fora dessa comunicação.

Em um ano, a diplomacia americana passara de um conflito irreconciliável a uma visita a Pequim feita por um emissário presidencial como preparativo para uma visita do presidente em pessoa. Ela chegou a isso afastando-se da retórica de duas décadas e permanecendo focada no objetivo estratégico fundamental do diálogo político, levando a uma remodelação da ordem internacional da Guerra Fria. Caso Nixon tivesse seguido os conselhos dos profissionais, teria usado o convite chinês para voltar à agenda tradicional e acelerar sua consideração como condição para conversas de mais alto escalão. Não só isso poderia ter sido tratado como uma rejeição, como também todo o processo de intensificação do contato sino-americano quase certamente teria sido sobrepujado pelas tensões domésticas e internacionais nos dois países. A contribuição de Nixon à emergente compreensão sino-americana não foi tanto que ele compreendia como isso era desejável, mas o fato de ter sido capaz de dar a ela uma base conceitual com a qual o pensamento chinês podia se relacionar. Para Nixon, a abertura para a China era parte de um planejamento estratégico mais abrangente, não uma lista de compras de irritações mútuas.

Os líderes chineses perseguiam uma abordagem paralela. Invocações para voltar a um ordem internacional existente não tinham significado, antes de mais nada, porque não consideravam o sistema internacional existente, em cuja formação não desempenharam papel algum, como relevante para eles. Eles nunca haviam concebido a ideia de que sua segurança residisse no arranjo legal de uma comunidade de Estados soberanos. Os americanos até essa época muitas vezes tratavam a abertura para a China como condutora de uma condição estática de amizade. Mas os líderes chineses foram criados com o conceito de *shi* — a arte de compreender as questões em um fluxo.

Quando Zhou escreveu sobre o restabelecimento da amizade entre os povos chinês e americano, descrevia uma atitude necessária para promover um novo equilíbrio internacional, não um estado final de relacionamento entre povos. Nos escritos chineses, as palavras sacralizadas do vocabulário americano de uma ordem internacional legal raramente são encontradas. O que se buscava, antes, era um mundo em que a China pudesse encontrar segurança e progresso por intermédio de uma espécie de coexistência combativa, em que a prontidão de lutar recebia o mesmo destaque do que o conceito de coexistência. Nesse mundo, os Estados Unidos entravam com sua primeira missão diplomática para a China comunista.

CAPÍTULO 9

Retomada de relações: primeiros encontros com Mao e Zhou

O EVENTO MAIS DRAMÁTICO da presidência de Nixon se deu na quase obscuridade. Pois Nixon concluiu que, para que a missão a Pequim fosse bem-sucedida, ela teria de ocorrer em segredo. Uma missão pública teria dado início a um complicado projeto de autorização interna dentro do governo norte-americano e demandas insistentes por consultas no mundo todo, incluindo Taiwan (ainda reconhecida como o governo chinês). Isso teria posto em risco nossas perspectivas com Pequim, cujas atitudes estávamos a caminho de descobrir. A transparência é um objetivo essencial, mas as oportunidades históricas para construir uma ordem internacional mais pacífica também têm seus imperativos.

Assim, minha equipe partiu para Pequim via Saigon, Bancoc, Nova Déli e Rawalpindi, no que foi anunciada como uma missão exploratória em nome do presidente. Meu grupo incluía uma ampla gama de funcionários americanos, bem como um grupo central destinado a Pequim — eu mesmo, os assistentes Winston Lord, John Holdridge e Dick Smyser e os agentes do serviço secreto Jack Ready e Gary McLeod. A solução dramática exigia que passássemos por paradas cansativas em cada cidade, planejadas para serem tão tediosamente prosaicas que a mídia parasse de acompanhar nossos movimentos. Em Rawalpindi, desaparecemos durante 48 horas para um ostensivo descanso (eu fingira estar doente) em uma estação montanhosa paquistanesa no sopé dos Himalaias. Em Washington, apenas o presidente e o coronel Alexander Haig (mais tarde general), meu principal assistente, conheciam nosso verdadeiro destino.

Quando a delegação americana chegou a Pequim em 9 de julho de 1971, havíamos experimentado a sutileza da comunicação chinesa, mas não o modo como Pequim conduzia negociações de verdade, muito menos o estilo chinês de receber visitantes. A experiência americana com a diplomacia comunista estava baseada em contatos com líderes soviéticos, principalmente Andrei Gromyko, que tinha uma tendência a transformar a diplomacia em um teste de vontade burocrático; ele era impecavelmente correto na negociação, mas implacável na substância — às vezes (ele passava essa sensação), exigindo tudo de sua autodisciplina.

A tensão não era de modo algum aparente na recepção chinesa da visita secreta ou durante o diálogo que se seguiu. Em todas as manobras preliminares, havíamos às vezes ficado perplexos com as pausas erráticas entre suas mensagens, que presumíamos ter algo a ver com a Revolução Cultural. Agora, nada parecia perturbar a serena autoconfiança de nossos anfitriões, que agiam como se acolher o emissário especial do presidente americano pela primeira vez na história da República Popular da China fosse a coisa mais natural do mundo.

Pois na verdade o que encontramos foi um estilo diplomático mais próximo da tradicional diplomacia chinesa do que as pedantes fórmulas às quais nos acostumáramos durante nossas negociações com outros Estados comunistas. Os estadistas chineses historicamente se destacavam no uso de hospitalidade, cerimonial e relacionamentos pessoais cuidadosamente cultivados como ferramentas da arte de governar. Era uma diplomacia bem indicada ao desafio para a segurança tradicional da China — a preservação de uma civilização sedentária e agrícola cercada de povos que, se agindo em conjunto, detinham capacidade militar potencialmente superior. A China sobreviveu, e de modo geral prevaleceu, dominando a arte de promover uma combinação calibrada de recompensas e punições e uma performance cultural majestosa. Nesse contexto, a hospitalidade se torna um aspecto de estratégia.

Em nosso caso, o trabalho começou não quando nossa delegação chegou a Pequim, mas na rota desde Islamabad. Para nossa surpresa, um grupo de diplomatas chineses falantes de inglês fora enviado ao Paquistão a fim de nos escoltar na viagem e dissipar qualquer tensão que pudéssemos ter sentido em um voo de cinco horas para um destino pouco familiar. Eles haviam subido a bordo do avião antes de nós, chocando nosso pessoal de segurança, que havia sido treinado a encarar os trajes maoistas como uniformes inimigos. Na viagem, a equipe também foi capaz de testar parte de sua pesquisa, praticar aspectos de sua conduta e coletar informação sobre as características pessoais de seus visitantes para seu premiê.

A equipe fora escolhida por Zhou dois anos antes, quando a ideia de abertura com os Estados Unidos foi discutida pela primeira vez, na sequência do relatório dos quatro marechais. Incluía três membros do ministério de Relações Exteriores, um dos quais, Tang Longbin, mais tarde tomou parte na equipe protocolar para a visita de Nixon; outro foi Zhang Wenjin, antigo embaixador e especialista no que os chineses denominavam "Assuntos da Europa Ocidental, dos Estados Unidos e da Oceania" e, como se revelou, um linguista admirável. Dois membros mais jovens da delegação, na verdade, representavam Mao e se reportavam diretamente a ele. Eram Wang Hairong, sua sobrinha-neta, e Nancy Tang, uma intérprete nascida no Brooklyn, excepcionalmente capaz, cuja família emigrara para a China a fim de se juntar à revolução, e que também atuava como uma espécie de conselheira política. Tudo isso ficamos sabendo depois, bem como o fato de que, quando abordados inicialmente, os funcionários do ministério de Relações Exteriores reagiram do mesmo modo que os marechais haviam feito. Eles precisavam de uma tranquilização pessoal de Zhou de que a missão representava uma diretriz de Mao, não era um teste de sua lealdade revolucionária.

O marechal Ye Jianying, vice-diretor da Comissão Militar — um dos quatro marechais que haviam sido destacados por Mao para analisar as opções estratégicas da China —, deu-nos as boas-vindas no aeroporto de Pequim quando aterrissamos ao meio-dia, um símbolo do apoio do Exército de Libertação Popular para a nova diplomacia sino-americana. O marechal me conduziu para a comprida limusine de fabricação chinesa e seguimos, com persianas abaixadas, para Diaoyutai, a Casa de Hóspedes Estatal em um parque murado na parte oeste da cidade. O complexo servira anteriormente como lago de pesca imperial. Ye sugeriu que a delegação descansasse até que o premiê Zhou viesse para a casa quatro horas mais tarde para nos receber e iniciar uma primeira rodada de discussões.

A presença de Zhou entre nós era um gesto de considerável cortesia. O procedimento diplomático normal é o de que uma delegação em visita seja recebida em um edifício público do país anfitrião, especialmente quando a diferença de status protocolar dos chefes das duas delegações é tão elevada. (Comparado a Zhou, o premiê, meu status protocolar como assessor de Segurança Nacional equivalia ao de um vice-secretário de gabinete, três níveis abaixo.)

Logo descobrimos com enorme surpresa que nossos anfitriões chineses haviam planejado um cronograma folgado — como que sinalizando que, após sobreviverem a mais de duas décadas de isolamento, não estavam particularmente com pressa de concluir um acordo agora. Nossa programação incluía estar em Pequim por quase exatamente 48 horas. Não podíamos estender nossa estadia porque éramos esperados em Paris para conversas sobre o Vietnã; tampouco tínhamos controle sobre os horários do avião presidencial para o Paquistão, que nos levara a Pequim.

Quando vimos nossa programação, percebemos que, além dessa pausa antes da chegada de Zhou, uma visita de quatro horas à Cidade Proibida havia sido planejada. De modo que oito horas das 48 disponíveis já estavam ocupadas. Descobriríamos depois que Zhou estaria indisponível à noite, que fora reservada para a visita de um membro do Politburo norte-coreano e que não poderia ser remanejada — ou talvez nada mais fosse que um disfarce para a viagem secreta. Se considerássemos 16 horas para duas noites de descanso, restariam menos de 24 horas para o primeiro diálogo entre países que haviam estado em guerra, ou por vezes próximos de uma guerra e sem contato diplomático significativo durante vinte anos.

Na verdade, apenas duas sessões de negociação formal estavam disponíveis: sete horas no dia de minha chegada, das 16h30 às 23h20; e seis horas no seguinte, do meio-dia até mais ou menos as 18h30. A primeira reunião foi na Casa de Hóspedes Estatal — os Estados Unidos atuando como anfitriões, seguindo a concepção do protocolo chinês. A segunda foi no Grande Salão do Povo, onde o governo chinês nos receberia.

Alguém poderia pensar que o aparente descaso chinês fosse uma forma de pressão psicológica. De fato, se partíssemos sem obter nenhum progresso, teria sido um grande constrangimento para Nixon, que não havia participado minha missão a nenhum outro membro de seu ministério. Mas, se os cálculos de dois anos de diplomacia chinesa estavam corretos, as exigências que haviam induzido Mao a estender o convite podiam escapar ao controle com uma rejeição da missão americana a Pequim.

Não fazia sentido para nenhum dos lados criar um confronto; era por isso que estávamos em Pequim. Nixon estava ansioso em erguer o campo de visão americano para além do Vietnã. A decisão de Mao fora de um gesto que pudesse forçar os soviéticos a hesitar antes de tomar a China militarmente. Nenhum dos dois podia se dar ao luxo de fracassar. Os dois lados sabiam o que estava em jogo.

Em uma rara simbiose de análises, ambos os lados decidiram passar a maior parte do tempo tentando explorar a percepção do outro sobre a ordem internacional. Uma vez que o propósito último da visita era iniciar o processo de determinar se as políticas externas previamente antagônicas dos dois países podiam ser alinhadas, uma discussão conceitual — em alguns pontos soando mais como uma conversa entre dois professores de relações internacionais do que como um diálogo diplomático formal — era, na verdade, a forma suprema de diplomacia prática.

Quando o premiê chegou, nosso aperto de mãos foi um gesto simbólico — pelo menos até que Nixon pudesse desembarcar na China para repeti-lo em público —, uma vez que o secretário de Estado John Foster Dulles se recusara a apertar a mão de Zhou na Conferência de Genebra, em 1954, deslize que causou ressentimentos, a despeito dos frequentes protestos chineses de que não fazia diferença. Então nos dirigimos a uma sala de reuniões na Casa de Hóspedes e ficamos de frente um para o outro através de uma mesa de baeta verde. Nesse momento a delegação americana conheceu sua primeira experiência pessoal com a singular figura que trabalhara ao lado de Mao durante quase meio século de revolução, guerra, tumultos e manobras diplomáticas.

Zhou Enlai

Em cerca de sessenta anos de vida pública, nunca encontrei uma personalidade mais carismática do que Zhou Enlai. Baixo, elegante, com um rosto expressivo emoldurando olhos luminosos, exercia seu domínio por meio de uma inteligência excepcional e capacidade para intuir os aspectos intangíveis da psicologia de seu interlocutor. Quando o conheci, ele era premiê há quase 22 anos e parceiro de Mao há quarenta. Havia se tornado indispensável como mediador crucial entre Mao e o povo, que compunha a matéria-prima da vasta agenda do chefe da revolução, traduzindo a visão abrangente de Mao em programas concretos. Ao mesmo tempo, havia merecido a gratidão de inúmeros chineses por moderar os excessos dessas visões, ao menos sempre que o fervor de Mao dava espaço para a moderação.

A diferença entre os líderes se refletia em suas personalidades. Mao dominava qualquer encontro; Zhou o inundava com sua presença. A paixão de Mao trabalhava para esmagar a oposição; o intelecto de Zhou buscava persuadir ou superar suas manobras. Mao era sardônico; Zhou, penetrante. Mao via a si mesmo como um filósofo; Zhou via seu papel como o de um administrador ou negociador. Mao era ávido por acelerar a história; Zhou se satisfazia em explorar suas correntes. Um dito que repetia com frequência era "O timoneiro deve navegar com as ondas". Quando estavam juntos, não havia dúvida sobre a hierarquia, não simplesmente no sentido formal, mas no aspecto mais profundo da conduta extraordinariamente respeitosa de Zhou.

Posteriormente, Zhou foi criticado por se concentrar em suavizar algumas das práticas de Mao, em vez de resistir a elas. Quando a delegação americana reuniu-se com Zhou, a China acabara de passar pela Revolução Cultural, da qual ele foi — como um homem cosmopolita, educado no exterior e defensor de um envolvimento pragmático com o Ocidente — um óbvio alvo. Seria ele alguém que ajudaria a concretizá-la ou romperia com ela? Sem dúvida os métodos de sobrevivência política de Zhou envolviam ceder sua habilidade administrativa para a execução de políticas que ele podia muito bem ter achado pessoalmente repugnantes; talvez por causa disso, contudo, ele foi poupado dos expurgos que foram o destino da maioria dos líderes seus contemporâneos na década de 1960 (até que se visse no fim sob ataques cada vez maiores e fosse de fato afastado do governo no fim de 1973).

O conselheiro do príncipe ocasionalmente enfrenta o dilema de equilibrar os benefícios da capacidade de alterar os acontecimentos contra a possibilidade de exclusão, caso apresente suas objeções a determinada política do líder. Como a capacidade de modificar a conduta prevalecente do príncipe pesa contra o ônus moral de participar em suas políticas? Como alguém mede o elemento de nuança ao longo do tempo contra as alegações de absolutos no momento imediato? O que representa o equilíbrio entre o impacto cumulativo das tendências de moderação contra o de um gesto bombástico (e provavelmente fadado ao fracasso)?

Deng Xiaoping foi ao cerne desses dilemas em seu subsequente depoimento sobre o papel de Zhou na Revolução Cultural, em que Deng e sua família sofreram consideravelmente: "Sem o premiê, a Revolução Cultural teria sido muito pior. E sem o premiê a Revolução Cultural não teria se arrastado por um período tão longo."[1] Pelo menos publicamente, Deng analisou essas questões favoravelmente a Zhou. Em uma entrevista que Deng concedeu à jornalista italiana Oriana Fallaci, em 1980, após voltar do exílio, afirmou:

> O premiê Zhou foi um homem que trabalhou duramente e sem se queixar por toda sua vida. Ele trabalhava 12 horas diárias, e às vezes 16 ou mais, durante a vida toda. Nós nos conhecemos muito cedo, ou seja, quando estávamos na França, em um programa de trabalho e estudos durante a década de 1920. Sempre o encarei como meu irmão mais velho. Tomamos a estrada revolucionária quase ao mesmo tempo. Ele era muito respeitado por seus camaradas e por todo o povo. Felizmente, sobreviveu durante a "Revolução Cultural", quando fomos derrubados. Ele ficou numa posição extremamente difícil nessa época, e disse e fez inúmeras coisas que teria preferido não fazer. Mas o povo o perdoou porque, se não tivesse feito e dito essas coisas, ele mesmo teria sido incapaz de sobreviver e desempenhar o papel neutro que desempenhou, o que diminuiu nossas perdas. Ele conseguiu proteger inúmeras pessoas.[2]

Pontos de vista contrários foram registrados; nem todos os analistas compartilham da opinião elogiosa de Deng quanto às exigências da sobrevivência política de Zhou.[3]

Em meus contatos com ele, o estilo sutil e sensível de Zhou ajudou a superar inúmeras armadilhas de um relacionamento emergente entre dois países previamente muito hostis. A aproximação sino-americana começou como um aspecto tático da Guerra Fria; ela evoluiu a um ponto em que se tornou central para o desenvolvimento de uma nova ordem mundial. Nenhum de nós tinha qualquer ilusão de mudar as convicções básicas do outro. Era precisamente a ausência de qualquer ilusão desse tipo que facilitava nosso diálogo. Mas articulamos propósitos comuns que sobreviveram à permanência de ambos em nossos respectivos governos — uma das recompensas mais gratificantes a que um homem de Estado pode aspirar.

Tudo isso continuava no futuro distante quando Zhou e eu nos sentamos em volta da mesa de baeta para sondar se o começo de uma conciliação era de fato possível. Zhou me convidou, no papel de hóspede, a fazer o pronunciamento de abertura. Eu decidira não entrar em detalhes sobre as questões que haviam dividido os dois países, mas antes me concentrar na evolução das relações sino-americanas de uma perspectiva filosófica. Meus comentários de abertura incluíam a frase em certa medida floreada: "Muitos visitantes vieram a esse lindo e, para nós, misterioso país..." Nesse ponto, Zhou interrompeu: "Não vão achá-lo misterioso. Quando houverem se familiarizado com ele, não vai parecer tão misterioso quanto antes."[4]

Deslindar os mistérios um do outro era um bom modo de definir nosso desafio, mas Zhou foi mais longe. Em seus primeiros comentários a um enviado americano em vinte anos, ele afirmou que restabelecer a amizade era um dos principais objetivos da emergente relação — questão que já havia frisado quando se encontrou com a equipe de pingue-pongue americana.

Em minha segunda visita, três meses mais tarde, Zhou cumprimentou minha delegação como se a amizade já fosse um fato estabelecido:

> Então é apenas a segunda reunião, e estou dizendo o que eu quero para o senhor. O senhor e o sr. [Winston] Lord estão familiarizados com isto, mas não a srta. [Diane] Matthews [minha secretária] e nosso novo amigo [referindo-se ao comandante Jon Howe, meu assistente militar]. O senhor provavelmente pensava que o Partido Comunista chinês tivesse três cabeças e seis braços. Mas, olhe de perto, sou como o senhor. Alguém com quem se pode ter uma conversa racional e falar honestamente.[5]

Em fevereiro de 1973, Mao seguiu pelo mesmo caminho: os Estados Unidos e a China haviam outrora sido "dois inimigos", propunha ele ao me acolher em sua sala, mas "agora chamamos a relação existente entre nós de amizade".[6]

Era, entretanto, uma concepção teimosa e fria de amizade. A liderança comunista chinesa conservava parte da tradicional abordagem de administrar os bárbaros. Desse modo, o outro lado é adulado com a admissão no "clube" chinês como um "antigo amigo", postura que torna discordâncias mais complicadas e confrontos mais dolorosos. Quando conduzem a diplomacia do Império do Meio, os diplomatas chineses usam a estratégia de induzir o outro lado a propor a preferência chinesa, de modo que a aquiescência possa parecer como a concessão de um favor pessoal para o interlocutor.

Ao mesmo tempo, a ênfase na relação pessoal vai além do aspecto tático. A diplomacia chinesa aprendeu com milênios de experiência que, em assuntos internacionais, cada solução aparente é em geral um bilhete de entrada para uma nova série de problemas relacionados. Daí os diplomatas chineses considerarem a continuidade de relacionamentos uma tarefa importante e talvez mais importante que documentos formais. Por comparação, a diplomacia americana tende a segmentar questões em unidades independentes que podem ser avaliadas cada uma por seus próprios méritos. Nessa tarefa, os diplomatas americanos também valorizam as relações pessoais. A diferença é que os líderes chineses relacionam "amizade" menos com qualidades pessoais e mais com laços culturais, nacionais ou históricos de longo prazo; os americanos enfatizam as qualidades individuais de suas contrapartes. Os protestos chineses de amizade buscam durabilidade para relações de longo prazo mediante o cultivo de intangibilidades; o equivalente americano de tentar facilitar atividades em andamento dando ênfase ao contato social. E os líderes chineses se dispõem a pagar um preço (embora não ilimitado) pela reputação de ficar ao lado de seus amigos — por exemplo, o convite que Mao fez a Nixon pouco após sua renúncia, quando era objeto de amplo ostracismo. O mesmo gesto foi feito pelo primeiro-ministro Kakuei Tanaka, do Japão, quando se demitiu após o escândalo de 1974.

Uma boa ilustração da ênfase chinesa em intangibilidades é um diálogo que tive com Zhou durante minha visita de outubro de 1971. Apresentei as propostas de nossa equipe abrindo caminho para a visita presidencial com a tranquilização de que, uma vez que tínhamos tantos assuntos cruciais para tratar, não permitiríamos que problemas técnicos ficassem no caminho. Zhou respondeu fazendo de minha questão operacional um paradigma cultural: "Certo. Confiança mútua e respeito mútuo. Essas duas questões." Eu enfatizara a funcionalidade; Zhou frisava o contexto.

Um traço cultural regularmente invocado pelos líderes chineses era sua perspectiva histórica — a capacidade, na verdade necessidade, de pensar o tempo em categorias diferentes das do Ocidente. Qualquer que seja a conquista obtida por um líder chinês, ela está inserida em uma estrutura de tempo que representa uma fração da experiência total de sua sociedade menor do que a de qualquer outro líder mundial. A duração e a escala do passado chinês permitem aos líderes chineses usar o manto de uma história quase ilimitada para evocar certa modéstia em seus interlocutores (mesmo se, ao recontá-la, o que é apresentado como história seja ocasionalmente definido por uma interpretação metafórica). O colega estrangeiro pode ser levado a sentir que está se posicionando contra a vontade da natureza e que suas ações já estão destinadas a ficar inscritas como uma aberração no rodapé do vasto movimento da história chinesa.

Nesses primeiros diálogos conosco ao chegarmos a Pequim, Zhou fez um esforço valioso para conferir à América uma história mais longa do que a da China, como uma espécie de presente de acolhida. Na frase seguinte, contudo, voltou à perspectiva tradicional:

> Somos dois países em dois lados do oceano Pacífico, o seu com uma história de duzentos anos, o nosso com uma história de apenas 22 anos, datando da fundação da Nova China. Logo, somos mais jovens do que vocês. Quanto a nossa cultura antiga, todo país a tem — os indígenas dos Estados Unidos e do México, o Império Inca na América do Sul, que é mais antigo até do que a própria China. É uma pena que seus escritos não tenham sido preservados, mas se perdido. Com respeito à longa história da China, há um ponto positivo, a língua escrita, que contém uma herança de 4 mil anos baseada em relíquias históricas. Isso é benéfico à unificação e ao progresso de nossa nação.[7]

No todo, Zhou buscava delinear uma nova abordagem às relações internacionais, alegando uma qualidade moral especial que evoluíra sob o confucionismo e era agora atribuída ao comunismo:

> O presidente Mao em inúmeras ocasiões afirmou que não nos tornaríamos em absoluto uma superpotência. Nossa luta é para que todos os países, grandes ou pequenos, sejam iguais. Não é apenas uma questão de igualdade para dois países. Claro, é uma coisa boa para ambos os nossos países negociar com base na igualdade para a troca de opiniões e buscar encontrar pontos em comum, bem como pôr sobre a mesa as diferenças. A fim de realmente conquistar um relaxamento na arena internacional quanto a um período de tempo comparativamente longo, devemos lidar entre nós com base na igualdade. Isso não é fácil de se conseguir.[8]

Maquiavel teria argumentado que é do interesse do país necessitado de tranquilização, porém relutante em pedir por ela, lutar por uma proposição que poderia então ser aplicada a casos específicos. Esse foi um dos motivos pelo qual Zhou insistiu que, por mais forte que se tornasse, a China manteria uma abordagem única aos assuntos internacionais que escapava ao conceito tradicional de poder:

> Não nos consideramos uma potência. Embora estejamos desenvolvendo nossa economia, em comparação com outros estamos atrasados. Claro, seu presidente também mencionou que, nos próximos cinco a dez anos, a China irá se desenvolver rapidamente. Achamos que não será tão cedo assim, mas tentaremos fazê-lo o mais cedo possível, mirando alto, e desenvolver nossa construção socialista de um modo melhor, mais rápido e mais econômico.
>
> A segunda parte de nossa resposta é que, quando nossa economia for desenvolvida, ainda não nos consideraremos uma superpotência e não ingressaremos no rol das superpotências.[9]

A afirmação de que tudo que a China buscava era igualdade entre as nações sem dúvida teria marcado um afastamento da história imperial em que a China era descrita como o Império do Meio. Era também um modo de tranquilizar os Estados Unidos de que a China não era uma ameaça potencial que devia ser contrabalançada. O princípio de que a conduta internacional chinesa era baseada em normas que transcendiam a afirmação de poder remontava a Confúcio. Como base para um novo relacionamento, o teste seria a compatibilidade dessas normas com as pressões de um período de tumultos.

O desafio subjacente da visita em segredo era estabelecer confiança suficiente para transformar uma primeira reunião em um processo. Quase invariavelmente, diálogos diplomáticos de alto escalão começam limpando o terreno de assuntos mais cotidianos. O aspecto incomum da visita sigilosa era que, na ausência de qualquer contato por vinte anos, não havia problemas cotidianos para tirar do caminho, exceto dois, reconhecidamente insolúveis a curto prazo: Taiwan e Vietnã. O problema era como deixá-los de lado.

Ambos os assuntos eram anomalias. Em 1971 — é duro lembrar — os Estados Unidos não reconheciam Pequim como a capital da China. A China e a América não tinham diplomatas nas capitais um do outro e não havia um canal direto de comunicação aberto entre os dois países. O embaixador norte-americano para a China foi designado a Taipei, e o embaixador chinês para os Estados Unidos representava Taiwan. Nenhum diplomata ou funcionário público norte-americano foi indicado para Pequim. (Os assim chamados escritórios de ligação só foram designados 18 meses mais tarde.)

A segunda anomalia foi a Guerra do Vietnã. Parte de minha tarefa era obter a compreensão chinesa para uma guerra que os Estados Unidos estavam travando na fronteira chinesa contra um aliado da China. Tanto Zhou como eu sabíamos que minha mera presença em Pequim era um doloroso golpe para Hanói, levando a inferir seu isolamento — embora nem Zhou nem eu em nenhum momento tenhamos discutido isso nesses termos.[10]

A questão de Taiwan tornara-se profundamente arraigada nas atitudes domésticas dos dois países, definidos por duas precondições que haviam até lá bloqueado qualquer movimento diplomático. A posição de Pequim fora de que o consentimento norte-americano do "princípio da China única" era uma precondição para qualquer progresso. A precondição americana era de que a China se comprometesse a uma resolução pacífica do assunto antes que os Estados Unidos o pusessem em discussão.

Na primeira conversa com essa agenda, Zhou cortou o nó górdio. Em diálogos anteriores a essa reunião, ele já acatara o princípio de que ambas as partes seriam livres para propor qualquer tema, mas ainda não abandonara a condição de que o problema de Taiwan precisava ser discutido e presumivelmente resolvido antes de mais nada. No diálogo inicial, Zhou deu a entender que estava aberto a qualquer sequência de tópicos que eu pudesse sugerir — em outras palavras, Taiwan não precisava mais nem entrar na pauta, muito menos em primeiro lugar. Ele também aceitou uma articulação ao contrário — isto é, que um acordo de questões relativas a Taiwan dependesse da solução de outros assuntos, como por exemplo a Indochina:

> KISSINGER: Gostaria de perguntar ao primeiro-ministro como ele propõe que prossigamos. Podemos fazer isso de duas formas — cada um declarando os problemas que nos preocupam, reservando as respostas para mais tarde, ou avançar com os assuntos um de cada vez. Qual o senhor prefere?
>
> ZHOU: Qual é sua opinião?
>
> KISSINGER: Não tenho opinião formada. Um jeito possível é que, já que o primeiro-ministro declarou seu ponto de vista sobre Taiwan, poderíamos começar com nossos pontos de vista sobre a Indochina. Então eu poderia dizer a ele sobre minha reação à sua declaração com respeito a Taiwan, e ele poderia me dizer sobre sua reação à minha com respeito à Indochina. Ou poderíamos avançar com um assunto de cada vez.
>
> ZHOU: De um jeito ou de outro, a decisão é sua. Pode dizer o que prefere. Pode começar a falar primeiro sobre a questão de Taiwan ou da Indochina, ou das duas coisas juntas, por achar que estão ligadas.
>
> KISSINGER: Acredito que estejam ligadas em certa medida.[11]

No caso, condicionamos a retirada de nossas forças militares de Taiwan à resolução da guerra da Indochina.

A real posição de Zhou em relação a Taiwan, que ele articulou durante o longo diálogo de abertura no primeiro dia, era familiar; nós a havíamos escutado nas 136 conversações de Varsóvia. Os Estados Unidos precisavam "reconhecer a República Popular da China como o único governo chinês legítimo, sem fazer exceções" e aceitar que Taiwan era "uma parte inalienável da China".[12] "A lógica natural da questão" ditava que os Estados

Unidos deviam "retirar todas as suas forças armadas e desmontar todas suas instalações militares em Taiwan e no estreito de Taiwan dentro de um período limitado de tempo".[13] Com o desdobramento desse processo, no fim o tratado de defesa entre Estados Unidos e República da China — cuja legalidade Pequim não reconhecia — "não existiria".[14]

Na época da viagem secreta para a China, não havia diferença entre Pequim e Taipei acerca da natureza do Estado chinês. Ambos os lados admitiam o princípio da China única; as autoridades de Taiwan proibiam agitações pela independência. Logo, para os Estados Unidos, a questão era menos concordar com o princípio da China única do que colocar o reconhecimento de Pequim como a capital de uma China unida em um contexto de tempo compatível com as necessidades domésticas americanas. A viagem secreta iniciou o delicado processo pelo qual os Estados Unidos aceitaram pouco a pouco o conceito de uma única China, e a China se mostrou extremamente flexível quanto ao momento de sua implementação. Sucessivos presidentes americanos de ambos os partidos buscaram habilidosamente um procedimento de equilíbrio. Eles aprofundaram progressivamente as relações com Pequim ao mesmo tempo em que criavam condições para que a economia e a democracia de Taiwan florescesse. Sucessivos líderes chineses, embora insistindo vigorosamente em sua percepção de uma China única, nunca forçaram um confronto decisivo.

Zhou seguiu o mesmo padrão sobre o Vietnã que eu seguira quanto a Taiwan, no sentido de evitar qualquer compromisso imediato, mas também qualquer sensação de urgência. Zhou escutou minha apresentação e fez perguntas penetrantes; mas ele parou muito antes de até mesmo fazer alguma pressão moral, quanto mais ameaças. Fosse qual fosse o apoio dado pela China ao Vietnã, ele tinha uma origem histórica, não ideológica ou estratégica, explicou. "O débito que temos com eles foi contraído por nossos ancestrais. Desde a libertação não nos ficou nenhuma responsabilidade, porque derrubamos o antigo sistema. Porém, ainda sentimos uma profunda e completa simpatia em relação a eles."[15] Simpatia, é claro, não era o mesmo que apoio político ou militar; era um modo delicado de comunicar que a China não se envolveria militarmente nem pressionaria diplomaticamente.

No almoço, no segundo dia, no Grande Salão do Povo, Zhou subitamente levantou a questão da Revolução Cultural. Sem dúvida nós a havíamos observado do lado de fora, ele disse, mas ele queria que seus convidados compreendessem a estrada — por mais tortuosa que fosse — que levara a China a um cruzamento onde chineses e americanos pudessem se encontrar.

Mao buscara purificar o Partido Comunista e romper com as estruturas burocráticas, explicava Zhou. Com essa finalidade, ele criara os Guardas Vermelhos como uma instituição fora do Partido e do governo, com a missão de devolver o sistema a sua genuína ideologia e pureza ideológica. A decisão acabou produzindo tumulto, quando as inúmeras unidades de Guardas Vermelhos passaram a seguir políticas independentes e incompatíveis. Na verdade chegou-se a um ponto, segundo relato de Zhou, em que várias organizações ou mesmo regiões criaram suas próprias unidades de Guardas Vermelhos para se proteger em meio ao crescente caos. O espetáculo dessas unidades cindidas de Guardas Vermelhos lutando umas contra as outras era verdadeiramente chocante para um povo criado na verdade universal das crenças comunistas e na fé de uma unidade chinesa. Nesse ponto, Mao pediu ao Exército de Libertação Popular que restaurasse a ordem depois que o país como um todo houvesse feito progressos em derrotar a burocracia e elucidar suas convicções.

Zhou estava em posição delicada ao apresentar esse relato, coisa que devia ter sido instruído a fazer pelo próprio Mao. Ele claramente queria se diferenciar da Revolução Cultural e ainda assim permanecer leal ao líder, que iria ler a transcrição. Na época, tentei resumir para mim mesmo o ponto principal de Zhou como indicando uma medida da dissociação de Mao por meio de uma expressão de apoio qualificado, como segue: a Revolução Cultural foi um período de grande caos. A certa altura, os Guardas Vermelhos trancaram Zhou em sua própria sala. Por outro lado, Zhou não enxergara tão longe quanto Mao, que viu a necessidade de injetar novo vigor à revolução.[16]

Por que apresentar uma tal narrativa para uma delegação americana em sua primeira visita aos Estados Unidos em duas décadas? Porque o objetivo era ir além da normalização do que nossos interlocutores chamavam de amizade, mas que podia ser mais bem-descrita como cooperação estratégica. Para isso, era importante definir a China como um país que havia superado seus tumultos e se tornara desse modo confiável. Tendo sobrevivido à Revolução Cultural, dava a entender Zhou, ela era capaz de enfrentar qualquer inimigo estrangeiro como um país unido e era assim uma potencial parceira contra a ameaça soviética. Zhou explicitou o tema na sessão formal que se seguiu imediatamente. Ela foi conduzida no Salão Fujian do Grande Salão do Povo, onde cada salão recebe o nome de uma província chinesa. Fujian é a província à qual, tanto na divisão administrativa de Pequim como na de Taipei, Taiwan e as pequenas ilhas próximas pertencem.[17] Zhou não comentou sobre esse simbolismo e os americanos ignoraram.

Zhou começou enfatizando a posição desafiadora da China, mesmo que todos os inimigos se unissem contra ela:

> Vocês gostam de conversar sobre filosofia. O pior seria se a China fosse remodelada novamente. Vocês poderiam se unir, com a URSS ocupando todas as áreas ao norte do rio Amarelo, e vocês ocupando todas as áreas ao sul do rio Yangtse, e a seção leste entre esses dois rios poderia ser deixada para o Japão. [...]
>
> Caso uma manobra dessas ocorresse, o que o Partido Comunista chinês e o presidente Mao estariam preparados para fazer? Estaríamos preparados para resistir por um longo período de guerra com o povo, empreendendo uma luta a longo prazo até a vitória final. Isso tomaria tempo e, é claro, teríamos de sacrificar vidas, mas é algo que teríamos de contemplar.[18]

Segundo relatos históricos chineses recentes, Zhou fora especificamente instruído por Mao a "se vangloriar" de que "embora tudo sob o céu esteja um grande caos, a situação é maravilhosa".[19] Mao estava preocupado com a agressão soviética, mas não queria expressar essa preocupação, muito menos parecer que pedia ajuda. A história dos tumultos sob o céu era seu modo de cobrar uma postura americana sem a implicação de preocupação envolvida em pedir por isso: esboçando tanto a máxima ameaça concebível à China como a resistência chinesa em superar até isso. Nenhuma estimativa de inteligência americana jamais concebera a hipótese de uma contingência tão calamitosa; nenhum político americano jamais considerara um confronto tão global. E contudo sua abrangência não especificava a preocupação dominante específica — ou seja, um ataque soviético —, e desse modo a China evitava aparecer como suplicante.

A despeito do caráter aparentemente explícito, a fala de Zhou era uma abordagem sutil para a discussão de uma cooperação estratégica. Na região do Atlântico, fomos aliados com países amigos sob uma ameaça premente. Eles buscavam garantias transformando promessas verbais em obrigação legal. Os líderes chineses tomavam a direção oposta. O modo como a China estava preparada para aguentar sozinha, mesmo confrontada com a ameaça nuclear, e lutar sua própria guerra de guerrilha prolongada contra uma coalizão de todas as grandes potências tornou-se um discurso chinês padrão ao longo da década seguinte. O propósito subjacente era fazer da autonomia uma arma e um método de assistência mútua baseado em percepções paralelas. Obrigações recíprocas entre China e Estados Unidos não seriam firmadas em algum documento legal, mas numa percepção partilhada da ameaça comum. Embora a China não fizesse qualquer reivindicação de auxílio externo, isso brotava espontaneamente de percepções partilhadas; ele seria concedido se a outra parte não partilhasse — ou não mais partilhasse — da visão chinesa do desafio.

No fim da sessão do segundo dia e com o período da noite ocupado para Zhou com a visita do dignitário norte-coreano — com cerca de 18 horas antes de nosso inegociável deadline de partida —, Zhou propôs a questão de uma visita do presidente Nixon. Tanto Zhou como eu havíamos feito referências veladas a isso, mas evitáramos ser muito específicos, pois nenhum de nós queria lidar com uma negativa ou parecer numa posição suplicante. Zhou finalmente adotou a solução elegante de passar ao assunto como parte do procedimento:

> ZHOU: O que o senhor pensa de um anúncio da visita?
>
> KISSINGER: Que visita?
>
> ZHOU: Isso compreenderia apenas sua visita ou também a do presidente Nixon?
>
> KISSINGER: Poderíamos anunciar minha visita e dizer que o presidente Mao estendeu seu convite ao presidente Nixon e que ele aceitou, ou em princípio ou com uma data específica, na próxima primavera. O que mais lhe agrada? Acho que as duas coisas têm suas vantagens.

ZHOU: Então seria possível que os dois lados designassem alguns de nossos homens para rascunhar um anúncio?

KISSINGER: Devemos rascunhar no contexto que estamos discutindo.

ZHOU: Ambas as visitas.

KISSINGER: Não haveria problema nisso.

ZHOU: Devemos tentar. [...] Tenho um compromisso às seis que vai durar até as dez da noite. Minha sala está a sua disposição. Ou o senhor pode se dirigir a seus aposentos para discutir. Pode jantar, descansar, ver um filme.

KISSINGER: Vamos marcar uma reunião às dez.

ZHOU: Certo, irei aos seus aposentos. Vamos trabalhar até tarde da noite.[20]

O fato é que o comunicado não pôde ser finalizado nessa noite devido a um impasse sobre quem alegadamente teria convidado quem. Cada lado queria que o outro parecesse mais ansioso. Ficou meio a meio. O rascunho precisava da aprovação de Mao, e ele já havia se retirado para dormir. Mao finalmente aprovou uma fórmula em que Zhou, "sabendo do desejo expresso pelo presidente Nixon de visitar a República Popular da China", teria "estendido um convite", que Nixon então aceitara "com prazer".

Finalizamos os termos de uma declaração para o presidente Nixon pouco antes do nosso prazo final, na hora de partir, domingo à tarde, 11 de julho. "Nosso anúncio vai sacudir o mundo", disse Zhou, e a delegação tomou o avião de volta, disfarçando a empolgação nas horas que antecederam o momento em que o mundo poderia ser sacudido. Relatei os eventos para Nixon em sua "Casa Branca do Oeste", em San Clemente. Então, simultaneamente, em 15 de julho, de Los Angeles e Pequim, a viagem secreta e o convite foram ambos tornados públicos.

Nixon na China: o encontro com Mao

Sete meses após a visita confidencial, em 21 de fevereiro de 1972, o presidente Nixon chegou a Pequim em um frio dia de inverno. Foi um momento triunfante para o presidente, o inveterado anticomunista que percebera uma oportunidade geopolítica e a agarrara intrepidamente. Para simbolizar a firmeza com que se conduzira até chegar a esse dia e a nova era que estava inaugurando, ele queria desembarcar sozinho do Air Force One para ir ao encontro de Zhou Enlai, que o aguardava sob o vento da pista em seu imaculado traje maoista enquanto uma banda de militares chineses tocava *The Star-Spangled Banner*, o hino nacional americano. Houve o aperto de mão simbólico que apagou o menosprezo de Dulles. Mas, para uma ocasião histórica, foi estranhamente silencioso. Quando a procissão de carros entrou em Pequim, as ruas haviam sido esvaziadas. E sua chegada figurou em último na pauta de notícias da noite.[21]

Por mais revolucionário que a própria abertura tenha sido, o comunicado final ainda não contava com pleno consentimento — sobretudo no parágrafo-chave a respeito de Taiwan. Uma comemoração seria prematura e talvez houvesse enfraquecido a posição de negociação chinesa de igualdade estudada. Além disso, os líderes chineses sabiam que seus aliados vietnamitas estavam furiosos pelo fato de a China proporcionar a Nixon uma oportunidade de unir a opinião pública americana. Uma demonstração pública para seu inimigo na capital do país aliado teria se mostrado uma pressão forte demais na relação sempre tênue entre chineses e vietnamitas.

Nossos anfitriões compensaram a ausência de demonstrações públicas convidando Nixon para uma reunião com Mao horas depois de nossa chegada. "Convidar" não é a palavra precisa para o modo como ocorriam as reuniões com Mao. Os compromissos nunca eram agendados; tinham lugar como se fossem eventos naturais. Ecoavam as audiências concedidas pelos imperadores. A primeira indicação do convite de Mao a Nixon ocorreu quando, pouco depois de nossa chegada, recebi a notícia de que Zhou precisava me ver em particular. Ele me informou que "Mao gostaria de ver o presidente". Para evitar a impressão de que Nixon estava sendo requisitado à sua presença, levantei algumas questões técnicas quanto à ordem dos eventos no banquete da noite. Atipicamente impaciente, Zhou respondeu: "Como o presidente está convidando, ele quer vê-lo o quanto antes." Ao dar as boas-vindas a Nixon logo no início de sua visita, Mao sinalizava seu endosso oficial para audiências domésticas e internacionais antes que as conversas sequer houvessem começado. Acompanhados por Zhou, dirigimo-nos à residência de Mao em carros chineses. Nenhum agente de segurança americano foi permitido, e a imprensa só poderia ser informada mais tarde.

A casa de Mao ficava além de um amplo portão, no eixo leste–oeste aberto no ponto onde os muros da cidade antiga ficavam antes da revolução comunista. Dentro da Cidade Imperial, a estrada beirava um lago, em cuja margem oposta havia uma série de residências para o alto escalão. Tudo aquilo fora construído nos tempos da amizade sino-soviética e refletia o pesado estilo stalinista do período, semelhante às Casas de Hóspedes Estatais.

A residência de Mao não aparentava qualquer diferença, embora fosse ligeiramente apartada das demais. Não havia guardas à vista nem qualquer outro acessório do poder. Uma pequena antessala era quase inteiramente ocupada por uma mesa de pingue-pongue. Passamos direto por ela e fomos levados ao gabinete de Mao, um ambiente de tamanho modesto com três paredes cobertas de estantes cheias de manuscritos em estado de considerável desordem. Havia livros cobrindo as mesas e empilhados no chão. Uma cama de madeira simples ficava em um canto. O todo-poderoso líder da nação mais populosa do mundo queria ser visto como um rei-filósofo sem qualquer necessidade de reforçar sua autoridade com símbolos tradicionais de majestade.

Mao se levantou de uma poltrona no meio de um semicírculo de poltronas com um ajudante de prontidão para apoiá-lo, caso necessário. Ficamos sabendo mais tarde que sofrera uma série debilitante de problemas do coração e do pulmão semanas antes e que tinha dificuldade em se mover. Superando as deficiências, Mao exsudava uma força de vontade e determinação extraordinárias. Segurou a mão de Nixon entre as suas e o saudou com o sorriso mais benevolente. A foto apareceu em todos os jornais chineses. Os chineses eram hábeis em usar as fotografias de Mao para transmitir um estado de espírito e uma direção de política. Quando Mao ralhava, tempestades se aproximavam. Quando era fotografado sacudindo um dedo para o visitante, isso indicava uma espécie de ressalva de um professor contrariado.

A reunião foi nossa primeira amostra do estilo de conversa gracejador e elíptico de Mao. A maioria dos líderes políticos apresenta seus pensamentos na forma de itens. Mao expunha suas ideias à maneira socrática. Começava com uma pergunta e uma observação e convidava ao comentário. Então fazia uma nova observação. De sua rede de comentários sarcásticos, observações e perguntas emergia uma direção, embora raramente um compromisso firmado.

Desde o início, Mao repudiou qualquer intenção de conduzir um diálogo filosófico ou estratégico com Nixon. Nixon havia mencionado para o vice-ministro das Relações Exteriores chinês, Qiao Guanhua, que fora enviado para escoltar o grupo presidencial de Xangai a Pequim (o Air Force One descera em Xangai para receber um navegador chinês a bordo), que estava ansioso em discutir filosofia com o líder. Mao não queria saber disso. Afirmando que eu era o único doutor em filosofia (ph.D.) disponível, acrescentou: "Que tal pedirmos a ele que seja o principal orador de hoje?" Como que por hábito, Mao jogava com as "contradições" entre seus hóspedes: essa evasiva podia servir ao propósito de criar uma potencial dissensão entre o presidente e seu assessor de Segurança Nacional — presidentes em geral não gostam muito de se ver eclipsados por um assessor.

Mao tampouco estava propenso a dar a Nixon oportunidade de discutir os desafios oferecidos por uma série de países que enumerou. Nixon formulou os pontos principais do modo como segue:

> Nós, por exemplo, devemos nos perguntar — mais uma vez, na privacidade deste escritório — por que os soviéticos têm mais forças na fronteira com vocês do que na fronteira com a Europa Ocidental. Devemos nos perguntar: qual é o futuro do Japão? Será melhor para o Japão permanecer neutro, totalmente indefeso, ou será melhor que por um tempo o Japão mantenha relações com os Estados Unidos? [...] A pergunta é: que perigo enfrenta a República Popular, o da agressão americana ou o da agressão soviética?[22]

Mao se recusou a morder a isca: "Todas essas questões problemáticas são algo que não estou muito disposto a tratar." Ele sugeriu que fossem discutidas com o premiê.

O que, então, Mao queria passar com seu diálogo aparentemente tortuoso? As mensagens talvez mais importantes eram coisas que não aconteceram. Primeiro, após décadas de recriminação mútua quanto a Taiwan, o assunto com efeito não veio à baila. O total das discussões envolvendo a ilha se resumiu ao seguinte:

MAO: Nosso velho amigo comum, o generalíssimo Chiang Kai-shek, não aprova isso. Ele nos chama de bandidos comunistas. Recentemente fez um discurso. O senhor viu?

NIXON: Chiang Kai-shek chama o Presidente de bandido. Do que o Presidente chama Chiang Kai-shek?

ZHOU: De um modo geral nos referimos a eles como a camarilha de Chiang Kai-shek. Nos jornais, às vezes, nós o chamamos de bandido; eles também nos chamam de bandidos, por sua vez. De todo modo, insultamos uns aos outros.

MAO: Na verdade, a história de nossa amizade com ele é muito mais longa que a história da sua amizade com ele.[23]

Sem ameaças, sem exigências, sem prazos, sem referências a impasses anteriores. Após uma guerra, dois conflitos militares e 136 reuniões diplomáticas que não saíram do lugar, a questão de Taiwan perdera sua urgência. Estava sendo deixada de lado, pelo menos por ora, como havia sugerido Zhou na reunião confidencial.

Segundo, Mao queria transmitir a mensagem de que Nixon era um visitante bem-vindo. A fotografia se encarregara disso. Terceiro, Mao estava ansioso em afastar qualquer ameaça chinesa aos Estados Unidos:

> No atual momento, a questão da agressão por parte dos Estados Unidos ou da agressão por parte da China é relativamente menor; isto é, pode-se dizer que não é um assunto crucial, porque a presente situação é uma em que um estado de guerra não existe entre nossos dois países. Vocês querem retirar algumas de suas tropas de volta para seu próprio solo; as nossas não vão ao exterior.[24]

A frase críptica de que as tropas chinesas permaneciam no país eliminou a preocupação de que o Vietnã pudesse acabar como a Coreia, com uma intervenção chinesa maciça.

Quarto, Mao queria comunicar que encontrara um desafio na abertura com os Estados Unidos, mas que o havia superado. Ele ofereceu um sardônico epitáfio a Lin Biao, que fugira da capital em setembro de 1971 em um avião militar que caiu na Mongólia, no que havia sido alegadamente um golpe de Estado abortado:

> Também em nosso país há um grupo reacionário que se opõe ao contato com os americanos. Como resultado, eles entraram em um avião e fugiram para o exterior. [...] Quanto à União Soviética, finalmente resolveram escavar os cadáveres, mas não falaram nada a respeito.[25]

Quinto, Mao aprovava a cooperação bilateral acelerada e pedia diálogos técnicos sobre o assunto:

> Nosso lado também é burocrático em lidar com as questões. Por exemplo, vocês queriam algum intercâmbio de gente no nível pessoal, coisas assim; comércio também. Mas antes de decidir isso nós firmamos pé em nossa opinião de que sem resolver as questões maiores não há nada a ser feito com as questões menores. Eu mesmo persisti nessa postura. Mais tarde percebi que vocês tinham razão, e jogamos tênis de mesa.[26]

Sexto, ele frisava sua boa vontade pessoal em relação a Nixon, tanto pessoalmente como porque afirmava preferir lidar com governantes de direita, alegando que eram mais confiáveis. Mao, autor do Grande Salto Adiante e da Campanha Antidireitista, fazia o espantoso comentário de que "votara" em Nixon, e que ficava "relativamente feliz quando essas pessoas de direita chegam ao poder" (pelo menos no Ocidente):

> NIXON: Quando o Presidente diz que votou em mim, ele votou no menor de dois males.
>
> MAO: Gosto de direitistas. As pessoas dizem que vocês são direitistas, que o Partido Republicano é de direita, que o primeiro-ministro Heath[27] também é de direita.
>
> NIXON: E o general De Gaulle.[28]

MAO: De Gaulle é uma questão diferente. Também dizem que o Partido Democrático Cristão da Alemanha Ocidental também é de direita. Fico relativamente feliz quando essas pessoas de direita chegam ao poder.[29]

Mesmo assim, avisou-nos que, se os democratas conquistassem o poder em Washington, a China estabeleceria contato com eles também.

No início da visita de Nixon, Mao estava preparado para se comprometer com os rumos que isso implicava, embora não ainda com as negociações específicas prestes a começar. Não estava claro se uma fórmula sobre Taiwan podia ser encontrada (todos os demais assuntos tendo sido essencialmente resolvidos). Mas ele estava pronto a endossar uma substantiva agenda de cooperação nas 15 horas de diálogo que haviam sido programadas entre Nixon e Zhou. Uma vez traçado o rumo básico, Mao aconselhava paciência e resguardo, caso fracassássemos em entrar em acordo quanto ao comunicado. Em vez de tratar o retrocesso como um fracasso, Mao defendia que servisse para renovar o empenho. O incipiente plano estratégico superava todas as demais preocupações — até mesmo o impasse com Taiwan. Mao aconselhava ambos os lados a não apostar demasiado em uma série de negociações:

> Tudo bem se o diálogo sair a contento e tudo bem também se não houver acordos, pois de que adianta ficarmos presos em um impasse? Por que isso de que temos de conseguir resultados? As pessoas vão dizer [...] se fracassamos da primeira vez, então as pessoas vão falar por que não conseguimos ser bem-sucedidos da primeira vez? O único motivo seria o de que tomamos a estrada errada. O que vão dizer se conseguirmos da segunda vez?[30]

Em outras palavras, mesmo que, por algum motivo imprevisto, as conversas prestes a começar chegassem a um impasse, a China iria perseverar em atingir o resultado desejado de uma cooperação estratégica com os Estados Unidos no futuro.

Quando a reunião se encerrava, Mao, o profeta da revolução contínua, frisou para o até então vilipendiado presidente da sociedade capitalista-imperialista que a ideologia não era mais relevante entre os dois países:

> MAO: [*apontando para o dr. Kissinger*] "Aproveite o momento e aproveite o dia." Acho que, falando de um modo geral, pessoas como eu soam muitos grandes canhões. [*Risadas de Zhou.*] Ou seja, coisas como "o mundo todo deve se unir e derrotar o imperialismo, o revisionismo e todos os reacionários, e estabelecer o socialismo".[31]

Mao riu ruidosamente com a suposição de que todos deviam ter levado a sério um slogan que fora pichado por anos nos espaços públicos pela China. Ele terminou a conversa com um comentário caracteristicamente sarcástico, zombeteiro e tranquilizador:

> Mas talvez o senhor individualmente não esteja entre os que devem ser derrubados. Eles dizem que [o dr. Kissinger] não está entre os que não devem ser pessoalmente derrubados. E se todos vocês fossem derrubados não nos restaria nenhum amigo.[32]

Com nossa segurança pessoal assegurada no longo prazo e a base não ideológica da relação com eles atestada pela mais elevada autoridade no assunto, as duas partes iniciaram cinco dias de diálogos e banquetes entremeados de visitas turísticas.

O diálogo Nixon-Zhou

Os assuntos substantivos haviam sido divididos em três categorias, a primeira delas sendo os objetivos de longo prazo para ambas as partes e sua cooperação contra as potências hegemônicas — uma mensagem cifrada para a União Soviética, sem dar nome aos bois, para não se arriscar a uma situação de animosidade. Isso seria conduzido por Zhou e por Nixon, com equipes restritas, eu inclusive. Nós nos reunimos por pelo menos três horas toda tarde.

Segundo, um foro para discutir a cooperação econômica e o intercâmbio técnico e científico foi chefiado pelos ministros das Relações Exteriores dos dois lados. Por último, houve um grupo de minuta para o último comunicado chefiado pelo vice-ministro das Relações Exteriores, Qiao Guanhua, e eu. As reuniões de minutas tiveram lugar à noite, após os banquetes.

As reuniões entre Nixon e Zhou eram únicas no que dizia respeito a encontros entre chefes de governo (Nixon, é claro, era também um chefe de Estado), no sentido de que não lidavam com *nenhum* assunto contemporâneo; isso ficou ao encargo dos redatores das minutas e do painel de ministros das Relações Exteriores. Nixon se concentrou em apresentar um mapa conceitual da política americana para o outro líder. Dado o ponto de partida entre as duas partes, era importante que nossos interlocutores chineses escutassem um guia autorizado e confiável dos propósitos americanos.

Nixon estava extraordinariamente bem-equipado para esse papel. Como negociador, sua relutância em se envolver em confrontos face a face — e na verdade o modo como fugia deles — tendia a produzir vagueza e ambiguidade. Mas ele era muito bom em fazer briefings. Dos dez presidentes americanos que conheci, possuía uma compreensão única das tendências internacionais de longo prazo. Ele utilizou as 15 horas de reuniões com Zhou para exibir diante deste uma visão das relações sino-americanas e seu impacto nos assuntos mundiais.

Enquanto eu estava a caminho da China, Nixon delineara sua perspectiva ao embaixador norte-americano em Taipei, a quem caberia a dolorosa tarefa de explicar para seus anfitriões que os Estados Unidos, nos anos por vir, mudariam a ênfase de sua diplomacia de Taipei para Pequim:

> Devemos ter em mente, e eles [Taipei] têm de estar preparados para o fato, de que continuará a ser um passo a passo, uma relação mais normal com a outra — a China continental. Porque nosso interesse assim o exige. Não porque morremos de amores por eles, mas porque existem, simplesmente. [...] E porque a situação mundial mudou de forma tão drástica.[33]

Nixon previu que, a despeito dos tumultos e privações da China, as incríveis capacidades de seu povo acabariam levando o país ao primeiro escalão das potências mundiais:

> Bem, pare um minuto e pense no que poderia acontecer se alguém com um sistema de governo decente assumisse o controle do continente. Deus do Céu. [...] Não haveria poder neste mundo capaz sequer — quer dizer,

> você põe 800 milhões de chineses para trabalhar sob um sistema decente […] e eles viram os líderes do mundo.[34]

Agora em Pequim, Nixon estava em seu elemento. Fossem quais fossem suas longamente mantidas opiniões negativas do comunismo como um sistema de governo, ele não viera à China para converter seus líderes a princípios americanos de democracia ou livre mercado — avaliando que isso seria inútil. O que Nixon buscou durante toda a Guerra Fria foi uma ordem internacional estável para um mundo repleto de armas nucleares. Assim, em sua primeira reunião com Zhou, Nixon prestou tributo à sinceridade dos revolucionários cujo sucesso ele anteriormente descrevera como um evidente fracasso da política americana: "Sabemos que vocês acreditam profundamente em seus princípios, e acreditamos profundamente em nossos princípios. Não pedimos para comprometer seus princípios, assim como vocês não pediriam que comprometêssemos os nossos."[35]

Nixon admitia que seus princípios o haviam levado antes — como tantos de seus compatriotas — a defender políticas opostas aos objetivos chineses. Mas o mundo mudara, e agora o interesse americano exigia que Washington se adaptasse a essas mudanças:

> Minhas opiniões, porque eu estava no governo Eisenhower, eram semelhantes às do sr. Dulles na época. Mas o mundo mudou desde então, e a relação entre a República Popular e os Estados Unidos deve mudar também. Como disse o primeiro-ministro em uma reunião com o dr. Kissinger, o timoneiro deve navegar com as ondas ou afundará com a maré.[36]

Nixon se propunha a basear a política externa na conciliação de interesses. Contanto que o interesse nacional fosse claramente percebido e que levasse em consideração o interesse mútuo na estabilidade, ou pelo menos em evitar a catástrofe, isso traria um elemento de previsibilidade às relações sino-americanas:

> Falando aqui, o primeiro-ministro sabe e eu sei que a amizade — que sentimos ter num nível pessoal — não pode ser a base sobre a qual um

> relacionamento estabelecido deve repousar, não somente a amizade. [...] Enquanto amigos, poderíamos concordar com algum belo modo de dizer, mas a menos que nossos interesses nacionais fossem servidos com a realização de acordos promovidos por esse dizer, isso significaria muito pouco.[37]

Para uma tal abordagem, a sinceridade era a condição prévia da genuína cooperação. Como Nixon disse a Zhou: "É importante desenvolver uma completa sinceridade e reconhecer que nenhum de nós faria coisa alguma a menos que considerássemos estar dentro de nossos interesses."[38] Os críticos de Nixon muitas vezes depreciaram essa e outras declarações similares como uma versão de egoísmo. Contudo, os líderes chineses recorriam a elas como uma garantia de confiabilidade americana — por serem precisas, confiáveis e recíprocas.

Nesses termos, Nixon apresentou uma base para um papel americano duradouro na Ásia, mesmo após a retirada do grosso das forças norte-americanas do Vietnã. O que era incomum acerca desse posicionamento era o fato de apresentá-lo como sendo de *mútuo* interesse. Por décadas, a propaganda chinesa atacara a presença americana na região como uma forma de opressão colonialista e conclamara "o povo" a se rebelar contra ela. Mas Nixon em Pequim insistia que os imperativos geopolíticos transcendiam a ideologia — sua mera presença em Pequim era prova disso. Com um milhão de tropas soviéticas na fronteira norte da China, Pequim não mais seria capaz de basear sua política externa em slogans sobre a necessidade de derrubar o "imperialismo americano". Ele havia enfatizado para mim o papel mundial crucial dos Estados Unidos antes da viagem:

> Não podemos nos mostrar excessivamente arrependidos do papel mundial da América. Não podemos, seja no passado, no presente ou no futuro. Não podemos ser excessivamente cordatos em termos do que a América irá fazer. Bem, em outras palavras, socar o próprio peito, vestir o cilício, e, bom, vamos bater em retirada, e vamos fazer isso e aquilo e mais aquilo outro. Porque eu acho que a gente tem de dizer, bom: "Quem a América ameaça? Quem você preferia que estivesse fazendo esse papel?"[39]

A invocação do interesse nacional na forma absoluta proposta por Nixon é difícil de ser aplicada como único conceito organizador da ordem internacional. As condições pelas quais definir o interesse nacional variam enormemente, e as possíveis flutuações na interpretação são grandes demais, de modo a fornecer um único guia de conduta confiável. Certa congruência de valores é em geral necessária para constituir um elemento de restrição.

Quando a China e os Estados Unidos começaram a lidar um com o outro após um hiato de duas décadas, os valores de ambas as partes eram diferentes, quando não opostos. Um consenso sobre o interesse nacional com todas suas dificuldades era o elemento de moderação mais significativo disponível. A ideologia conduziria os dois lados ao confronto, a tentadoras provas de força em torno de uma vasta periferia.

O pragmatismo seria suficiente? É algo que pode tanto aprofundar os choques de interesses como resolvê-los. Cada lado vai conhecer seus objetivos melhor do que o outro. Dependendo da solidez de sua posição doméstica, as concessões que são necessárias do ponto de vista pragmático podem ser usadas por oponentes domésticos como demonstração de fraqueza. Logo, é uma constante tentação aumentar as apostas. Nas primeiras conversas com a China, o problema era quão congruentes as definições de interesses eram ou poderiam vir a ser. O diálogo entre Nixon e Zhou fornecia a estrutura para essa congruência, e a ponte para isso foi o Comunicado de Xangai e seu debatidíssimo parágrafo sobre o futuro de Taiwan.

O Comunicado de Xangai

Normalmente, os comunicados têm prazo de validade curto. Eles definem antes um estado de espírito que um rumo. Esse não foi o caso do comunicado que resumiu a visita de Nixon a Pequim.

Os líderes gostam de dar a impressão de que os comunicados surgem já maduros de suas mentes e conversas com suas contrapartes. A ideia popular de que os líderes escrevem e concordam em cada vírgula não é uma que costumam desencorajar. Mas líderes experientes e sábios não caem nessa. Nixon e Zhou compreendiam o perigo de forçar os líderes a essas sessões de rascunhos com os prazos curtos inerentes a uma reunião de cúpula. Em geral homens de grande determinação — de que outro modo ocupariam o lugar que ocupam — podem não ser capazes de resolver impasses quando o tempo é curto e a mídia é insistente. Como resultado, os diplomatas frequentemente chegam a reuniões importantes com seus comunicados em grande parte já esboçados.

Eu fora mandado a Pequim por Nixon em outubro de 1971 — em uma segunda visita — com esse propósito. Em diálogos subsequentes, ficou decidido que o nome-código para essa viagem seria Polo II, tendo esgotado nossa imaginação ao batizar a primeira viagem sigilosa de Polo I. O propósito principal da Polo II era entrar num acordo quanto a um comunicado que a liderança chinesa e o presidente pudessem endossar na conclusão da viagem de Nixon quatro meses mais tarde.

Chegamos a Pequim numa época de turbulência na estrutura governamental chinesa. Algumas semanas antes, o sucessor designado por Mao, Lin Biao, fora acusado de um complô cujas reais dimensões nunca foram oficialmente reveladas. Existem diferentes explicações. O ponto de vista prevalecente à época era de que Lin Biao, compilador do "Pequeno Livro Vermelho" de frases de Mao, parecia ter chegado à conclusão de que a segurança chinesa estaria mais bem-assegurada antes com o resgate dos princípios da Revolução Cultural do que em articulações com os Estados Unidos. Também fora sugerido que, a essa altura, Lin se opunha de fato a Mao por alguma coisa mais próxima da posição pragmática de Zhou e Deng, e que seu fanatismo ideológico aparente era uma tática defensiva.[40]

Vestígios da crise continuavam por toda parte em torno de nós quando meus colegas e eu chegamos, no dia 20 de outubro. No caminho do aeroporto, passamos por cartazes proclamando o slogan familiar "Abaixo o imperialismo americano e seus cães governantes". Alguns cartazes estavam em inglês. Folhetos com temas similares haviam sido deixados em nossos aposentos na Casa de Hóspedes Estatal. Pedi ao meu assistente para recolhê-los e devolver ao funcionário de protocolo chinês, dizendo que haviam sido deixados por um ocupante anterior.

No dia seguinte, o ministro das Relações Exteriores interino, escoltando-me para uma reunião com Zhou no Grande Salão do Povo, comentou o potencial constrangimento. Ele chamou minha atenção para um cartaz na parede que fora colocado no lugar do agressivo cartaz anterior, e que dizia, em inglês: "Bem-vindos ao Torneio de Pingue-Pongue Afro-Asiático." Todos os demais cartazes haviam sido cobertos com tinta. Zhou mencionou, como que en passant, que deveríamos olhar para as ações chinesas, não seus "canhões vazios" de retórica — um prenúncio do que Mao diria a Nixon meses mais tarde.

A discussão sobre o comunicado começou de forma bastante convencional. Apresentei um rascunho que minha equipe e eu havíamos preparado e que Nixon aprovara. Nele, ambos os lados reiteravam sua devoção à paz e prometiam cooperar em questões cruciais. A seção sobre Taiwan fora deixada em branco. Zhou aceitou a minuta como base de discussão e prometeu apresentar modificações e alternativas chinesas na manhã seguinte. Tudo isso era procedimento de rotina num rascunho de comunicado.

O que aconteceu em seguida, não. Mao interveio dizendo a Zhou para interromper a minuta do que chamou de comunicado "tolo". Ele podia chamar suas exortações à ortodoxia comunista de "canhões vazios"; mas não estava preparado para abandoná-las como diretrizes para os quadros comunistas. Instruiu Zhou a fazer um comunicado que reafirmaria as ortodoxias comunistas como a posição chinesa. Os americanos que afirmassem as suas como achassem melhor. Mao baseara sua vida na proposição de que a paz poderia emergir apenas da luta, não como um fim em si mesmo. A China não tinha medo de admitir suas diferenças com os Estados Unidos. A minuta de Zhou (e a minha) eram a típica banalidade que os soviéticos assinavam, mas em que não acreditavam e que nem pretendiam implementar.[41]

A apresentação de Zhou seguiu as instruções recebidas de Mao. Ele apresentou a minuta de um comunicado afirmando a posição chinesa em uma linguagem que não fazia concessões. Foram deixadas páginas em branco para incluir a nossa, que, assim se esperava, exibiria um tom comparável de intransigência, embora contrário. Havia uma seção final para pontos em comum.

No começo, fiquei surpreso. Mas, conforme refleti, o formato pouco ortodoxo pareceu resolver o problema de ambas as partes. Cada um podia reafirmar suas convicções fundamentais, tranquilizando os respectivos públicos domésticos e os aliados apreensivos. As diferenças haviam sido notórias por duas décadas. O contraste iria realçar os acordos sendo atingidos, e as conclusões positivas seriam muito mais dignas de crédito. Sem a capacidade de me comunicar com Washington na ausência de representação diplomática ou comunicação segura adequada, eu tinha suficiente confiança de saber o que Nixon pensava para prosseguir.

Desse modo, um comunicado feito em solo chinês e publicado pela mídia chinesa possibilitava aos Estados Unidos afirmar seu compromisso com a "liberdade individual e o progresso social para todos os povos do mundo"; proclamar seus laços estreitos com aliados na Coreia do Sul e no Japão; e articular a visão de uma ordem internacional que rejeitava a infalibilidade de qualquer país e permitia que cada nação desenvolvesse liberdade de interferência estrangeira.[42] O esboço chinês do comunicado era, é claro, igualmente expressivo das visões em contrário. Isso não seria surpresa alguma para o público chinês; era algo que viam e ouviam todos os dias em seus meios de comunicação. Mas, ao assinar um documento contendo ambas as perspectivas, cada lado estava efetivamente invocando uma trégua ideológica e sublinhando em que parte nossos pontos de vista convergiam.

De longe, a mais significativa dessas convergências era o artigo sobre hegemonia. Dizia:

> — Nenhum [lado] deve buscar a hegemonia na região da Ásia-Pacífico e ambos se opõem a esforços feitos por qualquer outro país ou grupo de países em estabelecer tal hegemonia.[43]

Alianças haviam se baseado em muito menos. A despeito de toda a fraseologia pedante, era uma conclusão admirável. Os inimigos de pouco mais do que seis meses antes estavam anunciando sua oposição conjunta a qualquer expansão extra da esfera soviética. Era uma verdadeira revolução diplomática, pois o passo seguinte levaria inevitavelmente a discutir uma estratégia para conter as ambições soviéticas.

A sustentabilidade da estratégia dependia do progresso que poderia ser feito em relação a Taiwan. Na altura em que Taiwan ocupou a pauta de discussões da viagem de Nixon, as partes já haviam explorado o assunto, começando com a visita secreta de sete meses antes.

As negociações agora haviam chegado a um ponto em que o diplomata tinha uma escolha a fazer. Uma tática — e na verdade a abordagem tradicional — é delinear uma posição extrema e gradualmente recuar para um lugar mais acessível. Tal tática é muito estimada por negociadores ansiosos em proteger sua reputação doméstica. Contudo, embora pareça uma postura "dura" começar com uma série radical de exigências, o processo corresponde a um progressivo enfraquecimento conduzido pelo abandono da posição inicial. A outra parte é tentada a se esforçar intensamente a cada estágio do processo para ver o que virá com a próxima modificação e fazer do processo de negociação um teste de persistência.

Mais do que exaltar o processo em detrimento da substância, o rumo preferível é fazer propostas de abertura próximas do que a pessoa julga ser o resultado mais sustentável, uma definição de "sustentável" em termos abstratos sendo a de que ambos os lados têm interesse em manter. Isso foi um particular desafio com respeito a Taiwan, onde a margem de concessão para ambos os lados era estreita. Nós, desse modo, desde o início promovemos pontos de vista sobre Taiwan que julgamos necessários para uma evolução construtiva. Nixon os expôs em 22 de fevereiro como cinco princípios extraídos de diálogos prévios durante minhas reuniões de julho e outubro. Eles eram abrangentes e ao mesmo tempo também o limite das concessões americanas. O futuro teria de ser encontrado dentro desse contexto. Eram eles: uma afirmação da política de uma China única; que os Estados Unidos não iriam apoiar movimentos internos de independência vindos de Taiwan; que os Estados Unidos iriam desencorajar qualquer movimentação japonesa sobre Taiwan (assunto, dado a história, especialmente preocupante para a China); apoio para uma resolução pacífica entre Pequim e Taipei; e compromisso com uma normalização contínua.[44] Em 24 de fevereiro, Nixon explicou como a questão de Taiwan podia progredir domesticamente à medida que os Estados Unidos perseguiam esses princípios. Sua intenção, afirmava ele, era completar o processo de normalização em seu segundo mandato e retirar as tropas americanas de Taiwan nesse espaço de tempo — embora ele advertisse que não estava em posição de assumir qualquer compromisso formal. Zhou respondeu que ambas as partes tinham "dificuldades" e que não havia "limite de tempo algum".

Princípio e pragmatismo desse modo existindo em equilíbrio ambíguo, Qiao Guanhua e eu rascunhamos a última seção remanescente do

Comunicado de Xangai. A passagem-chave era um único parágrafo, mas, para ser produzido, exigiu sessões que quase vararam noites. Dizia:

> O lado norte-americano declarou: os Estados Unidos admitem que todos os chineses de ambos os lados do estreito de Taiwan sustentam que existe apenas uma China e que Taiwan é parte da China. O governo dos Estados Unidos não desafia essa posição. Ele reafirma seu interesse em um acordo pacífico da questão de Taiwan pelos próprios chineses. Com essa perspectiva em mente, ele afirma o objetivo último da retirada de todas as tropas e instalações militares norte-americanas de Taiwan. Nesse meio-tempo, irá progressivamente reduzir suas forças e instalações militares em Taiwan à medida que a tensão na área diminuir.[45]

Esse parágrafo abarcava décadas de guerra civil e animosidade em um princípio geral afirmativo com o qual Pequim, Taipei e Washington podiam todos concordar. Os Estados Unidos lidavam com a política da China única admitindo as convicções de chineses de ambos os lados da linha divisória chinesa. A flexibilidade dessa formulação permitia aos Estados Unidos passar da "admissão" ao "apoio" em sua própria posição nas décadas desde então. Taiwan recebera uma oportunidade de se desenvolver econômica e internamente. A China obtivera reconhecimento de seu "interesse essencial" em uma conexão política entre Taiwan e o continente. Os Estados Unidos afirmavam seu interesse em uma resolução pacífica.

A despeito das tensões ocasionais, o Comunicado de Xangai servira a seu propósito. Nos quarenta anos desde que foi assinado, nem a China nem os Estados Unidos permitiram que a questão interrompesse o ímpeto de seu relacionamento. O processo tem sido delicado e ocasionalmente tenso. Durante todo ele, os Estados Unidos têm afirmado sua visão da importância de um acordo pacífico e a China sua convicção sobre o imperativo da unificação definitiva. Ambos os lados têm agido com prudência e buscado evitar impor ao outro lado um teste de sua determinação ou força. A China invocou seus princípios essenciais mas tem se mostrado flexível quanto ao momento de sua implementação. Os Estados Unidos têm sido pragmáticos, indo de caso em caso, às vezes pesadamente influenciados pelas pressões domésticas americanas. No todo, Pequim e Washington têm dado prioridade à importância preponderante da relação sino-americana.

Mesmo assim, não se deve confundir um modus vivendi com um estado de coisas permanente. Nenhum líder chinês jamais abandonou a insistência na unificação final, nem podemos esperar que o faça. Nenhum líder americano previsível vai abrir mão da convicção de que esse processo deva ser pacífico ou alterar a visão americana a esse respeito. Estadismo será necessário para prevenir um deslize rumo a um ponto no qual ambos os lados se sintam obrigados a testar a firmeza e a natureza das convicções do outro.

As consequências

O leitor deve ter em mente que o tipo de protocolo e hospitalidade descritos aqui mudou substancialmente nas décadas desde então. Ironicamente, o estilo de hospitalidade praticada pelos antigos líderes comunistas era mais comparável ao da tradição imperial chinesa do que à prática contemporânea, que é menos elaborada, com menos brindes e um tom menos efusivo por parte do governo. O que não mudou significativamente é a preparação meticulosa, a complexidade da argumentação, a capacidade para o planejamento de longo prazo e o senso sutil para o intangível.

A visita de Nixon à China é uma das poucas ocasiões nas quais uma visita oficial provocou uma mudança seminal nos assuntos internacionais. A reentrada da China no jogo diplomático global e as opções estratégicas ampliadas para os Estados Unidos deram uma nova vitalidade e flexibilidade para o sistema internacional. A visita de Nixon foi seguida por visitas comparáveis de líderes de outras democracias ocidentais e do Japão. A adoção de cláusulas anti-hegemônicas no Comunicado de Xangai significou uma genuína mudança de alianças. Embora no início confinada à Ásia, a empreitada foi expandida um ano mais tarde para incluir o resto do mundo. As consultas entre China e Estados Unidos atingiram um nível de intensidade raro até entre aliados formais.

Por algumas semanas, reinou um estado de espírito de exaltação. Muitos americanos saudaram a iniciativa chinesa que possibilitava a China voltar à comunidade de nações à qual ela originalmente pertencia (o que era verdade) e trataram o novo estado de coisas como uma característica permanente da política internacional (o que não era o caso). Nem Nixon, por natureza cético, nem eu esquecemos que as políticas chinesas descritas em capítulos anteriores haviam sido empreendidas com a mesma convicção das atuais, ou que os líderes que nos acolheram de forma tão encantadora e elegante haviam, não muito tempo antes, se mostrado igualmente insistentes e plausíveis em um curso diametralmente diferente. Tampouco se poderia presumir que Mao — ou seus sucessores — fossem repudiar as convicções que os haviam acompanhado durante toda uma vida.

A direção da política chinesa no futuro seria uma combinação de ideologia e interesse nacional. O que a abertura da China conseguiu foi uma oportunidade de aumentar a cooperação onde os interesses eram congruentes e mitigar as diferenças onde elas existiam. Na época da aproximação, a ameaça soviética fornecera um impulso, mas a mudança mais profunda foi a necessidade de estabelecer uma crença na cooperação ao longo das décadas, de modo que uma nova geração de líderes seria motivada pelos mesmos imperativos. E de fomentar o mesmo tipo de evolução do lado americano. A recompensa pela aproximação sino-americana não seria um estado de amizade perpétua ou uma harmonia de valores, mas um reequilíbrio global que exigiria cuidados constantes e talvez, com o tempo, produziria uma harmonia maior de valores.

Nesse processo, cada lado seria o guardião de seus próprios interesses. E cada lado buscaria usar o outro como ponto de alavancagem em suas relações com Moscou. Como Mao nunca cansou de enfatizar, o mundo não permaneceria estático; a contradição e o desequilíbrio eram uma lei da natureza. Refletindo essa visão, o Comitê Central do Partido Comunista chinês emitiu um documento descrevendo a visita de Nixon como um exemplo da China "utilizando as contradições, dividindo os inimigos e realçando a nós mesmos".[46]

Algum dia os interesses de ambos os lados seriam verdadeiramente congruentes? Poderiam os dois algum dia separá-los das ideologias predominantes de modo suficiente para evitar tumultos de emoções conflitantes? A visita de Nixon à China abriu as portas para lidar com esses desafios; eles continuam presentes.

CAPÍTULO 10

A quase-aliança: conversas com Mao

A VIAGEM SECRETA à China restabeleceu a relação sino-americana. A visita de Nixon deu início a um período de cooperação estratégica. Mas, embora os princípios dessa cooperação estivessem surgindo, sua estrutura ainda estava por se estabelecer. A linguagem do Comunicado de Xangai implicava uma espécie de aliança. A realidade da autonomia chinesa tornava difícil relacionar forma e conteúdo.

Alianças existem desde que a história tem registro dos assuntos internacionais. Elas costumam ser formadas por várias razões: unir forças de aliados individuais; estabelecer uma obrigação de assistência mútua; fornecer um elemento de deterrência além das considerações táticas do momento. O aspecto especial das relações sino-americanas era que os parceiros buscavam coordenar suas ações sem criar uma obrigação formal de fazê-lo.

Tal estado de coisas era inerente à percepção chinesa das relações internacionais. Tendo proclamado que a China havia "se erguido", Mao estenderia a mão para os Estados Unidos, mas jamais admitindo que a força da China pudesse não ser adequada para fosse lá que desafio pudesse se apresentar. Tampouco ele aceitaria uma obrigação abstrata de prestar assistência além das exigências do interesse nacional tal como aparecessem em qualquer dado momento. A China nos primeiros estágios da liderança de Mao fez uma única aliança: aquela com a União Soviética bem no início da República Popular, quando a China precisava de apoio conforme tateava seu caminho na direção de um status internacional. O país integrou um Tratado de Amizade, Cooperação e Assistência Mútua com a Coreia do Norte em 1961, contendo uma cláusula de defesa mútua contra ataques externos que continua em vigor até o momento em que escrevo. Mas ele era mais da natureza do relacionamento tributário familiar da história chinesa: Pequim oferecia proteção; a reciprocidade norte-coreana era irrelevante para o relacionamento. A aliança soviética se desgastou desde o início em grande parte porque Mao não aceitava sequer a insinuação de subordinação.

Após a visita de Nixon à China, emergiu uma parceria, mas não sob a forma de garantias recíprocas oficializadas em documentos. Não era sequer uma aliança tácita, baseada em acordos informais. Era uma espécie de quase-aliança, surgindo de entendimentos que emergiram de conversações com Mao — em fevereiro e novembro de 1973 — e longas reuniões com Zhou — horas delas, em 1973. A partir daí, Pequim não mais buscava refrear ou impedir a projeção do poderio americano — como fora antes da visita do presidente Nixon. Em vez disso, o objetivo confesso da China tornara-se convocar os Estados Unidos como um contrapeso ao "urso polar" mediante um plano estratégico explícito.

Esse paralelismo dependia de os líderes chineses e americanos serem capazes de chegar a compartilhar objetivos comuns, especialmente em relação à União Soviética. Os líderes americanos eram convidados por suas contrapartes chinesas a participar de colóquios particulares sobre as intenções soviéticas — muitas vezes num linguajar atipicamente direto, como se os chineses receassem que o tópico fosse importante demais para ser deixado à costumeira sutileza e sinuosidade. Os Estados Unidos retribuíam com extensos briefings sobre seu plano estratégico.

Nos primeiros anos da nova relação, os líderes chineses continuariam ocasionalmente a disparar "canhões" ideológicos contra o imperialismo americano — alguns deles envolvendo uma bem-ensaiada retórica —, mas, privadamente, iriam criticar os funcionários norte-americanos por serem, se tanto, comedidos demais em política externa. Na verdade, durante toda a década de 1970, Pequim foi mais favorável aos Estados Unidos agindo vigorosamente contra os planos soviéticos do que a maior parte da população americana ou do Congresso.

A "Linha Horizontal": abordagens chinesas de contenção

Por um ano o que faltou nesse planejamento foi o *imprimatur* de Mao. Ele dera suas bênçãos ao rumo geral nas conversas com Nixon, mas ostensivamente se recusara a discutir fosse estratégia, fosse tática, provavelmente porque o que viera a ser o Comunicado de Xangai continuava sem acordo.

Mao preencheu essa lacuna em duas extensas conversas comigo: a primeira, tarde da noite em 17 de fevereiro de 1973, durou das 23h30 à 1h20. A segunda ocorreu em 12 de novembro de 1973 e durou das 17h40 às 20h25. O contexto das conversas explica seu escopo. A primeira teve lugar menos de um mês depois que Le Duc Tho — o principal negociador norte-vietnamita — e eu havíamos iniciado os Acordos de Paz de Paris para encerrar a Guerra do Vietnã. Isso libertou a China de qualquer necessidade posterior de demonstrar solidariedade comunista com Hanói. A segunda ocorreu após o papel decisivo norte-americano na Guerra Árabe-Israelense de 1973 e na mudança resultante de aliança árabe da União Soviética para os Estados Unidos, principalmente no Egito.

Em ambas as ocasiões, Mao endossou veementemente a relação sino-americana diante da mídia reunida. Em fevereiro, comentou que Estados Unidos e China haviam sido "dois inimigos", mas que "agora chamamos a relação entre nós de amizade".[1] Tendo proclamado a nova relação como de amizade, Mao prosseguiu de modo a lhe dar uma definição operacional. Como gostava de falar em parábolas, escolheu um assunto com que estávamos menos preocupados, possíveis operações de inteligência chinesa contra oficiais americanos visitando a China. Foi um modo indireto de proclamar uma espécie de parceria sem fazer um pedido de reciprocidade:

> Mas não vamos dizer palavras falsas ou nos envolver em trapaças. Não roubamos seus documentos. Podem deixá-los deliberadamente em qualquer lugar e nos testar. Também não recorremos a escutas nem espionamos o que os outros dizem. De nada servem esses artifícios. E algumas das maiores manobras estratégicas, elas também não têm utilidade. Eu falei para o seu correspondente, o sr. Edgar Snow. [...] Também temos nosso serviço de inteligência e é o mesmo com eles. Eles não trabalham bem [*risadas do primeiro-ministro Zhou*]. Por exemplo, não sabiam a res-

peito de Lin Biao [*risadas do primeiro-ministro Zhou*]. E também não sabiam que vocês queriam vir.[2]

A perspectiva menos plausível era de que China e Estados Unidos abandonassem a coleta de inteligência um sobre o outro. Se Estados Unidos e China de fato ingressavam em uma nova era de seu relacionamento, era importante que cada lado fosse transparente com o outro e elaborasse cálculos paralelos. Mas limitar as atividades de seus serviços de inteligência era um modo improvável de começar. Mao transmitia um oferecimento de transparência, mas também uma advertência de que estava acima de ser trapaceado — ponto que tocou também na conversa de novembro. A título de introdução, ele contou, com uma mistura de humor, desdém e segundas intenções, como aperfeiçoara sua promessa de firmar 10 mil anos de luta ideológica contra os soviéticos:

MAO: Tentaram fazer a paz por intermédio de [o líder comunista Nicolae] Ceauşescu da Romênia e tentaram nos convencer a continuar a luta no campo ideológico.

KISSINGER: Lembro que ele estava lá.

MAO/ZHOU: Isso foi há muito tempo.

ZHOU: A primeira vez que ele veio para a China. [*Dito em inglês.*]

MAO: E da segunda vez que [o primeiro-ministro soviético Aleksei] Kosygin veio pessoalmente, e isso foi em 1960. Declarei para ele que íamos entrar em guerra contra ele por 10 mil anos [*risadas*].

INTÉRPRETE: Nosso líder dizia 10 mil anos de lutas.

MAO: E dessa vez eu fiz uma concessão para Kosygin. Eu disse que o que havia dito originalmente era que a luta ia prosseguir por 10 mil anos. Como recompensa por ele ter vindo me ver em pessoa, vou cortar para mil anos [*risadas*]. E vejam só como sou generoso. Uma vez que faço uma concessão, é por mil anos.[3]

A mensagem básica era a mesma: cooperação se possível e nada de manobras táticas, pois isso não se mostraria possível de enganar esse veterano de todo tipo de conflito imaginável. Em um nível mais profundo, era também uma advertência de que, se forçada a aquiescer a contragosto, a China se tornaria um inimigo tenaz e horrível.

Quando conversava com Nixon um ano antes, Mao omitira qualquer referência substantiva a Taiwan. Agora, para retirar qualquer elemento de ameaça, Mao desvinculava explicitamente a questão de Taiwan do relacionamento sino-americano como um todo: "A questão das relações norte-americanas conosco devem ser separadas de nossas relações com Taiwan." Os Estados Unidos, sugeria Mao, deveriam "romper relações diplomáticas com Taiwan" como o Japão o fizera (embora mantendo laços sociais e econômicos não oficiais); "então é possível que nossos dois países resolvam a questão das relações diplomáticas". Mas, quanto à questão das relações de Pequim com Taiwan, Mao advertia: "Isso é muito complexo. Não acredito numa transição pacífica." Mao então se voltou para o ministro das Relações Exteriores, Ji Pengfei, e perguntou: "E o senhor, acredita?" Após conversar com os outros chineses no recinto, Mao declarou seu ponto principal — de que não havia pressões de nenhum tipo:

> MAO: São um bando de contrarrevolucionários. Como poderiam cooperar conosco? Digo que podemos nos virar sem Taiwan por ora, e deixar passar mais cem anos. Não devem cuidar dos problemas deste mundo tão rapidamente. Por que é necessário ter tanta pressa? Não passa de uma ilha com uma população de uma dezena de milhões ou um pouco mais.
>
> ZHOU: São 16 milhões atualmente.
>
> MAO: Quanto a suas relações conosco, acho que não precisam levar cem anos.
>
> KISSINGER: Eu não contaria com isso. Acho que devem acontecer bem antes.
>
> MAO: Mas isso cabe a vocês decidir. Não vamos apressá-los. Se sentirem necessidade, podem fazê-lo. Se acharem que não pode ser feito agora, então podem postergar para mais tarde.
>
> [...]
>
> KISSINGER: Não é questão de necessidade; é uma questão de possibilidades práticas.
>
> MAO: Dá na mesma [*risadas*].[4]

No típico estilo paradoxal de Mao, havia ali dois pontos principais de igual importância: primeiro, que Pequim não iria se privar da opção de usar a força contra Taiwan — e de fato esperava ter de usar a força algum dia; mas em segundo, ao menos por ora, Mao adiava esse dia, na verdade falava de estar disposto a esperar cem anos. A provocação se destinava a limpar o caminho para o tema principal, que era uma aplicação militante da teoria da contenção de George Kennan no sentido de que o sistema soviético, se impedido de se expandir, entraria em colapso como resultado de suas tensões internas.[5] Mas, embora Kennan aplicasse seus princípios primordialmente à condução da diplomacia e da política doméstica, Mao defendia um confronto direto dentro do leque de pressões disponíveis.

A União Soviética, disse-me o líder chinês, representava uma ameaça global que precisava enfrentar resistência global. Independentemente do que qualquer outra nação pudesse fazer, a China resistiria a um ataque, mesmo se suas forças tivessem de se retirar para o interior do país e lutar uma guerra de guerrilha. Mas a cooperação com os Estados Unidos e outros países de pensamento semelhante aceleraria a vitória na luta cujo desfecho era predeterminado pela fraqueza de longo prazo da União Soviética. A China não pediria ajuda nem condicionaria sua cooperação à cooperação de outros. Mas o país estava preparado para adotar estratégias paralelas, sobretudo nos Estados Unidos. O vínculo seriam as convicções comuns, não as obrigações formais. Uma política de contenção global determinada dos soviéticos, argumentava Mao, estava fadada a triunfar, pois as ambições soviéticas estavam além de suas capacidades:

MAO: Eles têm de lidar com adversários demais. Eles têm de lidar com o Pacífico. Eles têm de lidar com o Japão. Eles têm de lidar com a China. Eles têm de lidar com o sul da Ásia, que consiste de inúmeros países. E contam só com um milhão de tropas ali — não é suficiente nem para defender eles mesmos, muito menos para forças de ataque. Mas eles não podem atacar a menos que você os deixe entrar primeiro, e primeiro lhes dê o Oriente Médio e a Europa, de modo que consigam mobilizar tropas no leste. E isso necessitaria mais de um milhão de tropas.

KISSINGER: Isso não vai acontecer. Concordo com o senhor que se Europa, Japão e Estados Unidos se unirem — e estamos fazendo no Oriente Médio o que o senhor discutiu comigo da última vez —, então o perigo de um ataque sobre a China será muito baixo.

MAO: Também estamos limitando uma parte das tropas deles, o que é favorável para vocês na Europa e no Oriente Médio. Por exemplo, eles têm tropas estacionadas na Mongólia Exterior, e isso só aconteceu no período de Khrushchev. Nessa época eles ainda não tinham tropas estacionadas na Mongólia Exterior, porque o incidente da ilha de Zhenbao ocorreu depois de Khrushchev. Ocorreu na época de Brezhnev.

KISSINGER: Isso foi em 1969. É por isso que é importante que a Europa Ocidental, a China e os Estados Unidos busquem um curso coordenado nesse período.

MAO: Sim.[6]

A cooperação que Mao encorajava não estava limitada a questões asiáticas. Sem vestígio de ironia, Mao encorajou o envolvimento militar norte-americano no Oriente Médio para conter os soviéticos — exatamente o tipo de "agressão imperialista" que a propaganda chinesa tradicionalmente alardeava. Pouco depois da Guerra Árabe-Israelense de 1973, e seguindo-se à visita de Saddam Hussein a Moscou, o Iraque atraiu a atenção de Mao e foi apresentado como parte de sua estratégia global:

MAO: E agora há um assunto crucial, que é a questão do Iraque, Bagdá. Não sabemos se é possível para vocês fazerem alguma coisa nessa área. Quanto a nós, as possibilidades não são muito grandes.

ZHOU: É relativamente difícil fazer isso. É possível estabelecer contato com eles, mas leva algum tempo para que eles mudem sua orientação. É possível que mudem sua orientação depois que eles houverem sofrido com eles.[7]

Zhou estava sugerindo que era necessária uma política coordenada para tornar a dependência iraquiana da União Soviética tão custosa que isso iria mudar sua orientação — assim como o Egito estava fazendo. (Poderia ter sido também um comentário tortuoso sobre como os aliados acabariam se cansando do tratamento abusivo dado por Moscou, como fora o caso da China.) Desse modo, Mao reviu as forças e fraquezas de vários Estados no Oriente Médio, quase país a país. Ele enfatizou a importância de Turquia,

Irã e Paquistão como barreiras para a expansão soviética. Além do Iraque, estava desconfortável com o Iêmen do Sul.[8] Ele insistiu com os Estados Unidos para que ampliassem sua força no oceano Índico. Era a quintessência de um combatente da Guerra Fria; os conservadores americanos o teriam aprovado.

O Japão seria um componente central da estratégia coordenada de Mao. Na reunião secreta de 1971, os líderes chineses ainda professavam considerável desconfiança acerca de um conluio entre Estados Unidos e Japão. Zhou nos advertiu a ter cuidado com o Japão; a amizade existente, disse, iria malograr assim que a recuperação econômica pusesse o Japão em condições de nos desafiar. Em outubro de 1971 ele frisou que "as penas das asas [do Japão] cresceram e ele está prestes a alçar voo".[9] Respondi, e Nixon reiterou durante sua visita, que o Japão seria muito mais problemático se isolado do que enquanto parte de uma ordem internacional, incluindo uma aliança com os Estados Unidos. Na época de nossas conversas em novembro de 1973, Mao aceitara esse ponto de vista. Agora ele insistia comigo que prestasse *mais* atenção no Japão e passasse mais tempo cultivando os líderes chineses:

MAO: Vamos discutir algo sobre o Japão. Dessa vez o senhor está indo ao Japão para passar um pouco mais de dias por lá.

KISSINGER: O presidente Mao sempre me repreende sobre o Japão. Estou levando o presidente muito a sério, e dessa vez vou ficar dois dias e meio. E ele está coberto de razão. É muito importante que o Japão não se sinta isolado e deixado sozinho. E não devemos fornecer a eles muitas tentações de realizar manobras estratégicas.

MAO: É só não empurrá-los para o lado soviético.[10]

Como seria implementada a coordenação entre os Estados Unidos e a China? Mao sugeria que ambos os lados desenvolvessem um conceito claro de interesse e cooperação nacional a partir de suas próprias necessidades:

MAO: Também dizemos na mesma situação [*gesticulando com a mão*] que foi isso que seu presidente disse quando estava sentado aqui, que cada lado tinha seus próprios meios e agisse segundo a própria necessidade. O resultado disso foram os dois países agindo de mãos dadas.

KISSINGER: Sim, ambos enfrentamos o mesmo perigo. Talvez tenhamos de usar métodos diferentes às vezes, mas com os mesmos objetivos.

MAO: Isso seria bom. Contanto que os objetivos sejam os mesmos, não faríamos mal a vocês, e vocês não fariam mal a nós. E podemos trabalhar juntos para lidar unidos contra um filho da mãe. [*Risadas*] Na verdade, acontece que às vezes queremos criticar vocês e vocês querem nos criticar. Dizem: fora com os comunistas. Nós dizemos: fora com vocês, imperialistas. Às vezes dizemos coisas assim. De nada adiantaria não fazer isso.[11]

Em outras palavras, cada lado podia se armar com quaisquer slogans ideológicos que preenchessem suas necessidades domésticas, contanto que isso não interferisse na necessidade de cooperação contra o perigo soviético. A ideologia seria relegada à instância doméstica; deveria ficar de fora da política externa. O armistício ideológico era, sem dúvida, válido apenas na medida em que os objetivos permanecessem compatíveis.

Na execução da política, Mao podia ser pragmático; na concepção dela, sempre lutava por alguns princípios prioritários. Mao não fora o líder de um movimento ideológico por meio século para se voltar de repente ao puro pragmatismo. A teoria da contenção de Kennan aplicava-se primordialmente às relações europeias e atlânticas; Mao era global. No conceito de Mao, países ameaçados pelo expansionismo soviético "deveriam traçar uma linha horizontal — a EUA–Japão–Paquistão–Irã [...] Turquia e Europa".[12] (Foi por isso que o Iraque apareceu no diálogo anterior.) Mao apresentou esse conceito para mim em fevereiro de 1973, explicando como esse agrupamento deveria conduzir a luta com a União Soviética. Mais tarde, ele o esmiuçou junto ao ministro de Relações Exteriores japonês em termos de um "grande terreno" composto de países ao longo da linha de frente.[13]

Concordamos com a substância da análise. Mas as diferenças entre os sistemas domésticos chinês e americano que isso buscava contornar reemergiram devido a questões de implementação. Como aconteceria de dois sistemas políticos diferentes empreenderem a mesma política? Para Mao, concepção e execução eram a mesma coisa. Para os Estados Unidos, a dificuldade residia em construir um consenso de apoio entre nosso público e entre nossos aliados em uma época em que o escândalo de Watergate ameaçava a autoridade do presidente.

A estratégia de manter uma linha horizontal contra a União Soviética refletia a desapaixonada análise chinesa em relação à situação internacional. A necessidade estratégica disso seria sua própria justificativa. Mas suscitava as ambiguidades inerentes de uma política baseada largamente no interesse nacional. Dependia da capacidade de todos os lados sustentar cálculos comparáveis caso a caso. Uma coalizão de Estados Unidos, China, Japão e Europa estava fadada a triunfar sobre a União Soviética. Mas e se alguns parceiros calculassem diferente — sobretudo na ausência de obrigações formais? E se, como temiam os chineses, alguns parceiros concluíssem que o melhor meio de criar um equilíbrio era que Estados Unidos, Europa ou Japão, em vez de confrontar a União Soviética, buscassem a conciliação? E se um dos componentes da relação triangular percebesse uma oportunidade de alterar a natureza do triângulo, mais do que de estabilizá-lo? O que, em resumo, podiam fazer outros países se aplicassem o princípio chinês de distanciamento e autonomia a si mesmos? Assim o momento de maior cooperação entre China e Estados Unidos também levou a discussões entre seus líderes sobre como os vários elementos da quase-aliança podiam ser uma tentação para que deles se tirasse proveito para seus próprios fins. O conceito de autonomia chinês tinha a consequência paradoxal de tornar difícil para os líderes chineses acreditar na boa vontade de seus parceiros de correr os mesmos riscos que eles.

Na aplicação de seu conceito de linha horizontal, Mao, o especialista em contradições, confrontou uma inevitável série delas. Uma era que o conceito era difícil de conciliar com a ideia chinesa de autonomia. A cooperação dependia de um amálgama de análises independentes. Se todas coincidissem com a da China, não haveria problema. Mas, no caso de discordância entre as partes, as desconfianças chinesas se tornariam sui generis e chegariam a um ponto difícil de superar.

O conceito da linha horizontal implicava uma versão robusta do conceito ocidental de segurança coletiva. Mas, na prática, a segurança coletiva opera mais facilmente pelo mínimo denominador comum do que com base nas convicções do país dono do projeto geopolítico mais elaborado. Essa certamente tem sido a experiência dos Estados Unidos nas alianças que o país buscou liderar.

Tais dificuldades, inerentes a qualquer sistema de segurança global, eram ampliadas para Mao, pois a abertura para os Estados Unidos não teve o impacto nas relações americano-soviéticas que ele originalmente calculara. A virada de Mao na direção dos Estados Unidos estava baseada na crença de que as diferenças americano-soviéticas iriam, no fim, impedir qualquer concessão substantivo entre as duas superpotências nucleares. Era, em certo sentido, uma aplicação das estratégias de "frente unida" comunistas das décadas de 1930 e 1940, como expressado no slogan promulgado após a visita de Nixon: "utilizando as contradições e derrotando os inimigos um por um". Mao presumira que a abertura americana para a China multiplicaria as suspeitas soviéticas e agravaria as tensões entre Estados Unidos e União Soviética. A primeira aconteceu; a última, não. Após a abertura para a China, Moscou começou a competir pelas boas graças de Washington. Os contatos entre as superpotências nucleares se multiplicaram. Embora os Estados Unidos claramente sinalizassem que consideravam a China um componente essencial da ordem internacional e que iriam lhe dar seu apoio se fosse ameaçada, o mero fato de que os Estados Unidos tinham uma opção separada e mais estratégica ia contra os velhos instintos revolucionários.

O problema com o conceito da linha horizontal, como Mao começou a examiná-lo, era que, se cálculos de poder determinavam toda conduta, a fraqueza militar relativa da China iria torná-la de algum modo dependente do apoio americano, pelo menos temporariamente.

É por isso que, em cada estágio do diálogo sobre cooperação, Mao e outros líderes chineses insistiam numa afirmação pensada para preservar a liberdade de manobra e a dignidade chinesa: que eles não precisavam de proteção e que a China era capaz de lidar com todas as crises de um futuro próximo, sozinha, se necessário. Eles usavam a retórica da segurança coletiva, mas se reservavam o direito de prescrever seu conteúdo.

Em cada uma das conversas com Mao em 1973, ele fez questão de transmitir a ideia de impenetrabilidade chinesa contra qualquer forma de pressão, até mesmo, e talvez principalmente, de ameaça nuclear. Se uma guerra nuclear matasse todos os chineses acima da idade de 30 anos, disse ele em fevereiro, talvez se provasse um benefício para o país a longo prazo, ao ajudar na unificação linguística: "Se a União Soviética jogasse suas bombas e matasse todo mundo com mais de 30 que fosse chinês, isso resolveria o problema [da complexidade dos inúmeros dialetos chineses] para nós. Porque gente velha como eu não consegue aprender chinês [mandarim]."[14]

Quando Mao descreveu em detalhes o modo como poderia se embrenhar no interior do país para atrair o agressor na armadilha de se ver engolido por uma população hostil, eu perguntei: "Mas e se usarem bombas e não mandarem exércitos?" A isso Mao replicou: "O que devemos fazer? Talvez vocês possam organizar uma comissão para examinar o problema. Vamos deixar que nos derrotem e eles vão perder todos os recursos."[15] A insinuação de que os americanos estavam propensos a empreender um estudo enquanto os chineses agiam explica por que Mao, mesmo enquanto defendia sua teoria da linha horizontal, inevitavelmente incluía detalhes dramáticos sobre como a China estaria preparada para aguentar sozinha caso a quase-aliança malograsse. Mao e Zhou (e mais tarde Deng) enfatizaram que a China estava "cavando túneis" e equipada para sobreviver por décadas de "fuzis e painço", somente. De certo modo, a bravata era provavelmente calculada para mascarar a vulnerabilidade chinesa — mas refletia também uma análise séria sobre como iria confrontar o pesadelo existencial de uma guerra global.

As repetidas declarações de Mao sobre a capacidade chinesa de sobreviver a uma guerra nuclear, às vezes ditas com jovial humor — simplesmente porque havia chineses demais, para matar mesmo com armas nucleares —, eram tratadas como sinal de desequilíbrio por alguns observadores ocidentais e, em certo sentido, enfraquecia a determinação do Ocidente, pois mexia com o medo de uma guerra nuclear.

O que realmente preocupava Mao, contudo, era enfrentar as implicações da doutrina em que Estados Unidos e o mundo ocidental baseavam seu conceito de segurança. A teoria dominante da deterrência por Destruição Mútua Assegurada dependia da capacidade de infligir uma determinada porcentagem de devastação total. O adversário presumivelmente tinha capacidade comparável. Como uma ameaça de suicídio global podia ser impedida de virar um blefe? Mao interpretava a dependência norte-americana da Destruição Mútua Assegurada como um reflexo da falta de confiança em suas outras forças armadas. Isso foi tema de um diálogo em 1975, em que Mao penetrou no cerne de nosso dilema da Guerra Fria: "Vocês confiam, vocês acreditam nas armas nucleares. Vocês não confiam em seus próprios exércitos."[16]

E quanto à China, exposta a ameaça nuclear sem ter, por algum tempo, meios adequados de retaliação? A resposta de Mao era de que isso criaria uma narrativa baseada na performance histórica e paciência bíblica. Nenhuma outra sociedade podia imaginar que ela seria capaz de conquistar uma política de segurança digna de crédito mediante uma disposição a prevalecer após a morte de centenas de milhões e a devastação ou ocupação da maioria de suas cidades. Só essa disparidade de ponto de vista já definia a brecha existente entre os conceitos ocidental e chinês de segurança. A história chinesa era um testemunho da capacidade de superar destruições inconcebíveis em qualquer outro lugar e, no fim, prevalecer pela imposição de sua cultura ou sua vastidão sobre o pretenso conquistador. Essa fé no próprio povo e na própria cultura era o lado reverso das reflexões por vezes misantrópicas de sua performance cotidiana. Não era apenas o fato de haver tantos chineses; era também a tenacidade de sua cultura e a coesão de seus relacionamentos.

Mas os líderes ocidentais, mais sintonizados e responsáveis para com suas populações, não estavam preparados para ofertá-las de uma maneira tão categórica (embora o fizessem indiretamente, mediante sua doutrina estratégica). Para eles, a guerra nuclear tinha de ser um último recurso demonstrado, não um procedimento operacional padrão.

A independência quase obsessiva dos chineses nem sempre foi plenamente compreendida pelo lado americano. Acostumados a fortalecer nossos laços europeus por meio de um ritual de tranquilização, nem sempre avaliamos corretamente o impacto de declarações comparáveis dos líderes chineses. Quando o coronel Alexander Haig, chefiando a equipe destacada para a viagem de Nixon, encontrou-se com Zhou em janeiro de 1972, usou fraseologia-padrão da Otan ao declarar que o governo Nixon iria resistir aos esforços soviéticos de cercar a China. A reação de Mao foi enfática: "Cercar a China? Preciso que eles venham em meu socorro, como pode ser isso? [...] Estão preocupados comigo? Isso é como 'o gato chorando por causa do rato morto'!"[17]

No fim de minha visita em novembro de 1973, sugeri a Zhou uma linha direta entre Washington e Pequim como parte de um acordo para reduzir os riscos de guerra acidental. Meu propósito era dar conta das desconfianças chinesas de que as negociações de controle de armamentos eram parte de um plano conjunto dos Estados Unidos e da União Soviética para isolar a China, dando à China uma oportunidade de participar do processo. Mao encarou diferente: "Alguém quer nos proteger com seu guarda-chuva", disse. "Não queremos isso, um guarda-chuva nuclear."[18]

A China não partilhava de nossa visão estratégica das armas nucleares, muito menos de nossa doutrina de segurança coletiva; ela estava aplicando a máxima de "usar bárbaros contra bárbaros" a fim de obter uma periferia dividida. O pesadelo histórico chinês havia sido de que os bárbaros se recusariam a ser "usados" dessa forma, se uniriam e então usariam a força superior para ou conquistar a China completamente ou dividi-la em feudos separados. Da perspectiva chinesa, esse pesadelo nunca desapareceu totalmente, travada como a China estava em uma relação antagônica com União Soviética e Índia e não sem suas próprias suspeitas quanto aos Estados Unidos.

Havia uma diferença na abordagem à União Soviética. A China favorecia uma postura de confronto inflexível. Os Estados Unidos eram igualmente inflexíveis em resistir a ameaças contra o equilíbrio internacional. Mas insistíamos em manter em aberto a possibilidade de relações melhoradas em outras questões. A abertura com a China sacudiu Moscou; esse foi um dos motivos para efetuá-la. Na verdade, durante os meses de preparação para a viagem secreta, estávamos simultaneamente explorando um encontro entre Nixon e Brezhnev. Que a reunião de cúpula em Pequim ocorresse antes foi devido em grande parte à tentativa soviética de vincular a visita a Moscou a determinadas condições, tática rapidamente abandonada assim que a visita de Nixon a Pequim foi anunciada. Os chineses notaram, é claro, que estávamos mais perto de Moscou e de Pequim que eles um do outro. Isso ocasionou cáusticos comentários sobre détente por parte dos líderes chineses.

Mesmo no auge das relações sino-soviéticas, Mao e Zhou ocasionalmente expressariam sua preocupação sobre como os Estados Unidos poderiam implementar sua flexibilidade estratégica. Seria intenção dos Estados

Unidos "alcançar a União Soviética apoiando-se nos ombros dos chineses"?[19] Seria o compromisso norte-americano com uma "anti-hegemonia" um ardil, e, assim que a China baixasse a guarda, Washington e Moscou iriam conspirar pela destruição de Pequim? O Ocidente estaria iludindo a China, ou o Ocidente iludia a si mesmo? Em todo caso, a consequência prática podia ser lançar as "águas insalubres da União Soviética" para leste, na direção da China. Esse foi o tema de Zhou em fevereiro de 1973:

> ZHOU: Talvez eles [os europeus] queiram jogar as águas insalubres da União Soviética em outra direção — leste.
>
> KISSINGER: Um ataque da União Soviética a leste ou oeste é igualmente perigoso para os Estados Unidos. Os Estados Unidos não veem vantagem se a União Soviética ataca do leste. Na verdade, se a União Soviética ataca, é mais conveniente se atacar do oeste, porque temos mais apoio público para resistir.
>
> ZHOU: Certo, logo, acreditamos que a aspiração da Europa Ocidental de forçar a União Soviética para o leste é também uma ilusão.[20]

Mao, sempre levando uma ideia a sua conclusão mais extrema, às vezes atribuía aos Estados Unidos uma estratégia dialética como ele a teria praticado. Argumentava que a América talvez pensasse em resolver o problema do comunismo de uma vez por todas aplicando a lição aprendida no Vietnã: que o envolvimento em guerras locais arrasta a grande potência participante. Nessa interpretação, a teoria da linha horizontal ou o conceito ocidental de segurança coletiva talvez se transformasse em uma armadilha para a China:

> MAO: Só porque vocês ficaram atolados no Vietnã e encontraram tantas dificuldades, vocês acham que eles [os soviéticos] iam se sentir bem se ficassem atolados na China?
>
> KISSINGER: A União Soviética?
>
> NANCY TANG: A União Soviética.
>
> MAO: E então vocês podem deixar que se atolem na China, por meio ano, ou um, ou dois, ou três, ou quatro anos. E depois podem cutucar as costas da União Soviética. E seu slogan então será pela paz, de que

precisam derrotar o imperialismo socialista em nome da paz. E talvez comecem a ajudá-los a realizar negócios, dizendo que tudo que vocês precisarem, nós vamos ajudar, contra a China.

KISSINGER: Senhor presidente, é realmente muito importante que compreendamos as motivações um do outro. Nunca iremos cooperar conscientemente com um ataque contra a China.

MAO: [*Interrompendo*] Não, não é isso. Seu objetivo em fazer isso seria derrubar a União Soviética.[21]

Mao tinha razão. Isso era uma estratégia teoricamente exequível para os Estados Unidos. Tudo que lhe faltava era um líder para concebê-la ou um público para apoiá-la. Sua manipulação abstrata não estava ao alcance dos Estados Unidos, nem era desejável; a política externa americana nunca é baseada apenas na política do poder. O governo Nixon era sério quanto à importância que atribuía à segurança chinesa. Na prática, os Estados Unidos e a China trocavam grande dose de informação e cooperavam em muitos campos. Mas Washington não podia abdicar do direito de determinar as táticas de como alcançar sua segurança para outro país, por mais importante que fosse.

O impacto de Watergate

A certa altura, quando os pensamentos estratégicos americano e chinês lutavam por um ponto de congruência, a crise de Watergate ameaçou tirar dos trilhos o progresso da relação enfraquecendo a capacidade americana de gerenciar o desafio político. A ruína do presidente que concebera a abertura para a China era incompreensível em Pequim. A renúncia de Nixon, em 8 de agosto de 1974, e a subida à presidência do vice Gerald Ford levaram a um colapso do apoio no Congresso para uma política externa ativista nas subsequentes eleições legislativas de novembro de 1974. O orçamento militar tornou-se assunto controverso. Embargos foram aplicados contra um aliado-chave (a Turquia); uma investigação pública da comunidade de inteligência foi empreendida por dois comitês parlamentares (o Comitê Church no Senado e o Comitê Pike na Câmara), levando a uma sangria de informações sigilosas dos serviços de inteligência. A capacidade americana de impedir aventuras soviéticas no mundo em desenvolvimento ficou reduzida com a aprovação da War Powers Act (Resolução sobre Poderes de Guerra). Os Estados Unidos estavam escorregando para uma situação de paralisia doméstica — com um presidente não eleito enfrentando um Congresso hostil —, abrindo a oportunidade para os soviéticos que alguns líderes chineses estavam tentados a crer que fora nosso objetivo desde o início. No começo de 1975, a ação do Congresso que impediu um esforço conjunto de Estados Unidos e China para estabelecer um governo de coalizão no Camboja foi interpretada por Pequim como fraqueza diante do cerco soviético da China.[22] Nesse clima, sob o ponto de vista chinês, a política de détente ameaçava transformar-se no que Mao chamava de boxe contra a sombra, criando a ilusão, não a realidade, de progresso diplomático. Os líderes chineses advertiram os americanos (e muitos outros líderes ocidentais) sobre os perigos de apaziguamento. A Conferência de Helsinque sobre Segurança e Cooperação foi um candidato especial para a crítica chinesa no sentido de que criava a ilusão de estabilidade e paz.[23]

A base para a quase-aliança fora a convicção chinesa de que a contribuição norte-americana para a segurança global era indispensável. Pequim entrara na relação vendo Washington como um baluarte contra o expansionismo soviético. Agora Mao e Zhou começavam a insinuar que o que parecia fraqueza em Washington era na realidade um jogo mais profundo — tentar pôr soviéticos e chineses uns contra os outros numa guerra destinada a destruir ambos. Cada vez mais, contudo, os chineses acusavam os Estados Unidos de algo pior que traição: incompetência. Era nesse pé que estavam as coisas quando, no fim de 1973, a agonia doméstica chinesa começou se comparar com a nossa.

CAPÍTULO 11

O fim da era Mao

EM TODOS OS ESTÁGIOS da revolução diplomática chinesa, Mao ficou dividido entre o pragmatismo sinocêntrico e o fervor revolucionário. Ele fez as escolhas necessárias e optou por um pragmatismo calculado, embora nunca de boa vontade. Quando me encontrei pela primeira vez com Mao, em 1972, ele já estava doente e falando — com alguma ironia, para um ateu declarado — em ter recebido um "convite de Deus". Havia destruído ou radicalizado a maioria das instituições do país, incluindo até o Partido Comunista, governando cada vez mais à força de magnetismo pessoal e manipulação de facções opostas. Agora que seu governo se aproximava do fim, o controle do poder de Mao — e sua capacidade de manipular — começava a escapar. A crise envolvendo Lin Biao destruíra o sucessor apontado por Mao. Agora o líder não tinha nenhum herdeiro aceito, e não havia plano algum para uma China pós-Mao.

A crise da sucessão

Em vez de escolher um novo sucessor, Mao tentou institucionalizar a própria ambivalência. Ele legou à China uma série extraordinariamente complexa de rivalidades políticas ao promover funcionários de ambos os lados de sua visão acerca do destino da China. Com tortuosidade característica, promoveu as duas facções e então jogou uma contra a outra — tudo isso enquanto fomentava "contradições" dentro de cada facção (como entre Zhou e Deng) para se assegurar de que ninguém se tornaria dominante o bastante para emergir com autoridade que se aproximasse da sua. De um lado havia uma facção de administradores práticos liderados por Zhou e subsequentemente Deng; de outro havia os puristas ideológicos em torno de Jiang Qing e seu grupo de radicais baseados em Xangai (a quem Mao posteriormente aplicaria o rótulo derrisório de "a Gangue dos Quatro"). Eles insistiam numa aplicação literal do Pensamento de Mao Zedong. Entre eles estava Hua Guofeng, o sucessor imediato de Mao — a quem caberia a missão colossal (e, como se veria, impossível) de administrar as "contradições" que Mao acalentara (e de cuja breve carreira se tratará no próximo capítulo).

As duas principais facções se envolveram em numerosas disputas sobre cultura, política, política econômica e as prerrogativas do poder — em resumo, sobre como governar o país. Mas um subtexto fundamental dizia respeito às questões filosóficas que haviam ocupado as melhores mentes chinesas nos séculos XIX e XX: como definir o relacionamento da China com o mundo externo e o que aprender, se é que havia alguma coisa, com os estrangeiros.

A Gangue dos Quatro defendia que o país se voltasse para dentro. Eles buscavam purificar a cultura e a política chinesas de influências suspeitas (incluindo qualquer coisa reputada como "revisionista", burguesa, tradicional, capitalista ou potencialmente contra o Partido), para dar um novo vigor à ética da luta revolucionária e do igualitarismo radical na China e reorientar a vida social em torno da adoração essencialmente religiosa de Mao Zedong. A esposa de Mao, Jiang Qing, uma ex-atriz, supervisionou a reforma e radicalização da tradicional ópera de Pequim e o desenvolvimento dos balés revolucionários — incluindo *O Destacamento Vermelho de Mulheres*, exibido para o presidente Nixon em 1972, para estupefação geral da delegação americana.

Após a queda em desgraça de Lin, Jiang Qing e a Gangue dos Quatro sobreviveram. Ideólogos sob sua influência dominaram grande parte da imprensa, das universidades e da esfera cultural na China e usaram sua influência para difamar Zhou, Deng e a suposta tendência chinesa na direção do "revisionismo". A conduta deles durante a Revolução Cultural lhes granjeara entretanto inúmeros inimigos poderosos, e eles constituíam candidatos improváveis à sucessão. Sem ligação com o establishment militar dos veteranos da Longa Marcha, eram aspirantes com poucas chances a uma posição de dominação: uma atriz e produtora teatral buscando cargos que pouquíssimas mulheres haviam conquistado em toda a história chinesa (Jiang Qing); um jornalista e teórico político (Zhang Chunqiao); um crítico literário de esquerda (Yao Wenyuan); e um ex-guarda de segurança, saído da obscuridade após agitações contra seus gerentes de fábrica e sem possuir nenhuma base própria de sustentação (Wang Hongwen).[1]

A Gangue dos Quatro se opunha a uma facção de relativos pragmáticos associados a Zhou Enlai e, cada vez mais, Deng Xiaoping. Embora o próprio Zhou fosse um comunista dedicado com décadas de serviços devotados a Mao, para muitos chineses ele passara a representar ordem e moderação. Tanto para seus críticos como seus admiradores, Zhou era um símbolo da longa tradição chinesa de funcionários-cavalheiros mandarins — polido, altamente instruído, contido em seus hábitos pessoais e, dentro do panorama do comunismo chinês, em suas preferências políticas.

Deng era dono de um estilo pessoal mais direto e menos refinado do que Zhou; suas conversas eram pontuadas de interrupções para que cuspisse ruidosamente numa escarradeira, suscitando ocasionais momentos incongruentes. Contudo ele partilhava, e ia além, da visão de Zhou de uma China que equilibrava seus princípios revolucionários com ordem e uma busca pela prosperidade. No fim ele acabaria por resolver a ambivalência de Mao entre ideologia radical e uma abordagem da reforma em bases mais estratégicas. Nenhum dos dois acreditava nos princípios ocidentais de democracia. Ambos haviam sido participantes acríticos nas primeiras ondas revoltosas de Mao. Mas, ao contrário de Mao e da Gangue dos Quatro, Zhou e Deng relutavam em apostar o futuro da China na revolução contínua.

Acusados por seus críticos de "vender" a China aos estrangeiros, ambas as facções de reformadores dos séculos XIX e XX buscaram usar a tecnologia e as inovações econômicas ocidentais para escorar a força chinesa ao mesmo tempo em que preservavam a essência da China.[2] Zhou se identificava estreitamente com a aproximação sino-americana e com a tentativa de devolver os assuntos domésticos chineses a um padrão de maior normalidade, na sequência da Revolução Cultural, posições contra as quais a Gangue dos Quatro se opunha como uma traição de princípios revolucionários. Deng e outros funcionários que pensavam como ele, tais como Hu Yaobang e Zhao Ziyang, ligavam-se ao pragmatismo econômico, que a Gangue dos Quatro atacava como uma reintrodução de aspectos do sistema capitalista.

Com a crescente fragilidade física de Mao, a liderança chinesa ficou paralisada numa luta de poder e num debate quanto ao destino da China, afetando profundamente as relações sino-americanas. Quando os radicais chineses conquistaram relativo poder, a relação entre Estados Unidos e China esfriou; quando a liberdade de ação americana foi limitada pelos conflitos internos, isso fortaleceu os argumentos dos radicais de que a China estava necessariamente comprometendo sua pureza ideológica ao vincular sua política externa a um país que estava ele mesmo rachado por disputas domésticas e que era incapaz de prestar auxílio à segurança da China. Até o fim, Mao tentou administrar a contradição de preservar seu legado de revolução contínua ao mesmo tempo em que salvaguardava a aproximação estratégica com os Estados Unidos, que ele continuava a considerar importante para a segurança da China. Ele dava a impressão de que simpatizava com os radicais mesmo enquanto o interesse nacional o impelia a apoiar o novo relacionamento com a América, que, por sua vez, frustrava suas próprias divisões domésticas.

Mao, em seu auge, talvez pudesse ter superado os conflitos internos, mas na idade avançada, ele estava cada vez mais dividido pelas complexidades que havia criado. Zhou, cuja lealdade a Mao durava quarenta anos, tornou-se uma vítima de sua ambiguidade.

A queda de Zhou Enlai

A sobrevivência política do segundo homem numa autocracia é inerentemente difícil. Exige ficar perto o bastante do líder para não permitir nenhum espaço para um competidor, mas não perto demais de modo a que o líder se sinta ameaçado. Nenhum dos números dois de Mao conseguira realizar esse número de malabarismo: Liu Shaoqi, que servira como número dois com o título de presidente de 1959 a 1967 e foi feito prisioneiro durante a Revolução Cultural, e Lin Biao haviam ambos sido destruídos politicamente e perdido a vida no processo.

Zhou havia sido nosso principal interlocutor em todos os encontros. Percebemos, na visita de novembro de 1973, que estava um pouco mais hesitante do que o normal e até mais respeitoso com Mao do que de costume. Mas isso foi compensado por uma conversa de quase três horas com Mao, a mais abrangente revisão de estratégia de política externa que já tivéramos. Ela terminou com Mao me escoltando para a antessala e com um release oficial anunciando que o líder e eu tivéramos "uma conversa de amplo alcance numa atmosfera cordial".

Com a aparente sanção de Mao, todas as negociações terminaram de forma rápida e favorável. O comunicado final estendeu a oposição conjunta à hegemonia da "região da Ásia-Pacífico" (como no Comunicado de Xangai de 1972) ao plano global. Ele afirmava a necessidade de aprofundar as consultas entre os dois países em "níveis de autoridades" ainda maiores. O diálogo e o comércio deveriam aumentar. O escopo dos escritórios de ligação deveria ser expandido. Zhou disse que iria chamar de volta o chefe do escritório de ligação chinês em Washington para instruí-lo quanto à natureza do diálogo intensificado.

Historiadores chineses contemporâneos apontam que as críticas da Gangue dos Quatro contra Zhou estavam chegando a um ponto crítico nessa época. Sabíamos pela mídia que uma campanha anticonfucionista tinha lugar, mas não cogitamos que isso tivesse qualquer relevância imediata para a política externa ou assuntos de liderança chinesa. Em suas relações com os americanos, Zhou continuava a exibir uma autoconfiança inabalável. Em apenas uma ocasião sua serenidade o deixou. Em um banquete no Grande Salão do Povo, em novembro de 1973, numa conversa geral, fiz a observação de que a China me parecia ter permanecido essencialmente confucionista em sua crença numa verdade única, universal, largamente aplicável como padrão de conduta individual e coesão social. O que o comunismo havia feito, sugeri, foi estabelecer o marxismo como conteúdo dessa verdade.

Não sei dizer que bicho me mordeu para fazer uma afirmação dessas, que, por mais precisa que fosse, sem dúvida não levava em consideração os ataques de Mao contra confucionistas que supostamente estariam obstruindo suas políticas. Zhou explodiu, foi a única vez que o vi perder as estribeiras. O confucionismo, disse, era uma doutrina de opressão de classe, ao passo que o comunismo representava uma filosofia de libertação.

Com insistência pouco característica, manteve a discussão, sem dúvida, até certo ponto, para ter um registro com Nancy Tang, a intérprete que era próxima de Jiang Qing, e Wang Hairong, a sobrinha-neta de Mao, que estava sempre na comitiva de Zhou.

Pouco depois, descobrimos que Zhou sofria de câncer e que não iria mais participar da condução diária dos assuntos. Uma reviravolta dramática se seguiu. A visita à China terminara em um clímax dramático. A reunião com Mao não foi apenas o mais substantivo de todos os diálogos precedentes; seu simbolismo — a extensão, as demonstrações de cortesia, como me escoltar para a antessala, o comunicado cordial — era planejado para enfatizar seu significado. Quando eu saía, Zhou me disse que achava que o diálogo fora a coisa mais significativa desde a visita secreta:

> ZHOU: Desejamos sucesso a você e também ao presidente.
>
> KISSINGER: Obrigado e obrigado pela recepção que tivemos, como sempre.
>
> ZHOU: É o que você merece. E assim que o rumo houver sido estabelecido, como em 1971, vamos perseverar nesse rumo.
>
> KISSINGER: Nós também vamos.
>
> ZHOU: É por isso que usamos a expressão enxergar longe ao descrever sua reunião com o presidente.[3]

O diálogo proporcionado no comunicado nunca foi posto em prática. As negociações quase completadas sobre questões financeiras enfraqueceram. O chefe do escritório de ligação regressou a Pequim mas não voltou por quatro meses. O funcionário do Conselho de Segurança Nacional encarregado da China relatou que as relações bilaterais estavam "imobilizadas".[4] Em um mês, a mudança no destino de Zhou — embora não sua dimensão — se tornou visível.

Desde então veio à tona que, em dezembro de 1973, menos de um mês após os eventos descritos aqui, Mao obrigou Zhou a se submeter a "sessões de luta" diante do Politburo para justificar sua política externa, descrita como aquiescente demais por Nancy Tang e Wang Hairong, as leais seguidoras de Mao em seu grupo. No transcorrer das sessões, Deng, que fora trazido de volta do exílio como possível alternativa a Zhou, resumiu a crítica predominante do seguinte modo: "Sua posição está a apenas um passo do presidente. [...] Para outros, a presidência é algo que podem ver, mas não podem alcançar. Para você, porém, está ao alcance dos olhos e das mãos. Espero que sempre tenha isso em mente."[5] Zhou era, na verdade, acusado de ter ido longe demais.

Quando a sessão terminou, uma reunião do Politburo criticou Zhou abertamente:

> Falando de modo geral, [Zhou] esqueceu o princípio de prevenir o "direitismo" ao fazer aliança com [os Estados Unidos]. Isso principalmente porque [ele] esqueceu as instruções do presidente. [Ele] superestimou o poder do inimigo e menosprezou o poder do povo. [Ele] também fracassou em captar o princípio de combinar a linha diplomática com o apoio à revolução.[6]

No início de 1974, Zhou desapareceu da política, para todos os efeitos devido ao câncer. Mas a enfermidade não explica o esquecimento em que caiu. Nenhum funcionário chinês jamais voltou a fazer qualquer referência a ele. Em minha primeira reunião com Deng, no início de 1974, ele mencionou Mao repetidamente e ignorou todos os comentários que fiz a respeito de Zhou. Se um registro das negociações se fazia necessário, nossos colegas chineses citavam as duas conversas com Mao em 1973. Vi Zhou apenas mais uma vez, em dezembro de 1974, quando levei alguns membros de minha família para Pequim comigo numa visita oficial. Minha família foi convidada para a reunião. No que foi descrito como um hospital mas parecia mais uma Casa de Hóspedes Estatal, Zhou evitou qualquer tema político ou diplomático dizendo que seus médicos haviam proibido todo esforço. A reunião durou pouco mais de vinte minutos. Foi encenada cuidadosamente para simbolizar que o diálogo sobre as relações sino-americanas com Zhou havia chegado ao fim.

Era um fim pungente para uma carreira definida por total lealdade a Mao. Zhou permanecera ao lado do idoso presidente durante crises que o haviam obrigado a pesar sua admiração pela liderança revolucionária de Mao contra os instintos pragmáticos e mais humanos de sua própria natureza. Ele sobrevivera porque era indispensável e, em última instância, leal — leal demais, argumentavam seus críticos. Agora era destituído de sua autoridade quando as tempestades pareciam arrefecer e com a tranquilizadora praia surgindo à vista. Ele não divergira das diretrizes políticas de Mao como Deng fizera uma década antes. Nenhum americano tratando com ele jamais notara qualquer distância do que Mao dissera (e, em todo caso, o presidente parecia monitorar as reuniões lendo as transcrições toda noite). Era verdade que Zhou tratava as delegações americanas com consumada — embora fria — polidez; esse era o pré-requisito para se mover na direção de uma parceria com a América, que a difícil situação de segurança da China exigia. Eu interpretava sua conduta como um modo de facilitar os imperativos chineses, não como concessões à minha personalidade ou à de qualquer outro americano.

É concebível que Zhou tenha começado a ver a relação americana como um fato permanente, ao passo que Mao a tratasse como tática passageira. Zhou talvez tenha concluído que a China, emergindo do desastre da Revolução Cultural, não seria capaz de prosperar no mundo a menos que pusesse um fim ao seu isolamento e se tornasse parte genuína da ordem internacional. Mas isso é algo que inferi da conduta de Zhou, não de suas palavras. Nosso diálogo nunca chegou a um ponto de trocar comentários pessoais. Alguns sucessores de Zhou tendem a se referir a ele como "seu amigo, Zhou". Na medida em que querem dizer exatamente isso — e mesmo que fosse com uma insinuação de menosprezo — eu considero uma honra.

Politicamente tolhido, descarnado e com uma doença terminal, Zhou veio a público em janeiro de 1975 para um último gesto. A ocasião foi uma reunião do Congresso Nacional do Povo da China, a primeira convocação desse tipo desde o início da Revolução Cultural. Zhou continuava tecnicamente o premiê. Ele abriu com uma declaração de palavras cuidadosamente escolhidas louvando a Revolução Cultural e a campanha anticonfucionista, duas coisas que quase o haviam destruído e que agora ele saudava como "grandes", "importantes" e "visionárias" em sua influência. Foi a última declaração pública de lealdade ao presidente a quem servira por quarenta anos. Mas então, na metade de sua fala, Zhou apresentou, como se nada mais fosse que a continuação lógica de seu programa, uma direção completamente nova. Ele revisitou uma proposta havia muito abandonada desde antes da Revolução Cultural — de que a China deveria prosperar para conquistar uma "modernização abrangente" em quatro setores-chave: agricultura; indústria; defesa nacional; ciência e tecnologia. Zhou comentou que fazia esse apelo — "instruído pelo próprio presidente Mao", embora não ficasse claro quando e como essas instruções haviam sido passadas.[7]

Zhou exortava a China a conquistar as "Quatro Modernizações" "antes do fim do século". O público de Zhou não podia deixar de observar que ele nunca viveria para ver seu objetivo realizado. E, como atestava a primeira metade do discurso, tal modernização só seria obtida, se é que o seria, depois de mais lutas ideológicas. Mas as pessoas escutando Zhou se lembrariam de sua afirmação — parte profecia, parte desafio — de que perto do fim do século XX a "economia nacional chinesa ocupará as primeiras posições do mundo".[8] Nos anos vindouros, alguns deles atenderiam à evocação de Zhou e defenderiam a causa do avanço tecnológico e da liberalização econômica, mesmo a um risco político e pessoal sério.

Últimos encontros com Mao: as andorinhas e a aproximação da tempestade

Após a saída de cena de Zhou, no início de 1974, Deng Xiaoping se tornou nosso interlocutor. Embora apenas recentemente tivesse voltado do exílio, ele conduziu os assuntos de Estado com a firmeza e autoconfiança de que os líderes chineses pareciam naturalmente dotados, e logo foi nomeado vice-premiê executivo.

Por essa época, o conceito de linha horizontal foi abandonado — depois de apenas um ano — por ser próximo demais de conceitos de aliança tradicionais, limitando desse modo a liberdade de ação da China. Em seu lugar Mao implementou a visão dos "Três Mundos", que ordenou que Deng anunciasse numa sessão especial da Assembleia Geral das Nações Unidas, em 1974. A nova abordagem substituiu a linha horizontal com uma visão dos três mundos: os Estados Unidos e a União Soviética pertenciam ao primeiro mundo. Países como Japão e os europeus eram parte do segundo. Todos os países subdesenvolvidos constituíam o Terceiro Mundo, ao qual também a China pertencia.[9]

De acordo com essa visão, os assuntos mundiais eram conduzidos à sombra do conflito das duas superpotências nucleares. Conforme argumentou Deng em seu discurso nas Nações Unidas:

> Uma vez que as duas superpotências estão brigando pela hegemonia mundial, a contradição entre elas é irreconciliável; ou uma subjuga a outra, ou é subjugada. Conciliação e conluio entre elas só pode ser parcial, temporário e relativo, ao passo que sua disputa é ampla, permanente e absoluta. [...] Eles podem chegar a determinados acordos, mas seus acordos são apenas fachada e enganação.[10]

O mundo em desenvolvimento deveria usar esse conflito para seus próprios objetivos: as duas superpotências haviam "criado sua própria antítese" ao "suscitar forte resistência entre o Terceiro Mundo e o povo do mundo todo".[11] O poder real residia não com os Estados Unidos ou a União Soviética; em vez disso, "os realmente poderosos são o Terceiro Mundo e o povo de todos os países se unindo e ousando lutar e ousando vencer".[12]

A teoria dos Três Mundos restaurou a liberdade de ação da China ao menos do ponto de vista ideológico. Permitiu a diferenciação entre as duas superpotências por conveniência temporária. Forneceu um veículo para um papel ativo, independente para a China mediante seu papel no mundo em desenvolvimento, e deu à China flexibilidade tática. Mesmo assim, não poderia solucionar o desafio estratégico chinês, como Mao havia descrito em suas duas longas conversas em 1973: a União Soviética ameaçava tanto Ásia como Europa; a China precisava participar do mundo se quisesse acelerar seu desenvolvimento econômico; e uma quase-aliança entre China e Estados Unidos tinha de ser mantida mesmo que os acontecimentos domésticos em ambos os países pressionassem seus governos a ir na direção oposta.

Teria o elemento radical conquistado influência suficiente com Mao para levar à remoção de Zhou? Ou Mao usara os radicais para remover seu número dois assim como fizera com os predecessores de Zhou? Seja qual for a resposta, Mao precisava da triangulação. Ele simpatizava com os radicais, mas era um estrategista apto demais para abandonar a rede de segurança americana; pelo contrário, ele buscava fortalecê-la contanto que a América parecesse um parceiro efetivo.

Um acordo americano atrapalhado para uma reunião de cúpula entre o presidente Ford e o premiê soviético Brezhnev em Vladivostok, em novembro de 1974, complicou as relações sino-americanas. A decisão fora tomada por razões puramente práticas. Ford, como novo presidente, queria se encontrar com seu equivalente soviético. Ficou determinado que ele não podia ir à Europa sem se reunir com alguns líderes europeus ansiosos em estabelecer suas relações com o novo presidente, o que iria lotar a programação de Ford. Uma viagem presidencial ao Japão e à Coreia já havia sido programada durante o governo Nixon; uma viagem paralela de 24 horas para Vladivostok era o que exigiria menos da agenda presidencial. No processo, nos escapou o fato de que Vladivostok fora adquirida pela Rússia apenas um século antes em um dos "tratados desiguais" regularmente criticados na China e de que se localizava no extremo oriental russo, onde choques militares entre China e União Soviética haviam despertado a reavaliação de nossa política chinesa apenas alguns anos antes. Permitira-se à conveniência técnica suplantar o bom-senso.

A irritação chinesa com Washington na sequência do encontro de Vladivostok ficou evidente quando viajei para Pequim ao voltar de Vladivostok em dezembro de 1974. Foi a única visita durante a qual não fui recebido por Mao. (Como nunca se tinha permissão de solicitar um encontro, o deslize podia ser apresentado mais como uma omissão do que uma recusa.)

À parte os passos em falso, os Estados Unidos continuavam comprometidos com a estratégia inaugurada no governo Nixon, fossem quais fossem as flutuações da política interna chinesa e americana. Caso os soviéticos tivessem atacado a China, ambos os presidentes a quem servi, Richard Nixon e Gerald Ford, teriam apoiado fortemente a China e feito seu máximo para frustrar uma tal aventura soviética. Estávamos também determinados a defender o equilíbrio internacional. Mas avaliávamos que o interesse nacional americano e a paz global estariam mais bem-servidos se os Estados Unidos mantivessem a capacidade para o diálogo com *ambos* os gigantes comunistas. Estando próximos de cada um dos dois mais do que um estava do outro, conquistaríamos a máxima flexibilidade diplomática. O que Mao descrevia como "lutar com a sombra" era o que tanto Nixon como Ford estavam convencidos de ser o exigido para construir um consenso de política externa na sequência da Guerra do Vietnã, de Watergate e da ocupação da cadeira presidencial por um governante não eleito.

Nesse ambiente internacional e doméstico, minhas duas últimas conversas com Mao tiveram lugar em outubro e dezembro de 1975. A ocasião foi a primeira visita à China do presidente Ford. O encontro inicial foi uma preparação para a reunião de cúpula entre os dois líderes; o segundo dizia respeito ao diálogo de fato. Além de fornecer um resumo das últimas opiniões do líder chinês, eles demonstraram a colossal força de vontade de Mao. Ele não estava bem quando se encontrou com Nixon; agora estava desesperadamente doente. Precisava da assistência de duas enfermeiras para se levantar da cadeira. Mal conseguia falar. Sendo o chinês uma língua tonal, a condição incapacitada do presidente obrigava sua intérprete a escrever uma interpretação própria dos ruídos ofegantes vindos de seu corpo alquebrado. Depois ela os mostrava para ele, e Mao balançava ou abanava a cabeça para a tradução. Diante de suas enfermidades, Mao conduziu ambas as conversas com extraordinária lucidez.

Ainda mais notável foi o modo como essas conversas próximo à morte expuseram o tumulto interno de Mao. Sarcástico e penetrante, provocador e cooperativo, elas destilavam uma convicção revolucionária terminal lutando com um complexo senso de estratégia. Mao começou a conversa de 21 de outubro de 1975 objetando a uma banalidade que eu havia dito no dia anterior, no sentido de que China e Estados Unidos não queriam nada um do outro: "Se nenhum lado tem nada a pedir para o outro, por que vocês teriam vindo a Pequim? Se nenhum lado tem nada a pedir, então por que vieram a Pequim, e por que queremos receber vocês e o presidente?"[13] Em outras palavras, expressões abstratas de boa vontade eram palavras vãs para o apóstolo da revolução contínua. Ele continuava em busca de uma estratégia comum, e como estrategista reconhecia a necessidade de prioridades mesmo ao sacrifício temporário de alguns dos objetivos históricos da China. Logo, ofereceu uma tranquilização dada em uma reunião anterior: "A questão menor é Taiwan, a grande questão é o mundo."[14] Como de hábito, Mao forçou a necessidade ao extremo com sua característica combinação de capricho, paciência distanciada e ameaça implícita — às vezes com uma fraseologia elusiva, quando não insondável. Mao não só continuou a mostrar paciência ao ter indicado que estaria no encontro com Nixon e nas reuniões de follow-up comigo, como também não queria confundir o debate sobre Taiwan com a estratégia de proteger o equilíbrio global. Logo, fez o que teria parecido uma incrível afirmação dois anos antes — de que a China não queria Taiwan nesse momento:

MAO: É melhor que esteja na mão de vocês. E, se fossem me devolvê-la, eu não iria querer, porque não é desejável. Há um bando enorme de contrarrevolucionários por lá. Daqui a cem anos nós vamos querê-la [*fazendo um gesto com a mão*], e vamos lutar por ela.

KISSINGER: Não daqui a cem anos.

MAO: [*Gesticulando com a mão, contando*] É difícil dizer. Cinco anos, dez, vinte, cem anos. É difícil dizer. [*Aponta para o teto*] E quando eu for para o Céu me encontrar com Deus, vou dizer a ele que é melhor deixar Taiwan aos cuidados dos Estados Unidos agora.

KISSINGER: Ele vai ficar muito surpreso de ouvir isso do senhor.

MAO: Não, porque Deus abençoou vocês, não nós. Deus não gosta de nós [*acena com as mãos*] porque eu sou um militante belicoso, e também um comunista. É por isso que ele não gosta de mim. [*Apontando para os três americanos*][15] Ele gosta de você, de você e de você.[16]

Havia uma urgência, entretanto, em resolver a questão da segurança internacional: a China, argumentava Mao, caíra para o último lugar nas prioridades americanas entre os cinco centros de poder mundiais, com a União Soviética ocupando o lugar de honra, seguida de Europa e Japão: "Percebemos que o que estão fazendo é pular para Moscou se apoiando em nossos ombros, e esses ombros agora são inúteis. Sabem, somos o quinto. Somos o dedo mínimo."[17] Além do mais, alegava Mao, os países europeus, embora suplantando a China em termos de poder, estavam subjugados por seu medo da União Soviética, resumido na seguinte alegoria:

MAO: Este mundo não é tranquilo, e uma tempestade — o vento e a chuva — está a caminho. E com a aproximação da chuva e do vento as andorinhas ficam ocupadas.

TANG: Ele [Mao] me pergunta como se diz "andorinha" em inglês e o que é "pardal". Então eu disse que são espécies de pássaros diferentes.

KISSINGER: Certo, mas espero que tenhamos um pouco mais de influência na tempestade do que as andorinhas têm no vento e na chuva.

MAO: É possível adiar a chegada do vento e da chuva, mas é difícil obstruir a chegada.[18]

Quando respondi que concordávamos sobre a chegada da tempestade mas dávamos um jeito de ficar na melhor posição para sobreviver a ela, Mao respondeu com uma palavra lapidar: "Dunquerque."[19]

Mao tentava mostrar que o exército americano na Europa não tinha força suficiente para resistir às tropas soviéticas na região, e a opinião pública impediria o uso de armas nucleares. Ele rejeitou minha afirmação de que os Estados Unidos certamente usariam armas nucleares na defesa da Europa: "Existem duas possibilidades. Uma é a sua possibilidade, a outra é a do *New York Times*"[20] (referindo-se ao livro *Can America Win the Next War?*, do repórter do *New York Times* Drew Middleton, que duvidava que os Estados Unidos pudessem sair vitoriosos numa guerra geral com a União Soviética por causa da Europa). Em todo caso, acrescentou o líder, não tinha importância, porque tanto numa hipótese como na outra a China não se apoiaria nas decisões de outros países:

> Adotamos a estratégia de Dunquerque, de que vamos permitir a eles ocupar Pequim, Tianjin, Wuhan e Xangai, e desse modo mediante tais táticas vamos sair vitoriosos e o inimigo será derrotado. As duas guerras mundiais, a primeira e a segunda, foram conduzidas desse modo e a vitória só foi obtida mais tarde.[21]

Entrementes, Mao esboçou o lugar de algumas peças em sua visão internacional do tabuleiro de *wei qi*. A Europa estava "espalhada demais, solta demais";[22] o Japão aspirava à hegemonia; a unificação alemã era desejável mas obtenível apenas se a União Soviética ficasse enfraquecida, mas "sem luta a União Soviética não ficará enfraquecida".[23] Quanto aos Estados Unidos, "não era necessário conduzir o episódio de Watergate daquela maneira"[24] — em outras palavras, destruir um presidente forte por controvérsias domésticas. Mao convidou o secretário de Defesa James Schlesinger para visitar a China — talvez como parte da comitiva na visita do presidente Ford —, onde poderia percorrer as regiões fronteiriças perto da União Soviética, como Xinjiang e a Manchúria. Presumivelmente, isso era para demonstrar a disposição americana a arriscar um confronto com a União Soviética. Era também uma tentativa não muito sutil de inserir a China nas discussões domésticas americanas, uma vez que Schlesinger alegadamente desafiara a atual política de détente.

Parte da dificuldade era um problema de perspectiva. Mao tinha consciência de que não lhe restava mais muito tempo de vida e estava ansioso em assegurar que sua visão prevalecesse no final das contas. Falava com a melancolia da idade avançada, intelectualmente consciente dos limites, ainda não completamente preparado para enfrentar o fato de que, para ele, o leque de opções estava diminuindo e os meios para implementá-las, desaparecendo.

> MAO: Estou com 82 anos de idade agora. [*Aponta o secretário Kissinger*] E quantos anos o senhor tem? Uns cinquenta, talvez.
>
> KISSINGER: 51.
>
> MAO: [*Apontando para o vice-premiê Deng*] Ele está com 71. [*Gesticulando com as mãos*] E depois que estivermos todos mortos, eu, ele [Deng], Zhou Enlai e Ye Jianying, o senhor ainda vai estar vivo. Percebe? Para nós, velhos, não vai dar. Não vamos conseguir chegar lá.[25]

E acrescentou: "Sabe, sou apenas uma vitrine de exposição para os visitantes."[26] Mas, por mais decrépita que fosse sua condição física, o frágil líder jamais poderia permanecer em uma posição passiva. Quando a reunião terminava — ponto que normalmente convidava a um gesto de conciliação —, ele subitamente lançou um desafio, afirmando a imutabilidade de suas credenciais revolucionárias:

> MAO: Vocês não conhecem meu temperamento. Gosto que as pessoas me xinguem [*erguendo a voz e batendo a mão na cadeira*]. Vocês devem dizer que o presidente Mao é um velho burocrata e nesse caso vou me apressar e ir ao seu encontro. Nesse caso vou correr para procurá-los. Se não me xingam, não vou atrás de vocês, e vou apenas dormir pacificamente.
>
> KISSINGER: Isso é meio difícil vindo de nossa parte, particularmente chamá-lo de burocrata.
>
> MAO: Ratifico isso [*batendo na cadeira*]. Só vou ficar feliz quando todos os estrangeiros baterem nas mesas e me xingarem.

Mao ampliou o elemento de ameaça ainda mais me provocando quanto à intervenção chinesa na Guerra da Coreia:

MAO: As Nações Unidas votaram uma resolução que foi patrocinada pelos EUA em que se declarou que a China cometeu agressões contra a Coreia.

KISSINGER: Isso foi há 25 anos.

MAO: Certo. Então não está diretamente ligado ao senhor. Isso foi na época de Truman.

KISSINGER: Certo. Isso foi há muito tempo, e nossa percepção mudou.

MAO: [*Tocando o alto da cabeça*] Mas a resolução ainda não foi cancelada. Continuo usando esse chapéu de "agressor". Considero igualmente a maior honra, que nenhuma outra honra poderia superar. É bom, muito bom.

KISSINGER: Mas nesse caso deveríamos mudar a resolução das Nações Unidas?

MAO: Não, não façam isso. Nunca apresentamos esse pedido. [...] Não temos meio de negar. De fato cometemos agressões contra a China [Taiwan] e também contra a Coreia. Por favor, podem me ajudar a tornar essa declaração pública, talvez num de seus relatórios?

KISSINGER: Acho que vou preferir que o senhor mesmo a torne pública. Pode ser que eu não faça a declaração historicamente correta.[27]

Mao defendia pelo menos três coisas. Primeiro, a China estava preparada para aguentar sozinha, como fizera na Guerra da Coreia contra os Estados Unidos e na década de 1960 contra a União Soviética. Segundo, ele reafirmava os princípios da revolução permanente apresentados durante esses confrontos, por menos atraentes que pudessem parecer às superpotências. Finalmente, estava preparado para voltar a eles se fosse desviado de seu atual curso. A abertura com os EUA, para Mao, não implicava um fim da ideologia.

Os comentários prolixos de Mao refletiam uma profunda ambivalência. Ninguém compreendia os imperativos geopolíticos chineses melhor do que o líder moribundo. Nesse ponto da história, eles entravam em choque com o tradicional conceito de autonomia da China. Fossem quais fossem as críticas de Mao à política de détente, os Estados Unidos arcavam com o ímpeto do confronto com os soviéticos e com a maior parte dos gastos militares entre os países não comunistas. Esses eram os pré-requisitos da segurança da China. Estávamos no quarto ano do restabelecimento de relações com a China. Concordávamos com a visão geral de estratégia de Mao. Não era possível delegar sua execução para a China, e Mao sabia disso. Mas era precisamente a essa margem de flexibilidade que Mao objetava.

Ao mesmo tempo, para assegurar que o mundo compreendia a continuidade dos laços e extraía as conclusões corretas, uma declaração chinesa anunciou que Mao "teve uma conversa com o dr. Kissinger em uma atmosfera amigável". Essa declaração positiva recebeu uma sutil perspectiva com a foto que a acompanhava: mostrava Mao sorridente perto de minha esposa e de mim, mas sacudindo um dedo, sugerindo que talvez os Estados Unidos precisassem de uma tutoria benevolente.

Era sempre difícil sumariar os comentários elípticos e aforísticos de Mao e até compreendê-los. Em um relatório oral ao presidente Ford, descrevi a posição de Mao como "admirável em certa medida" e lembrei a ele que esse era o mesmo povo que conduzira a Longa Marcha (a retirada estratégica que durou um ano, atravessando um terreno árduo e sob frequentes ataques, e que havia preservado a causa do comunismo chinês na guerra civil).[28] A tônica geral do comentário de Mao não era sobre détente, mas sobre qual das três partes da relação triangular podia evitar se ver engolfada no início de crises em progresso. Como expliquei ao presidente Ford:

> Garanto ao senhor que se entrarmos em um confronto com a União Soviética, eles vão atacar os EUA e a União Soviética e juntar o Terceiro Mundo em torno deles. Boas relações com a União Soviética são o melhor para nossas relações chinesas — e vice-versa. Nossa fraqueza é o problema — eles nos veem encrencados com o SALT [Conversações sobre Limites para Armas Estratégicas] e a détente. Isso joga a favor deles.[29]

Winston Lord, então chefe da equipe de planejamento (Policy Planning Staff) do Departamento de Estado e meu principal planejador para a visita secreta, bem como da política posterior para a China, acrescentou uma sutil interpretação dos comentários ambíguos de Mao, que eu passei ao presidente:

> A mensagem básica do presidente Mao e seus temas principais estavam claros. Eles claramente forneciam o arcabouço estratégico para a visita de Kissinger, na verdade, para a evolução de nossas relações nos últimos anos. Mas havia inúmeras passagens crípticas que permanecem pouco claras. A tendência é tentar compreender as entrelinhas, os significados mais profundos por trás da prosa lacônica, direta, de Mao. Na maioria dos casos, o significado mais amplo é patente. Em outros, contudo, pode não haver nada particularmente significativo, ou pode ser que um homem senil esteja divagando a esmo, por um momento. [...] Para citar apenas um exemplo de ambiguidade: "Vocês têm algum modo de me ajudar a me curar da presente incapacidade de falar com clareza?" A probabilidade é de que isso não passasse de conversa fiada sobre sua própria saúde. É muito duvidoso que estivesse seriamente pedindo auxílio médico. Mas estaria o líder chinês dizendo que sua voz dentro da China (ou do mundo) não estava sendo ouvida, que sua influência estava circunscrita e que queria que os Estados Unidos ajudassem a fortalecer sua posição mediante nossas políticas? Será que ele deseja que o ajudemos a "falar claramente" no sentido mais amplo?[30]

Na época, achei a interpretação de Lord um pouco forçada. Tendo desde então aprendido mais sobre os artifícios internos chineses, considero agora que Mao falara num sentido mais amplo.

Em todo caso, a viagem de outubro visando a pavimentar o caminho para a visita de Ford teve lugar numa atmosfera gélida, refletindo as tensões chinesas internas. Parecia muito inauspicioso que reduzíssemos a visita presidencial de cinco para três dias, eliminando duas paradas nos arredores de Pequim e substituindo-as por breves visitas às Filipinas e à Indonésia.

No dia em que regressei da China, Schlesinger havia sido demitido do cargo de secretário de Defesa e substituído por Donald Rumsfeld. Fui avisado disso após o fato e preferia sinceramente que não tivesse acontecido; eu tinha certeza de que isso geraria controvérsia sobre a política externa em Washington, com discussões desafiando o processo diplomático no qual no momento estávamos envolvidos. Na verdade, a demissão nada tinha a ver com o convite de Mao para Schlesinger visitar a China. A manobra de Ford foi uma tentativa de se preparar para as dificuldades da iminente campanha política, e ele sempre se sentira desconfortável com o amargo Schlesinger. Mas, sem dúvida, alguns dentre os líderes chineses interpretaram a demissão de Schlesinger como uma resposta manifesta à provocação chinesa.

Semanas mais tarde, na primeira semana de dezembro, o presidente Ford fez sua visita inaugural à China. Durante a visita de Ford, a cisão interna chinesa ficou evidente. A esposa de Mao, Jiang Qing, uma das arquitetas da Revolução Cultural, apareceu apenas por alguns minutos em uma recepção durante um evento esportivo. Ainda poderosa, ela se conduziu com polidez altiva e fria na breve aparição demonstrativa. (Sua única aparição durante a visita de Nixon fora para apresentar seu balé revolucionário.)

Mao optou por uma reunião de duas horas com Ford para explicitar a cisão na liderança chinesa. A condição física de Mao se deteriorara relativamente desde a última vez em que me recebera, cinco semanas antes. Contudo, ele havia decidido que as relações com os Estados Unidos precisavam de uma dose de cordialidade e deixou isso claro começando com um gracejo:

MAO: Seu secretário de Estado andou interferindo em meus assuntos internos.

FORD: Fale-me a respeito.

MAO: Ele não deixa que eu parta e me encontre com Deus. Diz até mesmo para eu desobedecer à ordem que Deus me deu. Deus me enviou um convite, mas ele [Kissinger] diz: não vá.

KISSINGER: Seria uma combinação poderosa demais se ele fosse para lá.

MAO: Ele [Kissinger] é um ateu. Ele se opõe a Deus. E também está estragando minha relação com Deus. É um homem muito feroz e não me resta outra coisa a não ser obedecer às suas ordens.[31]

Mao prosseguiu com a observação de que não esperava "nada grande" ocorrendo nas relações sino-americanas nos próximos dois anos, ou seja, durante o período da eleição presidencial de 1976 e em seguida. "Talvez mais tarde a situação possa ficar um pouco melhor."[32] Ele queria dizer que uma América mais unida podia surgir ou que, a essa altura, as lutas internas chinesas teriam sido superadas? Suas palavras davam a entender que ele esperava que o relacionamento continuasse estremecido durante o governo Ford.

A explicação mais significativa para o hiato na relação entre Estados Unidos e China dizia respeito à situação interna chinesa. Mao aproveitou um comentário feito por Ford de que apreciava o trabalho do chefe do escritório de ligação de Pequim em Washington (Huang Zhen) e esperava que ele ficasse:

> Há alguns jovens que têm feito críticas sobre ele [embaixador Huang].[33] E essas duas [Wang e Tang][34] também têm algumas críticas a Lord Qiao.[35] Essas pessoas não são de se menosprezar. De outro modo, vocês vão sofrer nas mãos delas — quer dizer, uma guerra civil. Agora mesmo há muitos dazibaos por aí. Talvez vocês queiram passar nas universidades de Tsinghua e de Pequim para dar uma olhada neles.[36]

Se as intérpretes de Mao — Nancy Tang e Wang Hairong, que era íntima da esposa de Mao — estavam opondo o ministro das Relações Exteriores e o embaixador em exercício em Washington, as coisas haviam atingido um ponto-limite, e a divisão interna chegara aos níveis mais altos. Mao chamar o ministro das Relações Exteriores de "Lord Qiao" — dando a entender que o ministro era confucionista — era outro sinal de perigo na cisão doméstica. Se havia dazibaos — os enormes cartazes afixados em lugares públicos com que as campanhas ideológicas eram conduzidas durante a Revolução Cultural — sendo colados nas universidades, alguns métodos e certamente alguns argumentos da Revolução Cultural começavam a ressurgir. Nesse caso, a referência de Mao a uma possível guerra civil talvez houvesse sido mais do que mera figura de linguagem.

Ford, que ocultava sua astúcia por trás de uma fachada de simplicidade e franqueza de Meio-Oeste, optou por ignorar os sinais da divisão. Em vez disso, agia como se as premissas da era de Zhou nas relações sino-americanas continuassem válidas e lançou-se numa discussão caso a caso dos assuntos mundiais. Seu tema básico eram as medidas que os Estados Unidos estavam tomando para impedir a hegemonia soviética, e convidava a uma cooperação chinesa específica, sobretudo na África. Mao havia rechaçado Nixon por tentar muito menos em sua conversa três anos antes.

Se a aparente candura de Ford desarmou Mao ou se Mao havia planejado um diálogo estratégico o tempo todo, dessa vez ele participou, contribuindo com comentários caracteristicamente mordazes, sobretudo quanto às movimentações soviéticas na África, que provavam que ele não perdera sua maestria em lidar com os detalhes.

No fim da conversa, houve um estranho pedido de Mao para uma ajuda em apresentar uma postura pública melhor nas relações sino-americanas:

> MAO: [...] Há alguns jornais hoje com matérias descrevendo nossas relações como muito ruins. Talvez vocês devam informá-los um pouco melhor e quem sabe pautá-los.
>
> KISSINGER: Dos dois lados. Eles pegaram parte disso em Pequim.
>
> MAO: Mas isso não vem da gente. Esses estrangeiros passaram as informações.[37]

Não havia tempo para perguntar que estrangeiros estavam em posição de passar informações em que a mídia pudesse acreditar. Era um problema que Mao tradicionalmente poderia ter resolvido dando ordens para um comunicado positivo, presumindo que ainda tivesse o poder de impor sua vontade sobre suas facções.

Mao não fez isso. Nenhuma consequência prática se seguiu. Descobrimos que a minuta do comunicado, presumivelmente examinado pelo ministro das Relações Exteriores Qiao Guanhua, era de pouca ajuda, quando não uma provocação, e nos recusamos a aceitá-la. Claramente, uma significativa luta pelo poder tinha lugar dentro da China. Deng, embora crítico de nossas táticas com os soviéticos, estava ansioso em manter o relacionamento com a América estabelecido por Zhou e Mao. Igualmente óbvio, alguns grupos na estrutura de poder desafiavam esse curso dos acontecimentos. Deng contornou o impasse emitindo uma declaração, em sua atribuição como membro do Comitê Permanente do Politburo (o comitê executivo do Partido Comunista chinês), em que afirmava o caráter proveitoso da visita de Ford e a importância da amizade sino-americana.

Por meses após as reuniões, a divisão chinesa ficou à vista de todos. Deng, que havia substituído Zhou sem receber o título de premiê, estava mais uma vez sob ataque, presumivelmente vindo das mesmas forças que o haviam exilado uma década antes. Zhou desaparecera de cena. A conduta do ministro Qiao Guanhua tornou-se confrontadora. O estilo sedoso com que Zhou facilitara o caminho rumo à colaboração foi substituído por uma insistência provocadora.

O potencial para o confronto era mantido sob controle porque Deng buscava oportunidades de demonstrar a importância de relações estreitas com os Estados Unidos. Por exemplo, no jantar de boas-vindas para minha visita em outubro de 1975, Qiao propusera um agressivo brinde diante da televisão americana em que investia contra a política dos Estados Unidos em relação à União Soviética — uma violação do protocolo diplomático divergindo totalmente do trato sensível dado às delegações americanas até então. Quando eu respondi asperamente, as luzes da televisão se apagaram, de modo que minhas palavras não pudessem ser transmitidas.

No dia seguinte, Deng convidou a delegação americana para um piquenique nas Colinas Ocidentais perto de Pequim, onde os líderes chineses moravam, coisa que não estivera originalmente programada e que se caracterizou pela solicitude com que todas as reuniões haviam sido conduzidas desde a abertura com a China.

As coisas chegaram a um ponto culminante com a morte de Zhou, em 8 de janeiro de 1976. Coincidindo mais ou menos com o Festival Qingming (dia de reverenciar os ancestrais), em abril, centenas de milhares de chineses visitaram o Monumento aos Heróis do Povo na praça Tiananmen a fim de prestar tributo à memória de Zhou, deixando coroas de flores e poemas no lugar. As homenagens revelaram uma profunda admiração por Zhou e um apetite pelos princípios de ordem e moderação que ele passara a representar. Alguns poemas continham uma crítica fracamente velada a Mao e Jiang Qing (mais uma vez usando a técnica predileta da analogia histórica).[38] As homenagens foram removidas à noite, levando a um confronto entre a polícia e as pessoas (o que ficou conhecido como "Incidente de Tiananmen" de 1976). A Gangue dos Quatro persuadiu Mao de que as tendências reformistas de Deng haviam levado a protestos contrarrevolucionários. Dois dias após as homenagens enlutadas a Zhou, Mao proibiu Deng de ocupar qualquer cargo no Partido. A posição de premiê em exercício foi para um pouco conhecido secretário provincial do Partido em Hunan chamado Hua Guofeng.

As relações chinesas com os Estados Unidos foram ficando cada vez mais distantes. Depois que George H. W. Bush foi nomeado diretor da CIA, Tom Gates, um ex-secretário de Defesa, foi indicado para a chefia do escritório de ligação em Pequim. Hua Guofeng não o recebeu por quatro meses e, quando o fez, ateve-se à fraseologia estabelecida, ainda que formal. Um mês mais tarde, em meados de julho, o vice-premiê Zhang Chunqiao, de modo geral tido como o homem mais forte na liderança e membro-chave da Gangue dos Quatro, aproveitou a oportunidade de uma visita do líder de minoria no Senado Hugh Scott para apresentar uma posição extremamente belicosa em relação a Taiwan, em total desacordo com o que Mao havia nos dito:

> Estamos conversados sobre Taiwan. Desde que surgiu o assunto de Taiwan, isso virou uma corda no pescoço para os Estados Unidos. É interesse do povo americano se livrar disso. Se vocês não o fizerem, o Exército de Libertação Popular vai cortá-la. Isso seria bom tanto para o povo americano como para o chinês — somos generosos —, estamos prontos a ajudar os Estados Unidos a resolver o problema com nossas baionetas —, talvez não soe agradável, mas é assim que é.[39]

A Gangue dos Quatro estava empurrando a China numa direção que lembrava a Revolução Cultural e o provocativo estilo maoista em relação a Khrushchev.

Em 9 de setembro de 1976, Mao sucumbiu à enfermidade, deixando seus sucessores com suas conquistas e premonições, com o legado de sua grandiosidade e brutalidade, de uma grande visão distorcida pelo egocentrismo. Ele deixou para trás uma China unificada como não acontecia havia séculos, com a maioria dos vestígios do velho regime eliminados, limpando o terreno para reformas nunca pretendidas por ele próprio. Se a China continua unida e emerge como uma superpotência do século XXI, Mao talvez represente, para muitos chineses, o mesmo papel ambíguo mas respeitado na história chinesa de Qin Shihuang, o imperador que ele reverenciava pessoalmente: o autocrata fundador de uma dinastia que arrastou a China a uma nova era obrigando sua população a um esforço nacional maciço, e cujos excessos foram mais tarde admitidos por alguns como um mal necessário. Para outros, o tremendo sofrimento que Mao infligiu em seu povo vai apequenar suas realizações.

Dois enredos políticos competiram entre si durante o governo de Mao. Houve um ímpeto revolucionário que via a China como uma força política e moral, insistindo em distribuir seus preceitos únicos pelo exemplo diante de um mundo boquiaberto. Havia a China geopolítica friamente calculando tendências e manipulando-as em seu próprio proveito. Havia uma China buscando coalizões pela primeira vez na história, mas também a que desafiava confiantemente o mundo todo. Mao pegara um país arrasado pela guerra e o conduzira habilmente entre facções domésticas antagônicas, superpotências hostis, um Terceiro Mundo ambivalente e vizinhos desconfiados. Conseguiu fazer com que a China participasse de cada círculo concêntrico sobreposto sem se comprometer com nenhum. A China sobrevivera a guerras, tensões e dúvidas enquanto sua influência crescia e, no fim, tornou-se uma superpotência emergente cuja forma de governo comunista sobreviveu ao colapso do mundo comunista. Mao conseguiu isso a um custo horrível, apoiando-se na tenacidade e perseverança do povo chinês, valendo-se de sua paciência e coesão, que tantas vezes o exasperaram, como as fundações de seu edifício.

Perto do fim da vida, Mao se avizinhava de desafiar o plano de ordem mundial norte-americano, insistindo em definir táticas, e não apenas estratégias. Seus sucessores compartilhavam de sua crença na força chinesa, mas não achavam a China capaz de atingir seu potencial único apenas pela força de vontade e comprometimento ideológico. Eles buscaram a autonomia mas sabiam que inspiração não bastava, e assim devotaram suas energias à reforma doméstica. Essa nova onda de reforma traria a China de volta à política externa conduzida por Zhou — caracterizada por um esforço em ligar a China a tendências econômicas e políticas globais pela primeira vez em sua longa história. Essa política seria encarnada em um líder expurgado duas vezes numa década e que regressava do exílio interno pela terceira vez: Deng Xiaoping.

CAPÍTULO 12

O indestrutível Deng

SOMENTE QUEM VIVEU a China de Mao Zedong pode apreciar plenamente as transformações realizadas por Deng Xiaoping. As fervilhantes cidades chinesas, os booms de construção, os engarrafamentos monstruosos, o dilema não comunista de uma taxa de crescimento ocasionalmente ameaçada pela inflação e, em outras ocasiões, encaradas pelas democracias ocidentais como um baluarte contra a recessão global — tudo isso era inconcebível na insípida China maoista de comunas agrícolas, economia estagnada e uma população usando roupas padronizadas e professando fervor ideológico extraído do "Pequeno Livro Vermelho" de citações de Mao.

Mao destruiu a China tradicional e deixou os entulhos como blocos de construção para uma modernização completa. Deng teve a coragem de basear a modernização na iniciativa e resistência dos chineses individualmente. Ele aboliu as comunas e promoveu a autonomia nas províncias para introduzir o que chamou de "socialismo com características chinesas". A China de hoje — com a segunda maior economia mundial e o mais amplo volume de reservas em moeda estrangeira, e com inúmeras cidades exibindo orgulhosos arranha-céus mais elevados que o Empire State Building — é um testemunho da visão, da tenacidade e do bom-senso de Deng.

A primeira volta de Deng ao poder

Deng trilhou um caminho indeciso e improvável para chegar ao poder. Em 1974, quando Deng Xiaoping tornou-se o principal interlocutor dos Estados Unidos, sabíamos muito pouco sobre ele. Fora o secretário-geral do poderoso Comitê Central do Partido Comunista até sua prisão, em 1966, acusado de ser um "companheiro de jornada do capitalismo". Ficamos sabendo que, em 1973, havia sido devolvido ao Comitê Central mediante a intervenção pessoal de Mao e contra a oposição dos radicais no Politburo. Embora Jiang Qing tenha publicamente esnobado Deng pouco depois de seu regresso a Pequim, ele foi claramente importante para Mao. Este, num comportamento atípico, pediu desculpas pela humilhação de Deng durante a Revolução Cultural. Os mesmos informes que recebemos nos fizeram saber também que, conversando com uma delegação de cientistas australianos, Deng havia tocado em temas que se tornariam sua marca registrada. A China era um país pobre, dissera ele, necessitado de mudanças científicas e de aprendizado com países avançados como a Austrália — o tipo de confissão que os líderes chineses nunca haviam feito antes. Deng aconselhou os visitantes australianos a observar o lado atrasado da China em suas viagens, não apenas as realizações do país, mais um comentário sem precedentes para um líder chinês.

Deng chegou a Nova York em abril de 1974 como parte de uma delegação chinesa, tecnicamente chefiada pelo ministro das Relações Exteriores, para uma sessão especial da Assembleia Geral das Nações Unidas que lidava com o desenvolvimento econômico. Quando convidei a delegação chinesa para um jantar, ficou imediatamente evidente quem era o componente principal e, ainda mais importante, que, longe de ter sido trazido de volta para aliviar o peso sobre os ombros de Zhou, como alegavam nossos relatórios do serviço de inteligência, Deng foi, na verdade, designado para substituir Zhou e, de certa forma, exorcizá-lo. Inúmeras referências cordiais a Zhou foram ignoradas; alusões a comentários do premiê eram respondidas com citações comparáveis de conversas que tive com Mao.

Logo depois disso, Deng foi feito vice-premiê encarregado da política externa e, apenas um pouco mais tarde, emergiu como vice-premiê executivo com papel fiscalizador quanto à política doméstica — um substituto informal de Zhou, que permaneceu, porém, com o título largamente simbólico de premiê.

Pouco depois de Mao ter iniciado a Revolução Cultural em 1966, Deng havia sido destituído de seu Partido e de suas posições no governo.

Ele passara os sete anos seguintes primeiro numa base do exército, depois no exílio na província de Jiangxi, cultivando legumes e trabalhando meio período como operário em uma oficina de consertos de tratores. Sua família foi considerada ideologicamente incorreta e não teve proteção alguma dos Guardas Vermelhos. Seu filho, Deng Pufang, foi atormentado pelos Guardas Vermelhos e empurrado do topo de um prédio na Universidade de Pequim. Mesmo com as costas quebradas, Deng Pufang teve negado o atendimento médico em um hospital. Após o episódio, ficou paraplégico.[1]

Entre os inúmeros aspectos extraordinários do povo chinês está o modo como muitos deles conservaram um comprometimento com sua sociedade independentemente de quanto sofrimento e injustiça ela possa ter lhes infligido. Nenhuma das vítimas da Revolução Cultural que eu tenha conhecido jamais descreveu para mim as provações pelas quais passou nem respondeu perguntas a não ser com um mínimo de informação. A Revolução Cultural é tratada, às vezes obliquamente, como uma espécie de catástrofe natural que teve de ser suportada, mas não é algo sobre o qual se fale como tendo determinado a vida da pessoa depois disso.

De sua parte, Mao parecia ter refletido muito dessa mesma atitude. O sofrimento infligido por ele ou sob suas ordens não era necessariamente seu juízo definitivo sobre a vítima, mas uma necessidade, potencialmente temporária, para sua visão de purificação da sociedade. Mao parece ter considerado muitos desses exilados como disponíveis para o serviço público, como uma espécie de reserva estratégica. Ele mandou chamar os quatro marechais do exílio quando precisou de conselho sobre como posicionar a China diante da crise internacional de 1969. Desse modo também Deng voltou aos altos escalões de governo. Quando Mao decidiu tirar Zhou, Deng era a melhor — senão a única — reserva estratégica disponível para dirigir o país.

Tendo me acostumado às disquisições filosóficas e alusões indiretas de Mao e ao elegante profissionalismo de Zhou, eu precisei de algum tempo para me ajustar ao estilo acerbo, sem disparates, de Deng, suas ocasionais interjeições sarcásticas e seu desdém do filosófico em favor do eminentemente prático. Homem compacto e rijo, ele entrava no ambiente como alguém impulsionado por alguma força invisível, pronto para o trabalho. Deng raramente perdia tempo com amenidades, tampouco achava necessário suavizar seus comentários envolvendo-os em parábolas, como Mao tendia a fazer. Ele não cobria a pessoa de solicitudes, como Zhou fazia, mas também não me tratava, como Mao, como um colega filósofo dentre tantos em que apenas uns poucos eleitos mereciam sua atenção pessoal. A atitude de Deng era de que estávamos ambos ali para cuidar dos assuntos de nossas nações e éramos adultos o bastante para aparar as arestas sem levar as coisas para o lado pessoal. Zhou entendia inglês sem tradução e ocasionalmente falava na língua. Deng se descrevia para mim como "uma pessoa rústica" e confessava: "Línguas são difíceis. Quando estudei na França, nunca aprendi francês."

Com o passar do tempo, desenvolvi enorme consideração por esse homenzinho valoroso de olhos melancólicos que havia mantido suas convicções e seu senso de proporção diante de vicissitudes extraordinárias e que, no momento devido, renovaria seu país. Depois de 1974, emergindo da devastação da Revolução Cultural, Deng, com algum risco pessoal, uma vez que Mao continuava no poder, começou a moldar uma modernização que ao longo do século XXI iria transformar a China numa superpotência econômica.

Em 1974, quando Deng regressou de seu primeiro exílio, não dava a impressão de que seria uma figura de relevância histórica. Ele não articulava nenhuma grande filosofia; ao contrário de Mao, não fazia qualquer asserção arrebatadora sobre o destino único do povo chinês. Seus pronunciamentos pareciam enfadonhos e muitos giravam em torno de detalhes práticos. Deng falava da importância da disciplina entre a classe militar e da reforma no Ministério da Indústria Metalúrgica.[2] Fez uma solicitação para aumentar o número de vagões de trem sendo carregados por dia, impedir os condutores de beber no trabalho e regularizar as paradas de almoço.[3] Esses eram discursos técnicos, não transcendentes.

Na esteira da Revolução Cultural e dada a presença ameaçadora de Mao e da Gangue dos Quatro, o pragmatismo comum era uma posição ousada em si mesma. Por uma década, Mao e a Gangue dos Quatro haviam defendido a anarquia como meio de organização social, a "luta" sem fim como meio de purificação nacional e uma espécie de amadorismo violento nas empreitadas econômicas e acadêmicas. Após a Revolução Cultural ter elevado a busca do fervor ideológico a selo de autenticidade, a conclamação de Deng a uma volta à ordem, ao profissionalismo e à eficiência

— quase um discurso clichê no mundo desenvolvido — era uma proposição ousada. A China atravessara uma década de furiosas milícias de jovens que haviam chegado perto de destruir a carreira e a família de Deng. Seu estilo pragmático e casual lembrava a China do sonho de abreviar a história para um mundo onde a história seja cumprida mediante grandes ambições, mas em estágios práticos.

Em 26 de setembro de 1975, em comentários intitulados "A prioridade deve ser dada à pesquisa científica", Deng tocou em diversos temas que seriam sua marca registrada: a necessidade de ênfase em ciência e tecnologia para o desenvolvimento da economia chinesa; a reprofissionalização da força de trabalho chinesa; e o encorajamento do talento e da iniciativa individuais — precisamente as qualidades que haviam sido paralisadas pelos expurgos políticos, o fechamento de universidades durante a Revolução Cultural e a promoção de indivíduos incompetentes com base na ideologia.

Acima de tudo, Deng buscou dar um basta de uma vez por todas à discussão sobre o que a China tinha a aprender, se é que tinha alguma coisa, com estrangeiros, o que dividia as opiniões desde o século XIX. Deng insistia que a China enfatizasse a competência profissional acima da correção política (mesmo ao ponto de encorajar as buscas profissionais de indivíduos "excêntricos") e recompensar os indivíduos por se destacar em seus campos de atuação. Isso era uma mudança radical na ênfase de uma sociedade em que funcionários do governo e unidades de trabalho haviam ditado até os mínimos detalhes educacionais, profissionais e pessoais nas vidas dos indivíduos por décadas. Se Mao levava as questões para a estratosfera das parábolas ideológicas, Deng subordinava as buscas ideológicas à competência profissional:

> No momento, parte das pessoas dedicadas à pesquisa científica está envolvida em lutas de facções e presta pouca atenção à pesquisa. Uns poucos se entregam a pesquisas privadamente, como se estivessem cometendo um crime. [...] Seria vantajoso para a China ter mil dessas pessoas talentosas cuja autoridade fosse reconhecida no mundo em geral. [...] Na medida em que estiverem trabalhando no interesse da República Popular da China, essas pessoas são muito mais valiosas do que as que se envolvem em brigas de facções e, desse modo, impedem os demais de trabalhar.[4]

Deng definia as prioridades chinesas tradicionais como "a necessidade de conquistar a consolidação, a estabilidade e a unidade".[5] Embora sem ocupar uma posição de poder supremo, com Mao ainda ativo e a Gangue dos Quatro permanecendo influente, Deng falou duramente sobre a necessidade de superar o caos reinante e "pôr as coisas em ordem":

> Há presentemente uma necessidade de pôr as coisas em ordem em todos os campos. A agricultura e a indústria devem ser postas em ordem, e as políticas quanto à literatura e à arte devem sofrer ajustes. Ajustes, na verdade, significam também pôr as coisas em ordem. Ao pôr as coisas em ordem, queremos resolver os problemas nas áreas rurais, nas fábricas, na ciência e tecnologia e em todas as demais esferas. Nas reuniões do Politburo tenho discutido a necessidade de fazer isso em diversos campos, e quando relatei isso ao camarada Mao Zedong, ele me deu sua aprovação.[6]

O que Mao estava de fato aprovando quando deu sua "aprovação" não ficou muito claro. Se Deng fora chamado para constituir uma alternativa mais ideológica que Zhou, o resultado foi o contrário. Como Deng definia ordem e estabilidade permanecia motivo de intenso questionamento para a Gangue dos Quatro.

A morte de líderes – Hua Guofeng

Antes que Deng pudesse lançar completamente seu programa de reforma, a estrutura do poder na China passou por nova turbulência e ele foi expurgado uma segunda vez.

Em 8 de janeiro de 1976, Zhou Enlai sucumbiu à longa batalha contra o câncer. Sua morte evocou uma manifestação de pesar público sem precedentes na história da República Popular. Deng aproveitou a ocasião do funeral de Zheng em 15 de janeiro para louvá-lo por suas qualidades humanas:

> Ele era aberto e franco, atento para os interesses do coletivo, observava a disciplina do Partido, era rigoroso em "dissecar" a si mesmo e hábil em unir a massa dos quadros, e apoiava a unidade e solidariedade do Partido.

> Manteve laços amplos e estreitos com as massas e mostrou sua bondade ilimitada para todos os camaradas e o povo. [...] Devemos aprender com seu ótimo estilo — ser modesto e prudente, despretensioso e comunicativo, dando o exemplo por sua conduta e vivendo de um modo simples e esforçado.[7]

Quase todas essas qualidades — especialmente a devoção à unidade e à disciplina — haviam sido criticadas na reunião do Politburo de dezembro de 1973, depois que os poderes de Zhou foram retirados (embora seu título fosse mantido). O elogio fúnebre de Deng era assim um ato de considerável coragem. Após as manifestações em memória de Zhou, Deng foi expurgado outra vez de todas suas funções. Só escapou de ser preso porque o Exército de Libertação Popular o protegia em bases militares, primeiro em Pequim, depois no sul da China.

Cinco meses depois, Mao morreu. Sua morte foi precedida (e, na visão de alguns chineses, profetizada) por um catastrófico terremoto na cidade de Tangshan.

Com a queda de Lin Biao e o falecimento de Zhou e Mao em rápida sucessão, o futuro do Partido e do país ficou em aberto. Depois de Mao, nenhuma outra figura chegava perto de impor autoridade comparável.

Ao lançar suspeitas sobre as ambições e provavelmente a conveniência da Gangue dos Quatro, Mao engendrara a ascensão de Hua Guofeng. Hua permanecia sendo uma espécie de enigma; não ocupava seu cargo tempo suficiente para aspirar a nada em particular a não ser a sucessão de Mao. Mao inicialmente designou Hua como premiê quando Zhou morreu. E quando Mao morreu, pouco depois, Hua Guofeng herdou suas posições como presidente do Partido e da Comissão Militar Central, embora não necessariamente sua autoridade. Conforme subia nos escalões da liderança chinesa, Hua adotou o culto à personalidade de Mao, mas exibindo pouco do magnetismo pessoal do predecessor. Hua batizou seu programa econômico de "O Grande Salto para Fora", em um infeliz eco da desastrosa política industrial e agrícola maoista dos anos 1950.

A principal contribuição à teoria política chinesa pós-Mao foi a promulgação em fevereiro de 1977 do que veio a ser conhecida como as "Duas Quaisquer": "Apoiaremos resolutamente quaisquer decisões políticas tomadas pelo presidente Mao e seguiremos inquestionavelmente quaisquer instruções dadas pelo presidente Mao."[8] Isso dificilmente era o tipo de princípio que inspiraria um povo na defesa da nação.

Encontrei-me com Hua apenas duas vezes — a primeira em Pequim, em abril de 1979, e a segunda em outubro de 1979, quando ele empreendeu uma visita oficial à França. Ambas as ocasiões revelaram uma considerável lacuna entre a performance de Hua e o esquecimento em que acabou mergulhando. O mesmo deve ser dito sobre os registros de sua conversa com Zbigniew Brzezinski, assessor de Segurança Nacional durante o governo Jimmy Carter. Hua conduzia cada diálogo com a tranquilidade que os altos funcionários chineses invariavelmente exibiam em reuniões com estrangeiros. Era bem-informado e confiante, ainda que menos educado do que Zhou e sem mostrar o sarcasmo mordaz de Mao. Não havia motivos para supor que Hua iria desaparecer tão subitamente quanto surgira.

O que faltava em Hua era base política. Ele fora alçado ao poder porque não pertencia a nenhuma das principais facções em disputa, a Gangue dos Quatro ou a ala dos moderados, de Zhou/Deng. Mas, assim que Mao se foi, Hua incorreu na suprema contradição de tentar combinar a adesão acrítica aos preceitos maoistas de coletivização e luta de classes com as ideias de Deng sobre modernização econômica e tecnológica. Os partidários da Gangue dos Quatro se opunham a Hua por radicalismo insuficiente; Deng e seus adeptos por sua vez rejeitavam Hua, cada vez mais abertamente, por insuficiente pragmatismo. Desbancado por Deng, ele se tornou cada vez mais irrelevante para o destino da nação cujos principais cargos de liderança ele ainda mantinha, tecnicamente.

Mas, antes de descer do trono, Hua realizou um ato de transcendentes consequências. Um mês após a morte de Mao, Hua se aliou com os moderados — e vítimas altamente influentes da Revolução Cultural — para prender a Gangue dos Quatro.

A ascensão de Deng – "Reforma e Abertura"

Nesse ambiente intensamente fluido, Deng Xiaoping emergiu de seu segundo exílio em 1977 e começou a articular uma visão da modernidade chinesa.

Deng começou de uma posição que, em um sentido burocrático, não poderia ter sido mais desvantajosa. Hua mantinha todos os cargos-chave, que herdara de Mao e Zhou: era o presidente do Partido Comunista, premiê e presidente da Comissão Militar Central. Contava com o benefício do endosso explícito de Mao. (A frase de Mao para Hua ficara famosa: "Com você no comando, estou à vontade.")[9] Deng foi devolvido aos antigos cargos no establishment político e militar, mas em todos os aspectos da hierarquia formal era subordinado de Hua.

A visão deles de política externa era relativamente paralela, mas detinham opiniões extraordinariamente diferentes quanto ao futuro da China. Em abril de 1979, numa visita a Pequim, tive reuniões separadas com os dois líderes. Ambos apresentaram suas ideias sobre reforma econômica. Pela única vez em minha experiência com os líderes chineses, as discordâncias filosóficas e práticas foram explicitadas. Hua descreveu um programa econômico para estimular a produção por métodos soviéticos tradicionais, enfatizando a indústria pesada, melhorias na produção agrícola baseadas em comunas, aumento da mecanização e uso de fertilizantes dentro do contexto do ubíquo Plano Quinquenal.

Deng rejeitava todas essas ortodoxias. O povo, dizia, precisava receber uma cota do que produzia. Os bens de consumo tinham de ter prioridade sobre a indústria pesada, a engenhosidade dos agricultores chineses precisava ser liberada, o Partido Comunista devia se mostrar menos intrusivo e o governo tinha de ser descentralizado. A conversa continuou durante um banquete, em diversas mesas-redondas. Eu sentava ao lado de Deng. No que era essencialmente uma conversa de jantar, trouxe à baila a questão do equilíbrio entre centralização e descentralização. Deng enfatizou a importância da descentralização em um país vasto com imensa população e diferenças regionais significativas. Mas esse não era o principal desafio, disse. A tecnologia moderna tinha de ser introduzida na China, dezenas de milhares de estudantes chineses seriam mandados para o exterior ("Nada temos a temer com a educação ocidental"), e os abusos da Revolução Cultural seriam encerrados de uma vez por todas. Embora Deng não houvesse erguido a voz, as mesas em torno de nós caíram todas em silêncio. Os demais chineses presentes sentavam na ponta de suas cadeiras, nem sequer fingindo que não ouviam o velho conforme esboçava sua visão do futuro.

"Precisamos fazer as coisas do jeito certo agora", concluía Deng. "Já cometemos erros demais." Logo depois, Hua sumiu do poder. Ao longo da década seguinte, Deng implementou o que havia descrito nesse banquete em 1979.

Deng prevaleceu porque havia ao longo das décadas construído ligações dentro do Partido e especialmente no Exército de Libertação Popular, e porque operou com destreza política muito maior do que Hua. Como um veterano de décadas de lutas internas no Partido, aprendera como fazer argumentos ideológicos servir a propósitos políticos. Os discursos de Deng durante esse período foram obras-primas de flexibilidade ideológica e ambiguidade política. Sua principal tática era elevar os conceitos de "procurar a verdade nos fatos" e integrar "teoria e prática" ao "princípio fundamental do Pensamento de Mao Zedong" — proposição raramente apresentada antes da morte de Mao.

Como todo candidato chinês ao poder, Deng era cuidadoso em apresentar ideias como elucidações de declarações feitas por Mao, citando fartamente (ainda que por vezes habilmente fora de contexto) trechos dos discursos do falecido líder. Mao não dera qualquer ênfase particular a preceitos domésticos práticos, pelo menos desde meados da década de 1960. E de um modo geral teria defendido que a ideologia vinha antes e podia se sobrepor à experiência prática. Arregimentando fragmentos discrepantes da ortodoxia maoista, Deng abandonava a revolução contínua de Mao. Nas palavras de Deng, Mao emergia como um pragmático:

> Camaradas, vamos refletir: não é assim que procurar a verdade nos fatos, partindo da realidade e integrando teoria e prática, forma o princípio fundamental do Pensamento de Mao Zedong? Este princípio fundamental está ultrapassado? Um dia vai ficar ultrapassado? Como podemos ser fiéis ao marxismo-leninismo e ao Pensamento de Mao Zedong se somos contra procurar a verdade nos fatos, partindo da realidade e integrando teoria e prática? Aonde isso nos levaria?[10]

Baseado na defesa da ortodoxia maoista, Deng criticava a promulgação das "Duas Quaisquer" de Hua Guofeng porque dava a entender que Mao era infalível, coisa que nem mesmo o Grande Timoneiro havia alegado. (Por outro lado, a falibilidade de Mao raramente foi lembrada quando ele era vivo.) Deng invocava a fórmula pela qual Mao havia julgado Stalin — de que estivera 70% correto e 30% errado —, sugerindo que o próprio Mao talvez merecesse uma proporção "70-30" (isso logo se tornaria a política oficial do Partido, permanecendo até hoje). No processo, deu um jeito de acusar o herdeiro designado por Mao, Hua Guofeng, de falsear o legado maoista ao insistir com sua aplicação literal:

> As "duas quaisquer" são inaceitáveis. Se esse princípio estivesse correto, não haveria justificativa para minha reabilitação, assim como não haveria nenhuma para a declaração de que as atividades das massas na praça Tiananmen em 1976 [isto é, o pranto e as manifestações que se seguiram à morte de Zhou Enlai] fossem razoáveis. Não podemos aplicar mecanicamente o que o camarada Mao Zedong disse sobre uma questão particular para outra questão. [...] O camarada Mao Zedong disse repetidamente [...] que se a obra de alguém foi avaliada como 70% de realizações e 30% de erros, que estaria tudo bem, e que ele mesmo ficaria muito feliz e satisfeito se futuras gerações pudessem lhe dar essa avaliação de "70-30" após sua morte.[11]

Em resumo, não havia nenhuma ortodoxia imutável. A reforma chinesa se basearia em grande parte no que funcionava.

Deng proferia seus temas básicos com urgência crescente. Em um discurso de maio de 1977, desafiou a China a "fazer melhor" do que a Restauração Meiji, o dramático impulso modernizador japonês do século XIX. Invocando a ideologia comunista para encorajar o que se resumia a economia de mercado, Deng sugeria que, "como proletários", os chineses seriam capazes de se distinguir em um programa elaborado pela "emergente burguesia japonesa" (embora dê para desconfiar que isso fosse na verdade uma tentativa de mobilizar o orgulho nacional chinês). Ao contrário de Mao, que apelava ao seu povo com a visão de um futuro transcendente, glorioso, Deng os desafiava a um grande compromisso para superar o atraso:

> A chave para conquistar a modernização é o desenvolvimento da ciência e da tecnologia. E, a menos que prestemos especial atenção na educação,

> será impossível desenvolver a ciência e a tecnologia. Palavras vazias não vão levar nosso programa de modernização a lugar algum; devemos ter conhecimento e pessoal treinado. [...] Hoje parece que a China está vinte anos atrás dos países desenvolvidos em ciência, tecnologia e educação.[12]

Conforme Deng se consolidava no poder, esses princípios se transformaram nas máximas operacionais dos esforços chineses em se tornar uma potência mundial. Mao havia manifestado pouco interesse em ampliar o comércio internacional da China ou fazer sua economia ser internacionalmente competitiva. Quando Mao morreu o volume de comércio dos Estados Unidos com a China era de 336 milhões de dólares, ligeiramente abaixo do nível do comércio norte-americano com Honduras e um décimo do comércio norte-americano com Taiwan, que tinha aproximadamente 1,6% da população da China.[13]

A China como superpotência econômica dos dias atuais é o legado de Deng Xiaoping. Não que ele tenha projetado programas específicos para atingir seus fins. Antes, ele cumpriu a missão suprema de um líder — levar sua sociedade de onde ela estava para um ponto onde nunca estivera. Sociedades funcionam segundo padrões de desempenho médio. Elas se sustentam praticando o que lhes é familiar. Mas progridem por meio de líderes com uma visão do que é necessário e a coragem de adotar um curso cujos benefícios de início residem largamente na visão deles.

O desafio político de Deng era que, nos primeiros trinta anos de governo comunista, a China fora governada por um líder dominador que impulsionou o país na direção da unidade e do respeito internacional, mas também no rumo de metas domésticas e sociais inatingíveis. Mao havia unificado a nação e, excetuando Taiwan e Mongólia, a restaurara às suas fronteiras históricas. Mas exigira dela esforços que eram contrários a suas qualidades distintivas históricas. A China conquistara a grandeza desenvolvendo um modelo cultural na cadência do ritmo que sua sociedade podia aguentar. A revolução contínua de Mao impulsionara a China até os limites mesmo considerando sua vasta tolerância. Gerara orgulho no ressurgimento de uma identidade nacional levada a sério pela comunidade internacional. Mas não descobrira como a China poderia progredir de outra forma que não mediante ímpetos de exaltação ideológica.

Mao governara como um imperador tradicional do tipo que inspirava majestade e temor reverente. Ele corporificou o mito do governante imperial fornecendo a ligação entre o céu e a terra e como estando mais perto do plano divino que mundano. Deng governou no espírito de outra tradição chinesa: baseando a onipotência na ubiquidade mas também na invisibilidade do governante.

Muitas culturas, e certamente as ocidentais, fortalecem a autoridade do governante mediante um contato demonstrativo de alguma espécie com os governados. É por isso que em Atenas, Roma e na maioria dos Estados pluralistas ocidentais, a oratória era considerada um ativo para governar. Não existe tradição geral de oratória na China (Mao de certa forma foi uma exceção). Os líderes chineses por tradição não baseavam sua autoridade em habilidades retóricas ou no contato físico com as massas. Na tradição mandarim, operavam essencialmente fora das vistas, legitimados pelo desempenho. Deng não tinha nenhum cargo importante; ele recusava todos os títulos honoríficos; quase nunca aparecia na televisão e praticava a política quase inteiramente nos bastidores. Ele governava não como um imperador, mas como o principal mandarim.[14]

Mao governara contando com a resiliência do povo chinês em aguentar o sofrimento que suas visões pessoais imporiam sobre eles. Deng governava liberando a criatividade do povo chinês para que concretizassem sua própria visão do futuro. Mao empenhou-se no avanço econômico com uma fé mística no poder das "massas" chinesas de superar qualquer obstáculo por pura força de vontade e pureza ideológica. Deng era sincero quanto à pobreza da China e não escondia o abismo que separava o padrão de vida chinês do que era encontrado no mundo desenvolvido. Decretando que "pobreza não é socialismo", Deng proclamou que a China necessitava obter tecnologia, especialização e capital estrangeiros para remediar suas deficiências.

A volta de Deng culminou na Terceira Plenária do 11º Comitê Central do Partido Comunista Chinês, em dezembro de 1978. A plenária promulgou o slogan que caracterizaria todas as políticas subsequentes de Deng: "Reforma e Abertura." Assinalando uma ruptura com a ortodoxia maoista, o Comitê Central aprovava políticas de "modernização socialista" pragmáticas, ecoando as Quatro Modernizações de Zhou Enlai. A iniciativa privada na agricultura era mais uma vez permitida. O veredicto sobre as multidões de luto por Zhou (que haviam antes sido tachadas de "contrarrevolucionárias") foi revertido, e o comandante militar veterano Peng Dehuai — que ocupara o comando durante a Guerra da Coreia e foi mais tarde expurgado por Mao por criticar o Grande Salto Adiante — foi postumamente reabilitado. No encerramento da conferência, Deng trombeteou em um discurso sobre "como emancipar nossas mentes, usar nossas cabeças, buscar a verdade nos fatos e nos unir na procura do futuro". Após uma década em que Mao Zedong prescrevera respostas para virtualmente todas as questões da vida, Deng enfatizava a necessidade de afrouxar as restrições ideológicas e encorajava "pensar as coisas por conta própria".[15]

Usando Lin Biao como uma metáfora para a Gangue dos Quatro e aspectos de Mao, Deng condenava os "tabus intelectuais" e o "burocratismo". O mérito deveria substituir a correção ideológica; gente demais adotara o caminho da menor resistência e mergulhara na estagnação reinante:

> Na verdade, o atual debate sobre se a prática é o único critério para testar a verdade é também um debate sobre se as cabeças das pessoas precisam ser emancipadas. [...] Quando tudo tem de ser feito segundo o manual, quando o pensamento se torna rígido e a fé cega vira moda, é impossível para um partido ou uma nação progredir. Sua vida vai cessar e esse partido ou nação perecerão.[16]

O pensamento criativo independente deveria ser a principal diretriz para o futuro:

> Quanto mais membros do Partido e outras pessoas usarem suas cabeças e pensarem sobre as coisas, mais benefícios advirão para nossa causa. Para fazer a revolução e construir o socialismo precisamos de grande número de desbravadores que ousem pensar, explorar novos caminhos e gerar novas ideias. De outro modo, não seremos capazes de livrar nosso país da pobreza e do atraso ou de alcançar — muito menos ultrapassar — os países desenvolvidos.[17]

A ruptura com a ortodoxia maoista, ao mesmo tempo, revelou o dilema da reforma. O dilema revolucionário é de que a maioria das revoluções ocorre em oposição ao que é percebido como abuso de poder. Mas quanto mais obrigações existentes são desmanteladas, mais a força tem de ser usada para recriar um sentido de obrigação. Daí que o desfecho frequente das revoluções é um aumento do poder centralizado; quanto mais abrangente a revolução, mais isso é verdadeiro.

O dilema da reforma é o oposto. Quanto mais o leque da escolha é expandido, mais difícil se torna sua compartimentalização. Na busca da produtividade, Deng enfatizava a importância de "pensar as coisas por si mesmos" e defendia a "completa" emancipação das mentes. Mas e se essas mentes, uma vez emancipadas, exigissem pluralismo político? A visão de Deng clamava por "grande número de desbravadores que ousassem pensar, explorar novos caminhos e gerar novas ideias", mas presumia que esses desbravadores iriam se limitar a explorar modos práticos de construir uma China próspera e manter distância da exploração de seus objetivos políticos últimos. Como Deng imaginava conciliar a emancipação do pensamento com o imperativo da estabilidade política? Seria isso um risco calculado, baseado na admissão de que a China não tinha melhor alternativa? Ou será que ele, seguindo a tradição chinesa, rejeitava a probabilidade de qualquer desafio à estabilidade política, sobretudo conforme Deng tornava o povo chinês mais bem de vida e consideravelmente mais livre? Sua visão de liberalização da economia e revitalização nacional não incluía um movimento significativo na direção do que seria reconhecido no Ocidente como democracia pluralista. Deng buscava preservar a regra do partido único não tanto porque se deleitasse com as prerrogativas do poder (ele notoriamente havia renunciado a vários dos luxos concedidos a Mao e Jiang Qing), mas porque acreditava que a alternativa era a anarquia.

Deng logo foi forçado a confrontar essas questões. Nos anos 1970, ele havia encorajado indivíduos a ventilar suas queixas dos sofrimentos vividos durante a Revolução Cultural. Mas, quando essa recém-encontrada liberdade enveredou para o incipiente pluralismo, Deng, em 1979, viu-se obrigado a discutir em detalhes o modo como compreendia a natureza da liberdade, bem como seus limites:

> No período recente, um pequeno número de pessoas tem provocado incidentes em alguns lugares. Em vez de acatar orientação, conselhos e ex-

> plicações dos principais funcionários do Partido e do governo, certos maus elementos têm feito várias exigências que não podem ser cumpridas no momento ou são inteiramente não razoáveis. Eles têm provocado ou tapeado parte da massa para atacar o Partido e as organizações do governo, ocupando escritórios, organizando paralisações e greves de fome e bloqueando o trânsito, desse modo perturbando gravemente a produção, o trabalho alheio e a ordem pública.[18]

Que esses incidentes não eram eventos isolados ou raros ficava demonstrado no catálogo deles apresentado por Deng. Ele descrevia o Grupo de Direitos Humanos da China, que chegara a ponto de exigir que o presidente dos Estados Unidos mostrasse preocupação com os direitos humanos na China: "Podemos permitir uma reivindicação aberta dessas por uma intervenção nos assuntos internos chineses?"[19] A lista de itens de Deng incluía o Fórum Democrático de Xangai, que, segundo ele, defendia uma volta ao capitalismo. Alguns desses grupos, segundo Deng, estabeleceram contato clandestino com as autoridades nacionalistas de Taiwan, e outros falavam em buscar asilo político no exterior.

Isso era uma admissão surpreendente de desafio político. Deng foi mais claro sobre seu escopo do que sobre como lidar com isso:

> A luta contra esses indivíduos não é um assunto simples que pode ser resolvido rapidamente. Devemos buscar distinguir claramente entre o povo (muitos deles jovens inocentes) e os contrarrevolucionários e maus elementos que os cooptaram, e com quem devemos lidar com severidade e de acordo com a lei. [...]
>
> De que tipo de democracia o povo chinês precisa hoje? Só pode ser a democracia socialista, a democracia do povo, não a democracia burguesa, a democracia individualista.[20]

Embora insistisse na condução autoritária da política, Deng abandonou o culto à personalidade, recusou-se a expurgar seu predecessor Hua Guofeng (deixando em vez disso que sumisse na insignificância) e começou a planejar uma sucessão ordenada para si mesmo. Após se consolidar no poder, Deng declinou de ocupar a maioria das principais posições formais na hierarquia do Partido.[21] Como explicou para mim em 1982, quando nos encontramos em Pequim:

DENG: [...] Estou chegando a um estágio em que vou ficar obsoleto.

KISSINGER: Não é o que parece quando lemos os documentos do Congresso do Partido.

DENG: Sou da Comissão Deliberativa, agora.

KISSINGER: Considero isso um sinal de autoconfiança.

[...]

DENG: O envelhecimento de nossa liderança nos compeliu a fazer isso, de forma que temos experiência e lições da história. [...]

KISSINGER: Não sei que título usar com o senhor.

DENG: Tenho inúmeros cargos. Sou um membro do Comitê Permanente do Poliburo e presidente da Comissão Deliberativa e também da Conferência Consultiva Política do Povo. Gostaria de passar isso para outros. Tenho títulos demais. [...] Tenho tantos títulos. Quero fazer o mínimo possível. Meus colegas também esperam que eu cuide de assuntos menos rotineiros. O único propósito é que eu possa viver mais tempo.

Deng rompeu com o precedente estabelecido por Mao minimizando sua própria capacidade em lugar de se apresentar como um gênio em determinado campo. Ele incumbia seus subordinados de inovar, depois endossava o que funcionava. Como explicou, com integridade típica, em uma conferência de 1948 sobre investimento estrangeiro: "Sou leigo no campo da economia. Fiz alguns comentários a respeito do assunto, mas todos de um ponto de vista político. Por exemplo, propus uma política de abertura econômica chinesa para o mundo exterior, mas, quanto aos detalhes ou especificidades de sua implementação, sei muito pouco, de fato."[22]

Conforme elaborava sua visão doméstica, Deng crescia aos olhos do mundo. Em 1980, sua ascensão foi completa. Na Quinta Plenária do Comitê Central do Partido Comunista em fevereiro de 1980, os seguidores de Hua Guofeng foram rebaixados ou removidos de seus cargos; os aliados de Deng, Hu Yaobang e Zhao Ziyang, foram indicados para o Comitê Permanente do Politburo. As maciças mudanças de Deng não foram atingidas sem significativas tensões sociais e políticas, culminando enfim na crise da praça Tiananmen de 1989. Mas, um século após a frustrada promessa de autofortalecimento da China feita pelos reformistas do século XIX, Deng havia domado e reinventado o legado maoista, lançando a China de cabeça em um rumo de reforma que iria, no devido tempo, arrogar para si uma influência que seu desempenho e sua história o autorizavam a fazer.

CAPÍTULO 13

"Cutucando o traseiro do tigre"

A Terceira Guerra do Vietnã

Em abril de 1979, Hua Guofeng, ainda premiê da China, resumiu os resultados da Terceira Guerra do Vietnã, em que a China invadira o Vietnã e se retirara seis semanas depois, numa desdenhosa provocação quanto ao papel soviético: "Eles não ousaram se mexer. Então, afinal de contas, ainda podíamos cutucar o traseiro do tigre."[1]

A China invadira o Vietnã para "ensinar uma lição" ao país depois que as tropas vietnamitas haviam ocupado o Camboja em reação a uma série de choques na fronteira com o Khmer Vermelho, que havia dominado o Camboja em 1975, e numa derradeira busca do objetivo de Hanói de criar uma Federação Indochinesa. A China fizera isso desafiando um tratado de defesa mútua entre Hanói e Moscou, assinado menos de um mês antes. A guerra fora extremamente custosa para as forças armadas chinesas, ainda não plenamente restauradas das depredações da Revolução Cultural.[2] Mas a invasão serviu a seu objetivo fundamental: quando a União Soviética fracassou em reagir, ela demonstrou a limitação de seu alcance estratégico. Desse ponto de vista, pode ser considerado um momento decisivo na Guerra Fria, embora isso não fosse plenamente compreendido na época. A Terceira Guerra do Vietnã foi também o ponto alto da cooperação estratégica sino-americana durante a Guerra Fria.

Vietnã: confundidor de grandes potências

A China se viu envolvida na Terceira Guerra do Vietnã por fatores comparáveis aos que arrastaram os Estados Unidos para a segunda. Alguma coisa no nacionalismo quase maníaco dos vietnamitas leva outras sociedades a perder seu senso de proporção e interpretar mal as motivações vietnamitas e suas próprias possibilidades. Esse certamente foi o destino dos Estados Unidos no que é hoje tratado pelos historiadores como a Segunda Guerra do Vietnã (a primeira sendo a guerra anticolonialista do Vietnã contra a França). Os americanos achavam difícil aceitar que uma nação em desenvolvimento de tamanho mediano pudesse cultivar um comprometimento tão feroz apenas pelas próprias razões paroquiais. Desse modo interpretavam as ações vietnamitas como sinal de um desígnio mais profundo. A combatividade de Hanói era tratada como a vanguarda de uma conspiração coordenada sino-soviética para dominar pelo menos a Ásia. E Washington acreditava também que, uma vez que o ímpeto inicial de Hanói fosse bloqueado, algum compromisso diplomático podia emergir.

A avaliação estava errada dos dois lados. Hanói não agia por procuração de nenhum outro país. Lutava por sua visão de independência e, em última instância, por uma Federação Indochinesa, que designava para Hanói no Sudeste Asiático o papel dominante que Pequim historicamente desempenhara no Leste Asiático. Para esses obstinados sobreviventes de séculos de conflito com a China, era inconcebível um compromisso entre sua ideia de independência e o conceito de estabilidade de qualquer estrangeiro. A pungência da Segunda Guerra do Vietnã na Indochina foi a interação entre o desejo americano de compromisso e a insistência norte-vietnamita na vitória.

Nesse sentido, o supremo erro na Guerra do Vietnã não foi o que dividiu o público americano: se o governo dos Estados Unidos estava suficientemente devotado a um desfecho diplomático. Antes, foi a incapacidade de enfrentar o fato de que um assim chamado desfecho diplomático, tão francamente — e desesperadamente — buscado por sucessivos presidentes dos dois partidos políticos americanos, exigia pressões equivalentes ao que significava a derrota total de Hanói — e que Moscou e Pequim tinham um papel apenas facilitador, não orientador.

De modo mais limitado, Pequim cometeu um erro semelhante. Quando o envolvimento militar americano no Vietnã começou, Pequim interpretou isso em termos de *wei qi*: mais um exemplo de bases americanas cercando a China da Coreia ao estreito de Taiwan e agora na Indochina. A China apoiava a guerra de guerrilha norte-vietnamita em parte por razões ideológicas, em parte a fim de empurrar as bases americanas o mais longe das fronteiras chinesas possível. Zhou Enlai disse ao primeiro-ministro norte-vietnamita Pham Van Dong, em abril de 1968, que a China apoiava o Vietnã do Norte para impedir o cerco estratégico da China, ao que Pham Van Dong replicou ambiguamente — em grande parte porque impedir o cerco da China não era objetivo vietnamita e os objetivos vietnamitas eram nacionais:

> ZHOU: Por um longo tempo, os Estados Unidos vêm cercando aos poucos a China. Agora a União Soviética também está cercando a China. O círculo está se completando, exceto [na parte do] Vietnã.
>
> PHAM: Estamos mais do que determinados a derrotar os imperialistas norte-americanos em todo o território vietnamita.
>
> ZHOU: É por isso que apoiamos vocês.
>
> PHAM: Nossa vitória terá um impacto positivo na Ásia. Nossa vitória trará resultados imprevisíveis.
>
> ZHOU: Devem pensar assim mesmo.[3]

Na busca de uma estratégia chinesa da qual Pham Van Dong tomara o cuidado de ficar distanciado, a China enviara mais de 100 mil tropas não combatentes para apoiar a infraestrutura e a logística do Vietnã do Norte. Os Estados Unidos se opunham ao Vietnã do Norte como a ponta de lança de um plano soviético-chinês. A China apoiava Hanói para enfraquecer o que percebiam como um ímpeto americano de dominar a Ásia. Ambos estavam equivocados. Hanói lutava apenas pelas próprias questões nacionais. E um Vietnã unificado liderado pelo comunismo, vitorioso em sua segunda guerra em 1975, se revelaria como uma ameaça estratégica muito maior para a China do que para os Estados Unidos.

Os vietnamitas olhavam seu vizinho ao norte com uma desconfiança que beirava a paranoia. Durante longos períodos de dominação chinesa, o Vietnã absorvera o sistema de escrita chinês e suas formas política e cultural (evidenciadas, mais grandiosamente, no palácio e nas tumbas imperiais na antiga capital, Hue). O Vietnã usara essas instituições "chinesas", porém, para construir um Estado separado e impulsionar sua independência. A geografia não permitia ao Vietnã se recolher no isolamento, como o Japão fizera em um período comparável em sua história. Do segundo século a.C. até o século X, o Vietnã ficou mais ou menos sob domínio direto da China, ressurgindo plenamente como Estado independente apenas com o colapso da dinastia Tang em 907.

A identidade nacional vietnamita passou a refletir o legado de duas forças de certo modo contraditórias: de um lado, absorção da cultura chinesa; de outro, oposição à dominação política e militar chinesa. A resistência à China ajudava a produzir um orgulho apaixonado na independência vietnamita e uma formidável tradição militar. A absorção da cultura chinesa forneceu ao Vietnã uma elite confucionista ao estilo chinês que possuía algo como um complexo de Império do Meio regional próprio em sua confrontação com os vizinhos. Durante as guerras da Indochina no século XX, Hanói exibiu sua percepção de autoafirmação política e cultural valendo-se em proveito próprio dos territórios neutros do Laos e Camboja como se fosse seu direito e, após a guerra, estendendo "relações especiais" com os movimentos comunistas em cada um desses países, levando à dominação vietnamita.

O Vietnã representava para a China um desafio psicológico e geopolítico sem precedentes. Os líderes de Hanói estavam familiarizados com a *Arte da Guerra* de Sun Tzu e empregaram seus princípios com resultados significativos tanto na França quanto nos Estados Unidos. Mesmo antes do fim das longas guerras no Vietnã, primeiro com os franceses querendo reclamar sua colônia ao fim da Segunda Guerra Mundial, e depois com os Estados Unidos de 1963 a 1975, tanto Pequim como Hanói começaram a se dar conta de que a disputa seguinte seria entre eles próprios pela dominação na Indochina e no Sudeste Asiático.

A proximidade cultural talvez explique a relativa ausência da certeza na análise estratégica que normalmente orientava a política chinesa durante a Guerra do Vietnã dos americanos. Ironicamente, o interesse estratégico de longo prazo de Pequim era provavelmente paralelo ao de Washington: um resultado em que quatro Estados indochineses (Vietnã do Norte e do Sul, Camboja e Laos) equilibravam um ao outro. Isso talvez explique por que Mao, delineando possíveis resultados da guerra para Edgar Snow em

1965, listava um resultado preservando o Vietnã do Sul como possível e, desse modo, presumivelmente aceitável.[4]

Durante minha viagem secreta a Pequim em 1971, Zhou explicou os objetivos chineses na Indochina como não sendo nem estratégicos nem ideológicos. Segundo Zhou, a política chinesa na Indochina foi baseada inteiramente em uma dívida histórica contraída pelas antigas dinastias. Os líderes chineses provavelmente presumiam que os Estados Unidos não poderiam ser derrotados e que o norte de um Vietnã dividido passaria a depender do apoio chinês do modo como fora com a Coreia do Norte após o fim da Guerra da Coreia.

Conforme a guerra avançava, houve diversos sinais de que a China estava se preparando — ainda que de forma relutante — para a vitória de Hanói. O serviço de inteligência informou sobre a construção de uma estrada chinesa no norte do Laos que não tinha relevância com o presente conflito com os Estados Unidos, mas seria útil para uma estratégia pós-guerra de contrabalançar Hanói ou até um possível conflito em relação ao Laos. Em 1973, depois que o Acordo de Paris pôs fim à Guerra do Vietnã, Zhou e eu estávamos negociando um acordo pós-guerra para o Camboja baseado numa coalizão entre Norodom Sihanouk (o ex-governante exilado do Camboja vivendo em Pequim), o governo Phnom Penh existente e o Khmer Vermelho. O principal objetivo era criar um obstáculo para uma tomada da Indochina por Hanói. O acordo acabou sendo abortado quando o Congresso norte-americano proibiu efetivamente qualquer subsequente papel militar para os Estados Unidos na região, tornando o papel americano irrelevante.[5]

Só me dei conta da hostilidade latente de Hanói com seu aliado numa visita a Hanói em fevereiro de 1973 planejada para realizar a implementação do Acordo de Paris, que fora iniciado duas semanas antes. Le Duc Tho levou-me para uma visita ao museu nacional de Hanói principalmente para me mostrar as seções devotadas às lutas históricas do Vietnã contra a China — ainda formalmente aliada do Vietnã.

Com a queda de Saigon em 1975, as rivalidades inerentes e históricas ficaram expostas repentinamente, levando a uma vitória da geopolítica sobre a ideologia. Era uma prova de que os Estados Unidos não estavam sós em avaliar erroneamente o significado da Guerra do Vietnã. Quando os

Estados Unidos intervieram pela primeira vez, a China viu isso como uma espécie de último suspiro do imperialismo. Ela — quase rotineiramente — partilhara sua sorte com Hanói. Interpretara a intervenção americana como mais um passo no cerco da China — assim como vira a intervenção americana na Coreia uma década antes.

Ironicamente, de um ponto de vista geopolítico, os interesses de longo prazo entre Pequim e Washington deviam ter sido paralelos. Ambos deviam ter preferido o status quo, que era uma Indochina dividida em quatro Estados. Washington resistiu à dominação de Hanói sobre a Indochina devido à ideia wilsoniana de ordem global — o direito de autodeterminação de Estados existentes — e à noção de uma conspiração comunista global. Pequim tinha o mesmo objetivo geral, mas do ponto de vista geopolítico pois queria evitar o surgimento de um bloco do Sudeste Asiático em sua fronteira meridional.

Por algum tempo, Pequim pareceu acreditar que a ideologia comunista suplantaria uma história milenar de oposição vietnamita à predominância chinesa. Ou de outro modo não julgava possível que os Estados Unidos pudessem ser levados a uma total derrota. No desdobramento da queda de Saigon, Pequim foi obrigada a enfrentar as implicações de sua própria política. E recuou diante disso. O desfecho na Indochina misturou-se a medo permanente que a China tinha do cerco. Impedir um bloco indochinês ligado à União Soviética tornou-se a preocupação dominante da política externa chinesa sob Deng e um elo para aumentar a cooperação com os Estados Unidos. Hanói, Pequim, Moscou e Washington jogavam uma partida quádrupla de *wei qi*. Os acontecimentos no Camboja e no Vietnã iriam determinar quem terminaria cercado e neutralizado: Pequim ou Hanói.

O pesadelo de Pequim de se ver sob o cerco de uma potência estrangeira parecia estar se tornando realidade. O Vietnã sozinho já era bastante preocupante. Mas, se concretizasse seu objetivo de uma Federação Indochinesa, chegaria próximo de um bloco de uma população de 100 milhões e ficaria em posição de impor significativa pressão sobre a Tailândia e outros Estados do Sudeste Asiático. Nesse contexto, a independência do Camboja como contrapeso de Hanói tornou-se um dos principais objetivos chineses. Já em agosto de 1975 — três meses após a queda de Saigon

— Deng Xiaoping falou para o líder do Khmer Vermelho em visita, Khieu Samphan: "Quando uma superpotência [os Estados Unidos] foi obrigada a retirar suas tropas da Indochina, a outra superpotência [a União Soviética] aproveitou a oportunidade [...] para estender seus tentáculos malignos ao Sudeste Asiático [...] numa tentativa de empreender a expansão por lá."[6] Camboja e China, disse Deng, "ambos [...] enfrentam a missão de combater o imperialismo e as hegemonias. [...] Acreditamos firmemente que [...] nossos dois povos vão se unir ainda com maior proximidade e marchar juntos rumo a novas vitórias na luta comum".[7] Durante uma visita em março de 1976 do primeiro-ministro laosiano Kaysone Phomvihane a Pequim, Hua Guofeng, então premiê, advertiu a União Soviética no sentido de que: "Em particular, a superpotência que apregoa a 'détente' enquanto finca suas garras por toda parte está incrementando sua expansão armada e preparativos de guerra e tentando trazer mais países para sua esfera de influência e bancar o líder hegemônico."[8]

Livres da necessidade de fingir solidariedade comunista em face da ameaça "imperialista" americana, os adversários moveram-se para uma franca oposição entre si logo após a queda de Saigon, em abril de 1975. Em seis meses da queda de toda a Indochina, 150 mil vietnamitas foram forçados a deixar o Camboja. Um número comparável de cidadãos vietnamitas etnicamente chineses foi obrigado a fugir do Vietnã. Em fevereiro de 1976, a China encerrou seu programa de ajuda ao Vietnã, e, um ano depois, cortou qualquer suprimento baseado em programas existentes. Simultaneamente, Hanói se moveu na direção da União Soviética. Em uma reunião do Politburo vietnamita em junho de 1978, a União Soviética e o Vietnã assinaram o Tratado de Amizade e Cooperação, que continha cláusulas militares. Em dezembro de 1978, tropas vietnamitas invadiram o Camboja, derrubando o Khmer Vermelho e instalando um governo pró-vietnamita.

A ideologia desaparecera do conflito. Os centros de poder comunistas estavam empreendendo uma disputa de equilíbrio de forças baseada não na ideologia, mas no interesse nacional.

Visto de Pequim, um pesadelo estratégico se desenvolvia ao longo das fronteiras chinesas. No norte, o edifício soviético continuava inabalável: Moscou ainda mantinha quase cinquenta divisões ao longo da fronteira. A oeste da China, o Afeganistão sofrera um golpe marxista e estava sujeito à influência soviética cada vez mais escancarada.[9] Pequim também enxergava a mão da União Soviética na revolução iraniana, que culminou com a fuga do xá em 16 de janeiro de 1979. Moscou continuou a forçar um sistema de segurança coletivo soviético sem nenhum outro propósito plausível além de conter a China. Enquanto isso, Moscou negociava o tratado SALT II (Conversações sobre Limites de Armas Estratégicas) com Washington. Na concepção de Pequim, tais acordos serviam para "jogar as águas insalubres da União Soviética" para leste, na direção da China. O país parecia em uma posição excepcionalmente vulnerável. Agora o Vietnã se juntara ao lado soviético. Os "resultados imprevisíveis" previstos por Pham Van Dong para Zhou em 1968 pareciam incluir o cerco soviético da China. Um complicador adicional era que todos esses desafios ocorriam enquanto Deng continuava a consolidar sua posição em sua segunda volta ao poder — processo que não foi completado senão em 1980.

Uma diferença fundamental entre a estratégia diplomática chinesa e a ocidental é a reação à sensação de vulnerabilidade. Os diplomatas americanos e ocidentais concluem que devem se mover com cautela para evitar provocação; a reação chinesa está mais para intensificação da atitude desafiadora. Os diplomatas ocidentais tendem a concluir de um equilíbrio de forças desfavorável um imperativo para uma solução diplomática; eles buscam as iniciativas diplomáticas para deixar o outro lado "sem razão" e isolado moralmente, mas de modo a desistir do uso da força — isso era essencialmente o conselho americano para Deng depois que o Vietnã invadiu o Camboja e ocupou o país. Os estrategistas chineses são mais propensos a aumentar seu comprometimento de usar coragem e pressão psicológica contra a vantagem material do adversário. Eles acreditam na deterrência na forma de preempção. Quando os planejadores chineses concluem que seu oponente está conquistando uma vantagem inaceitável e que a tendência estratégica está se voltando contra eles, reagem procurando solapar a confiança do inimigo e permitir à China reivindicar a vantagem psicológica, quando não material.

Confrontado com uma ameaça em todas as frentes, Deng decidiu partir para a ofensiva diplomática e estratégica. Embora ainda sem controle absoluto em Pequim, moveu-se ousadamente em vários níveis no exterior. Ele mudou a posição chinesa em relação à União Soviética da contenção para hostilidade estratégica explícita e, na prática, para forçar um recuo. A China não iria mais se restringir a dar conselhos para os Estados Unidos sobre como conter a União Soviética; ela iria agora desempenhar um papel ativo na construção de uma coalizão antissoviética e antivietnamita, sobretudo na Ásia. Ela iria pôr as peças no lugar para um possível acerto de contas com Hanói.

A política externa de Deng – diálogo com a América e normalização

Quando Deng regressou de seu segundo exílio, em 1977, ele reverteu a política doméstica de Mao, mas deixou a política externa maoista em grande parte intocada. Isso porque ambos partilhavam fortes sentimentos nacionalistas e tinham visões semelhantes dos interesses nacionais chineses. Era também porque a política externa estabelecera limites mais absolutos para os impulsos revolucionários de Mao do que a política doméstica.

Havia, contudo, uma diferença significativa de estilo entre a crítica de Mao e a de Deng. Mao questionara as intenções estratégicas da política soviética dos Estados Unidos. Deng assumia uma identidade de interesses estratégicos e se concentrava em conquistar uma implementação paralela. Mao lidava com a União Soviética como uma espécie de ameaça estratégica abstrata cujo perigo era tão aplicável à China quanto ao resto do mundo. Deng reconhecia o perigo particular para a China, especialmente uma ameaça imediata à fronteira meridional chinesa como constituindo uma ameaça latente para o norte. O diálogo, desse modo, assumiu um caráter mais operacional. Mao agia como um professor frustrado; Deng, como um parceiro exigente.

Em face do verdadeiro perigo, Deng encerrou a ambivalência sobre a relação com os americanos do último ano de Mao. Não havia mais qualquer nostalgia chinesa por oportunidades em prol da revolução mundial. Deng, em todas as conversas após sua volta, argumentava que, ao resistir contra o ímpeto da política soviética na direção da Europa, a China e o Japão precisavam ser considerados em um planejamento global.

Por mais próximo que o diálogo entre China e Estados Unidos tivesse ficado, persistia a anomalia de que os norte-americanos ainda reconheciam formalmente Taiwan como o governo legítimo chinês e Taipei como a capital da China. Os adversários da China nas fronteiras norte e sul podiam interpretar erroneamente a ausência de reconhecimento como uma oportunidade.

A normalização de relações deslocou-se para o topo da agenda sino-americana quando Jimmy Carter foi eleito. A primeira visita a Pequim do novo secretário de Estado, Cyrus Vance, em agosto de 1977, não correu bem. "Deixei Washington", escreveu ele em suas memórias,

> acreditando que não seria ajuizado abordar uma questão tão politicamente controversa como a normalização com a China até que a questão do Panamá [referindo-se à retificação do tratado do canal do Panamá girando em torno da operação do canal] estivesse fora do caminho, a menos — e eu não tinha esperança de que isso acontecesse — que os chineses fossem aceitar nossa proposta integralmente. Por motivos políticos, eu pretendia representar uma posição extrema para os chineses na questão de Taiwan. [...] Consequentemente, não esperava que os chineses aceitassem nossa proposta, mas achei que seria acertado fazê-la, mesmo que eventualmente tivéssemos de abandoná-la.[10]

A proposta americana sobre Taiwan continha uma série de ideias envolvendo a permanência de uma limitada presença diplomática americana em Taiwan que fora proposta e rejeitada durante o governo Ford. As propostas voltaram a ser rejeitadas por Deng, que as chamou de andar para trás. Um ano depois, o debate interno americano terminou quando o presidente Carter decidiu conceder alta prioridade ao relacionamento com a China. As pressões soviéticas na África e no Oriente Médio convenceram o novo presidente a optar por uma rápida normalização da situação, o que correspondia a buscar uma aliança estratégica de fato com a China. Em 17 de maio de 1978, Carter enviou seu assessor de Segurança Nacional, Zbigniew Brzezinski, para Pequim, com as seguintes instruções:

> Você deve enfatizar que vejo a União Soviética como em um relacionamento essencialmente competitivo com os Estados Unidos, embora haja alguns aspectos cooperativos. [...]

> Para afirmar de modo mais sucinto, minha preocupação é de que a combinação entre o aumento de poder militar soviético e miopia política, alimentada pelas ambições de grande potência, possa ser uma tentação para que os soviéticos tanto explorem a turbulência local (especialmente no Terceiro Mundo) como intimidem nossos amigos a fim de buscar vantagem política e finalmente até a preponderância política.[11]

Brzezinski foi também autorizado a reafirmar os cinco princípios enunciados por Nixon para Zhou em 1972.[12] Há muito tempo um forte defensor da cooperação estratégica com a China, Brzezinski executou suas instruções com entusiasmo e habilidade. Quando visitou Pequim, em maio de 1978, em busca de normalizar as relações, Brzezinski encontrou um público receptivo. Deng estava ansioso em proceder à normalização para relacionar Washington mais firmemente em uma coalizão a fim de opor-se, por intermédio do que ele chamava de "trabalho real, sólido, de pés no chão",[13] aos avanços soviéticos nos quatro cantos do planeta.

Os líderes chineses tinham plena consciência dos perigos estratégicos que os cercavam; mas eles apresentavam sua análise menos como uma preocupação nacional do que como uma visão mais ampla das condições globais. "Tumulto sob o céu", a "linha horizontal", os "Três Mundos": tudo representava teorias gerais de relações internacionais, não percepções nacionais específicas.

A análise da situação internacional do ministro das Relações Exteriores Huang Hua exibia uma notável autoconfiança. Em vez de parecer um suplicante no que era, afinal de contas, uma situação muito difícil para a China, Huang assumiu a atitude de um professor confucionista, discorrendo sobre como conduzir uma política externa abrangente. Ele iniciava fazendo uma avaliação geral das "contradições" entre as duas superpotências, a futilidade de negociações com a União Soviética e a inevitabilidade de uma guerra mundial:

> A União Soviética é a fonte de guerra mais perigosa. Vossa excelência mencionou que a União Soviética enfrenta muitas dificuldades. Isso é verdade. Lutar pela hegemonia mundial é uma meta estratégica permanente do imperialismo socialista soviético. Embora eles possam sofrer uma série de reveses, nunca vão abrir mão de suas ambições.[14]

Huang mostrava preocupações que também incomodavam os estrategistas americanos — especialmente aqueles que tentavam relacionar armamentos nucleares a modos tradicionais de pensar sobre estratégia. A dependência de armas nucleares abriria um fosso entre as ameaças de deterrência e a predisposição em implementá-las: "Quanto ao argumento de que a União Soviética não ousaria utilizar armas convencionais por medo de um ataque nuclear vindo do Ocidente, isso não passa de fantasia. Basear uma postura estratégica nesse modo de pensar é não só perigoso como também pouco confiável."[15]

No Oriente Médio — "o flanco da Europa" e "fonte de energia em uma futura guerra" — os Estados Unidos haviam fracassado em deter os avanços soviéticos. O país emitira um pronunciamento conjunto com a União Soviética sobre o Oriente Médio (convidando os Estados da região a uma conferência para explorar a perspectiva de um acordo abrangente, sobre a Palestina), "desse modo deixando a porta escancarada para que a União Soviética se infiltrasse ainda mais no Oriente Médio". Washington deixara o presidente Anwar Sadat, do Egito — cuja "ação ousada" havia "criado uma situação desfavorável para a União Soviética" —, em uma posição perigosa e permitira que a União Soviética "aproveitasse a chance de criar uma séria divisão entre os países árabes".[16]

Huang resumira a situação invocando um antigo provérbio chinês: o "apaziguamento" de Moscou, disse, era "como dar asas a um tigre para fortalecê-lo". Mas uma política de pressão coordenada iria prevalecer, desde que a União Soviética estivesse "forte apenas por fora, mas fraca por dentro. Ela intimida os fracos e teme os fortes".[17]

Tudo isso foi para fornecer o contexto para a Indochina. Huang atacou "o problema da hegemonia regional". Os Estados Unidos, é claro, haviam trilhado esse caminho pelo menos dez anos antes. O Vietnã objetivava dominar o Camboja e o Laos e estabelecer uma Federação Indochinesa — e "por trás disso está a União Soviética". Hanói já conquistara uma posição dominante no Laos, estacionando tropas por lá e mantendo "conselheiros em todos os departamentos e em todos os níveis no Laos". Mas Hanói havia encontrado resistência no Camboja, o que se opunha às ambições regionais vietnamitas. A tensão vietnamita-cambojana representava "não meramente escaramuças esporádicas ao longo das fronteiras", mas um grande conflito "capaz de durar por muito tempo". A menos que Hanói desistisse do objetivo de dominar a Indochina, "o problema não será solucionado a curto prazo".[18]

Deng seguiu a crítica de Huang Hua posteriormente nesse dia. Concessões e acordos nunca haviam sido obstáculo para os soviéticos, advertiu Brzezinski. Quinze anos de acordos para controle de armas haviam permitido à União Soviética atingir paridade estratégica com os Estados Unidos. O comércio com a União Soviética significava que "os Estados Unidos estão ajudando a União Soviética a superar suas fraquezas". Deng deu um diagnóstico zombeteiro das reações norte-americanas à aventura soviética no Terceiro Mundo e ralhou com Washington por tentar "agradar" Moscou:

> Seus porta-vozes têm constantemente se justificado e se desculpado pelas ações soviéticas. Às vezes dizem que não há sinais para provar que haja uma interferência da União Soviética e de Cuba no caso de Zaire ou Angola. De nada adianta vocês dizerem isso. Para ser sincero com vocês, sempre que estão prestes a concluir um acordo com a União Soviética isso é produto de uma concessão no lado norte-americano para agradar o lado soviético.[19]

Foi uma performance extraordinária. O país que era o principal alvo da União Soviética estava propondo ação conjunta como uma obrigação conceitual, não como uma barganha entre nações, muito menos como um pedido. Em um momento de grande perigo nacional — que suas próprias análises demonstraram — a China mesmo assim agia como instrutora de estratégia, não como consumidora passiva das prescrições americanas, como os aliados europeus dos Estados Unidos frequentemente faziam.

Os principais temas de grande parte do debate americano — direito internacional, soluções multilaterais, consenso popular — estavam ausentes da análise chinesa, a não ser como ferramentas práticas para um objetivo consensual. E esse objetivo, como Deng indicou para Brzezinski, era "lidar com o urso polar e nada mais".[20]

Mas para os americanos há um limite à assim chamada abordagem realista nos valores fundamentais da sociedade americana. E o sanguinário

Khmer Vermelho que governava o Camboja representava tal limite. Nenhum presidente americano podia tratar o Khmer Vermelho como mais uma pedra na estratégia de *wei qi*. Sua conduta genocida — forçando a população de Phnom Penh para dentro da selva, assassinatos em massa de categorias determinadas de civis — não podia simplesmente ser ignorada (embora, como veremos, a necessidade ocasionalmente tenha abortado o princípio).

Hua Guofeng, ainda premiê, foi ainda mais enfático numa reunião no dia seguinte:

> Dissemos também a muitos amigos nossos que o principal perigo da guerra vem da União Soviética. Então, como deveríamos lidar com isso? A primeira coisa é que devemos fazer preparativos. [...] Se o país está preparado e a guerra estoura, ele não se vê em uma posição desvantajosa. A segunda coisa é que é imperativo tentar impedir a mobilização estratégica de agressão soviética. Porque a fim de obter hegemonia no mundo a União Soviética precisa primeiro obter bases aéreas e navais pelo mundo todo, de modo que precisa fazer uma mobilização estratégica. E devemos tentar barrar seus planos de uma mobilização global.[21]

Nenhum membro da Otan jamais propusera um chamado à ação conjunta — essencialmente preemptiva — de abrangência comparável, tampouco indicara que estava preparado para agir sozinho em sua análise.

Operacionalmente, os líderes chineses propunham uma espécie de cooperação em vários aspectos mais íntima e sem dúvida mais arriscada do que a Otan. Eles buscavam implementar a estratégia de deterrência ofensiva descrita em capítulos anteriores. Sua característica particular era que Deng não propunha nenhuma estrutura formal ou obrigação de longo prazo. Uma análise comum forneceria o impulso para a ação comum, mas a aliança efetiva não sobreviveria se as análises começassem a divergir — a China insistia na postura de autonomia mesmo no caso de extremo perigo. Que a China se mostrasse tão insistente na ação conjunta a despeito das severas críticas de políticas americanas específicas demonstrava que a cooperação com os Estados Unidos pela segurança era tida como um imperativo.

A normalização emergiu como um primeiro passo na direção de uma política global comum. Desde a época da visita secreta em julho de 1971, as condições chinesas para normalização haviam sido explícitas e imutáveis: retirada de todas as tropas americanas em Taiwan; fim do tratado de defesa com Taiwan; e estabelecimento de relações diplomáticas com a China exclusivamente por intermédio do governo em Pequim. Fora parte da posição chinesa no Comunicado de Xangai. Dois presidentes — Richard Nixon e Gerald Ford — haviam concordado com essas condições. Nixon dera a entender que as realizaria em seu segundo mandato. Tanto Nixon como Ford haviam frisado a preocupação americana com uma solução pacífica para a questão, incluindo a continuação de parte do auxílio na segurança para Taiwan. O país não conseguira cumprir essas promessas devido ao impacto de Watergate.

Em uma atitude incomum de política externa apartidária, o presidente Carter no início de seu mandato reafirmou todas as medidas em relação a Taiwan que Nixon declarara a Zhou em fevereiro de 1972. Em 1978, ele apresentou uma fórmula específica de normalização para capacitar ambos os lados a manter seus princípios estabelecidos: reafirmação dos princípios aceitos por Nixon e Ford; uma declaração americana enfatizando o compromisso do país com uma mudança pacífica; aquiescência chinesa a alguma venda de armamentos americanos em Taiwan. Carter apresentou essas ideias pessoalmente numa conversa com o embaixador chinês, Chai Zemin, em que sugeriu a ameaça de que, na ausência de vendas de armas dos americanos, Taiwan seria forçada a recorrer ao desenvolvimento de armas nucleares — como se os Estados Unidos não tivessem a menor influência sobre os planos e ações de Taiwan.[22]

No fim, a normalização veio quando Carter forneceu um prazo final ao convidar Deng para visitar Washington. Deng concordou com vendas de armas não especificadas para Taiwan e não contradisse uma declaração americana de que Washington esperava que a solução definitiva da questão de Taiwan fosse pacífica — ainda que a China fosse dona de um extenso histórico de que não assumiria nenhuma obrigação formal nesse sentido. A posição de Pequim continuava sendo, como Deng enfatizara para Brzezinski, de que "a liberação de Taiwan é uma questão interna chinesa em que nenhum país estrangeiro tem o direito de interferir".[23]

Normalização significava que a embaixada americana se mudaria de Taipei para Pequim; um diplomata de Pequim iria substituir o representante de Taipei em Washington. Em resposta, o Congresso norte-americano aprovou o Taiwan Relations Act (Lei das Relações com Taiwan), em abril de 1979, que expressava as preocupações americanas com o futuro como uma lei vinculante, para os americanos. Não poderia, é claro, ser vinculante para a China.

Esse equilíbrio entre imperativos americanos e chineses ilustra por que a ambiguidade é às vezes a força vital da diplomacia. Grande parte da normalização tem sido sustentada por quarenta anos mediante uma série de ambiguidades. Mas isso não pode prosseguir indefinidamente. Estadismo ajuizado de ambas as partes é necessária para impelir o processo adiante.

As viagens de Deng

Conforme Deng passava da exortação à implementação, cuidava para que a China não esperasse passivamente as decisões norte-americanas. Sempre que possível — especialmente no Sudeste Asiático — ele criaria a estrutura política que estava defendendo.

Se por sua vez Mao convocava líderes estrangeiros para sua residência como um imperador, Deng adotava a abordagem oposta — viajava pelo Sudeste Asiático, Estados Unidos e Japão e praticava sua própria marca de diplomacia de grande visibilidade, franqueza e ocasionalmente intimidadora. Em 1978 e 1979, Deng empreendeu uma série de viagens para mudar a imagem da China no exterior, de oponente revolucionária para mais uma vítima dos intentos geopolíticos soviéticos e vietnamitas. A China estivera do outro lado na Guerra do Vietnã. Na Tailândia e na Malásia, a China encorajara previamente a revolução entre as populações de origem chinesa e minorias.[24] Tudo isso agora estava subordinado ao combate à ameaça imediata.

Em uma entrevista à revista *Time* em fevereiro de 1979, Deng divulgou o plano estratégico chinês para um público maior: "Se queremos mesmo ser capazes de pôr um freio no urso polar, a única coisa realista a fazer é nos unirmos. Ficar na dependência do poderio norte-americano não é suficiente. Somos um país insignificante, pobre, mas se nos unirmos, bem, isso terá um peso."[25]

Em todas suas viagens, Deng enfatizou o relativo atraso da China e o desejo do país de adquirir tecnologia e expertise de nações industrializadas avançadas. Mas mantendo a opinião de que a falta de desenvolvimento da China não alterava sua determinação de resistir ao expansionismo soviético e vietnamita, se necessário por meio da força e sozinha.

A viagem internacional de Deng — e suas repetidas declarações sobre a pobreza chinesa — foi uma surpreendente rejeição da tradição política chinesa. Poucos governantes chineses haviam ido para o exterior. (Claro que, dado o tradicional conceito de que governavam tudo que havia sob o céu, tecnicamente não havia "exterior" para ir.) A disposição de Deng em enfatizar abertamente o atraso chinês e a necessidade de aprender com os estrangeiros punha-se em agudo contraste com a frieza dos imperadores e funcionários chineses em suas relações com quem vinha de fora. Jamais um líder chinês proclamara para estrangeiros qualquer necessidade de bens estrangeiros. A corte Qing aceitara inovações de fora em doses limitadas (por exemplo, em sua acolhedora atitude para com astrônomos e matemáticos jesuítas), mas havia sempre insistido que o comércio exterior era uma expressão da boa vontade chinesa, não uma necessidade para a China. Mao, também, enfatizara a autonomia, mesmo ao preço do empobrecimento e isolamento.

Deng iniciou suas viagens no Japão. A ocasião foi a ratificação do tratado pelo qual a normalização das relações diplomáticas entre Japão e China fora negociado. O planejamento estratégico de Deng exigia reconciliação, não simples normalização, de modo que o Japão podia ajudar a isolar a União Soviética e o Vietnã.

Por esse objetivo Deng estava preparado para encerrar meio século de sofrimento infligido sobre a China pelo Japão. Deng se portou exultantemente, declarando que "Meu coração está cheio de alegria", e abraçando o governante japonês, gesto para o qual seu anfitrião teria encontrado poucos precedentes em sua própria sociedade ou, aliás, na da China. Deng não fez qualquer tentativa de ocultar o atraso econômico chinês: "Se você é feio, não adianta fingir que é bonito." Quando lhe pediram para assinar um livro de visitas, escreveu um comentário sem precedentes sobre as qualidades japonesas: "Aprendemos com o povo japonês e a ele prestamos nossos respeitos, pois são grandes, diligentes, corajosos e inteligentes."[26]

Em novembro de 1978, Deng visitou o Sudeste Asiático, viajando por Malásia, Cingapura e Tailândia. Chamou o Vietnã de "Cuba do Oriente" e falou do recém-firmado tratado soviético-vietnamita como uma ameaça à paz mundial.[27] Na Tailândia em 8 de novembro de 1978, Deng enfatizou que a "segurança e a paz da Ásia, do Pacífico e do mundo todo estão ameaçadas" pelo tratado soviético-americano: "Esse tratado não é direcionado apenas contra a China. [...] É um esquema soviético mundial muito importante. Vocês podem acreditar que o significado do tratado é cercar a China. Já afirmei a países amigos que a China não tem medo de se ver cercada. Isso tem um significado mais importante para a Ásia e o Pacífico. A segurança e a paz da Ásia, do Pacífico e do mundo todo estão ameaçadas."[28]

Em sua visita a Cingapura, Deng encontrou um espírito semelhante no extraordinário primeiro-ministro Lee Kuan Yew e vislumbrou uma imagem de um futuro possível para a China — uma sociedade majoritariamente chinesa prosperando sob o que Deng mais tarde descreveria em tom de admiração como "administração rigorosa" e "boa ordem pública".[29] Na época a China ainda estava desesperadamente pobre e sua própria "ordem pública" mal sobrevivera à Revolução Cultural. Lee Kuan Yew relatou um diálogo memorável:

> Ele me convidou para visitar a China outra vez. Eu disse que iria, quando a China houvesse se recuperado da Revolução Cultural. Isso, disse ele, levaria um longo tempo. Retruquei que eles não encontrariam problema em ser bem-sucedidos e muito melhores do que Cingapura porque éramos descendentes de camponeses analfabetos e sem terras de Fujian e Guangdong, ao passo que eles descendiam de eruditos, mandarins e homens de letras que haviam ficado no país. Ele permaneceu em silêncio.[30]

Lee mostrou respeito pelo pragmatismo de Deng e sua disposição em aprender com a experiência. Também usou a oportunidade para expressar parte das preocupações do Sudeste Asiático que talvez não passassem pela triagem da burocracia e diplomacia chinesas:

> A China queria que os países do Sudeste Asiático se unissem a ela para isolar o "urso russo"; o fato era que nossos vizinhos queriam que nos uníssemos para isolar o "dragão chinês". Não havia "diásporas russas" no Sudeste Asiático conduzindo insurgências comunistas apoiadas pela União Soviética, da forma como havia "diásporas chinesas" encorajados e apoiados pelo Partido Comunista e o governo chinês, ameaçando a Tailândia, Malásia, Filipinas e, em menor grau, Indonésia. Além disso, a China insistia abertamente num relacionamento especial com as diásporas chinesas devido aos laços de sangue, e estava fazendo apelos diretos ao seu patriotismo, passando por cima dos governos desses países dos quais eles eram os cidadãos. [...] Sugeri que discutíssemos como resolver esse problema.[31]

No episódio, Lee provou que estava com a razão. Os países do Sudeste Asiático, com exceção de Cingapura, conduziam-se com grande cautela na confrontação tanto com a União Soviética como com o Vietnã. Entretanto, Deng atingiu seus objetivos fundamentais: suas muitas declarações públicas constituíam uma advertência de um possível esforço chinês em remediar a situação. E estavam fadadas a ser notadas pelos Estados Unidos, que era uma peça crucial nos planos de Deng. Esse planejamento estratégico necessitava de uma relação mais firmemente definida com os norte-americanos.

A visita de Deng aos Estados Unidos e a nova definição de aliança

A visita de Deng aos Estados Unidos foi anunciada para comemorar a normalização das relações entre os dois países e para inaugurar uma estratégia comum que, partindo do Comunicado de Xangai, se aplicasse primordialmente à União Soviética.

Também demonstrava uma habilidade especial da diplomacia chinesa: dar a impressão de apoio de países que não haviam concordado de fato com esse papel nem sequer sido consultados se queriam desempenhá-lo. O padrão começou na crise das ilhas de Matsu e Quemoy, vinte anos antes. Mao iniciara o bombardeio das ilhas em 1958 três semanas após a tensa visita de Khrushchev a Pequim, dando a impressão de que Moscou concordara previamente com as ações da liderança chinesa, o que não era o caso. Eisenhower chegara ao ponto de acusar Khrushchev de ajudar a instigar a crise.

Seguindo a mesma tática, Deng precedeu a guerra com o Vietnã de uma visita amplamente divulgada aos Estados Unidos. Tanto num caso como no outro, a China não pediu ajuda para sua iminente empreitada militar. Khrushchev aparentemente não foi informado sobre a operação de 1958 e recebeu com indignação o fato de se ver confrontado com o risco de guerra nuclear; Washington foi informada da invasão de 1979 após a chegada de Deng aos Estados Unidos, mas não deu qualquer apoio explícito e limitou o papel norte-americano a compartilhar serviço de inteligência e oferecer coordenação diplomática. Nos dois casos, Pequim triunfou em criar a impressão de que suas ações gozavam das bênçãos de uma superpotência, desse modo desencorajando a outra superpotência a tentar qualquer intervenção. Nessa estratégia sutil e ousada, a União Soviética em 1958 ficara impotente para impedir o ataque chinês contra as ilhas; com respeito ao Vietnã, ela teve de se ater a supor o que fora acertado durante a visita de Deng e provavelmente presumiu o pior, sob sua perspectiva.

Nesse sentido, a visita de Deng aos Estados Unidos era uma espécie de boxe com a sombra, cujo propósito era intimidar a União Soviética. A viagem de uma semana de Deng pelos Estados Unidos era em parte cúpula diplomática, em parte viagem de negócios, em parte campanha política e em parte guerra psicológica pela Terceira Guerra do Vietnã. A viagem incluía paradas em Washington, D.C., Atlanta, Houston e Seattle, e criou cenas que teriam sido inimagináveis sob Mao. Em um jantar oficial na Casa Branca, em 29 de janeiro, o líder da "China Vermelha" jantou com diretores da Coca-Cola, PepsiCo e General Motors. Em um evento de gala no Kennedy Center, o pequenino vice-premiê apertou a mão de membros do time de basquete dos Harlem Globetrotters.[32] Deng se exibiu para a multidão em um rodeio com churrasco em Simonton, Texas, usando um chapéu de caubói e andando de carroça.

Durante toda a visita, Deng frisou a necessidade chinesa de adquirir tecnologia estrangeira e desenvolver sua economia. A seu pedido, visitou instalações fabris e tecnológicas, incluindo uma linha de montagem da Ford em Hapeville, Georgia; a Hughes Tool Company em Houston (onde Deng inspecionou brocas para uso na exploração de petróleo offshore); e a fábrica da Boeing nos arredores de Seattle. Ao chegar a Houston, manifestou desejo de "aprender sobre sua experiência avançada na indústria de petróleo e outros campos".[33] Deng fez uma esperançosa análise das relações sino-americanas, proclamando seu desejo de "conhecer tudo sobre a vida americana" e "absorver tudo que possa nos beneficiar".[34] No Johnson Space Center em Houston, Deng entrou no simulador de voo do ônibus espacial. Uma reportagem capturou a cena:

> Deng Xiaoping, que está usando sua viagem aos Estados Unidos para enfatizar o anseio chinês por tecnologia avançada, subiu na cabine de um simulador de voo aqui hoje para descobrir como seria aterrissar essa mais nova espaçonave americana de uma altitude de 30 mil metros.
>
> O principal vice-premiê da China [Deng] pareceu tão fascinado com a experiência que executou uma segunda aterrissagem e mesmo depois pareceu relutante em deixar o simulador.[35]

Isso estava a mundos de distância da estudada indiferença do imperador Qing com os presentes de Macartney e as promessas de comércio ou com a rígida insistência de Mao na autarquia econômica. Em suas reuniões com o presidente Carter em 29 de janeiro, Deng explicou a política de Quatro Modernizações da China, proposta por Zhou em sua última aparição pública, que prometia modernizar os setores da agricultura, indústria, ciência e tecnologia e defesa nacional. Tudo isso se subordinava ao propósito maior da viagem de Deng: desenvolver uma aliança efetiva entre os Estados Unidos e a China. Ele resumiu:

> Sr. presidente, o senhor pediu um esboço de nossa estratégia. Para realizar nossas Quatro Modernizações, precisamos de um período prolongado de ambiente pacífico. Mas mesmo agora acreditamos que a União Soviética

vai iniciar uma guerra. Porém, se agirmos direito e do modo apropriado, é possível postergá-la. A China espera postergar uma guerra por 22 anos.[36]

Sob tal premissa, não estamos recomendando o estabelecimento de uma aliança formal, mas cada um deveria agir com base em nosso ponto de vista e coordenar nossas atividades e adotar as medidas necessárias. Esse objetivo poderia ser atingido. Se nossos esforços de nada servem, então a situação vai se tornar cada vez mais vazia.[37]

Agir como aliados sem formar uma aliança era empurrar o realismo a extremos. Se todos os líderes eram estrategistas competentes e pensavam profunda e sistematicamente sobre estratégia, iriam todos chegar às mesmas conclusões. As alianças seriam desnecessárias; a lógica de suas análises estimularia direções paralelas.

Mas, diferenças de história e geografia à parte, até mesmo líderes em situação semelhante não necessariamente chegam a conclusões idênticas — especialmente sob estresse. As análises dependem da interpretação; os juízos diferem quanto ao que constitui um fato, ainda mais sobre seu significado. Os países desse modo fazem alianças — instrumentos formais que isolam o interesse comum, na medida do possível, das circunstâncias externas ou das pressões domésticas. Eles criam uma obrigação adicional aos cálculos de interesse nacional. Fornecem ainda uma obrigação legal de justificar a defesa comum, o que pode ser um recurso numa crise. Finalmente, as alianças reduzem — na medida em que são perseguidas com seriedade — o perigo do erro de cálculo pelo potencial adversário e desse modo injetam um elemento de calculabilidade na conduta da política externa.

Deng — e a maioria dos líderes chineses — considerava uma aliança formal desnecessária para a relação EUA-China e, no todo, redundante na condução de suas políticas externas. Eles estavam preparados para se apoiar em entendimentos tácitos. Mas havia também uma advertência implícita na última frase de Deng. Se não era possível definir ou implementar interesses paralelos, a relação ficaria "vazia", ou seja, iria murchar, e a China provavelmente retrocederia ao conceito de Três Mundos de Mao — ainda a política oficial — para possibilitar à China se guiar em meio às superpotências.

Os interesses paralelos, na visão de Deng, se expressariam em um arranjo global informal para restringir a União Soviética na Ásia por meio da cooperação política/militar com objetivos paralelos aos da Otan na Europa. Eram para ser menos estruturados e dependiam largamente da relação política bilateral sino-americana. Estavam também baseados em uma doutrina geopolítica diferente. A Otan buscava unir seus parceiros, acima de tudo, numa resistência contra a agressão soviética de fato. Manifestamente evitava qualquer conceito de ação militar preemptiva. Preocupando-se em evitar o confronto diplomático, a doutrina estratégica da Otan tem sido exclusivamente defensiva.

O que Deng propunha era uma política essencialmente preemptiva; esse era um aspecto da doutrina chinesa de deterrência ofensiva. A União Soviética deveria ser pressionada em toda sua periferia e sobretudo nas regiões onde marcara sua presença apenas recentemente, notadamente no Sudeste Asiático e até na África. Se necessário, a China estaria preparada para iniciar a ação militar de modo a frustrar os planos soviéticos — principalmente no Sudeste Asiático.

A União Soviética jamais seria contida por meio de acordos, advertia Deng; ela compreendia apenas a língua da força. O estadista romano Cato, o Velho, ficou famoso por encerrar todos os seus discursos com a exortação "*Carthago delenda est*" ("Carthago deve ser destruída"). Deng tinha seu próprio bordão: devemos resistir à União Soviética. Ele incluía em todos os pronunciamentos alguma variante da advertência de que era da natureza inabalável de Moscou "espremer-se onde quer que haja uma brecha"[38] e, desse modo, como disse Deng ao presidente Carter, "onde quer que a União Soviética enfie seus dedos, devemos cortá-los".[39]

A análise de Deng sobre a situação estratégica incluía uma notificação à Casa Branca de que a China pretendia ir à guerra com o Vietnã porque concluíra que o Vietnã não pararia no Camboja. "A assim chamada Federação Indochinesa visa incluir mais do que três Estados", advertiu Deng. "Ho Chi Minh acalentava essa ideia. Os três Estados são apenas o primeiro passo. Depois a Tailândia será incluída."[40] A China tinha obrigação de agir, declarou Deng. Não podia esperar novos acontecimentos; quando eles ocorressem, seria tarde demais.

Deng contou a Carter o que havia considerado a "pior possibilidade" — intervenção soviética maciça, como o novo tratado defensivo Moscou-Hanói parecia exigir. De fato, relatórios indicavam que Pequim evacuara mais de 300 mil civis de seus territórios na fronteira norte e mobilizara suas tropas ao longo da fronteira sino-soviética em alerta máximo.[41] Mas, Deng afirmou a Carter, Pequim avaliava que uma guerra breve, limitada, não daria tempo a Moscou para uma "ampla reação" e que as condições do inverno tornariam difícil um ataque soviético de larga escala no norte da China. A China "não tinha medo", afirmou Deng, mas necessitava o "apoio moral"[42] de Washington, com o que transmitia suficiente ambiguidade acerca das intenções americanas de dar uma trégua para os soviéticos.

Um mês após a guerra, Hua Guofeng explicou-me a cuidadosa análise estratégica que precedera isso:

> Também consideramos essa possibilidade de uma reação soviética. A primeira possibilidade era um grande ataque contra nós. Que considerávamos ter pouca probabilidade. Um milhão de tropas estavam em torno da fronteira, mas, para um grande ataque à China, isso não basta. Se eles retirassem parte das tropas da Europa, isso levaria tempo, e eles ficariam preocupados com a Europa. Eles sabem que uma batalha com a China seria um grande problema e não se concluiria em um curto período de tempo.

Deng confrontou Carter com um desafio tanto por uma questão de princípio como de atitude pública. Em princípio, Carter não aprovava estratégias preemptivas, especialmente quando implicavam movimentações militares através de fronteiras soberanas. Ao mesmo tempo, ele levou a sério, mesmo não compartilhando dela inteiramente, a opinião do assessor de Segurança Nacional, Zbigniew Brzezinski, sobre as implicações estratégicas da ocupação vietnamita do Camboja, que era paralela à de Deng. Carter resolveu seu dilema invocando o princípio mas deixando uma margem para se ajustar à circunstância. A desaprovação amena foi nuançada em um endosso vago, tácito. Ele chamou a atenção para a posição moral favorável de que Pequim se veria privada se atacasse o Vietnã. A China, nesse momento considerada amplamente um país pacífico, correria o risco de ser acusada de agressão:

> Isso é um problema sério. Não só vocês enfrentam uma ameaça militar do Norte, mas também uma mudança na atitude internacional. A China é

vista hoje como um país pacífico que é contra a agressão. Os países da Asean [Associação de Nações do Sudeste Asiático], bem como da ONU, condenaram a União Soviética, o Vietnã e Cuba. Eu não preciso conhecer a ação punitiva que está sendo contemplada, mas isso resultaria numa escalada da violência e numa mudança na postura do mundo de ser contra o Vietnã para um apoio parcial ao Vietnã.

Seria difícil para nós encorajar a violência. Podemos lhes fornecer relatórios de inteligência. Não temos notícia de nenhuma mobilização recente de tropas soviéticas perto de suas fronteiras.

Não tenho outra resposta para vocês. Nós nos unimos em condenar o Vietnã, mas a invasão do Vietnã seria uma ação gravemente desestabilizadora.[43]

Recusar-se a endossar a violência, mas oferecer inteligência sobre as tropas soviéticas era dar uma nova dimensão à ambivalência. Podia significar que Carter não partilhava da visão de Deng de uma ameaça soviética subjacente. Ou, reduzindo os medos chineses de uma possível reação soviética, podia ser interpretado como um encorajamento à invasão.

No dia seguinte, Carter e Deng se encontraram a sós, e Carter passou para Deng um bilhete (ainda não publicado) resumindo a posição americana. Segundo Brzezinski: "O próprio presidente rascunhou à mão uma carta para Deng, de tom moderado e conteúdo sóbrio, enfatizando a importância da restrição e sintetizando as prováveis consequências internacionais adversas. Senti que essa foi a abordagem correta, pois não poderíamos ser formalmente coniventes com os chineses em afiançar o que equivalia a uma agressão militar aberta."[44] A conivência informal era outra coisa.

Segundo um memorando relatando a conversa privada (na qual apenas um intérprete estava presente), Deng insistiu que a análise estratégica suplantava a invocação de Carter da opinião mundial. Acima de tudo, a China não devia ser vista como maleável: "A China ainda precisa ensinar uma lição ao Vietnã. A União Soviética pode usar Cuba, Vietnã, e depois o Afeganistão irá se transformar em um aliado [soviético]. A RPC está lidando com a questão de uma posição de fortalecimento. A ação será muito limitada. Se o Vietnã achou que a RPC chinês era complacente, a situação vai piorar."[45]

Deng partiu dos Estados Unidos em 4 de fevereiro de 1979. Na viagem de volta ao seu país, completou sua missão colocando a última peça de *wei qi* no tabuleiro. Parou em Tóquio pela segunda vez em seis meses, para se assegurar do apoio japonês à iminente ação militar e para isolar a União Soviética ainda mais. Para o primeiro-ministro Masayoshi Ohira, Deng reiterou a posição chinesa de que o Vietnã tinha de ser "punido" por sua invasão do Camboja, e jurou: "A fim de sustentar as perspectivas de longo prazo da paz e estabilidade internacional [...] [o povo chinês] cumprirá firmemente nossas obrigações internacionalistas e nem sequer hesitará em suportar os necessários sacrifícios."[46]

Após ter visitado Burma, Nepal, Tailândia, Malásia, Cingapura, duas vezes o Japão e Estados Unidos, Deng cumprira seu objetivo de trazer a China para o mundo e isolar Hanói. Ele nunca mais saiu da China, adotando em seus últimos anos o distanciamento e inacessibilidade dos soberanos chineses tradicionais.

A Terceira Guerra do Vietnã

Em 17 de fevereiro, a China empreendeu uma invasão em várias frentes do norte do Vietnã a partir das províncias meridionais chinesas de Guangxi e Yunnan. O tamanho das forças chinesas refletia a importância que a China atribuía à operação; estima-se que suas tropas contassem com mais de 200 mil e talvez até 400 mil soldados do ELP.[47] Um historiador concluiu que a força invasora, que incluía "tropas regulares de infantaria, milícias e unidades aéreas e navais [...] era semelhante em escala ao ataque com o qual a China obteve tamanho impacto quando entrou na Guerra da Coreia, em novembro de 1950".[48] Os relatos da imprensa oficial chinesa chamaram-no de "Contra-Ataque Autodefensivo contra o Vietnã" ou "Contra-Ataque de Autodefesa na Fronteira Sino-Vietnamita". Representava a versão chinesa de deterrência, uma invasão propagandeada de antemão para evitar a ação vietnamita seguinte.

O alvo militar da China era um país comunista como ela, aliado recente, e beneficiário de longa data do apoio econômico e militar chinês. O objetivo era preservar o equilíbrio estratégico na Ásia, do modo como a China o via. Além do mais, a China empreendeu a campanha com o apoio moral, o respaldo diplomático e a cooperação de inteligência dos Estados Unidos — a mesma "potência imperialista" que Pequim ajudara a expulsar da Indochina cinco anos antes.

O objetivo militar chinês declarado era "pôr um freio nas obstinadas ambições dos vietnamitas e lhes dar uma lição limitada apropriada".[49] "Apropriada" significava infligir suficientes danos para afetar as opções e cálculos vietnamitas para o futuro; "limitada" implicava que terminaria antes que uma intervenção externa ou outros fatores deixassem a situação fora de controle. Era também um desafio direto à União Soviética.

A previsão de Deng de que a União Soviética não atacaria a China se confirmou. Um dia depois de o país ter executado a invasão, o governo soviético emitiu um pronunciamento perfunctório que, embora condenando o ataque "criminoso" da China, enfatizava que "o heroico povo vietnamita [...] é capaz de resistir por si mesmo mais uma vez".[50] A reação militar soviética se limitou a enviar uma força-tarefa naval para o Mar da China Meridional, empreendendo um limitado transporte aéreo de armas para Hanói e reforçando as patrulhas aéreas ao longo da fronteira sino-soviética. O transporte por ar era restrito pela geografia, mas também por hesitações internas. No fim, a União Soviética dava tanto apoio em 1979 ao seu novo aliado, o Vietnã, quanto oferecera vinte anos antes a sua então aliada, a China, nas Crises do Estreito de Taiwan. Em nenhum dos dois casos a União Soviética correu qualquer risco de uma guerra mais ampla.

Pouco depois da guerra, Hua Guofeng resumiu o desfecho em uma frase lapidar de menosprezo pelos líderes soviéticos: "Quanto a nos ameaçar, fizeram isso por meio de manobras junto à fronteira, enviando navios para o Mar da China Meridional. Mas não ousaram se mover. Assim, no fim da contas, ainda podíamos cutucar o traseiro do tigre."

Deng rejeitou sarcasticamente o conselho americano para tomar cuidado. Durante uma visita tardia em fevereiro de 1979 do secretário do Tesouro Michael Blumenthal a Pequim, Blumenthal defendeu a retirada de tropas chinesas do Vietnã "o mais rápido possível", pois Pequim "corre riscos injustificáveis".[51] Deng objetou. Falando a repórteres americanos pouco antes de sua reunião com Blumenthal, Deng mostrou seu desdém pela ambiguidade, zombando de "algumas pessoas" que tinham "medo de ofender" a "Cuba do Oriente".[52]

Como na Guerra Sino-Indiana, a China executou um limitado ataque "punitivo", seguido imediatamente de uma retirada. Tudo terminou em 29 dias. Pouco depois que o ELP capturou (e, segundo relatos, devastou) as capitais das três províncias vietnamitas ao longo da fronteira, Pequim anunciou que as forças chinesas iriam se retirar do Vietnã, a não ser por vários pedaços de território sendo disputados. Pequim não fez qualquer tentativa de derrubar o governo de Hanói ou de entrar no Camboja de algum modo abertamente.

Um mês após a retirada das tropas chinesas, Deng me explicou pessoalmente a estratégia chinesa numa visita que fiz a Pequim:

DENG: Depois que voltei [dos Estados Unidos], imediatamente lutamos uma guerra. Mas pedimos a opinião de vocês antes. Conversei sobre isso com o presidente Carter e então ele respondeu de um jeito muito formal e solene. Ele leu um texto escrito para mim. Eu disse a ele: a China vai lidar com essa questão de forma independente e se há qualquer risco a China vai assumir o risco sozinha. Em retrospecto, achamos que, se tivéssemos ido mais fundo em nossa ação punitiva no Vietnã, teria sido ainda melhor.

KISSINGER: Talvez fosse.

DENG: Porque nossas forças eram suficientes para chegar até Hanói. Mas não teria sido aconselhável ir tão longe.

KISSINGER: Não, isso provavelmente teria ido além dos limites de cálculo.

DENG: Isso, tem razão. Mas poderíamos ter entrado mais 30 quilômetros no Vietnã. Ocupamos todas as áreas defensivas de fortificação. Não restava uma única linha defensiva em todo o trajeto até Hanói.

A sabedoria convencional entre historiadores é de que a guerra foi um fracasso custoso para a China.[53] Os efeitos da politização do ELP durante a Revolução Cultural se tornaram aparentes durante a campanha: atrapalhadas por equipamento antiquado, problemas logísticos, falta de homens e táticas inflexíveis, as forças chinesas avançaram vagarosamente e a grande custo. Segundo as estimativas de alguns analistas, o Exército de Libertação Popular sofreu tantas baixas em ação durante um mês de combates na

Terceira Guerra do Vietnã quanto os Estados Unidos sofreram nos anos mais custosos da segunda.[54]

Mas a sabedoria convencional está baseada numa compreensão errônea da estratégia chinesa. Fossem quais fossem as falhas de sua execução, a campanha chinesa refletia uma séria análise estratégica de longo prazo. Nas explicações da liderança chinesa para seus colegas americanos, elas descreveram a consolidação do poder vietnamita na Indochina respaldado pelos soviéticos como um passo crucial na "mobilização estratégica" mundial da União Soviética. A União Soviética já concentrara tropas no Leste Europeu e ao longo da fronteira norte da China. Agora os líderes chineses advertiam que Moscou "começava a ter bases" na Indochina, na África e no Oriente Médio.[55] Se consolidasse sua posição nessas áreas, Moscou iria controlar recursos energéticos vitais e seria capaz de bloquear vias marítimas importantes — mais particularmente o estreito de Malaca, ligando o oceano Pacífico e o oceano Índico. Isso daria a Moscou a iniciativa estratégica em qualquer conflito posterior. Em sentido mais amplo, a guerra resultava da análise de Pequim sobre o conceito de *shi* de Sun Tzu — a tendência e "energia potencial" do panorama estratégico. Deng objetivava deter e, se possível, reverter o que via como um ímpeto inaceitável da estratégia soviética.

A China conquistou esse objetivo em parte com sua ousadia militar, em parte atraindo os Estados Unidos para uma proximidade de cooperação sem precedentes. Os líderes chineses haviam conduzido a Terceira Guerra do Vietnã mediante uma meticulosa análise de suas escolhas estratégicas, execução ousada e diplomacia habilidosa. Com todas essas qualidades, não teriam sido capazes de "cutucar o traseiro do tigre" senão com a cooperação dos Estados Unidos.

A Terceira Guerra do Vietnã introduziu a colaboração mais estreita entre China e Estados Unidos de todo o período da Guerra Fria. Duas viagens à China feitas por emissários americanos estabeleceram um grau extraordinário de ação conjunta. O vice-presidente Walter "Fritz" Mondale visitou a China em agosto de 1979 para divisar uma diplomacia para a sequência da visita de Deng, sobretudo com respeito à Indochina. Foi um problema complexo, em que considerações estratégicas e morais entraram em grave conflito. Os Estados Unidos e a China concordaram que era do interesse nacional de cada país impedir a emergência de uma Federação Indochinesa sob o controle de Hanói. Mas a única parte da Indochina que continuava contestada era o Camboja, que fora governado pelo execrável Pol Pot, assassino de milhões de compatriotas. O Khmer Vermelho constituía o elemento mais bem-organizado da resistência cambojana anti-Vietnã.

Carter e Mondale levaram ao governo um longo e dedicado histórico de devoção aos direitos humanos; de fato haviam, em sua campanha presidencial, atacado Ford com base na atenção insuficiente que ele dava à questão dos direitos humanos.

Deng trouxera pela primeira vez a questão da ajuda à resistência guerrilheira cambojana contra os invasores vietnamitas durante a conversa particular com Carter sobre a invasão do Vietnã. Segundo o relatório oficial: "O presidente perguntou se os tailandeses poderiam aceitar e repassar o auxílio aos cambojanos. Deng disse que sim e que tinha em mente armas leves. Os tailandeses estão agora mandando um funcionário sênior para a fronteira tailandesa-cambojana a fim de manter as comunicações mais seguras."[56] A cooperação efetiva entre Washington e Pequim para ajudar o Camboja por meio da Tailândia teve o efeito prático de indiretamente ajudar o que restava do Khmer Vermelho. Funcionários americanos foram cuidadosos em enfatizar para Pequim que os Estados Unidos "não podem apoiar Pol Pot" e receberam a garantia chinesa de que Pol Pot não exercia mais controle absoluto sobre o Khmer Vermelho. Esses panos quentes não mudavam a realidade de que Washington fornecia material e apoio diplomático para a "resistência cambojana" de um modo que o governo devia ter sabido que beneficiaria o Khmer Vermelho. Os sucessores de Carter no governo Reagan seguiram a mesma estratégia. Os líderes americanos sem dúvida esperavam que, se a resistência cambojana vencesse, eles ou seus sucessores iriam se opor ao componente Khmer Vermelho dela na sequência — o que de fato aconteceu após a retirada dos vietnamitas uma década mais tarde.

Os ideais americanos haviam encontrado os imperativos da realidade geopolítica. Não era cinismo, muito menos hipocrisia, que forjava essa atitude: o governo Carter teve de escolher entre necessidades estratégicas e convicção moral. Decidiu que para que suas convicções morais fossem implementadas precisavam em última instância primeiro levar a melhor na luta geopolítica. Os líderes americanos enfrentavam o dilema do estadismo. Líderes não têm como escolher as opções que a história lhes proporciona, muito menos esperar que sejam inequívocas.

A visita do secretário de Defesa Harold Brown marcou um avanço na cooperação sino-americana que era inimaginável apenas alguns anos antes. Deng lhe deu as boas-vindas: "Sua presença aqui é de grande significação", comentou com Brown, "porque o senhor é o secretário da Defesa".[57] Poucos veteranos do governo Ford compreenderam essa referência ao convite do secretário Schlesinger, abortado quando Ford o demitiu.

A agenda central era definir a relação militar dos Estados Unidos com a China. O governo Carter chegara à conclusão de que um aumento na capacidade tecnológica e militar chinesa era importante para o equilíbrio global e a segurança nacional americana. Washington "traçara uma distinção entre a União Soviética e a China", explicou o secretário Brown, e estava disposta a transferir parte de uma tecnologia militar para a China que não seria disponibilizada para os soviéticos.[58] Além do mais, os Estados Unidos estavam dispostos a vender "equipamento militar" para a China (como equipamento de vigilância e veículos), embora "armas" não. Não iria, além disso, interferir nas decisões de aliados da Otan de vender armas à China. Como explicou o presidente Carter em suas instruções para Brzezinski:

> Os Estados Unidos não objetam à atitude mais iminente que nossos aliados estão adotando em relação ao comércio com a China em áreas tecnologicamente delicadas. Estamos interessados numa China forte e segura — e reconhecemos e respeitamos esse interesse.[59]

No fim, a China não foi capaz de resgatar o Khmer Vermelho ou forçar Hanói a retirar suas tropas do Camboja por mais uma década; talvez reconhecendo isso, Pequim fixou seus objetivos de guerra em termos bem mais limitados. Contudo, Pequim de fato impôs pesados custos ao Vietnã. A diplomacia chinesa no Sudeste Asiático antes, durante e depois da guerra agiu com grande determinação e habilidade para isolar Hanói. A China mantinha pesada presença militar na fronteira, retinha diversos trechos de território disputados e continuava a apresentar a ameaça de uma "segunda lição" para Hanói. Por anos depois disso, o Vietnã foi forçado a sustentar consideráveis forças em sua fronteira norte para se defender contra outro possível ataque chinês.[60] Como Deng afirmara a Mondale em agosto de 1979:

> Para um país dessas dimensões manter uma força permanente de mais de um milhão, onde vão encontrar força de trabalho suficiente? Uma força permanente de um milhão precisa de muito apoio logístico. Agora eles dependem da União Soviética. Algumas estimativas dizem que estão recebendo 2 milhões de dólares por dia da União Soviética, outras dizem 2,5 milhões. [...] Isso vai agravar as dificuldades, e esse fardo sobre a União Soviética vai ficar cada vez mais pesado. As coisas vão ficar mais difíceis. Com o tempo os vietnamitas irão perceber que nem todos seus pedidos à União Soviética podem ser atendidos. Nessas circunstâncias, talvez uma nova situação venha à tona.[61]

Essa situação, de fato, ocorreu mais de uma década depois, quando o colapso da União Soviética e do apoio financeiro soviético provocou uma redução na mobilização vietnamita no Camboja. No fim, após um duro período para as sociedades democráticas, a China conquistou parte considerável de seus objetivos estratégicos no Sudeste Asiático. Deng conquistou suficiente margem de manobra para alcançar seu objetivo de impedir a dominação soviética no Sudeste Asiático e no estreito de Malaca.

O governo Carter realizou uma manobra delicada que manteve uma opção em relação à União Soviética por meio das negociações quanto às limitações de armas estratégicas enquanto baseava sua política asiática no reconhecimento de que Moscou permanecia o principal adversário estratégico.

Quem mais saiu perdendo no conflito foi a União Soviética, cujas ambições globais haviam alarmado o mundo todo. Um aliado soviético havia sido atacado pelo adversário mais verbal e estrategicamente explicitado da União Soviética, que estava abertamente se manifestando a favor de uma aliança para conter Moscou — tudo isso um mês depois da conclusão da aliança soviético-vietnamita. Em retrospecto, a relativa passividade de Moscou na Terceira Guerra do Vietnã pode ser vista como o primeiro sintoma do declínio da União Soviética. É de se perguntar se a decisão soviética um ano mais tarde de intervir no Afeganistão não foi provocada em parte por uma tentativa de compensar sua ineficácia no apoio ao Vietnã contra o ataque chinês. Nos dois casos, os erros de cálculo dos soviéticos foram não perceber a extensão em que a correlação de forças globais se voltara contra eles. A Terceira Guerra do Vietnã pode desse modo ser relacionada como mais um exemplo em que os estadistas chineses triunfaram em conquistar objetivos estratégicos de longo prazo e visão ampla sem o benefício de um aparato militar comparável ao de seus adversários. Embora fornecer espaço para respirar para o que restava do Khmer Vermelho dificilmente possa contar como uma vitória moral, a China conquistou seus objetivos geopolíticos mais amplos confrontando a União Soviética e o Vietnã — ambos com forças militares mais bem-treinadas e equipadas do que as suas.

A serenidade diante de forças materialmente superiores sempre foi profundamente arraigada no pensamento estratégico chinês — como fica aparente com os paralelos com a decisão da China de intervir na Guerra da Coreia. Ambas as decisões chinesas foram direcionadas contra o que Pequim percebia ser um perigo iminente — a consolidação de bases de uma potência hostil em múltiplos pontos ao longo da periferia chinesa. Em ambos os casos, Pequim acreditava que, se a potência hostil tivesse chance de completar seu intento, a China ficaria cercada e assim permaneceria em um estado permanente de vulnerabilidade. O adversário estaria em posição de iniciar uma guerra quando bem entendesse, e ter conhecimento dessa vantagem o levaria a agir, como Hua Guofeng disse ao presidente Carter quando se reuniram em Tóquio, "sem escrúpulos".[62] Logo, uma questão aparentemente regional — no primeiro caso, a rejeição norte-americana da Coreia do Norte; no segundo, a ocupação vietnamita do Camboja — foi tratada como "o foco das lutas no mundo" (como Zhou descreveu a Coreia).[63]

Ambas as intervenções lançaram a China contra uma potência mais forte que ameaçava sua percepção de sua própria segurança; cada uma, contudo, o fez num terreno e no momento escolhido por Pequim. Como disse o vice-premiê Geng Biao posteriormente a Brzezinski: "O apoio da União Soviética ao Vietnã é um componente de sua estratégia global. É dirigido não apenas à Tailândia, mas à Malásia, Cingapura, Indonésia e ao estreito de Malaca. Se eles fossem bem-sucedidos, seria um golpe fatal para a Asean e também interromperia as linhas de comunicação para o Japão e os Estados Unidos. Estamos comprometidos a fazer alguma coisa a respeito. Talvez não tenhamos capacidade de lidar com a União Soviética, mas temos a capacidade de lidar com o Vietnã."[64]

Esses não eram assuntos elegantes: a China enviou tropas para batalhas imensamente custosas e sofreu baixas numa escala que teria sido inaceitável para o mundo ocidental. Na guerra entre China e Vietnã, o Exército de Libertação Popular parece ter perseguido essa missão com muitas falhas, aumentando significativamente a escala das perdas chinesas. Mas ambas as intervenções conquistaram objetivos estratégicos notáveis. Em dois momentos-chave na Guerra Fria, Pequim aplicou sua doutrina de deterrência ofensiva com sucesso. No Vietnã, a China foi bem-sucedida em expor os limites do compromisso soviético para com a defesa de Hanói e, mais importante, de seu alcance estratégico como um todo. A China estava disposta a se arriscar a uma guerra com a União Soviética para provar que se recusava a ser intimidada pela presença soviética em seu flanco meridional.

O primeiro-ministro de Cingapura Lee Kuan Yew resumiu o resultado final da guerra: "A imprensa ocidental noticiou a ação punitiva chinesa como um fracasso. Eu acredito que ela mudou a história do Leste Asiático."[65]

CAPÍTULO 14

Reagan e o advento da normalidade

Um dos obstáculos à continuidade na política externa americana é a natureza drástica de suas mudanças de governo periódicas. Como resultado dos limites de mandato, toda indicação presidencial até o nível de vice-secretário assistente é trocado pelo menos de oito em oito anos — uma mudança de equipe envolvendo pelo menos 5 mil posições-chave. Os sucessores têm de atravessar um prolongado processo de sabatinação. Na prática, existe um vácuo durante os primeiros nove meses do governo eleito, que é obrigado a agir por improviso ou por recomendação do pessoal que permaneceu no cargo, conforme ele se ajusta para exercer sua própria autoridade. O inevitável período de aprendizado é complicado pelo desejo do novo governo de legitimar sua ascensão ao poder alegando que todos os dilemas herdados são culpa da política do predecessor, e não problemas inerentes; eles são vistos como solucionáveis e em um tempo finito. A continuidade de política se torna uma consideração secundária, quando não uma pretensão que provoca ressentimentos. Uma vez que novos presidentes acabaram de vencer uma campanha eleitoral, eles podem também superestimar o alcance da flexibilidade que as circunstâncias objetivas permitem ou contar excessivamente com seu poder de persuasão. Para os países que se fiam na política americana, o psicodrama perpétuo das transições democráticas é um convite permanente a diversificar suas apostas.

Essas tendências eram um desafio especial para a relação com a China. Como mostram estas páginas, os primeiros anos de aproximação entre os Estados Unidos e a República Popular da China envolveram um período de descoberta mútua. Mas décadas posteriores dependeram crucialmente da capacidade dos dois países de desenvolver avaliações paralelas da situação internacional.

Harmonizar fatores intangíveis se torna especialmente difícil quando a liderança está em fluxo constante. E tanto a China como os Estados Unidos testemunharam dramáticas mudanças de liderança na década de 1970. As transições chinesas foram descritas em capítulos anteriores. Nos Estados Unidos, o presidente que abriu as relações com a China renunciou 18 meses mais tarde, mas a política externa determinante permaneceu no lugar.

O governo Carter representou a primeira mudança de partidos políticos para a liderança chinesa. Eles haviam observado declarações de Carter como um candidato prometendo uma transformação na política externa americana para abraçar uma nova abertura e ênfase nos direitos humanos. Ele pouco havia se pronunciado sobre a China. Havia alguma preocupação em Pequim quanto a se Carter manteria a dimensão "anti-hegemônica" do relacionamento estabelecido.

Como se viu, Carter e seus principais assessores reafirmaram os princípios básicos da relação — incluindo aqueles com respeito a Taiwan pessoalmente afirmados por Nixon durante sua visita a Pequim. Ao mesmo tempo, o advento de Deng e o colapso da Gangue dos Quatro forneceu ao diálogo entre China e Estados Unidos uma nova dimensão pragmática.

O diálogo estratégico mais intenso entre Estados Unidos e China mal havia se estabelecido quando outra mudança de governo trouxe um novo presidente republicano com uma vitória esmagadora. Para a China, o novo presidente era uma perspectiva perturbadora. Ronald Reagan era difícil de analisar até mesmo para os cuidadosos pesquisadores chineses. Ele não se encaixava em nenhuma categoria estabelecida. Ex-astro de cinema e presidente da Screen Actors Guild que se projetara politicamente, Reagan representava um tipo mais dramaticamente diferente de conservador americano do que o retraído e cerebral Nixon ou o sereno homem do Meio-Oeste que era Ford. Desafiadoramente otimista acerca das possibilidades americanas num período de crise, Ronald Reagan, mais do que qualquer alto funcionário americano desde John Foster Dulles, atacou o comunismo como um mal a ser erradicado em um curto período de tempo, não uma ameaça a ser contida no decorrer de gerações. Contudo, ele focou sua crítica ao comunismo quase inteiramente na União Soviética e seus Estados-satélite aliados. Em 1976, Reagan concorrera com Gerald Ford para a nomeação presidencial republicana atacando a política de détente com a União Soviética, mas havia, no geral, evitado criticar a aproximação com a China. A crítica de Reagan às intenções soviéticas — que ele continuou com vigor renovado na campanha de 1980 — tinha muito em comum com as admoestações que Deng viera fazendo diante de altos funcionários americanos desde seu primeiro regresso do exílio. Porém, no caso de Reagan, isso era paralelo a uma forte ligação pessoal com a ordem política prevalecente em Taiwan.

Em outubro de 1971, Nixon encorajara Reagan, então governador da Califórnia, a visitar Taiwan como emissário especial para afirmar que a melhora das relações entre Washington e Pequim não havia alterado o interesse americano básico na segurança de Taiwan. Reagan deixou a ilha com sentimentos pessoais amistosos em relação a seus líderes e um profundo compromisso com o relacionamento dos povos dos dois países. Subsequentemente, embora Reagan não chegasse a desafiar o entendimento existente com Pequim, foi altamente crítico em relação ao gesto do governo Carter de cortar laços diplomáticos formais com Taipei e rebaixar a embaixada americana em Taiwan a um status não oficial de "Instituto Americano". Em sua campanha presidencial de 1980 contra Carter, ele jurou que sob um governo Reagan "não haveria mais Vietnãs", "não mais Taiwans" e "não mais traições".

Tecnicamente, a embaixada em Taipei fora a embaixada americana na *China*; a decisão americana, que culminou no governo Carter, de realocar sua embaixada para Pequim foi um reconhecimento tardio de que os nacionalistas não estavam mais em posição de "reconquistar o continente". A crítica implícita de Reagan era de que os Estados Unidos deveriam ter mantido uma embaixada funcionando plenamente em Taipei como parte de uma solução de duas Chinas reconhecendo ambos os lados do estreito de Taiwan como Estados independentes separados. Contudo, em suas negociações com os governos Nixon, Ford e Carter (e com todos os outros governos negociando os termos do reconhecimento diplomático), esse foi o único resultado que Pequim se recusou a considerar de forma consistente e inflexível.

Ronald Reagan desse modo encarnava a ambivalência americana existente. Um poderoso compromisso com a nova relação com Pequim coexistia com um forte resíduo de apoio emocional a Taiwan.

Um dos temas de Reagan era defender "relações oficiais" com Taiwan, embora ele nunca explicasse em público exatamente o que isso queria dizer. Durante a campanha presidencial de 1980, Reagan decidiu tentar a quadratura do círculo. Enviou seu candidato à vice-presidência, George H. W. Bush, a Pequim, onde ele servira com distinção como chefe do escritório de ligação norte-americano, que funcionava no lugar de uma embaixada. Bush afirmou a Deng que Reagan não tentava dar a entender que endossava relações diplomáticas formais com Taiwan; tampouco Reagan pretendia ir na direção de uma solução de duas Chinas.[1] A fria resposta de Deng — sem dúvida inalterada pelo fato de que Reagan repetira sua defesa de relações formais com Taiwan enquanto Bush estava em Pequim — levou Reagan a me pedir, em setembro de 1980, para servir de intermediário na entrega de uma mensagem similar, de certo modo mais detalhada, em seu favor para o embaixador chinês, Chai Zemin. Era uma tarefa hercúlea.

Num encontro com Chai em Washington, afirmei que, a despeito de sua retórica de campanha, o candidato Reagan pretendia conservar os princípios gerais da cooperação estratégica sino-americana estabelecidos durante os governos Nixon, Ford e Carter e delineados no Comunicado de Xangai e no comunicado de 1979 anunciando a normalização das relações diplomáticas. Especificamente, Reagan me pedira para transmitir que não buscaria uma política de duas Chinas, ou de "uma China, uma Taiwan". Acrescentei que eu tinha certeza de que o embaixador e seu governo haviam estudado a carreira do governador Reagan e, fazendo isso, teriam notado que tinha muitos amigos íntimos em Taiwan. Tentando pôr isso em um contexto humano, argumentei que Reagan não poderia abandonar as amizades pessoais e que os líderes chineses perderiam o respeito por ele se o fizesse. Como presidente, contudo, Reagan estaria comprometido com a estrutura de relações existente entre os Estados Unidos e a República Popular, que fornecia uma base para esforços chineses e americanos compartilhados de impedir a "hegemonia" (isto é, dominação soviética). Em outras palavras, Reagan, como presidente, ficaria ao lado de seus amigos, mas também dos compromissos do país.

Não se pode dizer que o embaixador chinês tenha recebido essa informação com absoluto entusiasmo. Consciente das pesquisas de opinião pública favoráveis projetando a vitória de Reagan em novembro, ele não se arriscava a expressar uma opinião.

Vendas de armas para Taiwan e o Terceiro Comunicado

A fase inicial do governo Reagan foi marcada pela crença do presidente de que sua capacidade de persuasão poderia ser uma ponte sobre o abismo entre duas posições, a um primeiro exame, incompatíveis. Na prática, significava que as duas posições eram executadas simultaneamente. A questão ganhara alguma urgência porque a normalização obtivera a precedência sobre a solução de um status legal definitivo para Taiwan. Carter afirmara que os Estados Unidos pretendiam continuar fornecendo armas para Taiwan. Deng, ansioso em completar o processo de normalização de modo que pudesse confrontar o Vietnã pelo menos criando uma aparência de apoio americano, foi em frente com a normalização, na prática ignorando a declaração unilateral de Carter sobre fornecimento de armas. Nesse meio-tempo, em 1979 o Congresso norte-americano respondera à diminuição da presença diplomática americana oficial em Taipei aprovando o Taiwan Relations Act. Essa legislação delineava uma estrutura para laços econômicos, culturais e de segurança contínuos e robustos entre os Estados Unidos e Taiwan, e declarava que os Estados Unidos "disponibilizarão para Taiwan tais artigos de defesa e serviços de defesa na quantidade que for necessária para manter uma capacidade suficiente de autodefesa".[2] Assim que o governo Reagan assumiu, os líderes chineses trouxeram a questão das armas para Taiwan outra vez à baila, tratando-a como um aspecto não finalizado da normalização e pondo contra a parede as contradições internas americanas. Reagan não fazia segredo de seu desejo de que parte das vendas de armas para Taiwan seguisse em frente. Seu secretário de Estado, Alexander Haig, era de opinião contrária. Haig fora meu subordinado na equipe da Casa Branca do governo Nixon que planejou a visita secreta em 1971. Ele havia liderado a equipe técnica que empreendeu a visita secreta de Nixon, na qual teve uma conversa substantiva com Zhou. Como membro da geração que vivenciara o início da Guerra Fria, Haig tinha plena consciência de como o acréscimo da China ao campo antissoviético alterava o equilíbrio estratégico. Haig tratava o potencial papel da China como aliada efetiva dos Estados Unidos como um avanço a ser preservado como prioridade máxima. Como resultado, Haig procurou modos de chegar a um entendimento com Pequim pelo qual os Estados Unidos forneceriam armas tanto para China como para Taiwan.

O esquema naufragou de ambos os lados. Reagan não concordava com a formalização de vendas de armas para a China, e Pequim não considerava um acordo que implicasse uma troca de princípio por equipamento militar. As coisas ameaçavam sair do controle. Haig, conduzindo árduas negociações tanto dentro do governo norte-americano como com suas contrapartes em Pequim, chegou a um acordo que permitia a ambos os lados postergar uma solução definitiva, ao mesmo tempo que estabelecia um roteiro de orientação para o futuro. Que Deng concordasse com um resultado tão indefinido e parcial demonstra a importância que conferia à manutenção das relações estreitas com os Estados Unidos (bem como sua confiança em Haig).

O assim chamado Terceiro Comunicado de 17 de agosto de 1982 tornou-se parte da arquitetura básica do relacionamento entre Estados Unidos e China, regularmente reafirmado como parte da língua consagrada de diálogos oficiais subsequentes e comunicados conjuntos. É estranho que o Terceiro Comunicado tenha atingido tal status junto com o Comunicado de Xangai da visita de Nixon e o acordo de normalização do período Carter, pois o comunicado é muito ambíguo, desse modo um roteiro difícil para o futuro.

Cada lado, como antes, reafirmava seus princípios básicos: a China afirmava sua posição de que Taiwan era um assunto chinês doméstico em que os estrangeiros não tinham qualquer papel legítimo; os Estados Unidos reafirmavam sua preocupação de uma resolução pacífica, indo ao ponto de alegar que isso "considera a política chinesa de lutar por uma resolução pacífica". Essa fórmula se esquivava da afirmação chinesa repetida consistente e frequentemente de que reservava sua liberdade de ação para usar a força se uma resolução pacífica se mostrasse inexequível. O parágrafo operativo chave dizia respeito a vendas de armas para Taiwan. Dizia:

> O governo dos Estados Unidos afirma que não almeja executar uma política de venda de armas a longo prazo para Taiwan, que suas vendas de armas não vão exceder, seja em termos qualitativos ou quantitativos, o nível do que foi fornecido em anos recentes desde o estabelecimento de relações diplomáticas entre os Estados Unidos e a China, e que pretende reduzir gradualmente suas vendas de armas para Taiwan, levando após algum tempo a uma resolução definitiva. Assim fazendo, os Estados Unidos acatam a posição firme da China em relação à decisão completa dessa questão.[3]

Nenhum desses termos tinha definição precisa — ou, aliás, qualquer definição. O que se queria dizer com "gradualmente" foi deixado em aberto; tampouco era o "nível" atingido no período Carter, que estava destinado a ser o padrão, nunca especificado. Embora os Estados Unidos rejeitassem uma política de vendas de armas a longo prazo, isso não dava qualquer indicativo do que o país entendia por "longo prazo". Embora a China reafirmasse sua insistência num acordo definitivo, não fixava um prazo final e não constituía qualquer ameaça. Os imperativos domésticos de ambos os lados ditavam os limites: a China não aceitaria o princípio de um fornecedor de armas estrangeiro no que considerava seu próprio território. A política americana, enfatizada pela aprovação da Taiwan Relations Act por ampla margem no Congresso, não autorizava nenhum corte de armas para Taiwan. É um tributo à arte de governar de ambas as partes que esse estado de coisas tenha continuado assim por quase trinta anos desde os eventos discutidos neste livro.

O momento imediatamente posterior ao Terceiro Comunicado mostrou que seu significado não eram autoevidentes para o presidente dos Estados Unidos. Ele contou ao editor da *National Review*: "Pode dizer aos seus amigos que não mudei da droga de ideia nem um pouco sobre Taiwan. Qualquer arma que precisarem para se defender contra ataques ou invasões da China Vermelha eles irão receber dos Estados Unidos."[4] Reagan era tão veemente nessa questão que chamou Dan Rather, então âncora do *CBS Evening News*, para negar a informação de que não estava mais apoiando Taiwan, declarando: "Não houve nenhum recuo de minha parte [...]. Continuaremos a armar Taiwan."[5]

Para sustentar as convicções do presidente, a Casa Branca secretamente negociou as assim chamadas Seis Garantias com Taiwan, para restringir a implementação do comunicado que acabara de assinar com a China. As garantias afirmavam que os Estados Unidos não haviam estabelecido uma data específica para pôr fim às vendas de armas para Taiwan, não haviam se comprometido em consultar Pequim sobre tais vendas, não haviam se comprometido a emendar o Taiwan Relations Act, não haviam alterado sua posição em relação ao status político de Taiwan e também não exerceriam pressão sobre Taipei para negociar com Pequim ou tampouco servir como mediadores.[6] As garantias foram reforçadas por um memorando guardado nos arquivos do Conselho de Segurança Nacional que vinculava a observância do comunicado com a solução pacífica das diferenças entre a República Popular e Taiwan. O governo também passou a dar uma interpretação liberal ao conceito do Terceiro Comunicado de "reduzir" as "vendas de armas" para Taiwan. Por meio de transferências de tecnologia (tecnicamente, não "vendas de armas") e uma interpretação inventiva do "nível" de vários programas de armas, Washington estendia um programa de apoio militar para Taiwan cuja duração e substância Pequim parece não ter previsto.

O Taiwan Relations Act, é claro, é vinculante para o presidente; a lei nunca foi aprovada pelos líderes chineses, que não aceitam a premissa de que a legislação americana possa criar uma obrigação com respeito a vendas de armas para Taiwan ou condicionar o reconhecimento diplomático americano à resolução pacífica da questão de Taiwan. Seria perigoso igualar aquiescência à circunstância com aceitação de um futuro indefinido. Que um padrão de ação havia sido aceito por vários anos não remove seus riscos de longo prazo, como demonstra a reação exaltada de Pequim às vendas de armas na primavera de 2010.

A política do governo Reagan para China e Taiwan durante seu primeiro mandato foi desse modo um estudo de contradições quase incompreensíveis — entre personalidades rivais, metas políticas conflitantes, garantias contraditórias para Pequim e Taipei e imperativos morais e estratégicos incomensuráveis. Reagan dava a impressão de apoiar tudo ao mesmo tempo, tudo por questão de uma profunda convicção.

Para o acadêmico ou o analista político tradicional, a abordagem inicial do governo Reagan à República Popular e a Taiwan violava toda regra básica de política coerente. Contudo, como com muitas outras políticas controversas e pouco convencionais de Reagan, funcionou bastante bem nas décadas seguintes.

O aspecto notável da presidência de Reagan era sua capacidade de aparar as arestas da controvérsia mesmo enquanto afirmava suas próprias convicções essencialmente irredutíveis. Fossem quais fossem suas discordâncias, Reagan nunca as transformava em confrontos pessoais; tampouco ele transformava suas convicções fortemente ideológicas em cruzadas que não fossem puramente retóricas. Ele estava desse modo em posição de cruzar abismos ideológicos com base na natureza prática e até na boa vontade — como a notável série de negociações de Reagan e seu posterior secretário de Estado George Shultz com suas contrapartes soviéticas Mikhail Gorbachev e Eduard Shevardnadze sobre limitações de armas nucleares iria provar. Quanto à China, seus líderes compreenderam que Reagan chegara até onde suas convicções permitiam e atingira o limite máximo do que era capaz de conseguir dentro do contexto político americano. E a meticulosa análise de Pequim do cenário internacional convenceu-a de que os Estados Unidos ainda eram essenciais como um contrapeso à União Soviética. Com Reagan administrando um fortalecimento significante do poderio militar americano, os líderes chineses decidiram aceitar, ou pelo menos tolerar, alguns de seus mais desafiadores posicionamentos.

As aparentes contradições no fim determinaram dois cronogramas: o que seria feito imediatamente e o que podia ser deixado para o futuro. Deng parece ter compreendido que o comunicado estabelecia uma direção geral. Ele poderia ser conduzido uma vez que as condições tivessem alterado o contexto que o impedia no início do governo Reagan.

Após Shultz ter assumido o Departamento de Estado em 1982, a despeito de algumas conversas desconfortáveis e egos feridos, os Estados Unidos, a República Popular da China e Taiwan emergiram todos do início da década de 1980 com seus interesses fundamentais atingidos de modo geral. Pequim ficou decepcionada com a interpretação flexível de Washington em relação ao comunicado; mas, no geral, a República Popular conquistou outra década de assistência americana conforme construía seu poder econômico e militar e sua capacidade de desempenhar um papel independente nos negócios mundiais. Washington era capaz de perseguir relações amigáveis com ambos os lados do estreito de Taiwan e de cooperar com a China em imperativos antissoviéticos comuns, tal como compartilhamento de inteligência e apoio à insurgência afegã. Taiwan obteve uma posição de negociação a partir da qual barganhar com Pequim. Quando a poeira finalmente assentou, o presidente mais declaradamente anticomunista e pró-Taiwan desde Nixon fora capaz de conduzir um relacionamento "normal" com a República Popular da China sem qualquer grande crise.

A China e as superpotências – O novo equilíbrio

O verdadeiro drama da década de 1980 não foram as relações de Washington e Pequim entre si, mas seus respectivos relacionamentos com Moscou. O ímpeto foi uma série de significativas mudanças na paisagem estratégica.

Ao avaliar as políticas chinesas, uma contingência pode de modo geral ser excluída: de que os decisores chineses negligenciavam uma série de fatos acessíveis. Assim, quando a China deu prosseguimento à linguagem ambígua e à interpretação flexível da cláusula de Taiwan no Terceiro Comunicado, só pode ter sido devido ao fato de ter achado que a cooperação com os Estados Unidos cumpriria seus outros propósitos nacionais.

Quando Ronald Reagan subiu ao poder, a ofensiva estratégica iniciada pela União Soviética no fim da década de 1970 ainda não seguira seu curso. Nos anos posteriores ao colapso da posição americana na Indochina, a União Soviética e seus parceiros haviam embarcado em uma série sem precedentes (e quase indiscriminada) de avanços no mundo em desenvolvimento: em Angola, Etiópia, Afeganistão e Indochina. Mas a aproximação Estados Unidos-China estabelecera um baluarte significativo contra a posterior expansão. Potencializada pelas convicções de Deng e seus colegas e pela cooperação habilidosa de funcionários americanos de ambos os partidos políticos, a linha horizontal concebida por Mao tomara forma.

Em meados da década de 1980, a União Soviética enfrentou uma defesa coordenada — e, em muitos casos, uma resistência ativa — em quase todas suas fronteiras. Nos Estados Unidos, na Europa Ocidental e no Leste Asiático uma coalizão frouxa de quase todos os países industrializados havia se formado contra a União Soviética. No mundo desenvolvido, os único aliados remanescentes da União Soviética eram os Estados-satélite do Leste Europeu onde ela mantinha tropas estacionadas. Entrementes, o mundo em desenvolvimento se mostrara cético acerca dos benefícios da "libertação" popular sob armas soviéticas e cubanas. Na África, Ásia e América Latina, os esforços expansionistas soviéticos estavam se transformando em custosos impassses ou desacreditados fracassos. No Afeganistão, a União Soviética vivenciou inúmeras das mesmas provações que os Estados Unidos haviam sofrido no Vietnã — nesse caso, com o apoio dos esforços coordenados de Estados Unidos, China, países do Golfo e Paquistão de patrocinar e treinar uma resistência armada. No próprio Vietnã, a tentativa de Moscou de tornar a Indochina unida sob Hanói numa órbita soviética foi ao encontro de uma veemente rejeição chinesa, facilitada pela cooperação americana. Pequim e Washington estavam — como Deng descrevera tão vividamente para Carter — "decepando" os dedos soviéticos. Ao mesmo tempo, a escalada estratégica americana, especialmente a Iniciativa de Defesa Estratégica defendida por Reagan, oferecia um desafio tecnológico que a economia soviética estagnada e sobrecarregada — já então suportando um ônus defensivo três vezes maior do que o dos Estados Unidos como uma porcentagem do respectivo PIB de cada país — era incapaz de encarar.[7]

Nesse clímax da cooperação sino-americana, a Casa Branca sob Reagan e a liderança chinesa possuíam avaliações razoavelmente congruentes sobre a fraqueza soviética; mas extraíam conclusões significativamente diferentes sobre as implicações políticas desse novo estado de coisas. Reagan e seus principais funcionários percebiam a instabilidade soviética como uma oportunidade de partir para a ofensiva. Combinando uma grande escalada militar com uma nova assertividade ideológica, eles buscavam pressionar a União Soviética tanto financeira como geopoliticamente e lutar pelo que seria uma vitória na Guerra Fria.

Os líderes chineses tinham uma concepção similar da fraqueza soviética, mas extraíram a lição oposta: eles viam isso como um convite para recalibrar o equilíbrio global. A começar por 1969, se aproximado de Washington para retificar a posição geopolítica precária da China; eles não tinham o menor interesse no triunfo global dos valores americanos e da democracia liberal ocidental que Reagan proclamava como objetivo último. Tendo "cutucado o traseiro do tigre" no Vietnã, Pequim concluía que resistira ao ápice da ameaça soviética. Agora cabia à China retomar o curso de uma liberdade de manobra ampliada.

Na década de 1980, assim, a euforia da abertura original seguira seu rumo; as pungentes preocupações da Guerra Fria do passado recente estavam sendo superadas. As relações sino-americanas assentaram nesse tipo de interações que as grandes potências têm uma com a outra mais ou menos rotineiramente, com altos e baixos. O início do declínio do poder soviético desempenhou um papel, embora os principais atores tanto do lado americano como do chinês houvessem ficado tão acostumados aos padrões da Guerra Fria que levou algum tempo para que reconhecessem isso. A fraca resposta soviética à invasão chinesa do Vietnã marcou o início de um declínio soviético no início gradual, depois acelerado. As três transições em Moscou — de Leonid Brezhnev a Yuri Andropov em 1982, de Andropov a Konstantin Chernenko em 1984, e de Chernenko a Mikhail Gorbachev em 1985 — no mínimo significavam que a União Soviética estaria preocupada com suas crises domésticas. O rearmamento americano começado sob Carter e acelerado sob Reagan gradualmente alterou o equilíbrio de poder e limitou a prontidão soviética a intervir em sua periferia.

A maior parte do que a União Soviética conquistou na década de 1970 retrocedeu — embora vários desses recuos só viessem a ocorrer durante o governo George H. W. Bush. A ocupação vietnamita do Camboja foi encerrada em 1990, eleições ocorreram em 1993 e refugiados se prepararam para voltar para casa; tropas cubanas se retiraram de Angola em 1991; o governo da Etiópia apoiado pelos comunistas caiu em 1991; em 1990, os sandinistas da Nicarágua foram levados a aceitar eleições livres, risco que nenhum Partido Comunista governante jamais havia se preparado para correr; talvez mais importante de tudo, os exércitos soviéticos se retiraram do Afeganistão em 1989.

Os recuos soviéticos conferiram à diplomacia chinesa uma nova flexibilidade de manobra. Os líderes chineses falavam menos em contenção militar e começaram a explorar seu leque para uma nova diplomacia com Moscou. Continuavam a listar três condições para a melhoria das relações com os soviéticos: evacuação do Camboja; fim da concentração de tropas soviéticas na Sibéria e Mongólia ao longo da fronteira norte chinesa; e evacuação do Afeganistão. Essas exigências estavam no processo de serem cumpridas em grande parte por mudanças no equilíbrio de poder que tornava as posições avançadas soviéticas insustentáveis e as decisões de recuo inevitáveis. Os Estados Unidos receberam garantias de que a China não estava pronta para se mover na direção de Moscou — os chineses provando que dois lados podiam brincar de diplomacia triangular. As garantias, em todo caso, tinham um propósito duplo: afirmavam a adesão continuada à estratégia estabelecida de prevenir a expansão soviética, mas também serviam para levar as crescentes opções da China perante os Estados Unidos.

A China logo começou a exercer suas novas opções globalmente. Em uma conversa que tive com Deng em setembro de 1987, ele aplicou o novo arcabouço de análise à Guerra do Irã-Iraque, então em seu quinto violento ano. Os Estados Unidos apoiavam o Iraque — pelo menos o suficiente para impedir sua derrota pelo regime revolucionário em Teerã. Deng argumentou que a China necessitava de "espaço" para assumir uma "posição flexível" em relação ao Irã, de modo que pudesse desempenhar um papel mais significativo na diplomacia a fim de encerrar a guerra.

Deng estivera empreendendo o conceito de linha horizontal de Mao ao longo do confronto com a União Soviética. Este agora sendo transformado outra vez em uma abordagem de Três Mundos em que a China ficava à parte da competição entre superpotências e em que a adesão a uma política externa independente permitiria que perseguisse suas preferências em todos os três círculos: as superpotências; o círculo dos países desenvolvidos; e o Terceiro Mundo.

Hu Yaobang, protegido de Deng e secretário do Partido, delineou o conceito chinês de política externa prevalecente para o XX Congresso Nacional do Partido Comunista em setembro de 1982. Sua cláusula-chave era uma reprise do "a China se ergueu" de Mao: "A China nunca se prende a nenhuma grande potência ou grupo de potências, e jamais cede à pressão de nenhuma grande potência."[8] Hu começou com um panorama abrangente delineando a análise crítica chinesa das políticas externas americana *e* soviética e uma lista de exigências de ações pelas quais cada potência podia demonstrar sua boa-fé. O fracasso em resolver a questão de Taiwan significava que "uma nuvem sempre pairou sobre as relações" entre China e Estados Unidos. As relações iriam "se desenvolver solidamente" apenas se os Estados Unidos deixassem de interferir no que a China encarava como um assunto puramente interno. Entrementes, Hu comentava com arrogância: "Percebemos que os líderes soviéticos expressaram mais de uma vez seu desejo de melhorar as relações com a China. Mas ações, mais do que palavras, são o que importa."[9]

A China, por sua vez, estava cristalizando sua posição no Terceiro Mundo, ficando à parte e em certa medida contra ambas as superpotências: "As principais forças pondo em risco a coexistência pacífica entre as nações hoje são o imperialismo, o hegemonismo e o colonialismo. [...] A tarefa mais importante para os povos do mundo hoje é se opor ao hegemonismo e salvaguardar a paz mundial."[10]

Essencialmente, a China reivindicava uma estatura moral única como a maior das potências "neutras", pondo-se acima das disputas de superpotência:

> Sempre nos opusemos firmemente à corrida armamentista entre as superpotências, fomos a favor da proibição do uso de armas nucleares e de sua completa destruição e exigimos que as superpotências fossem as primeiras a cortar seus arsenais nucleares e convencionais drasticamente. [...]
>
> A China vê isso como seu sagrado dever internacional de lutar contra o imperialismo, hegemonismo e colonialismo junto com os demais países do Terceiro Mundo.[11]

Era a política tradicional chinesa sendo servida em um Congresso do Partido Comunista: autonomia, distanciamento moral e superioridade, combinada a um compromisso de negar as aspirações das superpotências.

Um relatório de 1984 do Departamento de Estado enviado ao presidente Reagan explicava que a China havia se posicionado

> tanto para apoiar a escalada militar [americana] contra o expansionismo soviético como para atacar a rivalidade entre superpotências como causa principal da tensão global. Como resultado, a China está capacitada a perseguir interesses estratégicos paralelos com os Estados Unidos e, ao mesmo tempo, fortalecer suas relações com o que percebe ser um bloco de Terceiro Mundo em ascensão.[12]

Em 1985, um relatório da CIA descreveu a China como "manobrando no triângulo" ao cultivar laços mais estreitos com a União Soviética por meio de uma série de encontros de alto escalão e diálogos entre Partidos Comunistas de nível protocolar e frequência que não eram vistos desde a cisão sino-soviética. A análise notava que os líderes chineses haviam voltado a se referir a suas contrapartes soviéticas como "camarada" e a chamar a União Soviética de país "socialista" (em oposição a "revisionista"). Altos funcionários chineses e soviéticos haviam mantido substantivas consultas sobre controle de armas — um conceito impensável nas duas décadas precedentes — e, durante a visita de uma semana em 1985 do vice-premiê chinês Yao Yilin a Moscou, ambas as partes assinaram um acordo marcante sobre comércio bilateral e cooperação econômica.[13]

A ideia de círculos sobrepostos era mais ou menos o que Mao viera propondo perto do fim da vida. Mas a consequência prática era limitada. O Terceiro Mundo se definia por se distinguir das duas superpotências. Perderia seu status se mudasse definitivamente para um lado ou outro, mesmo sob o disfarce de acolher uma superpotência entre seus pares. Em termos práticos, a China estava a caminho de se tornar uma superpotência e já agia como uma desde então, quando mal iniciara suas reformas. O Terceiro Mundo, em resumo, exerceria uma influência maior apenas se uma das superpotências se unisse a ele e assim, por definição, deixaria de ser Terceiro Mundo. Enquanto a União Soviética fosse uma superpotência nuclear e as relações com ela fossem precárias, a China não teria qualquer incentivo para se afastar dos Estados Unidos. (Após o colapso da União Soviética, restavam apenas dois círculos, e a questão seria se a China entraria no lugar deixado pela União Soviética como uma desafiante ou se optaria por cooperar com os Estados Unidos.) A relação sino-americana da década de 1980 foi, em resumo, de transição de um padrão da Guerra Fria para uma ordem internacional global que lançou novos desafios para a parceria China-Estados Unidos. Tudo isso partia do pressuposto de que a União Soviética permanecia a ameaça primordial à segurança.

O arquiteto da abertura com a China, Richard Nixon, compreendia o mundo da mesma maneira. Em um relatório para o presidente Ronald Reagan após uma visita privada à China no fim de 1982, Nixon escreveu:

> Acredito ser de nosso grande interesse encorajar os chineses a desempenhar um papel maior no Terceiro Mundo. Quanto mais bem-sucedidos forem eles, menos bem-sucedida será a União Soviética. [...]
>
> O que nos uniu primeiramente em 1972 foi nossa preocupação comum acerca da ameaça de agressão soviética. Embora essa ameaça seja muito maior hoje do que era em 1972, o principal fator unificador que mais nos aproximará na década seguinte pode perfeitamente ser nossa interdependência econômica.[14]

Nixon prosseguia insistindo que, ao longo da década seguinte, os Estados Unidos, seus aliados ocidentais e o Japão trabalhassem conjuntamente para acelerar o desenvolvimento econômico da China. Ele tinha a visão de uma ordem internacional inteiramente nova emergindo com base essencialmente no uso da influência chinesa para construir o Terceiro Mundo como uma coalizão antissoviética. Mas nem mesmo a presciência de Nixon alcançava um mundo em que a União Soviética entraria em colapso e, no intervalo de uma geração, a China se veria em uma posição em que grande parte da saúde econômica do mundo dependia de seu desempenho econômico. Ou um mundo onde viria à baila a questão de se a ascensão da China tornaria as relações internacionais bipolares outra vez.

George Shultz, o formidável secretário de Estado de Reagan e um economista treinado, apareceu com outra concepção, americana, de círculos concêntricos, que situava a relação sino-americana num contexto além do conflito soviético-americano. Ele argumentava que uma ênfase excessiva na indispensabilidade da China para lidar com a ameaça soviética dava à China uma vantagem de negociação grande demais.[15] As relações com ela deveriam ser baseadas na reciprocidade estrita. Em tal diplomacia, a China desempenharia seu papel por seus próprios motivos nacionais. A boa vontade chinesa deveria resultar de projetos comuns no interesse comum. O propósito da política americana para a China deveria ser elaborar esses interesses comuns. Simultaneamente, os Estados Unidos buscariam revigorar sua aliança com o Japão — o país a que, conforme insistira Mao com delegados americanos alguns anos antes, eles deveriam "dedicar mais tempo" —, uma democracia também, e agora, após décadas de rápido crescimento no pós-Segunda Guerra Mundial, um ator econômico global significativo.

(Décadas de mal-estar econômico desde então obscureceram o fato de que nos anos 1980 a capacidade econômica japonesa não só superava de longe a da China como também, na avaliação de inúmeros analistas, estava prestes a ultrapassar a dos Estados Unidos.) Essa relação ganhou uma base nova com a amizade pessoal surgida entre Reagan e o primeiro-ministro japonês Yasuhiro Nakasone — ou, como veio a ser conhecido na mídia, o "show de Ron e Yasu".

Tanto China como Estados Unidos estavam pouco a pouco se afastando do antigo alinhamento em que se viam como parceiros estratégicos confrontando uma ameaça existencial comum. Agora que a ameaça soviética começara a diminuir, a China e os Estados Unidos eram essencialmente parceiros de conveniência em questões selecionadas em que seus interesses se alinhavam.

Durante o período Reagan, nenhuma nova tensão fundamental surgiu, e questões herdadas como Taiwan foram tratadas sem dramas. Reagan se conduziu com vitalidade característica durante uma visita de Estado em 1984 à China — em diversos momentos até mesmo se saindo com frases de poesia clássica chinesa e do antigo manual divinatório do *I Ching*, ou *Livro das mutações*, para descrever a relação de cooperação entre os Estados Unidos e a China. Arriscando mais mandarim chinês que qualquer um de seus predecessores, Reagan invocou até as expressões chinesas "*tong li he zuo*" ("conecte a força, trabalhe junto") e "*hu jing hu hui*" ("respeito mútuo, benefício mútuo") para descrever o relacionamento EUA-China.[16] Contudo, Reagan nunca desenvolveu um histórico de diálogos próximos com nenhuma contraparte chinesa como fizera com Nakasone — a esse respeito, nenhum presidente americano o fez com seu correspondente chinês —, e sua visita não cuidou de nenhum grande assunto e se restringiu a repassar a situação mundial. Quando Reagan criticou uma certa não nomeada "grande potência" por juntar tropas nas fronteiras chinesas e ameaçar seus vizinhos, essa parte do discurso foi omitida da transmissão chinesa.

Quando o período Reagan chegava ao fim, a situação na Ásia era a mais tranquila que se via em décadas. Meio século de guerra e revolução em China, Japão, Coreia, Indochina e mar do Sudeste Asiático tinha dado lugar a um sistema de Estados asiáticos em linhas essencialmente Vestfalianas — seguindo o padrão de Estados soberanos emergindo na Europa no fim da Guerra dos Trinta Anos em 1648. Com exceção das provocações periódicas da empobrecida e isolada Coreia do Norte e da insurgência contra a ocupação soviética no Afeganistão, a Ásia era agora um mundo de Estados independentes com governos soberanos, fronteiras reconhecidas e um acordo tácito quase universal de se abster de envolvimentos nos alinhamentos políticos e ideológicos domésticos uns dos outros. O projeto de exportar a revolução comunista — assumido com avidez respectivamente por chineses, norte-coreanos e norte-vietnamitas — chegara a um término. Um equilíbrio entre os vários centros de poder fora preservado, em parte devido à exaustão dos agentes envolvidos e em parte devido aos esforços americanos (e depois chineses) de rechaçar vários candidatos à dominação. Dentro desse contexto, uma nova era de reforma econômica e prosperidade na Ásia lançava raízes — que no século XXI pode perfeitamente devolver à região seu papel histórico como o continente mais produtivo e próspero do mundo.

O programa de reformas de Deng

O que Deng rotulava de "Reforma e Abertura" era uma empreitada não só econômica como também espiritual. Implicava, antes de mais nada, a estabilização de uma sociedade à beira do colapso econômico e, em seguida, uma busca da força interior para avançar por novos métodos para os quais não havia qualquer precedente, fosse na história comunista, fosse na chinesa.

A situação econômica herdada por Deng era próxima do desespero. A estrutura agrícola coletivizada da China mal acompanhava as necessidades de sua imensa população. O consumo de comida per capita era grosso modo o mesmo que fora no início da era Mao. Um líder chinês teria admitido que 100 milhões de camponeses — o equivalente a quase metade da população americana em 1980 — não tinha comida suficiente.[17] O fechamento do sistema escolar durante a Revolução Cultural produzira condições calamitosas. Em 1982, 34% da força de trabalho da China tinha um nível de ensino apenas primário, e 28% eram considerados "analfabetos ou semianalfabetos"; apenas 0,87% da força de trabalho chinesa tinha nível superior.[18] Deng invocara um período de rápido crescimento econômico; mas ele enfrentava o desafio de como transformar uma população geral sem ensino, isolada e ainda grandemente empobrecida em uma força de trabalho capaz de assumir um papel produtivo e competitivo na economia mundial e de suportar as ocasionais tensões.

As ferramentas tradicionais disponíveis para quem empreendia a reforma aumentavam o desafio. A insistência de Deng em modernizar a China abrindo-a para o mundo exterior era o mesmo tipo de esforço que frustrara os reformadores desde a primeira tentativa na segunda metade do século XIX. Então o obstáculo foi a relutância de abandonar um modo de vida chinês associado com o que definia a identidade especial chinesa. Agora era como subverter as práticas em que todas as sociedades comunistas vinham operando ao mesmo tempo em que se manteriam os princípios filosóficos em que a coesão da sociedade estivera baseada desde a época de Mao.

No início da década de 1980, o planejamento central continuava a ser o modus operandi de todas as sociedades comunistas. Suas falhas eram óbvias, mas era difícil consertá-las. Em seu estágio avançado, os incentivos comunistas eram todos contraproducentes, premiando a estagnação e desencorajando a iniciativa. Numa economia planificada, bens e serviços são alocados segundo decisões burocráticas. Com o tempo, os preços estabelecidos por decreto administrativo perdem sua relação com os custos. O sistema de preços se torna um meio de extorquir recursos da população e determinar prioridades políticas. À medida que o terror pelo qual a autoridade se estabeleceu enfraquece, os preços se tornam subsídios e são transformados em um método de obter apoio público para o Partido Comunista.

O comunismo reformista se provou incapaz de abolir as leis da economia. Alguém tinha de pagar pelos custos reais. A penalidade para o planejamento central e os preços subsidiados era manutenção negligente, falta de inovação e superemprego — em outras palavras, estagnação e queda da renda per capita.

O planejamento central, além do mais, fornecia poucos incentivos para enfatizar qualidade ou inovação. Uma vez que tudo que era produzido seria comprado pelo ministério em questão, a qualidade não era um fator a ser considerado. E a inovação era, essencialmente, desencorajada, caso contrário tiraria todo o planejamento dos trilhos.

Na ausência de mercados para equilibrar as preferências, o planejador era obrigado a impor juízos mais ou menos arbitrários. Como resultado, os bens que eram necessários não eram produzidos, e os bens que eram produzidos não eram necessários.

Acima de tudo, o Estado planificado, longe de criar uma sociedade sem classes, acabava por sacralizar a estratificação de classes. Onde bens eram antes distribuídos que comprados, as verdadeiras recompensas eram as prerrogativas oficiais: lojas especiais, hospitais, oportunidades de ensino para os quadros partidários. A desmedida liberdade de ação na mão dos funcionários do governo levou à corrupção. Empregos, educação e a maioria das prerrogativas dependiam de algum tipo de relação pessoal. Era uma das ironias da história que o comunismo, propagandeado como o caminho para uma sociedade sem classes, tendesse a gerar uma classe privilegiada de proporções feudais. Provou-se impossível dirigir uma economia moderna com o planejamento central, mas nenhum Estado comunista jamais fora dirigido sem planejamento central.

O programa de Reforma e Abertura de Deng destinava-se a erradicar essa estagnação. Ele e seus homens próximos embarcaram na economia de mercado, tomada de decisões descentralizada e abertura para o mundo externo — todas mudanças sem precedentes. Eles baseavam sua revolução na liberação de talentos do povo chinês, cuja vitalidade econômica natural e espírito empreendedor foram muito tempo antes reprimidos pela guerra, por dogma ideológico e restrições severas do investimento privado.

Deng tinha dois colaboradores principais nas reformas — Hu Yaobang e Zhao Ziyang —, embora mais tarde tenha brigado com ambos, quando tentaram levar os princípios da reforma econômica para o campo político.

Um dos mais jovens participantes da Longa Marcha, Hu Yaobang emergiu como protegido de Deng e mais tarde caiu junto com Deng na Revolução Cultural; quando Deng regressou ao poder, elevou Hu a um dos postos de liderança mais altos no Partido Comunista, culminando com sua designação para secretário-geral. Durante seu exercício, Hu ficou associado a posições relativamente liberais em questões políticas e econômicas. Com seu modo de ser franco, forçou de forma consistente os limites do que seu partido e sua sociedade estavam dispostos a aceitar. Foi o primeiro líder do Partido Comunista a aparecer regularmente de terno ocidental e provocou controvérsia sugerindo que os chineses trocassem os pauzinhos por facas e garfos.[19]

Zhao Ziyang, designado premiê em 1980 e secretário-geral do Partido Comunista em janeiro de 1987, fora um pioneiro da descoletivização agrícola quando ocupou a secretaria do Partido em Sichuan. Seu êxito em produzir um aumento significativo nos padrões de vida granjeou-lhe a aprovação da China rural, como se vê no expressivo trocadilho feito com seu sobrenome (quase um homônimo da palavra chinesa para "procurar"): "Se você quer comer grãos, *Zhao* [procure por] Ziyang." Assim como Hu Yaobang, era politicamente não ortodoxo. Ele acabou sendo afastado da secretaria-geral do Partido por Deng no auge da crise de Tiananmen.

Deng e seus colegas eram impelidos, acima de tudo, pela rejeição comum da Revolução Cultural. Todos os líderes que governaram a China haviam vivenciado a degradação, e muitos sofreram maus-tratos físicos. As experiências da Revolução Cultural permeavam a conversa dos líderes chineses. Eu mantive uma saudosa conversa com Deng em setembro de 1982, quando estive na China para uma visita particular:

KISSINGER: Encontrei-o em abril de 1974 quando o senhor veio à 6ª Assembleia [Geral da ONU] Especial e depois com Mao, e o senhor não abriu a boca.

DENG: Na época, em novembro de 1974 [em Pequim], éramos as duas pessoas que mais falavam porque então Zhou estava doente e eu era o encarregado do Conselho de Estado, e em 1975 eu estava encarregado dos trabalhos do Partido e do governo. Acontece que durante um ano fiquei incapacitado. Quando olhamos para esse período da história foi muito interessante. Foram esses reveses que nos iluminaram. [...] Nossa experiência de 1979 a 1981 provou que nossas políticas estão corretas. O senhor não veio aqui por três anos e meio. Está vendo alguma mudança?

KISSINGER: Quando estive aqui da última vez — pode ser devido a minha ignorância — tive a sensação de que o chefe da Comissão Consultiva [Deng] tinha muitos oponentes em posição elevada. [...]

DENG: [...] As pessoas no exterior muitas vezes se perguntam se há estabilidade política na China. Para julgar se há estabilidade política na

China a pessoa deve ver se há estabilidade em áreas onde vivem 800 milhões de chineses. Hoje os camponeses são mais felizes. Há também algumas mudanças nas cidades, mas não tantas quanto no campo. [...] [O povo] tem grande confiança nas instituições econômicas socialistas e confiança ainda maior no Partido e no governo. Isso é de uma significação muito grande. Antes da Revolução Cultural, o Partido e o governo gozavam de alto prestígio, mas o prestígio foi destruído na Revolução Cultural.

Havia pouca experiência em que se basear para o esforço de reforma. Quando voltei em 1987, Zhao Ziyang deu-me uma explicação antecipada de um programa a ser submetido ao Congresso do Partido em outubro desse ano. Ele enfatizou que a China estava em um complicado e muito longo curso de entrelaçamento do capitalismo com o socialismo:

Uma questão-chave a ser tratada é como racionalizar a relação entre o socialismo e as forças de mercado. O relatório vai afirmar que o planejamento para o socialismo deve incluir o uso de forças de mercado, e não excluí-las. Desde [John Maynard] Keynes, todos os países, incluindo os capitalistas, têm praticado interferência do governo nas atividades econômicas em algum grau. Os EUA e a Coreia do Sul são exemplos. Os governos regulam seja mediante o planejamento, seja o mercado; a China usará ambos os métodos. As empresas farão pleno uso das forças de mercado, e o Estado guiará a economia com políticas macroeconômicas. Haverá também planejamento onde necessário, mas a futura regulação por planejamento será um recurso e não será vista como a própria natureza do socialismo.

Na busca desses objetivos, Deng se moveria gradualmente. Em termos chineses, a liderança "atravessaria o rio tateando as pedras", mapeando um caminho em parte com base no que funcionava. A revolução contínua de Mao era, em essência, defenestrada juntamente com visões de transformação utópica. A liderança chinesa não permitiria que a ideologia restringisse suas reformas; eles iriam em vez disso redefinir o "socialismo com características chinesas" de modo que "as características chinesas" fossem qualquer coisa que levasse maior prosperidade à China.

Para facilitar o processo, a China acolhia o investimento estrangeiro, em parte por meio de Zonas Econômicas Especiais no litoral, onde as empresas recebiam maior liberdade de ação e os investidores ganhavam condições especiais. Dada a experiência negativa prévia chinesa com "investidores estrangeiros" em seu litoral no século XIX — e o papel proeminente que essa experiência desempenhava na narrativa nacionalista chinesa —, esse foi um ato de considerável ousadia. Mostrava também uma disposição — em certo grau sem precedentes — de abandonar uma visão secular de autossuficiência econômica integrando-se à ordem econômica internacional. Em 1980, a República Popular da China juntara-se ao FMI e ao Banco Mundial, e empréstimos estrangeiros começavam a entrar no país.

A descentralização sistemática se seguiu. Comunas agrícolas foram abandonadas encorajando os assim chamados centros de responsabilidade, que, na prática, resumiam-se a fazendas familiares. Para outros empreendimentos, uma distinção foi elaborada entre propriedade e gerenciamento. A propriedade continuaria nas mãos do Estado; o gerenciamento seria deixado na maior parte para os administradores. Acordos entre as autoridades e os administradores definiriam a função de cada um, com substanciais liberdades de ação para os administradores.

Os resultados dessas mudanças foram espetaculares. Entre 1978 — ano em que as primeiras reformas econômicas foram promulgadas — e 1984, a renda dos camponeses chineses dobrou. O setor privado, impulsionado pela renovação de incentivos econômicos individuais, subiu para constituir cerca de 50% da produção industrial bruta em uma economia que havia sido comandada quase exclusivamente por ordem governamental. O Produto Interno Bruto chinês cresceu a uma taxa média de mais de 9% ao ano durante toda a década de 1980 — um período de crescimento econômico sem precedentes e quase ininterrupto que continua até o presente momento.[20]

Um esforço de tal escopo dependia, acima de tudo, da qualidade dos funcionários encarregados de empreender as reformas. Isso foi tema de um diálogo com Deng em 1982. Em resposta à minha pergunta sobre se o rejuvenescimento de pessoal estava indo na direção desejada, Deng respondeu:

DENG: Está. Acho que posso dizer que sim. Mas ainda não terminou. Precisamos continuar. O problema agrícola não foi resolvido. Temos de ser pacientes. Há dois anos pusemos o premiê Zhao Ziyang e Hu Yaobang em trabalhos na linha de frente. Talvez o senhor tenha notado que 60% dos membros do Comitê do Partido têm menos de 60 anos e muitos têm cerca de 40.

KISSINGER: Eu notei isso.

DENG: Mas não basta. Temos de tomar as providências para a volta dos velhos camaradas. É assim que compomos a Comissão Consultiva. Recomendei a mim mesmo para a chefia da Comissão Consultiva. Significa que desejo pessoalmente remover pouco a pouco os cargos oficiais e me pôr na condição de conselheiro.

KISSINGER: Notei que há alguns colegas que são mais velhos que o presidente e não entraram para a Comissão Consultiva.

DENG: Isso porque nosso partido é muito antigo. E é necessário manter alguns dos mais velhos na linha de frente. Mas esse problema será gradualmente resolvido.

KISSINGER: Disseram-me que o problema da Revolução Cultural era de que muitas pessoas entraram para os quadros que não tinham o mesmo elevado nível educacional que é de costume. Isso constitui um problema, e o senhor será capaz de lidar com ele?

DENG: Sim. Nossos critérios para selecionar os quadros responsáveis são os seguintes: devem ser revolucionários; devem ser mais jovens; com melhor nível de instrução; profissionalmente competentes. Como eu disse, o 12º Congresso do Partido não só mostrou a continuidade das novas políticas como também assegurou a continuidade, e os arranjos pessoais também asseguraram a continuidade.

Cinco anos mais tarde, Deng continuava preocupado em encontrar modos de rejuvenescer o Partido. Em setembro de 1987, ele me concedeu uma prévia sobre o que estava planejando para o próximo Congresso do Partido, agendado para outubro. Bronzeado, descansado e aos 83 anos exibindo o vigor de sempre, Deng disse que gostaria de intitular o congresso de "Uma Conferência de Reforma e Abertura para o Mundo Exterior". Zhao Ziyang receberia a posição mais importante de secretário-geral do Partido Comunista, substituindo Hu Yaobang e requerendo a escolha de um novo premiê. Hu Yaobang "cometera alguns erros", disse Deng — presumivelmente permitindo que uma série de protestos estudantis em 1986 fosse longe demais —, mas ele continuaria no Politburo (distintamente de períodos precedentes, em que indivíduos removidos de altos cargos também eram removidos do processo político). Nenhum membro do Comitê Permanente (o comitê executivo do Partido Comunista) acumularia cargos, acelerando a transição para a geração seguinte de funcionários de alto escalão. Outros membros "mais velhos" se aposentariam.

Deng agora passaria, ele explicou, das reformas econômicas para as da estrutura política. Seria muito mais complicado do que a reforma econômica, pois "envolveria os interesses de milhões de pessoas". As divisões de trabalho entre o Partido Comunista e o governo mudariam. Muitos membros do Partido teriam de mudar de função quando os administradores profissionais assumissem as secretarias do Partido.

Mas onde estava a linha que separava a política da gerência? Deng respondeu que as questões ideológicas caberiam ao Partido, e a política operacional, aos administradores. Quando lhe pedi um exemplo, Deng indicou que uma mudança de aliança na direção da União Soviética seria claramente uma questão ideológica. De minhas inúmeras conversas com ele, concluí que isso não seria um assunto frequente. Refletindo posteriormente, pergunto-me se, por meramente tocar em um conceito previamente impensável, Deng não estaria advertindo que a China estava cogitando retomar o caminho de uma maior liberdade de manobra diplomática.

O que Deng estava propondo politicamente não tinha precedente na experiência comunista. O Partido Comunista, ele parecia sugerir, iria manter um papel de supervisão global sobre a economia e a estrutura política da nação. Mas se afastaria com determinação de sua condição prévia de controlador dos aspectos detalhados da vida chinesa cotidiana. As iniciativas de chineses individuais ganhariam amplo escopo. Essas reformas abrangentes, afirmava Deng, seriam realizadas "de maneira ordenada". A China era estável agora e "devia permanecer assim se queria se desenvolver". Seu governo e seu povo "recordavam o caos da Revolução Cultural" e jamais permitiriam que voltasse a ocorrer. As reformas chinesas eram "sem precedentes"; isso inevitavelmente significava que "alguns equívocos seriam cometidos". A vasta maioria do povo apoiava as presentes reformas, disse ele, mas "coragem" e "prudência" seriam necessárias para assegurar seu sucesso.

CAPÍTULO 15

Tiananmen

Como se viu, essas não eram questões abstratas: Deng logo seria forçado a confrontar as tensões inerentes ao seu programa de reforma "ordenada". Enquanto a maior parte do mundo se admirava com a elevação abrupta da taxa de crescimento econômico da China, com as dezenas de milhares de estudantes sendo enviados ao exterior e com as mudanças no padrão de vida dentro do país, indícios significativos de que novas correntes se agitavam ali dentro começavam a emergir.

Os primeiros estágios do processo de reforma tendiam a fundir os problemas de planejamento com os de mercado. A tentativa de fazer com que os preços refletissem os custos reais inevitavelmente levou a aumentos de preços, pelo menos no curto prazo. A reforma dos preços levou a uma corrida às poupanças para comprar bens antes que os preços subissem ainda mais, criando um círculo vicioso de açambarcamento e aumento da inflação.

Em uma reunião em setembro de 1987, Zhao Ziyang delineou uma mudança em direção à dependência das forças de mercado em cerca de 50% do PIB. Além das questões econômicas técnicas, isso exigia uma substancial remodelação do sistema de comando. Teria de haver maior ênfase, como nos Estados europeus, sobre o controle indireto da economia mediante a manipulação da oferta de moeda e a intervenção para evitar a depressão. Muitas instituições centrais na China teriam de ser desmanteladas, e as funções de outras, redefinidas. Para facilitar esse processo, decidiu-se por uma revisão dos membros do Partido e uma modernização da burocracia. Uma vez que isso implicava 30 milhões de indivíduos e seria realizado pelas próprias pessoas cujas atividades necessitavam ser modificadas, a revisão enfrentou muitos obstáculos.

O relativo sucesso da reforma econômica gerou um público no cerne dos posteriores descontentamentos. E o governo enfrentaria um declínio da lealdade entre os quadros políticos cujos cargos as reformas ameaçavam.

Administrar um sistema de dois preços era uma via aberta para a corrupção e o nepotismo. A mudança para uma economia de mercado na verdade aumentava as oportunidades para a corrupção, ao menos no período intermediário. O fato de que dois setores econômicos coexistissem — um setor público encolhendo mas ainda muito grande e uma economia de mercado em crescimento — gerou dois cenários de preços. Burocratas e empresários inescrupulosos ficaram assim em posição de levar as mercadorias de um lado para o outro entre os dois setores em proveito pessoal. Sem dúvida parte dos lucros no setor privado na China era resultado da disseminação de propinas e nepotismo.

O nepotismo é um problema especial, em todo caso, numa cultura orientada para a família como a chinesa. Em épocas de turbulência, os chineses se voltam para seus familiares. Em todas as sociedades chinesas — seja na China continental, seja em Taiwan, Cingapura ou Hong Kong —, a confiança em última instância é depositada nos membros da família, que por sua vez se beneficiam de modos determinados pelos critérios familiares, mais do que por forças de mercado abstratas.

O mercado criou seu próprio descontentamento. Uma economia de mercado, com o tempo, vai aumentar o bem-estar geral, mas a essência da competição é de que alguém ganha e alguém perde. Nos primeiros estágios de uma economia de mercado, os vencedores provavelmente serão desproporcionalmente maiores. Os perdedores tendem a culpar o "sistema", mais do que seu próprio fracasso. Frequentemente têm razão.

No nível popular, a reforma econômica havia elevado as expectativas chinesas quanto ao padrão de vida e às liberdades pessoais, enquanto ao mesmo tempo gerava tensões e desigualdades que muitos chineses sentiam só poder ser reparadas por um sistema político mais aberto e participativo. Os líderes chineses estavam também cada vez mais divididos quanto aos rumos políticos e ideológicos do país. O exemplo das reformas de Gorbachev na União Soviética pôs mais lenha na fogueira dos debates. Para alguns no governo chinês, *glasnost* e *perestroika* eram heresias perigosas, semelhantes a Khrushchev jogando fora a "espada de Stalin". Para outros, incluindo muitos na geração mais jovem de estudantes e funcionários do Partido, as reformas de Gorbachev eram um possível modelo para um caminho próprio chinês.

As reformas econômicas monitoradas por Deng, Hu e Zhao haviam transformado a face da vida diária chinesa. Ao mesmo tempo, o reaparecimento de fenômenos erradicados durante o período maoista — disparidades de renda, roupas coloridas e até provocantes e o enaltecimento aberto de itens "de luxo" — levou quadros comunistas tradicionais a se queixar de que a República Popular da China estava sucumbindo à temida "evolução pacífica" para o capitalismo que fora projetada por John Foster Dulles.

Embora funcionários e intelectuais chineses muitas vezes abordassem esse debate em termos do dogma marxista — tal como uma campanha de ampla divulgação contra a ameaça da "liberalização burguesa" —, a cisão acabou recaindo nas questões que haviam dividido a China desde o século XIX. Voltando-se para o exterior, estaria a China cumprindo seu destino ou comprometendo sua essência moral? O que o país planejava aprender com as instituições sociais e políticas ocidentais, se é que planejava aprender alguma coisa?

Em 1988, o debate se cristalizou em torno de uma minissérie televisiva aparentemente esotérica. Transmitido pela Televisão Central Chinesa, o documentário em seis partes, *Elegia do Rio*, adotou a metáfora do vagaroso e turvo rio Amarelo para argumentar que a própria civilização chinesa se tornara cada vez mais insular e estagnada. Misturando censuras da cultura confucionista tradicional com uma crítica velada de acontecimentos políticos mais recentes, o filme sugeria que a China precisava se renovar olhando para fora, para o "oceano azul" do mundo exterior, incluindo a cultura ocidental. A série catalisou um debate nacional, incluindo a discussão nos níveis mais altos do governo chinês. Comunistas tradicionais consideraram o filme "contrarrevolucionário" e conseguiram fazer com que fosse proibido, embora só depois da transmissão.[21] O debate de várias gerações sobre o destino da China e sua relação com o Ocidente estava vivo outra vez.

As rachaduras no monolito soviético começaram a surgir no Leste Europeu no início de 1989, levando à queda do Muro de Berlim em novembro e à consequente dissolução da própria União Soviética. Mas a China parecia estável, e suas relações com o resto do mundo eram as melhores desde a vitória comunista em 1949 e a proclamação da República Popular da China. As relações com os Estados Unidos especialmente haviam feito um grande progresso. Os dois países estavam cooperando para frustrar a ocupação soviética do Afeganistão; os Estados Unidos vendiam significativos carregamentos de armas para a China; o comércio crescia; e os intercâmbios, de membros do governo a navios, prosperavam.

Mikhail Gorbachev, ainda à frente da União Soviética, planejava uma visita a Pequim em maio. Moscou em larga medida havia cumprido as três condições apresentadas por Pequim para uma melhoria nas relações sino-soviéticas: retirada das forças soviéticas do Afeganistão; reposicionamento das tropas soviéticas para longe da fronteira chinesa; e uma retirada vietnamita do Camboja. Conferências internacionais eram rotineiramente programadas para Pequim — incluindo uma reunião naquele mês de abril da diretoria do Banco Asiático de Desenvolvimento, uma organização de desenvolvimento multilateral que a China havia integrado três anos antes, que inesperadamente servia de cenário para o drama que se desenrolava.

Tudo começou com a morte de Hu Yaobang. Deng capitaneara em 1981 sua ascensão ao cargo de secretário-geral, a mais alta liderança do Partido Comunista. Em 1986, quando críticos conservadores culparam Hu por ser indeciso diante das manifestações estudantis, ele foi substituído na função por Zhao Ziyang, outro protegido de Deng, embora continuasse como membro do Politburo. Durante uma reunião do Politburo em 8 de abril de 1989, Hu, com 73 anos de idade, sofreu um ataque cardíaco. Seus atônitos colegas o reanimaram e correram com ele para o hospital. Ele sofreu novo ataque lá e morreu em 15 de abril.

Como no falecimento de Zhou Enlai em 1976, a morte de Hu ensejou ocasião para um luto carregado de conotações políticas. Entretanto, nos anos entre um e outro, as restrições sobre expressão pública haviam sido relaxadas. Enquanto os admiradores de Zhou em 1976 haviam velado suas críticas de Mao e Jiang Qing fazendo referências alegóricas a políticas antigas de cortes dinásticas, os que discursaram sobre Hu em 1989 deram nomes aos bois. A atmosfera já estava tensa devido ao iminente 70º aniversário do Movimento Quatro de Maio, uma campanha fortemente nacionalista conduzida em 1919 em protesto contra a fraqueza do governo chinês e o que percebiam como sendo as desigualdades do Tratado de Versalhes.[1]

Os admiradores de Hu levaram coroas de flores e poemas elegíacos ao Monumento aos Heróis do Povo na praça Tiananmen, muitos celebrando a dedicação do antigo secretário-geral à liberalização política e fazendo votos de que seu espírito estivesse presente em futuras reformas. Estudantes em Pequim e outras cidades aproveitaram a oportunidade para verbalizar sua frustração com a corrupção, a inflação, o controle da imprensa, as condições nas universidades e a persistência dos "anciões" do Partido em continuar governando por trás dos panos. Em Pequim, sete exigências foram apresentadas por diversos grupos de estudantes, que ameaçavam prosseguir em manifestações até que o governo as implementasse. Nem todos os grupos apoiavam todas as exigências; uma confluência sem precedentes de ressentimentos díspares ganhou os contornos de revolta. O que começara como uma manifestação evoluiu para a ocupação da praça Tiananmen, desafiando a autoridade do governo.

Os acontecimentos se agravaram de um modo que nem os observadores nem os participantes julgavam concebível no início do mês. Em junho, protestos antigoverno de várias dimensões haviam se espalhado nacionalmente por 341 cidades.[2] Os manifestantes haviam tomado trens e escolas, e as principais ruas da capital foram bloqueadas. Na praça Tiananmen, estudantes decretaram uma greve de fome, atraindo ampla atenção de observadores tanto locais como internacionais, além de outros grupos não estudantis, que começaram a se juntar aos manifestantes. Os líderes chineses foram obrigados a tirar a cerimônia de boas-vindas a Gorbachev da praça Tiananmen. De modo humilhante, uma cerimônia contida foi feita no aeroporto de Pequim, sem comparecimento público. Correu a notícia de que elementos do Exército de Libertação Popular desafiaram as ordens de se mobilizar na capital e sufocar as manifestações, e de que empregados do governo marchavam com os manifestantes pelas ruas. O desafio político foi acentuado pelos acontecimentos no remoto oeste do país, onde tibetanos e membros da minoria muçulmana uigur da China haviam começado agitações baseados em suas próprias questões étnicas (no caso dos uigures, a recente publicação de um livro alegadamente ofensivo para as sensibilidades islâmicas).[3]

As revoltas de um modo geral ganharam um impulso próprio conforme as manifestações escapavam do controle de seus atores principais, que se tornaram personagens em uma peça cujo script não mais conheciam. Para Deng, os protestos mexiam com o medo do caos, histórico na China, e com as lembranças da Revolução Cultural — fossem quais fossem os objetivos alegados pelos manifestantes. O professor Andrew J. Nathan resumiu o impasse de maneira eloquente:

> Os estudantes não saíram às ruas para apresentar ameaça mortal o que sabiam ser um perigoso regime. Tampouco o regime apreciava o uso da força contra os estudantes. Os dois lados partilhavam de muitos objetivos e muita linguagem em comum. Devido à má comunicação e a erros de juízos, empurraram uns aos outros para posições em que as opções de concessão ficaram cada vez menos disponíveis. Diversas vezes uma solução parecia ao alcance, para então se desmanchar no último momento. A calamidade parecia se aproximar lentamente, mas então acelerou conforme as divisões se aprofundaram de ambos os lados. Sabendo o resultado, lemos a história com uma sensação de horror que vem da verdadeira tragédia.[4]

Aqui não é lugar para examinar os eventos que levaram à tragédia da praça Tiananmen; cada lado tinha percepções diferentes, dependendo das várias, muitas vezes conflitantes, origens de sua participação na crise. A insurreição estudantil começou como uma exigência de remédios para doenças específicas. Mas a ocupação da praça principal de uma capital do país, ainda que completamente pacífica, é também uma tática para demonstrar a impotência do governo, para enfraquecê-lo e desafiá-lo a cometer atos intempestivos, deixando-o em posição de desvantagem.

Não existe discussão sobre o desenlace, contudo. Após hesitar por sete semanas e exibir sérias divisões entre seus membros quanto ao uso da força, a liderança chinesa rachou definitivamente em 4 de junho. O secretário-geral do Partido Comunista, Zhao Ziyang, foi afastado. Após semanas de debates internos, Deng e uma maioria do Politburo ordenaram que o ELP esvaziasse a praça. Uma ríspida supressão do protesto se seguiu — tudo visto na televisão, transmitido pela mídia que viera do mundo todo para registrar o importante encontro entre Gorbachev e a liderança chinesa.

Dilemas americanos

A reação internacional foi severa. A República Popular da China jamais alegara funcionar como uma democracia no estilo ocidental (e na verdade rejeitara veementemente a insinuação). Agora emergia na mídia mundial como um Estado autoritário e arbitrário esmagando as aspirações populares aos direitos humanos. Deng, antes amplamente celebrado como um reformista, foi criticado como um tirano.

Nesse clima, toda a relação sino-americana, incluindo a prática estabelecida de consultas regulares entre os dois países, ficou sob ataque de um amplo espectro político. Os conservadores tradicionais viram-se justificados em sua convicção de que a China, sob a liderança do Partido Comunista, jamais seria um parceiro confiável. Os ativistas de direitos humanos por todo o espectro político ficaram ultrajados. Os liberais argumentaram que depois de Tiananmen os Estados Unidos tinham obrigação de cumprir sua missão suprema de disseminar a democracia. Por mais variados que fossem os objetivos, os críticos concordavam na necessidade de sanções para pressionar Pequim a alterar suas instituições domésticas e encorajar as práticas dos direitos humanos.

O presidente George H. W. Bush, que assumira o cargo menos de cinco meses antes, ficou incomodado com as consequências de longo alcance das sanções. Tanto Bush como seu assessor de Segurança Nacional, o general Brent Scowcroft, haviam servido no governo Nixon. Eles se encontraram com Deng quando estavam no governo; lembravam ele como havia preservado a relação com a América contra as maquinações da Gangue dos Quatro e em prol de uma oportunidade maior para o indivíduo. Admiravam suas reformas econômicas e pesaram seu repúdio à repressão contra o respeito pelo modo como o mundo fora transformado desde a abertura para a China. Haviam participado na condução da política externa quando todos os oponentes dos Estados Unidos podiam contar com o apoio chinês, quando todas as nações da Ásia temiam uma China isolada do mundo e quando a União Soviética podia conduzir uma política de pressão contra o Ocidente, livre de preocupações com seus outros flancos.

O presidente Bush servira na China como chefe do escritório de ligação americano em Pequim, dez anos antes, durante períodos de tensão. Bush tinha suficiente experiência para compreender que os líderes que haviam participado da Longa Marcha, sobrevivido nas cavernas de Yan'an e confrontado tanto os Estados Unidos como a União Soviética simultaneamente na década de 1960 não se submeteriam a pressões estrangeiras ou à ameaça de isolamento. E qual era o objetivo? Derrubar o governo chinês? Mudar sua estrutura rumo a qual alternativa? Como o processo de intervenção poderia ser encerrado, uma vez iniciado? E quais seriam os custos?

Antes de Tiananmen, os Estados Unidos haviam se familiarizado com o debate acerca do papel de sua diplomacia na promoção da democracia. De forma simplificada, o debate punha idealistas contra realistas — os idealistas insistindo que os sistemas domésticos afetam a política externa e são desse modo itens legítimos da agenda diplomática, os realistas argumentando que tal agenda está além da capacidade de qualquer país, e que a diplomacia deve desse modo se concentrar primordialmente nas políticas externas. Os absolutos do preceito moral foram pesados contra as contingências de se inferir uma política externa a partir de cálculos dos interesses nacionais. As verdadeiras distinções são mais sutis. Os idealistas, quando procuram aplicar seus valores, serão levados a considerar o mundo de circunstâncias específicas. Realistas atentos compreendem que os valores são um componente importante da realidade. Quando as decisões são tomadas, a distinção raramente é absoluta; frequentemente se resume a uma questão de nuança.

Quanto à China, o problema não era se os Estados Unidos preferiam que os valores democráticos prevalecessem. Em sua vasta maioria, o público americano respondera afirmativamente, como o fariam todos os participantes do debate sobre a política para a China. O problema era qual o preço que estariam preparados para pagar em termos concretos e por quanto tempo e que capacidade tinham, em quaisquer circunstâncias, de conseguir o resultado que desejavam.

Duas políticas operacionais amplas surgiram no debate público acerca das táticas para lidar com regimes autoritários. Um grupo defendia o confronto, instando os Estados Unidos a resistir contra o comportamento antidemocrático ou as violações dos direitos humanos recusando qualquer benefício que o país pudesse conceder, fosse qual fosse o preço para a América. No extremo, pressionava pela mudança de regimes desagradáveis; no caso da China, insistia em um movimento inequívoco na direção da democracia como condição para qualquer proveito mútuo.[5]

A visão contrária defendia que o progresso dos direitos humanos em geral é mais facilmente conquistado com uma política de engajamento. Uma vez que suficiente confiança for estabelecida, as mudanças na prática civil podem ser defendidas em nome de propósitos comuns ou pelo menos na preservação de um interesse comum.

Que método é apropriado depende em parte das circunstâncias. Há exemplos de violações dos direitos humanos tão chocantes que é impossível conceber algum benefício na continuidade de um relacionamento; por exemplo, o Khmer Vermelho no Camboja e o genocídio em Ruanda. Uma vez que a pressão pública se divide entre uma mudança do regime ou uma espécie de abdicação, é difícil que se aplique a países com os quais um relacionamento contínuo é importante para a segurança americana. Esse é particularmente o caso da China, tão imbuída da memória de humilhantes intervenções de sociedades ocidentais.

A China seria um fator de peso na política mundial qualquer que fosse o resultado imediato da crise de Tiananmen. Se a liderança se consolidasse, a China retomaria seu programa de reforma econômica e ficaria cada vez mais forte. Os Estados Unidos e o mundo então seriam forçados a decidir entre agir para restabelecer uma relação de cooperação com uma grande potência emergente ou tentar isolar a China de modo a induzir o país a adotar políticas domésticas condizentes com os valores americanos. O isolamento da China levaria a um prolongado período de confronto com uma sociedade que não se curvou quando a União Soviética, sua única fonte de auxílio externo, retirou a ajuda em 1959. O governo Bush, em seus primeiros meses, continuava operando sob as premissas da Guerra Fria, em que a China era necessária para contrabalançar a União Soviética. Mas, com o declínio da ameaça soviética, a China emergiria em uma posição cada vez mais forte para agir por conta própria porque o medo da União Soviética, que havia unido China e Estados Unidos, diminuiria.

Havia limites objetivos para a influência americana nas instituições domésticas chinesas, fosse mediante o confronto ou mediante engajamento. Será que contávamos com o conhecimento para moldar os acontecimentos internos de um país com tamanho, população e complexidades tais como os da China? Haveria um risco de que o colapso de uma autoridade central pudesse disparar uma recorrência das guerras civis que foram no mínimo agravadas pelas intervenções estrangeiras do século XIX?

O presidente Bush ficou em posição delicada após Tiananmen. Como ex-chefe do escritório de ligação norte-americano em Pequim, aprendera a respeitar as suscetibilidades chinesas em relação a intervenções externas. Com sua longa carreira na política norte-americana, possuía também uma aguda compreensão das realidades políticas domésticas americanas. Ele tinha consciência de que a maioria dos americanos acreditava que a política de Washington para a China devia procurar — como Nancy Pelosi, na época a mais nova representante democrática da Califórnia, expressou — "enviar uma mensagem clara e proba de ultraje aos líderes em Pequim".[6] Mas Bush também se dava conta de que o relacionamento norte-americano com a China servia aos interesses americanos independentemente do sistema de governo da República Popular. Ele receava em antagonizar um governo que havia cooperado com os Estados Unidos por quase duas décadas em algumas das questões de segurança mais fundamentais do mundo na Guerra Fria. Como escreveu mais tarde: "Para esse povo compreensivelmente orgulhoso, antigo e voltado para si mesmo, críticas externas (de povos que eles ainda veem como 'bárbaros' e colonialistas sem conhecimento dos costumes chineses) eram uma afronta; e as medidas tomadas contra eles, uma volta às coerções do passado."[7] Enfrentando pressões por medidas mais enérgicas tanto da direita como da esquerda, Bush argumentou que

> não podíamos olhar para o outro lado quando se tratava de direitos humanos ou reformas políticas: mas podíamos deixar claras nossas opiniões em termos de encorajar as marchas deles rumo ao progresso (que foram muitas desde a morte de Mao), em vez de soltar uma enxurrada de críti-

cas. [...] A questão para mim era como condenar o que víamos como errado e reagir apropriadamente ao mesmo tempo em que permanecíamos envolvidos na China, mesmo que a relação agora devesse permanecer "em suspenso".[8]

Bush caminhou nessa corda bamba com habilidade e elegância. Quando o Congresso impôs medidas punitivas a Pequim, ele amorteceu o golpe. Ao mesmo tempo, para expressar suas convicções, em 5 e 20 de junho, suspendeu os diálogos nos escalões superiores de governo; encerrou a cooperação militar e as vendas de equipamento policial, militar e de uso dual (isto é, para fins pacíficos e militares); e anunciou a oposição a novos empréstimos para a República Popular feitos pelo Banco Mundial e outras instituições financeiras internacionais. As sanções americanas encontraram correspondência em medidas similares tomadas pela Comunidade Europeia, Japão, Austrália e Nova Zelândia, e em expressões de pesar e condenação de governos do mundo todo. O Congresso, refletindo a pressão popular, exigiu medidas ainda mais enérgicas, incluindo sanções legislativas (que seriam mais difíceis de suspender do que as sanções administrativas impostas pelo presidente, que ficavam a critério da chefia do Executivo) e uma lei estendendo automaticamente os vistos de todos os alunos chineses presentes nos Estados Unidos.[9]

Os governos de Estados Unidos e China — que haviam atuado como efetivos aliados por grande parte da década anterior — começavam a se afastar, com o ressentimento e a recriminação aumentando de parte a parte, na ausência de contatos nas instâncias superiores de governo. Determinado a evitar uma ruptura irreparável, Bush apelou a sua longa relação com Deng. Escreveu uma carta longa e pessoal em 21 de junho dirigindo-se a Deng "como amigo" e passando por cima da burocracia e de sua própria proibição de contatos nos altos escalões.[10] Numa exibição de destreza diplomática, Bush expressou sua "grande reverência pela história, cultura e tradição chinesas" e evitou quaisquer termos que pudessem sugerir que estivesse ensinando Deng a governar a China. Ao mesmo tempo, Bush instou o líder supremo chinês a compreender a indignação popular nos Estados Unidos como um resultado natural do idealismo americano:

> Peço-lhe que se lembre dos princípios em que meu jovem país foi fundado. Esses princípios são democracia e liberdade — liberdade de expressão, liberdade de associação, liberdade contra autoridade arbitrária. É a reverência por esses princípios que inevitavelmente afeta o modo como os americanos veem e reagem a eventos em outros países. Não é uma reação de arrogância ou de um desejo de forçar nossas convicções aos outros, mas de simples fé no valor duradouro desses princípios e sua aplicabilidade universal.[11]

Bush sugeria que ele próprio operava nos limites de sua influência política doméstica:

> Deixarei o sucedido para os livros de história, mas, novamente, com seus próprios olhos os povos do mundo viram o tumulto e o derramamento de sangue em que as manifestações terminaram. Países diferentes reagiram de modos diferentes. Baseado nos princípios que descrevi acima, as ações que empreendi enquanto presidente dos Estados Unidos não poderiam ter sido evitadas.[12]

Bush apelou à compaixão de Deng devido ao efeito que isso teria sobre o público americano — e, implicitamente, na liberdade de manobra do próprio Bush:

> Qualquer declaração vinda da China que se inspirasse em declarações precedentes sobre resolução pacífica de futuras disputas com manifestantes seria muito bem recebida por aqui. Qualquer clemência mostrada para com os estudantes seria motivo de aplauso do mundo todo.[13]

Para explorar essas ideias, Bush se propôs a enviar um emissário de alto escalão a Pequim, "em total confiança", para "lhe falar com total franqueza representando minhas sinceras convicções nesses assuntos". Embora sem fugir de expressar as diferenças de perspectivas entre as duas nações, Bush encerrava com um apelo para a continuidade da cooperação existente: "Não devemos permitir que as consequências dos trágicos eventos recentes solapem uma relação vital pacientemente construída ao longo dos últimos 17 anos."[14]

Deng respondeu à iniciativa de Bush no dia seguinte, acolhendo um enviado americano a Pequim. Era uma medida da importância atribuída por Bush ao relacionamento com a China e sua confiança em Deng que, no dia 1º de julho, enviasse o assessor de Segurança Nacional, Brent Scowcroft, e o vice-secretário de Estado, Lawrence Eagleburger, a Pequim três semanas após o violento episódio de Tiananmen. A missão foi um segredo guardado a sete chaves, conhecido apenas por um punhado de membros de alto escalão em Washington e do embaixador James Lilley, que foi chamado de volta de Pequim para ser instruído pessoalmente sobre a iminente visita.[15] Scowcroft e Eagleburger viajaram para Pequim em um avião de transporte militar C-141 sem identificação; a notícia da chegada deles foi tão bem-guardada que as forças de defesa aérea chinesas teriam ligado para o presidente Yang Shangkun e perguntado se deveriam derrubar o avião misterioso.[16] O avião estava equipado para se reabastecer no ar, evitando a necessidade de uma parada na rota, e carregava seu próprio equipamento de comunicações de modo que o grupo pudesse se comunicar diretamente com a Casa Branca. Nenhuma bandeira foi exposta nas reuniões ou banquetes, e a visita não foi noticiada pela mídia.

Scowcroft e Eagleburger encontraram-se com Deng, o premiê Li Peng e o ministro das Relações Exteriores Qian Qichen. Deng elogiou Bush e retribuiu as manifestações de amizade, mas pôs a culpa na tensão das relações sobre os Estados Unidos:

> Foi um acontecimento traumático e é uma grande infelicidade que os Estados Unidos tenham se envolvido tão profundamente nisso. [...] Nosso sentimento desde o início desses eventos, mais de dois meses atrás, é de que os vários aspectos da política externa norte-americana tenham na verdade acuado a China. Esse é o nosso sentimento aqui [...] porque o objetivo da revolta contrarrevolucionária foi derrubar a República Popular da China e nosso sistema socialista. Se conseguissem atingir esse objetivo, o mundo seria diferente. Para ser franco, isso poderia até levar à guerra.[17]

Ele estava se referindo à guerra civil, à guerra com vizinhos descontentes e sedentos de vingança ou a ambas? “As relações sino-americanas”, advertiu

Deng, "estão em um estado muito delicado e pode-se dizer até que em um estado muito perigoso". As políticas punitivas americanas estavam "levando ao rompimento da relação", argumentou, embora mantivesse a esperança de que elas seriam preservadas.[18] Então, retrocedendo à tradicional postura desafiadora, Deng falou longamente sobre a impermeabilidade chinesa à pressão externa e a determinação sem igual, forjada em batalha, de sua liderança. "Não nos importamos com as sanções", disse Deng aos enviados americanos. "Não nos assustamos com elas."[19] Os americanos, disse, "devem entender a história":

> Conquistamos a vitória representada pela fundação da República Popular da China lutando uma guerra de 22 anos ao custo de mais de 20 milhões de vidas, uma guerra travada pelo povo chinês sob a liderança do Partido Comunista. [...] Não existe força capaz de substituir a República Popular da China representada pelo Partido Comunista da China. Isso não são palavras vãs. É algo que já foi testado e aprovado durante várias décadas de experiência.[20]

Cabia aos Estados Unidos melhorar as relações, enfatizou Deng, citando um provérbio chinês: "Cabe à pessoa que deu o nó desfazê-lo."[21] De sua parte, Pequim não hesitaria em "punir aqueles que instigaram a rebelião", prometeu Deng. "De outro modo, como a RPC chinês continuará a existir?"[22]

Scowcroft respondeu frisando os temas que Bush havia enfatizado em suas cartas para Deng. Laços estreitos entre os Estados Unidos e a China refletiam os interesses econômicos e estratégicos de ambos os países. Mas também punham em contato próximo sociedades com "duas culturas, experiências e percepções diferentes". Agora Pequim e Washington viam-se em um mundo em que as práticas domésticas chinesas, transmitidas pela tevê, podiam ter um profundo efeito na opinião pública americana.

Essa reação americana, argumentou Scowcroft, refletia valores profundamente mantidos. Esses valores americanos "refletem nossas próprias crenças e tradições", que eram tão parte da "diversidade entre nossas duas sociedades" quanto as sensibilidades chinesas relativas à interferência estrangeira: "O que o povo americano sentiu nas manifestações foi encarado — esteja isso certo ou errado — como uma expressão dos valores que representavam suas crenças mais estimadas enraizadas na Revolução Americana."[23]

O tratamento dado pelo governo chinês aos manifestantes era, Scowcroft concordava, um "assunto totalmente interno da China". Porém, era um "fato óbvio" que tal tratamento gerava uma reação popular americana, "que é real e com a qual o presidente deve lidar". Bush acreditava na importância de preservar o relacionamento de longo prazo entre os Estados Unidos e a China. Mas ele era obrigado a respeitar "os sentimentos do povo americano", que exigia certa expressão concreta de desaprovação de seu governo. Sensibilidade de ambas as partes seria necessária para contornar o impasse.[24]

A dificuldade era que ambos os lados tinham razão. Deng sentia seu regime acuado; Bush e Scowcroft consideravam os valores mais profundos da América sendo desafiados.

O premiê Li Peng e Qian Qichen frisavam pontos similares, e os dois lados se separaram sem chegar a nenhum acordo concreto. Scowcroft explicou o impasse, como os diplomatas muitas vezes fazem para explicar tais situações, comparando-o a uma empresa de sucesso mantendo as linhas abertas para a comunicação: "Ambos os lados haviam sido francos e abertos. Havíamos ventilado nossas diferenças e escutado um ao outro, mas ainda tínhamos uma distância a percorrer antes de aparar as arestas."[25]

As coisas não podiam ficar nesse pé. No outono de 1989, as relações entre China e Estados Unidos estavam em seu ponto mais preocupante desde a retomada dos contatos em 1971. Nenhum dos dois governos queria uma pausa, mas nenhum deles parecia em posição de evitá-la. Um intervalo nas conversas, uma vez que ocorresse, poderia ganhar momentum próprio, muito ao modo como a controvérsia sino-soviética evoluiu de uma série de disputas táticas para uma estratégia de confrontação. Os Estados Unidos teriam perdido a flexibilidade diplomática. A China teria diminuído o ímpeto econômico ou talvez até o abandonado durante um período considerável com sérias consequências para sua estabilidade doméstica. Ambos teriam perdido a oportunidade de avançar nas muitas áreas de cooperação bilateral que haviam crescido enormemente no fim da década de 1980 e de trabalhar juntos para superar as revoltas que eram uma ameaça em diferentes partes do mundo.

Em meio às tensões, aceitei um convite dos líderes chineses para ir a Pequim em novembro desse ano e formar minhas próprias opiniões. O presidente e o general Scowcroft souberam da visita particular planejada. Antes que eu partisse para Pequim, Scowcroft me pôs a par do status de nossas relações com a China — procedimento que, devido ao longo histórico de meu envolvimento com a China, tem sido seguido também por vários novos governos. Scowcroft me informou das discussões com Deng. Não me passou nenhuma informação específica para ser transmitida, mas se a ocasião surgisse esperava que eu reforçasse as opiniões do governo. Eu como sempre reportaria minhas impressões para Washington.

Como a maioria dos americanos, fiquei chocado pelo modo como o protesto de Tiananmen terminou. Mas, ao contrário da maioria dos americanos, eu tivera a oportunidade de observar a tarefa hercúlea que Deng empreendera por uma década e meia para remodelar o país: levando os comunistas a aceitar a descentralização e a reforma; deixado a tradicional insularidade chinesa em favor da modernidade e de um mundo globalizado — perspectiva que a China havia muitas vezes rejeitado. E eu testemunhara seus esforços firmes de incrementar os laços sino-americanos.

A China que encontrei na ocasião havia perdido a autoconfiança de minhas visitas prévias. No período maoista, os líderes chineses representados por Zhou agiram com a segurança proporcionada pela ideologia e uma avaliação dos assuntos internacionais temperada por uma memória histórica que se estendia ao longo dos milênios. A China do início do período Deng exibia a fé quase ingênua de que superando a memória do sofrimento da Revolução Cultural encontraria a orientação rumo ao progresso econômico e político baseado na iniciativa individual. Mas, desde a década em que Deng dera início ao seu programa de reforma, em 1978, a China havia vivenciado, junto com a empolgação pelo sucesso, algumas de suas desvantagens. Abandonar o planejamento central por processos decisórios mais descentralizados revelou-se um constante risco vindo de duas direções: a resistência de uma burocracia enraizada com um interesse inabalável no status quo; e as pressões de reformistas impacientes para quem o processo estava demorando demais. A descentralização econômica levou a demandas pelo pluralismo nas decisões políticas. Nesse sentido, a revolta chinesa refletia os dilemas intratáveis do comunismo reformista.

Devido a Tiananmen, os líderes chineses haviam optado pela estabilidade política. Fizeram isso da maneira mais hesitante, após quase seis semanas de controvérsia interna. Não escutei qualquer justificativa emocional dos eventos de 4 de junho; eles eram tratados como um infeliz acidente que surgira como que do nada. Os líderes chineses, perplexos com as reações do mundo exterior e com suas próprias divisões, estavam preocupados em restabelecer sua posição internacional. Mesmo considerando a tradicional habilidade chinesa em deixar o estrangeiro na defensiva, meus colegas do outro lado enfrentavam uma genuína dificuldade; eram incapazes de compreender por que os Estados Unidos se melindravam com qualquer episódio que não feria nenhum interesse material americano e para o qual a China não reclamava qualquer validação fora de seu próprio território. Explicações sobre o compromisso dos Estados Unidos com os direitos humanos eram descartadas, seja como uma forma de "bullying" ocidental, seja como sinal da injustificada arrogância de um país com seus próprios problemas no campo dos direitos humanos.

Em nossas conversas, os líderes chineses buscavam seu objetivo estratégico básico, que era restaurar uma relação de trabalho com os Estados Unidos. Em certo sentido, a conversa voltou ao padrão das antigas reuniões com Zhou. As duas sociedades encontrariam um modo de cooperar? E, nesse caso, baseadas em quê? Os papéis agora estavam invertidos. Nas antigas reuniões os líderes chineses enfatizavam o caráter distinto da ideologia comunista. Agora eles procuravam uma base racional para visões compatíveis.

Deng determinou o tema básico, que era de que a paz mundial dependia em considerável medida da manutenção da ordem na China:

> É muito fácil que o caos surja de um dia para o outro. Não será fácil manter a ordem e a tranquilidade. Se o governo chinês não tivesse tomado medidas firmes em Tiananmen, haveria uma guerra civil na China. E, como a China contém um quinto da população mundial, a instabilidade na China causaria instabilidade no mundo a ponto até de envolver as grandes potências.

A interpretação da história expressa a memória de uma nação. E, para essa geração de líderes chineses, o evento traumático da história da China foi o colapso da autoridade central na China do século XIX, que tentou o mundo exterior a promover uma invasão, quase-colonialismo ou competição colonial e gerou níveis genocidas de baixas em guerras civis, como na Rebelião Taiping.

O propósito de uma China estável, disse Deng, era contribuir construtivamente para uma nova ordem internacional. As relações com os Estados Unidos eram centrais: "Isso é uma coisa", disse Deng para mim,

> que preciso deixar claro para os outros após minha aposentadoria.[26] A primeira coisa que fiz depois de sair da prisão foi dedicar minha atenção a melhorar as relações sino-americanas. É também meu desejo pôr uma pedra sobre o passado recente, possibilitar às relações sino-americanas voltarem ao normal. Espero dizer ao meu amigo presidente Bush que assistiremos a um aprofundamento das relações sino-americanas durante seu mandato como presidente.

O obstáculo, segundo Li Ruihuan (ideólogo do Partido e considerado por analistas como pertencendo ao elemento liberal), era que "os americanos acham que compreendem a China melhor do que os próprios chineses". O que a China não podia aceitar eram diretrizes externas:

> Desde 1840 o povo chinês tem sido submetido a intimidação estrangeira; éramos uma sociedade semifeudal na época. [...] Mao lutou sua vida toda para dizer que a China deveria ser amigável com países que nos tratam com igualdade. Em 1949, Mao disse, "o povo chinês se ergueu". Por erguer-se ele queria dizer que o povo chinês gozaria de igualdade com as outras nações. Não gostamos de ouvir os outros nos pedindo para fazer coisas. Mas os americanos tendem a gostar de pedir para os outros fazerem isso ou aquilo. O povo chinês não quer se curvar às instruções de fora.

Tentei explicar ao vice-premiê encarregado da política externa, Qian Qichen, as pressões domésticas e os valores motivadores das ações americanas. Qian não queria nem ouvir falar a respeito. A China agiria segundo seu próprio ritmo baseado na determinação de seu interesse nacional, que não poderia ser prescrito por estrangeiros:

QIAN: Estamos tentando manter a estabilidade política e econômica e progredir com a reforma e o contato com o mundo exterior. Não podemos nos mover sob pressão norte-americana. Estamos indo nessa direção, de todo modo.

KISSINGER: Mas é isso que quero dizer. À medida que vão nessa direção, poderia ter aspectos demonstrativos que seriam benéficos.

QIAN: A China iniciou a reforma econômica em interesse próprio, não porque os Estados Unidos queriam.

As relações internacionais, na visão chinesa, eram determinadas pelo interesse nacional e o objetivo nacional. Se os interesses nacionais fossem compatíveis, a cooperação era possível, até necessária. Não havia substituto para uma congruência de interesses. As estruturas domésticas eram irrelevantes para esse processo — uma questão que já havíamos encontrado nas visões diferentes relativas às atitudes para com o Khmer Vermelho. Segundo Deng, a relação sino-americana prosperara quando esse princípio fora observado:

> Na época em que o senhor e o presidente Nixon decidiram restabelecer relações com a China, a China não estava só lutando pelo socialismo, mas também pelo comunismo. A Gangue dos Quatro preferia um sistema de pobreza comunista. Vocês aceitaram nosso comunismo na época. Desse modo não há motivo para não aceitar o socialismo chinês agora. Já foi o tempo em que as relações entre Estado para Estado eram mantidas com base nos sistemas sociais. Países com diferentes sistemas sociais podem manter relações amistosas hoje em dia. Podemos encontrar muitos interesses comuns entre China e Estados Unidos.

Houve uma época em que um líder chinês abjurando a cruzada ideológica comunista teria sido saudado pelo mundo democrático como prova de uma evolução benéfica. Agora que herdeiros de Mao defendiam que a era da ideologia terminara e que o interesse nacional era determinante, americanos eminentes insistiam que as instituições democráticas eram necessárias para garantir uma compatibilidade dos interesses nacionais. Essa proposição — quase um artigo de fé para muitos analistas americanos — seria difícil de demonstrar a partir da experiência histórica. Quando a Primeira Guerra Mundial começou, a maioria dos governos na Europa (incluindo Inglaterra, França e Alemanha) era dirigida por instituições essencialmente democráticas. Mesmo assim, a Primeira Guerra Mundial — uma catástrofe da qual a Europa nunca se recuperou totalmente — foi aprovada com entusiasmo por todos os parlamentos eleitos.

Mas o cálculo do interesse nacional tampouco é evidente por si só. Poder nacional ou interesse nacional podem ser os elementos mais complicados das relações internacionais para calcular precisamente. A maioria das guerras acontece como resultado de uma combinação de erro de cálculo das relações de poder e pressões domésticas. No período sob discussão, diferentes presidentes americanos surgiram com soluções variadas para o quebra-cabeça de equilibrar o compromisso com os ideais políticos americanos e a busca de relações sino-americanas pacíficas e produtivas. O governo George H. W. Bush decidiu perseguir as preferências americanas mediante o engajamento; o de Bill Clinton, em seu primeiro mandato, tentaria a pressão. Ambos tiveram de se deparar com a realidade de que em política externa as aspirações mais elevadas de uma nação tendem a ser cumpridas apenas em estágios imperfeitos.

A direção básica de uma sociedade é moldada por seus valores, que definem seus objetivos últimos. Ao mesmo tempo, aceitar os limites da própria capacidade é um dos testes da arte de governar; implica um discernimento do que é possível. Filósofos respondem por sua intuição. Governantes são julgados por sua capacidade de sustentar seus conceitos ao longo do tempo.

A tentativa de alterar a estrutura doméstica de um país da magnitude da China a partir de fora tende a implicar vastas consequências imprevistas. A sociedade americana nunca abandonará seu compromisso com a dignidade humana. Isso não diminui a importância desse compromisso de admitir que os conceitos ocidentais de direitos humanos e liberdades individuais podem não ser diretamente traduzidos, em um período finito de tempo ajustado aos ciclos políticos e de mídia ocidentais, para uma civilização durante milênios ordenada segundo conceitos diferentes. Tampouco se pode descartar o tradicional receio chinês do caos político como uma irrelevância anacrônica necessitando apenas da "correção" proporcionada pelo esclarecimento ocidental. A história chinesa, especialmente nos dois últimos séculos, fornece numerosos exemplos em que a fragmentação da autoridade política — às vezes iniciada com altas expectativas de ampliação das liberdades — foi uma tentação para a revolta social e étnica; frequentemente, foram os elementos mais militantes, não os mais liberais, que prevaleceram.

Pelo mesmo princípio, países lidando com os Estados Unidos precisam compreender que os valores básicos de nosso país incluem um conceito inalienável de direitos humanos e de que os juízos americanos nunca podem ser separados das percepções americanas sobre a prática da democracia. Há abusos fadados a evocar uma reação americana, mesmo ao custo do relacionamento geral. Tais episódios podem orientar a política externa norte-americana para além dos cálculos de interesse nacional. Nenhum presidente americano pode ignorá-los, mas deve ser cuidadoso em defini-los e ter consciência do princípio das consequências não intencionais. Nenhum líder estrangeiro deve descartá-los. O modo de definir e estabelecer o equilíbrio determinará a natureza da relação americana com a China e talvez a paz mundial.

Os governantes de ambos os lados viram-se diante dessa escolha em novembro de 1989. Deng, prático como sempre, sugeriu um esforço no sentido de desenvolver um novo conceito de ordem internacional, que estabelecia a não intervenção em assuntos domésticos como um princípio geral de política externa: "Creio que deveríamos propor o estabelecimento de uma nova ordem política internacional. Não fizemos grande progresso em estabelecer uma nova ordem econômica internacional. De modo que presentemente devemos trabalhar em uma nova ordem política que se paute pelos cinco princípios de coexistência pacífica." Um deles, é claro, era proscrever a intervenção nos assuntos domésticos de outros Estados.[27]

Diante de todos esses princípios estratégicos assomava uma intangibilidade crucial. O cálculo do interesse nacional não era simplesmente uma fórmula matemática. Devia-se atentar para a dignidade nacional e o autorrespeito nacional. Deng instou-me a transmitir a Bush seu desejo de chegar a um acordo com os Estados Unidos, que, como o país mais forte, deveriam executar o primeiro gesto.[28] A busca por uma nova fase de cooperação não seria capaz de fugir completamente às questões de direitos humanos. O questionamento de Deng sobre quem deveria iniciar um novo diálogo foi, afinal, respondido pelo próprio líder chinês, que iniciou um diálogo sobre o destino de um único indivíduo: um dissidente chamado Fang Lizhi.

A controvérsia Fang Lizhi

Na época de minha visita em novembro de 1989, o médico dissidente Fang Lizhi tornara-se um símbolo da divisão entre os Estados Unidos e a China. Fang era um defensor eloquente da democracia parlamentar e dos direitos humanos em estilo ocidental com um longo histórico de confrontação com os limites de tolerância oficiais. Em 1957, ele havia sido expulso do Partido Comunista como parte da Campanha Antidireitistas, e durante a Revolução Cultural ele ficou preso durante um ano por atividades "reacionárias". Reabilitado após a morte de Mao, Fang teve uma bem-sucedida carreira acadêmica, defendendo maior liberalização política. Acompanhando as manifestações pró-democracia de 1986, Fang sofreu nova reprimenda, embora continuasse a difundir os clamores por reforma.

Quando o presidente Bush visitou a China em fevereiro de 1989, Fang foi incluído na lista que a embaixada norte-americana recomendara à Casa Branca com convidados para um jantar oficial do presidente em Pequim. A embaixada agia segundo o que achava ser o precedente estabelecido pela visita de Reagan a Moscou, em que se encontrou com autoproclamados dissidentes. A Casa Branca aprovou a lista — embora sem se dar conta da veemência de opiniões a respeito de Fang. A inclusão de Fang na lista de convidados provocou uma confusão entre os Estados Unidos e o governo chinês e no interior do governo Bush.[29] No fim ficou acertado entre a embaixada e o governo chinês que Fang sentaria longe dos funcionários governamentais chineses. Na noite do evento, os serviços de segurança chineses detiveram o carro de Fang e o impediram de chegar ao local.

Embora Fang não tenha participado pessoalmente das manifestações na praça Tiananmen, os estudantes simpatizavam com os princípios que ele defendia, e Fang era visto como um alvo provável para represálias do governo. Imediatamente após a ação repressiva de 4 de junho, Fang e sua esposa buscaram refúgio na embaixada americana. Dias depois, o governo chinês emitiu um mandado de prisão para Fang e sua esposa por "crimes de contrapropaganda e instigação antes e depois do tumulto recente". Proclamações do governo exigiam que os Estados Unidos entregassem o "criminoso que criou essa violência" ou enfrentassem uma deterioração das relações entre EUA e China.[30] "Não temos escolha a não ser abrigá-lo", concluiu Bush em seu diário, "mas isso vai ser um verdadeiro tapa na cara dos chineses".[31]

A presença de Fang na embaixada era fonte de constante tensão: o governo chinês não estava disposto a deixar seu crítico mais proeminente sair do país por medo de que começasse a agitar do exterior; Washington não estava disposta a entregar um dissidente que abraçava a democracia liberal para enfrentar o que certamente seria uma dura retaliação. Em um telegrama para Washington, o embaixador James Lilley observou sobre Fang: "Ele está conosco como um constante lembrete de nossa ligação com o 'liberalismo burguês' e nos acarreta um conflito com o regime local. Ele é um símbolo vivo de nosso conflito com a China a respeito dos direitos humanos."[32]

Em sua carta de 21 de junho para Deng Xiaoping, Bush tocou na "questão de Fang Lizhi", lamentando que fosse um "elemento de cisão tão conspícuo entre nós". Bush defendia a decisão americana de conceder asilo para Fang — baseado, assegurou, em nossa "amplamente aceita interpretação do direito internacional" — e asseverou que "não podemos agora expulsar Fang da embaixada sem alguma garantia de que não estará fisicamente ameaçado". Bush sugeriu a possibilidade de resolver o assunto discretamente, observando que outros governos haviam resolvido questões similares "permitindo silenciosamente a partida mediante expulsão".[33] Mas o problema se mostrou à prova de negociação, e Fang e sua esposa continuaram na embaixada.

Durante o briefing que o general Scowcroft me passara antes de minha partida para Pequim, ele me deixou familiarizado com o caso. Insistiu comigo para que não tocasse no assunto, já que o governo dissera tudo que havia para ser dito. Mas eu poderia responder às iniciativas chinesas dentro do contexto da política existente. Eu seguira seu conselho. Não tocara no assunto de Fang Lizhi, tampouco qualquer um de meus interlocutores chineses. Quando me despedia de Deng, ele subitamente trouxe o assunto à tona após alguns poucos comentários fortuitos sobre o problema da reforma e usou isso para sugerir um pacote de acordos. Um resumo estendido do diálogo relevante fornecerá o tom do estado de espírito em Pequim seis meses após Tiananmen:

DENG: Conversei com o presidente Bush sobre o caso Fang Lizhi.

KISSINGER: Como o senhor sabe, o presidente não sabia sobre o convite para o banquete até já ter se tornado público.

DENG: Ele me contou.

KISSINGER: Já que mencionou Fang, gostaria de expressar uma consideração a respeito. Não trouxe o assunto à tona em nenhuma de minhas outras conversas porque sei que é uma questão muito delicada e afeta a dignidade chinesa. Mas acho que seus melhores amigos nos Estados Unidos ficariam aliviados se houvesse algum modo de tirá-lo da embaixada e do país. Não há nenhuma outra única medida que iria impressionar tanto o público americano como fazer com que isso acontecesse antes que houvesse demasiada agitação.

Nesse ponto, Deng se levantou de sua cadeira e desligou os microfones entre o seu lugar e o meu, sinalizando que queria conversar em particular.

DENG: Pode fazer uma sugestão?

KISSINGER: Minha sugestão seria que vocês o expulsassem da China e nós, enquanto governo, concordaremos em não fazer uso político dele de forma alguma. Talvez pudéssemos encorajá-lo a ir para algum país como a Suécia, onde ficaria longe do Congresso americano e de nossa imprensa. Um arranjo como esse causaria profunda impressão no público americano, mais do que um gesto sobre algum assunto técnico.

Deng queria garantias mais específicas. Seria possível que o governo americano "obrigasse Fang a escrever uma confissão" de crimes sob a lei chinesa; ou que Washington garantisse que "após sua expulsão [da China] [...] Fang não dirá nem fará nada para se opor à China"? Deng ampliou isso para um pedido de que Washington "assumisse a responsabilidade de evitar futuros disparates sendo declarados por Fang e por [outros] manifestantes [chineses]" atualmente nos Estados Unidos. Deng procurava uma saída. Mas as medidas que propunha estavam além da autoridade legal do governo americano.

DENG: O que acharia se nós o expulsássemos depois de ele ter escrito um documento confessando seus crimes?

KISSINGER: Eu ficaria surpreso se fizesse isso. Estive na embaixada hoje de manhã, mas não vi Fang.

DENG: Mas ele teria de fazer isso se os Estados Unidos insistissem. Essa história começou por causa de pessoas na embaixada americana, incluindo alguns bons amigos seus e incluindo pessoas que eu achava que fossem amigos.[34]

E se o lado americano exigisse que Fang escrevesse uma confissão e depois disso nós o expulsássemos como um criminoso comum e ele pudesse ir para onde bem entendesse? Se isso não dá, que tal uma outra ideia: os EUA assumem a responsabilidade depois dessa expulsão de que Fang não vai fazer nada para se opor à China. Ele não deve usar os Estados Unidos ou qualquer outro país para se opor à RPC chinês.

KISSINGER: Deixe-me comentar a primeira sugestão. Se lhe pedíssemos para assinar uma confissão, presumindo que vá concordar com isso, o que importa não é o que ele diz na embaixada, mas o que vai dizer quando deixar a China. Se disser que o governo americano o forçou a confessar, será pior para todos do que se não tivesse confessado. A importância de libertá-lo é um símbolo da autoconfiança chinesa. Para contradizer as caricaturas que inúmeros oponentes seus têm feito da China nos EUA.

DENG: Então vamos considerar a segunda sugestão. Os EUA diriam que, depois que ele deixar a China, não fará comentários se opondo à RPC. Os Estados Unidos podem nos dar tal garantia?

KISSINGER: Bem, estou conversando como um amigo.

DENG: Eu sei, não estou lhe pedindo para cuidar do acordo.

KISSINGER: O que é possível é que o governo americano concorde que os EUA não farão uso de Fang de modo algum, por exemplo na Voz da América [o canal oficial do governo norte-americano] ou de qualquer

> maneira que o presidente possa controlar. Além disso poderíamos prometer aconselhá-lo a não fazer isso por conta própria. Poderíamos concordar que ele não seria recebido pelo presidente nem obteria qualquer status oficial de alguma organização governamental norte-americana.

Isso levou Deng a me contar sobre uma carta que acabara de receber de Bush propondo a visita de um enviado especial para informá-lo sobre a futura reunião de cúpula americana com Gorbachev e para repassar a relação sino-americana. Deng aceitou a ideia e ligou-a às discussões sobre Fang como um modo de encontrar uma solução abrangente:

> No processo de resolver a questão de Fang, outros problemas também podem ser colocados na mesa a fim de conseguir um pacote de soluções para todas as questões. Agora as coisas estão neste pé. Pedi a Bush para fazer o primeiro movimento; ele me pediu para me mover primeiro. Acho que, se conseguirmos um pacote, então não haverá discussão sobre a ordem dos passos.

O "pacote ideal" foi descrito pelo ministro das Relações Exteriores chinês Qian Qichen em suas memórias:

> (1) A China permitiria a Fang Lizhi e sua esposa deixarem a embaixada norte-americana em Pequim e irem para os Estados Unidos ou um terceiro país, (2) os Estados Unidos, do modo como acharem melhor, fariam um anúncio explícito de que isso suspenderia as sanções sobre a China, (3) os dois lados empreenderão esforços para concluir acordos quanto a um ou dois grandes projetos de cooperação econômica, (4) os Estados Unidos farão um convite a Jiang Zemin [recém-designado secretário-geral do Partido Comunista em substituição a Zhao Ziyang] para uma visita oficial no ano que vem.[35]

Após mais algum diálogo sobre as modalidades do possível exílio de Fang, Deng encerrou essa parte da conversa:

DENG: Bush ficará satisfeito e concordará com essa proposta?

KISSINGER: Minha opinião é de que ficará satisfeito.

Eu esperava que Bush acolhesse a demonstração de preocupação e flexibilidade chinesa, mas duvidava que o andamento da melhoria nas relações pudesse ser tão rápido quanto Deng imaginava.

Um entendimento renovado entre China e Estados Unidos tornara-se ainda mais importante devido ao fato de que os crescentes tumultos na União Soviética e no Leste Europeu pareciam solapar as premissas da presente relação triangular. Com o império soviético se desintegrando, o que acontecera com o motivo para a aproximação original entre Estados Unidos e China? A urgência foi enfatizada quando deixei Pequim na noite de minha reunião com Deng e soube, em minha primeira parada nos Estados Unidos, que o Muro de Berlim fora derrubado, esmigalhando junto as premissas da política externa da Guerra Fria.

As revoluções políticas no Leste Europeu quase destruíram o pacote de acordos. Quando voltei a Washington, três dias depois, relatei minha conversa com Deng para Bush, Scowcroft e o secretário de Estado James Baker em um jantar na Casa Branca. Como se veria, a China não foi o assunto principal. A questão de importância premente para meus anfitriões naquele momento era o impacto da queda do Muro de Berlim e o iminente encontro entre Bush e Gorbachev — estabelecido para 2 e 3 de dezembro de 1989 em Malta. As duas questões exigiam alguma decisão imediata sobre táticas e estratégia de longo prazo. Estávamos a caminho do colapso do satélite da Alemanha Oriental, onde vinte divisões soviéticas continuavam estacionadas? Haveria ainda dois Estados alemães, apesar de única Alemanha Oriental não comunista? Se a unificação se tornasse a meta, por qual diplomacia ela deveria ser buscada? E qual deveria ser a atitude americana nas contingências previsíveis?

Em meio ao drama que cercava o colapso soviético no Leste Europeu, o pacote de acordo de Deng não poderia receber a prioridade que teria despertado em tempos menos tumultuados.

A missão especial que discuti com Deng não teve lugar até meados de dezembro, quando Brent Scowcroft e Lawrence Eagleburger visitaram Pequim pela segunda vez em seis meses. A visita não foi segredo como fora a viagem de julho (que, naquele momento continuava sendo secreta), mas estava planejada para ser discreta, a fim de evitar controvérsias no Congresso e na mídia. Entretanto, o lado chinês armou uma sessão de fotos de Scowcroft brindando com Qian Qichen, o que gerou considerável consternação nos Estados Unidos. Scowcroft contaria mais tarde:

> Quando começaram os brindes formais no fim do jantar de boas-vindas dado pelo ministro das Relações Exteriores, as equipes de tevê reapareceram. Foi uma situação desconfortável para mim. Eu poderia prosseguir com a cerimônia e ser visto brindando com aqueles que a imprensa rotulava de "açougueiros da praça Tiananmen" ou me recusar a brindar e pôr em risco todo o propósito da viagem. Escolhi a primeira opção e me tornei, para meu grande pesar, uma celebridade instantânea — no sentido mais negativo do termo.[36]

O incidente demonstrou os imperativos antagônicos dos dois lados. A China queria mostrar para seu público que seu isolamento chegava ao fim; Washington buscava atrair um mínimo de atenção, evitar a controvérsia doméstica até que um acordo tivesse sido atingido.

Inevitavelmente, a discussão da União Soviética ocupou grande parte da viagem de Scowcroft e Eagleburger, embora em direção inteiramente oposta da que tradicionalmente ocupava: o assunto agora não era mais a ameaça militar da URSS, mas sua crescente fraqueza. Qian Qichen previu a desintegração da União Soviética e descreveu a surpresa de Pequim quando Gorbachev, em sua visita de maio, no auge das manifestações de Tiananmen, pediu auxílio econômico à China. Scowcroft mais tarde contou a versão chinesa dos eventos:

> Os soviéticos não compreendiam a economia muito bem, e Gorbachev muitas vezes não compreendia o que dela era exigido. Qian previu que o colapso da economia e os problemas das nacionalidades resultariam em tumulto. "Não vi Gorbachev tomando qualquer medida", acrescentou. "Gorbachev apelou para que o lado chinês fornecesse necessidades de

> consumo", ele nos contou. "[...] Podemos fornecer bens de consumo não duráveis e eles nos retribuirão com matérias-primas. Também querem empréstimos. Levamos um grande susto quando tocaram nesse assunto pela primeira vez. Concordamos em dar algum dinheiro para eles."[37]

Os líderes chineses apresentaram sua solução de "pacote" para Scowcroft e associaram a liberação de Fang Lizhi à suspensão das sanções americanas. O governo americano preferiu tratar o caso Fang como uma questão humanitária separada a ser resolvida por seus próprios méritos.

Posteriores revoltas no bloco soviético — incluindo a sangrenta queda do líder comunista romeno, Nicolae Ceauşescu — reforçaram a sensação de cerco no Partido Comunista chinês. A desintegração dos Estados comunistas do Leste Europeu também fortaleceu aqueles em Washington que defendiam que os Estados Unidos deveriam esperar pelo que viam como sendo o inevitável colapso do governo de Pequim. Nesse clima, nenhum dos dois lados estava em posição de deixar suas posições estabelecidas. Negociações quanto à soltura de Fang continuariam pela embaixada americana, e os dois lados só chegariam a um acordo em junho de 1990 — mais de um ano depois que Fang e sua esposa pediram asilo pela primeira vez e oito meses depois de Deng ter apresentado seu pacote de propostas.[38]

Nesse meio-tempo, a reautorização anual para o status comercial da China como da Nação Mais Favorecida — exigido para países que "não são economias de mercado" nos termos da emenda Jackson-Vanik Amendment de 1974, que condicionava o tratamento de Nação Mais Favorecida às práticas de emigração — foi transformada em um fórum para a condenação no Congresso do histórico de direitos humanos na China. A pressuposição subjacente ao debate era de que qualquer acordo com a China constituía um favor, e sob as circunstâncias opondo-se aos ideais democráticos americanos; privilégios comerciais deviam desse modo ser baseados em gestos da China na direção de um conceito americano de direitos humanos e liberdades políticas. Uma sensação de isolamento começou a pairar sobre Pequim e um clima de triunfalismo sobre Washington. Na primavera de 1990, quando os governos comunistas entraram em colapso na

Alemanha Oriental, na Tchecoslováquia e na Romênia, Deng divulgou uma dura advertência aos membros do Partido:

> Todos devem ter muita clareza de que, na presente situação internacional, toda a atenção do inimigo ficará concentrada na China. Ele usará qualquer pretexto para criar problemas, para impor dificuldades e pressões sobre nós. [A China desse modo necessita] de estabilidade, estabilidade e ainda mais estabilidade. Os três a cinco anos seguintes serão extremamente difíceis para nosso partido e nosso país, e extremamente importantes. Se nos erguermos rápido e sobrevivermos a eles, nossa causa crescerá rapidamente. Se ruirmos, a história chinesa irá retroceder várias dezenas de anos, até por uma centena de anos.[39]

As declarações de 12 e de 24 caracteres

No encerramento do ano dramático, Deng optou por concretizar sua longamente planejada aposentadoria. Durante a década de 1980, ele tomara inúmeras medidas para acabar com a prática tradicional de um poder centralizado se encerrando apenas com a morte do líder ou a perda do Mandato Celestial — padrões tanto vagos quanto passíveis de levar ao caos. Ele estabelecera um conselho consultivo de anciãos onde apresentava líderes com posição vitalícia no governo. Dissera aos visitantes — eu inclusive — que pretendia se aposentar em breve para presidir esse grupo.

No início de 1990, Deng começou a se afastar gradualmente do governo — o primeiro líder chinês a fazer tal coisa no período moderno. Tiananmen pode também ter acelerado a decisão, de modo que Deng pudesse supervisionar a transição enquanto um novo líder se estabelecia. Em dezembro de 1989, Brent Scowcroft acabou sendo o último visitante estrangeiro a ser recebido por Deng. Ao mesmo tempo, Deng parou de comparecer a atividades públicas. Quando morreu, em 1997, havia se tornado um recluso.

Conforme se retirava de cena, Deng decidiu apoiar seu sucessor legando a ele uma série de máximas para orientá-lo e à geração seguinte de líderes. Instruindo nesse sentido os funcionários do Partido Comunista, Deng optou por um método da história clássica chinesa. As instruções eram secas e breves. Escritas em um estilo poético chinês clássico, compreendiam dois documentos: uma instrução de 24 caracteres e uma explicação de 12 caracteres restritas aos funcionários de escalão superior. A instrução de 24 caracteres dizia:

> Observe cuidadosamente; assegure nossa posição; lide com os assuntos calmamente; esconda nossas capacidades e tenha paciência; seja bom em manter discrição; nunca proclame liderança.[40]

A explicação política de 12 caracteres circulou ainda mais restritamente entre os líderes. Dizia:

> Tropas inimigas estão além dos muros. São mais fortes que nós. Devemos ficar principalmente na defensiva.[41]

Contra quem e o quê? As declarações de caracteres múltiplos não tocavam na questão, provavelmente porque Deng podia presumir que seu público compreenderia instintivamente que a posição de seu país ficara cada vez mais precária, tanto no plano doméstico como no internacional.

As máximas de Deng eram, em um nível, uma evocação da China histórica cercada por forças potencialmente hostis. No período de ressurgimento, a China dominava seu entorno. Em períodos de declínio, ganhava tempo, confiante de que sua cultura e disciplina política a capacitariam a reclamar a grandeza que lhe era devida. A declaração de 12 caracteres informava os líderes chineses que tempos perigosos haviam chegado. O mundo externo sempre tivera dificuldades em lidar com esse organismo único, distante porém universal, majestoso ainda que dado a ocasionais surtos de caos. Agora o envelhecido líder de um povo antigo dava suas últimas instruções para sua sociedade, sentindo-se acuada no momento em que buscava se reformar.

Deng tentava unir seu povo não apelando a suas emoções ou ao nacionalismo chinês, como facilmente poderia ter feito. Em vez disso invocou suas antigas virtudes: calma diante da adversidade; elevada capacidade analítica para se pôr a serviço do dever; disciplina na busca de um propósito comum. O maior desafio, ele percebeu, era menos sobreviver às provações esboçadas na declaração de 12 caracteres do que se preparar para o futuro, quando o perigo imediato houvesse sido superado.

A declaração de 24 caracteres teria sido formulada como uma orientação para um momento de fraqueza ou como uma máxima permanente? No momento, a reforma da China estava ameaçada pelas consequências do tumulto interno e pela pressão dos países estrangeiros. Mas, no estágio seguinte, quando a reforma tivesse sido bem-sucedida, o crescimento da China talvez precipitasse outro aspecto da preocupação mundial. Então a comunidade internacional talvez procurasse resistir à marcha da China para se tornar uma potência dominante. Teria Deng, no momento de maior crise, previsto que o maior perigo para a China talvez brotasse de seu eventual ressurgimento? Nessa interpretação, Deng conclamava seu povo a "esconder nossas capacidades e ter paciência" e "nunca proclamar liderança" — isso equivale a dizer: não evocar medos desnecessários com uma assertividade excessiva.

Em seu ponto mais baixo de tumulto e isolamento, Deng pode muito bem ter receado tanto que a China talvez se consumisse em sua crise contemporânea como também que seu futuro pudesse depender de os líderes da próxima geração serem capazes de obter a perspectiva necessária para reconhecer os perigos da autoconfiança excessiva. Será que a declaração era endereçada às tribulações imediatas da China ou se o país seria capaz de praticar o princípio de 24 caracteres quando estivesse forte o bastante para não mais ter de observá-lo? Da resposta chinesa a essas perguntas depende grande parte do futuro das relações sino-americanas.

CAPÍTULO 16

Que tipo de reforma?

A Viagem de Deng ao Sul

EM JUNHO DE 1989, com a liderança do Partido Comunista dividida quanto ao que fazer, o secretário-geral do Partido, Zhao Ziyang, designado por Deng três anos antes, foi expurgado por sua condução na crise. O secretário do Partido em Xangai, Jiang Zemin, foi elevado a secretário-geral do Partido Comunista.

A crise confrontando Jiang foi uma das mais complexas na história da República Popular. A China estava isolada, sendo desafiada no exterior por sanções comerciais e em casa pelas consequências de uma inquietação em todo o território. O comunismo estava no processo de desintegração em todos os demais países do mundo, exceto Coreia do Norte, Cuba e Vietnã. Dissidentes chineses proeminentes haviam fugido para o exterior, onde receberam asilo, simpatia popular e liberdade para se organizar. O Tibete e Xinjiang estavam em alvoroço. O dalai-lama era festejado mundo afora; no mesmo ano de Tiananmen, ele ganhou o Prêmio Nobel da Paz em meio ao clamor internacional pela causa da autonomia tibetana.

Após toda a turbulência social e política, o desafio mais sério para um governo é como restaurar uma sensação de coesão. Mas em nome de que princípio? A reação doméstica à crise era mais ameaçadora à reforma na China do que as sanções do exterior. Membros conservadores do Politburo, de cujo apoio Deng necessitara durante a crise de Tiananmen, culparam a "política evolucionária" de Deng pela crise e pressionaram Jiang a voltar aos preceitos maoistas tradicionais. Eles chegaram a ponto de procurar reverter políticas aparentemente bem-estabelecidas tal como a condenação da Revolução Cultural. Um membro do Politburo chamado Deng Liqun (também conhecido como "Pequeno Deng") afirmou: "Se fracassarmos em empreender uma batalha resoluta contra a liberalização ou [contra] a reforma capitalista e a abertura, nossa causa socialista ficará arruinada."[1] Deng e Jiang assumiram o ponto de vista exatamente oposto. A estrutura política chinesa, na percepção deles, poderia receber novo impulso com a aceleração do programa de reforma. Eles enxergavam a melhoria do padrão de vida e o aumento da produtividade como a melhor garantia de estabilidade social.

Nessa atmosfera, Deng, no início de 1992, emergiu da aposentadoria para seu último grande gesto público. Ele escolheu como instrumento uma "viagem de inspeção" pelo sul da China para urgir o prosseguimento da liberalização econômica e construir apoio público para a liderança reformista de Jiang. Com os esforços pela reforma em estagnação e seus protegidos perdendo terreno para os tradicionalistas na hierarquia do Partido, Deng, aos 87 anos de idade, partiu com sua filha Deng Nan e vários colegas próximos numa viagem por centros econômicos no sul da China, incluindo Shenzhen e Zhuhai, duas das Zonas Econômicas Especiais estabelecidas sob o programa de reforma da década de 1980. Foi uma cruzada pela reforma em prol do "socialismo com características chinesas", o que significava um papel para os mercados, escopo para o investimento estrangeiro e apelo à iniciativa individual.

Deng, nesse ponto, não tinha qualquer título oficial ou função formal. Entretanto, como um pregador itinerante, apareceu em escolas, fábricas de alta tecnologia, empresas-modelo e outros símbolos de sua visão da reforma chinesa, desafiando seus conterrâneos a redobrar seus esforços e fixar objetivos de longo alcance para o desenvolvimento econômico e intelectual da China. A imprensa nacional (que era, na época, controlada por elementos conservadores) inicialmente ignorou os discursos. Mas relatos na imprensa de Hong Kong acabaram por chegar à China continental.

Com o passar do tempo, a "Viagem ao Sul" de Deng assumiria uma significação quase mística, e seus discursos serviriam como base para outras duas décadas de programa político e econômico chinês. Mesmo hoje, cartazes na China retratam imagens e citações da Viagem de Deng ao Sul, incluindo seu famoso adágio de que "desenvolvimento é o princípio absoluto".

Deng visava justificar o programa de reforma contra a acusação de que era uma traição à herança socialista chinesa. A reforma e o desenvolvimento econômicos, argumentou, eram atos fundamentalmente "revolucionários". Abandonar a reforma, Deng advertia, levaria a China para um "beco sem saída". Para "conquistar a confiança e apoio do povo", o programa de liberalização econômica devia continuar por "cem anos". A reforma e a abertura, insistia Deng, haviam permitido à República Popular evitar a guerra civil em 1989. Ele reiterava sua condenação da Revolução Cultural, descrevendo-a como além do fracasso, uma espécie de guerra civil.[2]

O herdeiro da China maoista estava defendendo princípios de mercado, tomada de riscos, iniciativa privada e a importância da produtividade e do empreendedorismo. O princípio do lucro, segundo Deng, refletia não uma teoria alternativa ao marxismo, mas uma observação da natureza humana. O governo perderia o apoio popular se punisse os empreendedores por seu sucesso. O conselho de Deng era de que a China devia "ser mais ousada", de que deveria redobrar seus esforços e "ousar experimentar": "Não devemos agir como mulheres com pés enfaixados. Assim que tivermos certeza de que algo deve ser feito, devemos ousar experimentar e desbravar um novo caminho. [...] Quem se atreverá a dizer que está cem por cento seguro do sucesso e que não corre riscos?"[3]

Deng descartou a crítica de que suas reformas estavam levando a China pela "estrada do capitalismo". Rejeitando décadas de doutrinação maoista, ele invocou sua máxima familiar de que o que importava era o resultado, não a doutrina sob a qual ele era atingido. A China tampouco deveria temer o investimento estrangeiro:

> No atual estágio, empresas de capital estrangeiro na China têm permissão para ganhar algum dinheiro em conformidade com leis e políticas existentes. Mas o governo recolhe impostos dessas empresas, os trabalhadores ganham salários delas e adquirimos capacidades tecnológicas e gerenciais. Além disso, podemos conseguir informações com elas que irão nos ajudar a abrir mais mercados.[4]

No fim, Deng atacou a "esquerda" do Partido Comunista, que era em certo sentido parte de sua própria história inicial, quando fora o "executor" de

Mao na criação de comunas agrícolas: "No momento, estamos sendo afetados por tendências tanto da Direita como da 'Esquerda'. Mas são as tendências da 'Esquerda' que possuem as raízes mais profundas. [...] Na história do Partido, essas tendências têm levado a consequências terríveis. Coisas boas foram destruídas da noite para o dia."[5]

Instigando seus conterrâneos ao apelar a seu orgulho nacional, Deng desafiava a China a igualar as taxas de crescimento dos países vizinhos. Em um sinal de até onde a China chegou em menos de vinte anos desde a Viagem ao Sul, Deng, em 1992, exaltou os "quatro grande itens" essenciais a serem disponibilizados aos consumidores no campo: uma bicicleta, uma máquina de costura, um rádio e um relógio de pulso. A economia chinesa podia "chegar a um novo estágio em poucos anos", declarou, e a China triunfaria se os chineses ousassem "emancipar [suas] mentes e agir livremente", respondendo aos desafios conforme surgissem.[6]

Ciência e tecnologia eram a chave. Ecoando seus discursos desbravadores da década de 1970, Deng insistia que "intelectuais são parte da classe trabalhadora"; em outras palavras, eles eram elegíveis para membros do Partido Comunista. Num gesto de abertura para os manifestantes de Tiananmen, Deng conclamou os intelectuais que estavam exilados no exterior a voltar para a China. Se possuíssem conhecimento e habilidades especializados, seriam bem-vindos, independentemente de suas atitudes prévias: "Devemos dizer a eles que, se querem dar sua contribuição, seria melhor que voltassem para seu país. Espero que esforços conjuntos sejam feitos para acelerar o progresso nos empreendimentos científicos, tecnológicos e educacionais da China. [...] Devemos todos amar nosso país e ajudar a desenvolvê-lo."[7]

Que mudança extraordinária nas convicções do revolucionário octogenário que ajudara a construir, muitas vezes impiedosamente, o sistema econômico que ele agora estava desmantelando. Quando servia em Yan'an com Mao durante a guerra civil, Deng não dava o menor sinal de que iria, cinquenta anos mais tarde, viajar pelo país, defender a reforma da própria revolução que apoiara. Até se ver com problemas com a Revolução Cultural, ele fora um dos principais assessores de Mao, distinguindo-se por sua determinação.

Ao longo das décadas, uma mudança gradual ocorrera. Deng passara a redefinir os critérios do bom governo em termos do bem-estar e desenvolvimento da pessoa comum. Uma considerável dose de nacionalismo também estava envolvida em sua dedicação ao rápido desenvolvimento, mesmo se isso exigisse adotar métodos predominantes no anteriormente vilipendiado mundo capitalista. Como um dos filhos de Deng contou mais tarde ao acadêmico americano e presidente do National Commitee on United States–China Relations (Comitê Nacional sobre Relações Estados Unidos-China), David Lampton:

> Em meados da década de 1970, meu pai olhou para o entorno da China, para as economias chamadas de pequenos dragões [Cingapura, Hong Kong, Taiwan e Coreia do Sul]. Elas estavam crescendo a uma taxa de 10% ao ano, e essas economias tinham considerável dianteira tecnológica sobre a China. Se queríamos suplantá-las e retomar nosso lugar de direito na região, e finalmente no mundo, a China teria de crescer mais rápido que elas.[8]

A serviço dessa visão, Deng defendia muitos princípios econômicos e sociais americanos como parte de seu programa de reforma. Mas o que ele chamava de democracia socialista era vastamente diferente de uma democracia pluralista. Ele continuava convicto de que, na China, os princípios políticos ocidentais produziriam caos e barrariam o desenvolvimento.

Porém, mesmo defendendo a necessidade de um governo autoritário, Deng via sua missão suprema de passar o poder adiante para a próxima geração, que, se seu plano de desenvolvimento fosse bem-sucedido, fatalmente iria desenvolver seu próprio conceito de ordem política. Deng esperava que o sucesso de seu programa de reforma eliminasse o incentivo para uma evolução democrática. Mas ele deve ter entendido que a mudança que estava empreendendo estava fadada no fim a levar a consequências políticas de dimensões ainda imprevisíveis. Esses são os desafios que agora se apresentam aos seus sucessores.

Para o futuro imediato, Deng, em 1992, estabeleceu objetivos relativamente modestos:

> Devemos avançar na estrada para o socialismo de estilo chinês. O capitalismo vem se desenvolvendo há centenas de anos. Há quanto tempo estamos construindo o socialismo? Além do mais, desperdiçamos vinte anos.

> Se formos capazes de tornar a China um país moderadamente desenvolvido dentro de cem anos desde a fundação da República Popular, isso será uma realização extraordinária.[9]

Isso era para ser em 2049. Na verdade, a China fez muito melhor — em uma geração.

Mais de uma década após a morte de Mao, sua visão de revolução contínua reaparecia. Mas era uma espécie diferente de revolução contínua, baseada na iniciativa pessoal, não na exaltação ideológica; na ligação com o mundo exterior, não na autarquia. E isso mudaria a China tão fundamentalmente quanto o Grande Timoneiro sonhara, embora em uma direção oposta à que ele concebera. Eis por que, ao fim de sua Viagem ao Sul, Deng esboçou sua esperança no surgimento de uma nova geração de líderes com seus próprios pontos de vista novos. A liderança existente do Partido Comunista, disse ele, também estava velha. Agora com mais de 60 anos, eram indicados mais para conversar do que para decidir. As pessoas da idade dele precisavam ficar de lado — uma dolorosa confissão para alguém que fora tão ativista.

> O motivo pelo qual insisti na aposentadoria foi que não queria cometer erros na idade provecta. Pessoas velhas têm sua força, mas também grandes fraquezas — elas tendem a ser teimosas, por exemplo — e devem ter consciência disso. Quanto mais velhas ficam, mais modestas devem ser e mais cuidadosas em não cometer erros em seus últimos anos. Devemos prosseguir selecionando os camaradas mais jovens para promover e ajudar a treiná-los. Não deposite sua confiança apenas na velhice. [...] Quando eles atingirem a maturidade, poderemos descansar. No momento ainda estamos preocupados.[10]

Apesar de todo o caráter prosaico das prescrições de Deng, havia nelas a melancolia da velhice, a consciência de que ele não iria ver dar fruto aquilo que estava defendendo e planejando. Ele vira — e, às vezes, gerara — tanto tumulto que precisava que seu legado fosse um período de estabilidade. Com toda sua exibição de segurança, uma nova geração era necessária para possibilitar a ele, em suas próprias palavras, "dormir bem".

A Viagem ao Sul foi o último serviço público de Deng. A implementação de seus princípios tornou-se responsabilidade de Jiang Zemin e seus colegas. Depois disso Deng se retirou e ficou cada vez menos acessível. Ele morreu em 1997, e a essa altura Jiang consolidara sua posição. Ajudado pelo extraordinário premiê Zhu Rongji, Jiang concretizou o legado da Viagem ao Sul com tamanha habilidade que, no fim de seu mandato em 2002, o debate não mais girava em torno de ser ou não o curso apropriado, mas antes em torno do impacto de uma China emergente, dinâmica, na ordem mundial e na economia global.

CAPÍTULO 17

Uma jornada acidentada rumo a uma reconciliação

A era Jiang Zemin

Na esteira de Tiananmen, as relações sino-americanas se viram praticamente de volta ao ponto de partida. Em 1971-1972, os Estados Unidos haviam buscado a aproximação com a China, então nas fases finais da Revolução Cultural, convencidos de que as relações com a China eram cruciais para o estabelecimento de uma ordem internacional pacífica e que transcendiam as reservas da América quanto ao governo radical chinês. Agora os Estados Unidos haviam imposto sanções, e o dissidente Fang Lizhi refugiava-se na proteção da embaixada norte-americana em Pequim. E, com as instituições liberais democráticas sendo adotadas no mundo todo, a reforma da estrutura doméstica chinesa passava a ser um objetivo central da agenda americana.

Eu conhecera Jiang Zemin quando ele era prefeito de Xangai. Não imaginei que emergiria como o líder que guiaria — como o fez — seu país do desastre para a impressionante explosão de energia e criatividade que marcou a ascensão chinesa. Embora inicialmente sujeito a desconfiança, ele supervisionou um dos maiores crescimentos de PIB per capita na história humana, consumou a devolução pacífica de Hong Kong, reconstituiu as relações da China com os Estados Unidos e o resto do mundo e lançou a China no rumo de se tornar uma potência econômica global.

Pouco após a ascensão de Jiang, em novembro de 1989, Deng ansiava em deixar claro para mim seu grande apreço pelo novo secretário-geral:

DENG: O senhor foi apresentado ao secretário-geral Jiang Zemin e no futuro terá outras oportunidades de se encontrar com ele. É um homem com ideias próprias e de alto calibre.

KISSINGER: Fiquei muito bem impressionado com ele.

DENG: Ele é um verdadeiro intelectual.

Poucos observadores de fora imaginavam o êxito de Jiang. Como secretário do Partido em Xangai, ele recebera elogios pelo modo como lidara com os protestos na cidade: havia fechado um influente jornal liberal no início da crise, mas se recusara a decretar a lei marcial, e as manifestações de Xangai foram debeladas sem derramamento de sangue. Mas, como secretário-geral, era amplamente tido como uma figura de transição — e poderia perfeitamente ter sido um candidato por conciliação no meio do caminho entre o elemento relativamente liberal (incluindo o ideólogo do Partido, Li Ruihuan) e o grupo conservador (como Li Peng, o premiê). Ele carecia de uma base de poder própria e, ao contrário de seus predecessores, não irradiava uma aura de autoridade. Era o primeiro líder comunista chinês sem credenciais revolucionárias ou militares. Sua liderança, como a de seus sucessores, brotava de seu desempenho burocrático e econômico. Não era absoluta e exigia uma dose de consenso no Politburo. Por exemplo, ele estabeleceu seu domínio na política externa somente em 1997, oito anos após ter se tornado secretário-geral.[1]

Líderes do Partido chinês anteriores haviam se conduzido com a aura altiva apropriada ao sacerdócio de uma mistura do novo materialismo marxista e vestígios da tradição confucionista da China. Jiang estabeleceu um padrão diferente. Ao contrário de Mao, o rei-filósofo, Zhou, o mandarim, ou Deng, o guardião dos interesses nacionais forjado no campo de batalha, Jiang se portava mais como um afável membro de família. Era caloroso e informal. Mao tratava seus interlocutores com distanciamento olímpico, como se fossem alunos de graduação passando por um exame sobre a adequação de seus insights filosóficos. Zhou conduzia as conversas com a graça fácil e a inteligência superior do sábio confucionista. Deng ia direto aos aspectos práticos de uma discussão, tratando digressões como perda de tempo.

Jiang não reivindicava qualquer preeminência filosófica. Ele sorria, ria, contava anedotas e tocava em seu interlocutor a fim de estabelecer uma ligação. Orgulhava-se, às vezes de forma entusiasmada, de seu talento para línguas estrangeiras e seu conhecimento de música ocidental. Com visitantes não chineses, regularmente incorporava expressões inglesas, russas ou até latinas em suas apresentações para enfatizar um ponto — movendo-se de uma hora para outra entre um rico cabedal de expressões idiomáticas chinesas clássicas e coloquialismos americanos como *It takes two to tango* ("São necessárias duas pessoas para dançar um tango"). Se a ocasião assim o permitia, ele era capaz de pontuar reuniões sociais — e de vez em quando oficiais — desatando a cantar, fosse para contornar um tema desconfortável, fosse para enfatizar um sentimento de camaradagem.

Os diálogos dos líderes chineses com visitantes estrangeiros normalmente ocorriam na presença de uma entourage de conselheiros e tomadores de notas que não abriam a boca e muito raramente passavam anotações para seus chefes. Jiang, pelo contrário, tendia a transformar seu grupo em um coro grego; ele iniciava um pensamento, depois passava a palavra para um assessor de uma maneira tão espontânea que dava a impressão de que se estava diante de uma equipe da qual Jiang era o capitão. Com muita leitura e elevada instrução, Jiang procurava atrair o interlocutor à atmosfera de boa vontade que parecia cercá-lo, pelo menos quando lidava com estrangeiros. Ele gerava um diálogo em que as opiniões de seus interlocutores, e até de seus colegas, eram tratadas como merecedoras do mesmo grau de importância que reivindicava para as suas. Nesse sentido, Jiang foi o tipo de personalidade menos Império do Meio que encontrei entre os líderes chineses.

Quando Jiang galgou os escalões superiores da liderança nacional chinesa, um relatório interno do Departamento de Estado o descreveu como "refinado, animado e ocasionalmente extravagante", e relatou um "incidente em 1987 em que se levantou da tribuna VIP nas comemorações do Dia Nacional de Xangai para conduzir uma orquestra sinfônica numa entusiástica versão da Internacional, que se encerrou com luzes piscando e nuvens de fumaça".[2] Durante uma visita particular de Nixon a Pequim em 1989, Jiang ficou de pé de repente para recitar o Discurso de Gettysburg em inglês.

Havia pouco precedente desse naipe de informalidade, fosse com líderes chineses, fosse com os comunistas soviéticos. Muitos estrangeiros subestimavam Jiang, tomando seu estilo benevolente por falta de seriedade. A verdade era o contrário. A bonomia de Jiang era planejada para definir a linha, quando ele a traçava, de forma ainda mais determinante. Quando achava que os interesses vitais de seu país estavam envolvidos, podia ser tão decidido quanto seus predecessores.

Jiang era suficientemente cosmopolita para compreender que a China teria de operar *dentro* de um sistema internacional, e não com a postura distanciada e dominante de Império do Meio. Zhou também compreendera isso, assim como Deng. Mas Zhou pôde implementar sua visão apenas de modo fragmentário, devido à presença sufocante de Mao, e a de Deng foi abortada por Tiananmen. A afabilidade de Jiang era expressão de uma tentativa séria e calculada de inserir a China numa nova ordem internacional e restaurar a confiança internacional, tanto para ajudar a curar as feridas domésticas da China como para suavizar sua imagem internacional. Desarmando os críticos com seu ocasional exibicionismo, Jiang apresentava um rosto efetivo para um governo tentando romper com o isolamento internacional e poupar seu sistema do destino que os soviéticos haviam conhecido.

Em suas metas internacionais, Jiang foi abençoado com um dos ministros das Relações Exteriores mais habilidosos que já conheci, Qian Qichen, e um chefe de política econômica dotado de excepcional inteligência e tenacidade, o vice-premiê (e depois premiê) Zhu Rongji. Ambos foram abertos defensores da ideia de que as instituições políticas prevalecentes na China eram o que melhor se prestava aos interesses do país. Ambos acreditavam também que o desenvolvimento contínuo da China exigia um aprofundamento de suas ligações com as instituições internacionais e a economia mundial — incluindo um mundo ocidental muitas vezes enfático em sua crítica das práticas políticas domésticas chinesas. Seguindo a conduta de Jiang de otimismo desafiador, Qian e Zhu se lançaram em extensas viagens ao estrangeiro, conferências internacionais, entrevistas e diálogos diplomáticos e econômicos, muitas vezes enfrentando públicos céticos e críticos com determinação e bom humor. Nem todos os observadores chineses apreciavam o projeto de se envolver com um mundo ocidental tido como desinteressado da realidade chinesa; nem todos os observadores ocidentais aprovavam o esforço de se engajar com uma China aquém das expectativas políticas ocidentais. A arte de governar deve ser julgada pelo modo como se administram as ambiguidades, não os absolutos. Jiang, Qian, Zhu e outros mais velhos que eles conseguiram guiar seu país para fora do isolamento e restaurar as frágeis ligações entre a China e um mundo ocidental cético.

Pouco após sua nomeação, em novembro de 1989, Jiang convidou-me para uma conversa em que delineou os eventos pelas lentes de uma volta à diplomacia tradicional. Ele não conseguia compreender por que a reação chinesa a um desafio doméstico causara um rompimento de relações com os Estados Unidos. "Não há grandes problemas entre a China e os Estados Unidos, exceto Taiwan", insistia. "Não temos disputas de fronteiras; na questão de Taiwan, o Comunicado de Xangai determinou uma boa fórmula." A China, frisou ele, não fazia qualquer defesa de que seus princípios domésticos fossem aplicáveis externamente: "Não exportamos a revolução. Mas o sistema social de cada país deve ser escolhido pelo próprio país. O sistema socialista na China vem de nossa própria posição histórica."

Em todo caso, a China continuaria com suas reformas econômicas: "No que diz respeito à China, as portas estão abertas. Estamos prontos para reagir a qualquer gesto positivo por parte dos Estados Unidos. Temos muitos interesses em comum." Mas a reforma teria de ser voluntária; não poderia ser ditada de fora para dentro:

> A história chinesa demonstra que, quanto maior a pressão, maior a resistência. Como sou um estudioso de ciências naturais, tento interpretar as coisas segundo as leis das ciências naturais. A China tem 1,1 bilhão de pessoas. O país é grande e tem grande momento linear. Não é fácil fazer com que avance. Como um velho amigo, falo com franqueza com o senhor.

Jiang partilhou comigo de suas reflexões sobre a crise na praça Tiananmen. O governo chinês não estivera "mentalmente preparado para o episódio", explicou, e o Politburo ficara inicialmente dividido. Havia poucos heróis em sua versão dos eventos — não os líderes estudantis, tampouco o Partido, que ele descrevia pesarosamente como dividido em face de um desafio sem precedentes.

Quando me encontrei com Jiang outra vez quase um ano depois, em setembro de 1990, as relações com os Estados Unidos continuavam tensas. O pacote de acordos que vinculava nossa suspensão de sanções à liberação de Fang Lizhi fora vagaroso em sua implementação. Em certo sentido, as decepções não eram de surpreender, dadas as dimensões do problema. Os defensores dos direitos humanos na América insistiam em valores que consideravam universais. Os líderes chineses estavam fazendo alguns ajustes baseados em suas percepções dos interesses chineses. Os ativistas americanos, sobretudo algumas ONGs, não estavam dispostos a dar seus objetivos como tendo sido atendidos por medidas parciais. Para eles, o que Pequim considerava concessões implicava que seus objetivos estavam sujeitos a negociação, e consequentemente não eram universais. Os ativistas enfatizavam objetivos morais, não políticos; os líderes chineses estavam focados na continuidade de um processo político — acima de tudo, em dar um basta às tensões imediatas e regressar às relações "normais". Essa volta à normalidade era exatamente o que os ativistas rejeitavam ou queriam impor como condição.

Ultimamente um adjetivo pejorativo passou a integrar o debate, descartando a diplomacia tradicional como "transacional". Segundo esse ponto de vista, uma relação de longo prazo construtiva com Estados não democráticos não se sustenta, quase por definição. Os defensores desse curso de ação partem da premissa de que uma paz genuína e duradoura pressupõe uma comunidade de Estados democráticos. Eis por que tanto o governo Ford como Clinton, vinte anos depois, fracassaram na obtenção de concessões do Congresso quanto à implementação da emenda Jackson-Vanik, mesmo quando a União Soviética e a China pareciam preparadas para fazer concessões. Os ativistas rejeitavam passos parciais e argumentavam que a persistência conquistaria seus objetivos últimos. Jiang tocou nisso comigo em 1990. A China havia recentemente "adotado muitas medidas", motivadas especialmente por um desejo de melhorar as relações com os Estados Unidos:

> Parte delas são questões que dizem respeito até a assuntos puramente domésticos da China, como a suspensão da lei marcial em Pequim e no Tibete. Continuamos a tratar delas sob duas considerações. A primeira é

que são um testemunho da estabilidade doméstica chinesa. A segunda é que não escondemos o fato de que usamos essas medidas para prover uma melhor compreensão nas relações EUA-China.

Esses gestos, na opinião de Jiang, não haviam sido correspondidos. Pequim cumprira com sua parte no pacote de acordo proposto por Deng, mas recebera em troca crescentes exigências do Congresso.

Os valores democráticos e os direitos humanos são o cerne da crença da América em si mesma. Mas como todo valor eles têm um caráter absoluto, e isso desafia o elemento de nuança dentro do qual a política externa é geralmente obrigada a operar. Se a adoção de princípios americanos de governança é tornada a condição central para o progresso em todas as demais áreas do relacionamento, o impasse é inevitável. Nesse ponto, ambos os lados são obrigados a equilibrar as alegações de segurança nacional contra os imperativos de seus princípios de governança. Confrontado com a rejeição irredutível do princípio em Pequim, o governo Clinton optou por modificar sua posição, como veremos no final deste capítulo. O problema então volta ao ajuste de prioridades entre os Estados Unidos e seu interlocutor — em outras palavras, à diplomacia tradicional "transacional". Ou então a um acerto de contas.

É uma escolha que precisa ser feita e não pode ser fingida. Respeito aqueles que estão preparados para lutar por suas opiniões quanto aos imperativos de se disseminar os valores americanos. Mas a política externa deve definir tanto meios quanto objetivos, e se os meios empregados vão além da tolerância do contexto internacional ou de uma relação considerada essencial para a segurança nacional, uma escolha deve ser feita. O que não deve ser feito é se minimizar a natureza da escolha. O melhor resultado no debate americano seria combinar as duas abordagens: para os idealistas, reconhecer que os princípios precisam ser implementados ao longo do tempo e desse modo devem ocasionalmente ser ajustados às circunstâncias; e para os "realistas", aceitar que os valores devem ter sua própria realidade e devem ser construídos como políticas operacionais. Uma abordagem assim admitiria as muitas gradações existentes tanto em um lado como no outro, que um esforço deve ser feito a fim de nuançar os dois lados. Na prática esse objetivo tem sido muitas vezes solapado pelo calor das controvérsias.

Na década de 1990, os debates domésticos americanos eram reproduzidos nas discussões com os líderes chineses. Quarenta anos após a vitória comunista em seu país, os líderes chineses argumentavam em prol de uma ordem internacional que rejeitava a projeção de valores além das fronteiras (outrora um acalentado princípio da política comunista), ao passo que os Estados Unidos insistiam na aplicabilidade de seus valores a serem atingidos por pressão e incentivos, ou seja, pela intervenção nas políticas domésticas do outro país. Não é pequena a ironia contida no fato de que um herdeiro de Mao viesse explicar para mim a natureza de um sistema internacional baseado em Estados soberanos, coisa sobre a qual eu, afinal de contas, havia escrito várias décadas antes.

Jiang usou minha visita de 1990 precisamente para tal discurso. Ele e outros líderes chineses continuavam a insistir no que seria senso comum convencional cinco anos antes: que China e Estados Unidos deveriam trabalhar juntos em uma nova ordem internacional — baseados em princípios comparáveis aos do tradicional sistema de Estados europeus desde 1648. Em outras palavras, os arranjos domésticos estavam além do escopo da política externa. As relações entre os Estados eram governadas pelos princípios do interesse nacional.

Essa proposição era exatamente o que o novo regime político no Ocidente estava descartando. O novo conceito insistia em que o mundo adentrava uma era da "pós-soberania", em que as normas internacionais de direitos humanos prevaleceriam sobre as prerrogativas tradicionais de governos soberanos. Jiang e seus colegas, por outro lado, queriam um mundo multipolar que aceitasse a marca chinesa de socialismo híbrido e "democracia popular", e em que os Estados Unidos tratassem a China em termos iguais como uma grande potência.

Durante minha visita seguinte a Pequim em setembro de 1991, Jiang voltou ao tema das máximas da diplomacia tradicional. O interesse nacional sobrepujava a reação à conduta doméstica chinesa:

> Não há conflito fundamental de interesse entre nossos países. Não há motivo para não fazer as relações voltarem ao normal. Se puder haver respeito mútuo e se nos abstivermos de interferir em assuntos internos, e

> se pudermos conduzir nossas relações com base na igualdade e no benefício mútuo, então poderemos encontrar um interesse comum.

Com as rivalidades da Guerra Fria arrefecendo, Jiang argumentava que "na atual situação os fatores ideológicos não são importantes nas relações de Estado".

Jiang usou minha visita em setembro de 1990 para comunicar que assumira todas as funções de Deng — isso ainda não se tornara óbvio, uma vez que os precisos arranjos internos da estrutura do poder em Pequim sempre são obscuros:

> Deng Xiaoping sabe de sua visita. Ele expressa boas-vindas ao senhor por meu intermédio e expressa seus cumprimentos ao senhor. Ele mencionou a carta que o presidente Bush lhe escreveu e a esse respeito disse duas coisas. Primeiro, pediu-me, enquanto secretário-geral, para transmitir seus cumprimentos por intermédio do senhor ao presidente Bush. Segundo, depois da aposentadoria no ano passado, deixou a administração de todos esses assuntos ao meu encargo enquanto secretário-geral. Não pretendo escrever uma carta em resposta à carta do presidente Bush para Deng Xiaoping, mas o que estou dizendo ao senhor, embora ponha em minhas próprias palavras, condiz com o pensamento e o espírito do que Deng quer dizer.

O que Jiang me pedia para transmitir era que a China fizera bastante concessões e agora cabia a Washington melhorar as relações. "No que tange à China", disse Jiang, "ela sempre estimou a amizade entre os dois países". Agora, declarava Jiang, a China deu um basta às concessões: "O lado chinês já fez o suficiente. Nós nos esforçamos e fizemos o melhor possível."

Jiang repetia o que já se tornara um tema tradicional de Mao e Deng — a impermeabilidade chinesa às pressões e sua assustadora resistência a qualquer indício de intimidação estrangeira. E argumentava que Pequim, como Washington, enfrentava pressão política de seu povo: "Mais uma coisa, esperamos que o lado americano tome nota desse fato. Se a China tomar medidas unilaterais sem atitudes correspondentes dos Estados Unidos, isso irá além da tolerância do povo chinês."

A China e a desintegração da União Soviética

Uma implicação subjacente a todas as discussões era a desintegração da União Soviética. Mikhail Gorbachev estivera em Pequim no início da crise de Tiananmen, mas até mesmo enquanto a China era dividida pela controvérsia doméstica, a base do domínio soviético ruía em tempo real nas telas de televisão do mundo todo como se estivesse em câmera lenta.

Os dilemas de Gorbachev eram ainda mais preocupantes do que os de Pequim. As controvérsias chinesas giravam em torno de como o Partido Comunista devia governar. As disputas soviéticas giravam em torno de se o Partido Comunista devia governar. Dando prioridade à reforma política (*glasnost*) em lugar da reestruturação econômica (*perestroika*), Gorbachev tornara inevitável uma controvérsia quanto à legitimidade do governo comunista. Gorbachev reconhecera a estagnação geral do país, mas não tinha imaginação ou capacidade para quebrar essa rigidez enraizada. Os diversos órgãos de supervisão do sistema haviam, com o tempo, se transformado em parte do problema. O Partido Comunista, antes instrumento de revolução, não tinha outra função em um sistema comunista elaborado a não ser supervisionar o que ele não compreendia — o gerenciamento de uma economia moderna, problema que solucionou formando conluio com aquilo que supostamente devia controlar. A elite comunista havia se tornado uma classe mandarim de privilegiados; teoricamente encarregada da ortodoxia nacional, ela se concentrava na preservação de seus privilégios.

A *glasnost* entrou em choque com a *perestroika*. Gorbachev acabou levando ao colapso do sistema que o criara e ao qual devia sua posição eminente. Mas, antes que o fizesse, ele redefiniu o conceito de coexistência pacífica. Líderes anteriores o haviam afirmado, e Mao brigara com Khrushchev por causa disso. Mas os predecessores de Gorbachev haviam defendido a coexistência pacífica como uma pausa temporária no caminho do confronto e da vitória final. Gorbachev, no 27º Congresso do Partido, em 1986, proclamou-a um elemento *permanente* na relação entre comunismo e capitalismo. Era seu modo de reentrar no sistema internacional do qual a Rússia participara no período pré-soviético.

Em minhas visitas, os líderes chineses se empenhavam em diferenciar o modelo chinês do russo, sobretudo de Gorbachev. Em nossa reunião em setembro de 1990, Jiang frisou:

> Esforços para encontrar um Gorbachev chinês não vão dar em nada. Os senhores podem perceber pelas discussões que tiveram conosco. Seu amigo Zhou Enlai costumava falar sobre os cinco princípios de coexistência pacífica. Bom, eles continuam presentes até hoje. Não estariam se houvesse um único sistema social no mundo. Não queremos impor nosso sistema aos outros e não queremos que outros nos imponham o seu.

Os líderes chineses afirmavam os mesmos princípios de coexistência de Gorbachev. Mas usavam-nos não para aplacar o Ocidente, como Gorbachev fazia, mas para impor uma barreira entre ambos. Gorbachev era tratado em Pequim como irrelevante, para não dizer mal-orientado. Seu programa de modernização foi rejeitado como pobremente concebido porque punha a reforma política antes da reforma econômica. Na visão chinesa, a reforma política talvez fosse necessária com o tempo, mas a reforma econômica deveria precedê-la. Li Ruihuan explicou por que a reforma de preços não podia funcionar na União Soviética: como quase qualquer bem de consumo tinha pouca oferta, a reforma de preços levaria fatalmente a inflação e pânico. Zhu Rongji, visitando os Estados Unidos em 1990, era repetidamente louvado como o "Gorbachev da China"; ele fazia questão de frisar: "Não sou o Gorbachev da China. Sou o Zhu Rongji da China."[3]

Quando visitei a China outra vez em 1992, Qian Qichen descreveu o colapso da União Soviética como "o período após uma explosão — ondas de choque em todas as direções". O colapso da União Soviética de fato criara um novo contexto geopolítico. Quando Pequim e Washington avaliaram o novo panorama, perceberam seus interesses não mais como evidentemente convergentes como nos dias de sua quase aliança. Antes, as discordâncias giraram principalmente em torno das táticas para resistir à hegemonia soviética. Agora, com o oponente comum deixando a cena, era inevitável que as diferenças de valores e visões de mundo entre as duas lideranças ocupasse o centro do palco.

Em Pequim, o fim da Guerra Fria produziu uma mistura de alívio e temor. Em um nível, os líderes chineses receberam de braços abertos a desintegração do adversário soviético. A estratégia de deterrência ativa, até agressiva, de Mao e Deng havia prevalecido. Ao mesmo tempo, os líderes chineses não podiam evitar comparações entre o esfacelamento da União

Soviética e seu próprio desafio doméstico. Eles também haviam herdado um antigo império multiétnico e tentado administrá-lo como um Estado moderno socialista. Embora a porcentagem de população não han fosse muito menor na China (cerca de 10%) do que a parcela de não russos no império soviético (cerca de 50%), as minorias étnicas com tradições distintas existiam. Além do mais, essas minorias viviam em regiões estrategicamente sensíveis, na fronteira de Vietnã, Rússia e Índia.

Nenhum presidente americano na década de 1970 teria se arriscado a confrontar a China enquanto a União Soviética assomava como uma ameaça estratégica. Do lado americano, contudo, a desintegração soviética era vista como representando uma espécie de triunfo permanente e universal dos valores democráticos. Um sentimento bipartidário sustentava que a "história" tradicional estava sendo superada: aliados e adversários igualmente rumando inexoravelmente na direção de uma adoção da democracia parlamentar pluripartidária e dos mercados abertos (instituições que, na visão americana, estavam inevitavelmente ligadas). Qualquer obstáculo pondo-se no caminho dessa onda seria varrido para longe.

Um novo conceito evoluíra no sentido de que Estado-nação perdia importância e o sistema internacional daí por diante estaria baseado em princípios transnacionais. Uma vez que se presumia que as democracias eram inerentemente pacíficas, enquanto as autocracias tendiam à violência e ao terrorismo internacional, promover mudança de regime era considerado um ato de política externa legítimo, não uma intervenção nos assuntos domésticos.

Os líderes da China rejeitavam a previsão americana do triunfo universal da democracia liberal ocidental, mas compreendiam também que seu programa de reforma necessitava da cooperação americana. Assim, em setembro de 1990, eles enviaram por meu intermédio um "recado verbal" ao presidente Bush, que terminava com um apelo ao presidente americano:

> Por mais de um século, o povo chinês tem sido submetido à intimidação e à humilhação por parte das potências estrangeiras. Não queremos ver essa ferida sendo reaberta. Acredito que, como antigo amigo da China, senhor presidente, o senhor compreende os sentimentos do povo chinês. A China valoriza as relações cordiais e a cooperação sino-americanas, que

não vieram facilmente, mas valoriza ainda mais sua independência, soberania e dignidade.

Contra o novo pano de fundo, há ainda maior necessidade de que as relações sino-americanas voltem ao normal sem demora. Tenho certeza de que o senhor pode encontrar um jeito de levar a esse objetivo. E vamos dar a resposta necessária a quaisquer ações positivas que o senhor possa tomar no interesse das melhores relações sino-americanas.

Para reforçar o que Jiang me contara pessoalmente, os funcionários do Ministério de Relações Exteriores chinês entregaram-me uma mensagem para transmitir ao presidente Bush. Sem assinatura, foi descrita como uma comunicação verbal escrita — mais formal do que uma conversa, menos explícita do que uma nota oficial. Além do mais, o vice-ministro das Relações Exteriores que me acompanhava ao aeroporto estendeu-me respostas por escrito para perguntas que eu fizera durante a reunião com Jiang. Como a mensagem, elas já haviam sido dadas durante a reunião; foram-me passadas por escrito com vistas a dar mais ênfase:

Pergunta: Qual o significado de Deng não responder às cartas do presidente?
Resposta: Deng se aposentou no ano passado. Ele já enviou ao presidente uma mensagem verbal dizendo que toda autoridade administrativa sobre tais assuntos fora passada a Jiang.

Pergunta: Por que é uma resposta verbal, e não escrita?
Resposta: Deng leu a carta. Mas, uma vez que passou esses assuntos para as mãos de Jiang, pediu a Jiang que respondesse. Queremos dar ao dr. Kissinger a oportunidade de transmitir uma mensagem oral ao presidente devido ao papel que o dr. Kissinger desempenhou em prol das relações EUA-China.

Pergunta: Deng está sabendo do conteúdo de sua resposta?
Resposta: Claro.

Pergunta: Quando o senhor mencionou o fracasso norte-americano em tomar "medidas correspondentes", o que tinha em mente?

Resposta: O maior problema é a continuidade das sanções americanas sobre a China. Seria melhor se o presidente pudesse suspendê-las, oficialmente ou na prática. Além disso, os Estados Unidos têm uma palavra decisiva nos empréstimos do Banco Mundial. Outro ponto refere-se às visitas de alto escalão que faziam parte do pacote.

[...]

Pergunta: Vocês estariam dispostos a considerar outro pacote de acordos?

Resposta: Isso é ilógico, uma vez que o primeiro pacote nunca se concretizou.

O presidente George H. W. Bush acreditava por experiência pessoal que era desaconselhável empreender uma política de intervenção na nação mais populosa e no Estado com a história contínua mais longa de autogoverno. Preparado para intervir em circunstâncias especiais e em prol de indivíduos ou grupos específicos, ele achava que um confronto generalizado sobre a estrutura doméstica chinesa poria em risco uma relação vital para a segurança nacional americana.

Em resposta à mensagem verbal de Jiang, Bush fez uma exceção à proibição de visitas de alto escalão à China e encorajou seu secretário de Estado, James Baker, a visitar Pequim para uma troca de ideias. As relações se estabilizaram por um breve intervalo. Mas, quando o governo Clinton assumiu, dezoito meses depois, elas voltaram, pela maior parte do primeiro mandato do novo presidente, à acidentada jornada de uma montanha-russa.

O governo Clinton e sua política para a China

Durante a campanha em setembro de 1992, Bill Clinton havia desafiado os princípios de governo da China e criticado o governo Bush por "passar a mão na cabeça" de Pequim após os acontecimentos de Tiananmen. "A China não pode se opor permanentemente às forças da mudança democrática", argumentava Clinton. "Um dia ela vai seguir o caminho dos regimes comunistas do Leste Europeu e da ex-União Soviética. Os Estados Unidos devem fazer o que puderem para encorajar esse processo."[4]

Depois que Clinton assumiu, em 1993, ele adotou a "ampliação" das democracias como principal objetivo de política externa. O objetivo era, ele proclamou à Assembleia Geral das Nações Unidas em setembro de 1993, "expandir e fortalecer a comunidade mundial de democracias baseadas no mercado" e "ampliar o círculo de nações que vivem sob essas instituições livres" até a humanidade atingir "um mundo de democracias vibrantes que cooperam entre si e vivem em paz".[5]

A postura de direitos humanos agressiva do novo governo não era planejada como estratégia para enfraquecer da China ou destinada a conquistar uma vantagem estratégica para os Estados Unidos. Ela refletia um conceito geral de ordem mundial em que a China deveria participar como membro respeitado. Do ponto de vista do governo Clinton, era uma tentativa sincera de apoiar práticas que o presidente e seus assessores acreditavam que serviriam bem à China.

Em Pequim, entretanto, as pressões americanas, que foram reforçadas pelas outras democracias ocidentais, eram vistas como um plano para manter a China enfraquecida ao interferir em seus assuntos domésticos à maneira dos colonialistas do século XIX. Os líderes chineses interpretavam os pronunciamentos do novo governo como uma tentativa capitalista de derrubar os governos comunistas no mundo todo. Eles nutriam uma profunda desconfiança de que, com a desintegração da União Soviética, os Estados Unidos podiam fazer o que Mao previra: deixar de lado a destruição de um gigante comunista para "cutucar com o dedo" as costas de outro.

Na sua sabatina perante o Senado, o secretário de Estado, Warren Christopher expressou o objetivo de transformar a China em termos mais limitados: que os Estados Unidos tentariam "facilitar uma evolução pacífica da China do comunismo para a democracia encorajando as forças da liberalização econômica e política nesse grande país".[6] Mas a referência de Christopher à "evolução pacífica" revivia, intencionalmente ou não, o termo usado por John Foster Dulles de projetar o eventual colapso dos Estados comunistas. Em Pequim, isso sinalizou não uma tendência auspiciosa, mas foi visto como um plano ocidental de converter a China em uma democracia capitalista sem recorrer à guerra.[7] Nem as declarações de Clinton nem as de Christopher eram vistas como controversas nos Estados Unidos; ambas foram execradas em Pequim.

Tendo lançado o desafio — sem talvez perceber plenamente sua magnitude —, o governo Clinton proclamou estar pronto para "engajar" a

China num amplo leque de questões. Entre elas estavam a reforma doméstica chinesa e sua integração com a economia mundial. Que os líderes chineses pudessem ter reservas quanto a estabelecer um diálogo com os mesmos altos funcionários americanos que haviam acabado de pleitear a substituição do sistema político deles aparentemente não era considerado um obstáculo insuperável. O destino dessa iniciativa ilustra as complexidades e ambiguidades de tal política.

Os líderes chineses já não reivindicavam mais representar uma única verdade revolucionária disponível para exportação. Em vez disso, esposavam o objetivo essencialmente defensivo de trabalhar para um mundo não abertamente hostil ao seu sistema de governo ou integridade territorial e ganhar tempo para desenvolver sua economia e corrigir seus problemas domésticos em seu próprio ritmo. Era uma postura de política externa discutivelmente mais próxima da de Bismarck do que de Mao: incremental, defensiva e baseada na construção de diques contra marés históricas desfavoráveis. Mas, mesmo com a mudança das marés, os líderes chineses projetavam um feroz sentido de independência. Eles mascaravam sua preocupação aproveitando qualquer oportunidade para proclamar que resistiriam ao máximo às pressões externas. Como insistiu Jiang comigo em 1991: "Nunca nos submetemos a pressão. Isso é muito importante [*ele falou em inglês*]. É um princípio filosófico."

Os líderes chineses tampouco aceitavam a interpretação do fim da Guerra Fria como conduzindo a um período dos Estados Unidos como hiperpotência. Em uma conversa em 1991, Qian Qichen advertiu que a nova ordem internacional não poderia permanecer unipolar indefinidamente e que a China trabalharia opor a um mundo multipolar — significando que o país agiria para combater a posição preeminente americana. Ele citou realidades demográficas — incluindo uma referência de certo modo ameaçadora à vantagem da enorme população chinesa — para sustentar seu argumento:

> Acreditamos ser impossível que um mundo tão unipolar venha a existir. Alguns parecem crer que, após o fim da Guerra do Golfo e da Guerra Fria, os Estados Unidos podem fazer qualquer coisa. Não acho isso correto. [...] No mundo muçulmano há 1 bilhão de pessoas. A China tem

uma população de 1,1 bilhão. A população do Sul da Ásia é de mais de 1 bilhão. A população da China é maior do que a população dos Estados Unidos, da União Soviética, da Europa e do Japão combinadas. Assim, continua a ser um mundo diversificado.

O premiê Li Peng fez possivelmente a avaliação mais franca da questão dos direitos humanos. Em resposta à minha delineação das três áreas necessitadas de melhoria — direitos humanos, transferência de tecnologia de armas e comércio —, ele afirmou, em dezembro de 1992:

> Com respeito às três áreas que o senhor mencionou, podemos falar sobre direitos humanos. Mas, devido a enormes diferenças entre nós, duvido que algum progresso maior seja possível. O conceito de direitos humanos envolve tradições e valores morais e filosóficos. Estes são diferentes na China, do que são no Ocidente. Acreditamos que o povo chinês deva ter mais ideais democráticos e desempenhar um papel mais importante na política domésticas. Mas isso deve ser feito de um modo aceitável pelo povo chinês.

Vindo de um representante da ala conservadora da liderança chinesa, a afirmação de Li Peng sobre a necessidade de progresso rumo aos direitos democráticos era sem precedentes. Mas igualmente o era a franqueza com que ele delineara os limites da flexibilidade chinesa: "Naturalmente, em assuntos como os direitos humanos, podemos fazer algumas coisas. Podemos ter discussões e, sem comprometer nossos princípios, podemos tomar medidas flexíveis. Mas não podemos chegar a um pleno acordo com o Ocidente. Isso sacudiria as bases de nossa sociedade."

Uma iniciativa marcante em relação à China no primeiro mandato de Clinton trouxe as questões a um ponto culminante: a tentativa do governo americano de condicionar o status comercial de Nação Mais Favorecida desfrutado pela China a melhorias no histórico de direitos humanos chinês. "Nação Mais Favorecida" é de certo modo uma expressão enganadora: uma vez que uma significativa maioria de países goza desse status, constitui menos uma marca especial de favorecimento do que uma afirmação de que o país goza de privilégios comerciais normais.[8] O conceito de condicionalidade de NMF apresentava seu propósito moral como um conceito tipicamente pragmático americano de recompensas e punições (ou "*carrots*" e "*sticks*"). Como explicou o assessor de Segurança Nacional de Clinton, Anthony Lake, os Estados Unidos sonegariam o benefício até que isso produzisse resultados, "ministrando penalidades que aumentem os custos de repressão e comportamento agressivo" até que a liderança chinesa fizesse um cálculo racional e visse que era de seu interesse liberalizar suas instituições domésticas.[9]

Em maio de 1993, Winston Lord, então secretário de Estado assistente para Assuntos do Leste Asiático e do Pacífico, e na década de 1970 meu colega indispensável durante a abertura da China, visitou Pequim para informar os altos funcionários chineses sobre o modo de pensar do novo governo. Ao fim de sua viagem, Lord advertiu que o "progresso dramático" dos direitos humanos, a não proliferação de armas nucleares e outras questões eram necessários se a China desejava evitar a suspensão de seu status de NMF.[10] Pego entre um governo chinês que rejeitava qualquer condicionalidade como ilegítima e políticos americanos exigindo condições ainda mais severas, ele não fez progresso algum.

Visitei Pequim pouco depois da viagem de Lord, onde me deparei com uma liderança chinesa esforçando-se por mapear um rumo de ação que solucionasse o impasse da condicionalidade da NMF. Jiang ofereceu uma "sugestão amigável":

> A China e os Estados Unidos, como dois grandes países, devem encarar os problemas na perspectiva de longo prazo. O desenvolvimento econômico chinês e a estabilidade social servem aos interesses da China, mas também transformam a China em uma grande força pela paz e estabilidade, na Ásia e em toda parte. Acho que, ao olhar para outros países, os Estados Unidos devem levar em consideração a autoestima e a soberania deles. Essa é uma sugestão amigável.

Jiang novamente tentou dissuadir os Estados Unidos de pensar na China como potencial ameaça ou um competidor, de tal modo a reduzir os incentivos americanos para tentar manter a China por baixo:

> Ontem, em um simpósio, falei sobre essa questão. Também mencionei um artigo no *The Times* sugerindo que a China um dia será uma super-

potência. Já disse mais de uma vez que a China nunca será uma ameaça a qualquer país.

Contra o pano de fundo da retórica dura de Clinton e o ânimo beligerante do Congresso, Lord negociou um compromisso com o líder da maioria no Senado, George Mitchell, e a representante Nancy Pelosi, estendendo o status de NMF por um ano. Isso foi expresso antes como uma ordem executiva flexível do que como uma legislação vinculante. Restringia a condicionalidade aos direitos humanos, em vez de incluir outras áreas de democratização que muitos no Congresso pediam. Mas, para os chineses, a condicionalidade era questão de princípios — assim como fora para a União Soviética quando rejeitaram a emenda Jackson-Vanik. Pequim objetava ao fato das condições, não ao seu conteúdo.

Em 28 de maio de 1993, o presidente Clinton assinou a ordem executiva estendendo o status de NMF à China por mais 12 meses, depois do que ele seria renovado ou cancelado com base na conduta chinesa no período. Clinton enfatizava que o "âmago" de sua política para a China seria "uma insistência resoluta no progresso significativo dos direitos humanos na China".[11] Ele explicou a condicionalidade de NMF, em princípio, como uma expressão da indignação americana em relação a Tiananmen e "profundas preocupações" ainda presentes sobre o modo como a China era governada.[12]

A ordem executiva foi acompanhada por uma retórica mais pejorativa sobre a China do que qualquer governo desde a década de 1960. Em setembro de 1993, o assessor de Segurança Nacional, Lake, sugeriu em um discurso que, a menos que a China cedesse à exigências americanas, ela seria incluída no que ele chamava de "Estados reacionários" agarrando-se a formas de governo ultrapassadas baseadas em "força militar, prisão política e tortura", bem como "energias intolerantes do racismo, preconceito étnico, perseguição religiosa, xenofobia e irredentismo".[13]

Outros eventos se combinaram para aprofundar as desconfianças chinesas. Negociações sobre o acesso da China ao GATT, o Acordo geral de Tarifas e Comércio (mais tarde transformado na Organização Mundial do Comércio, a OMC), paralisaram-se em um impasse sobre questões substantivas. A candidatura de Pequim para os Jogos Olímpicos de

2000 ficou sob ataque. Maiorias nas duas Câmaras do Congresso expressou sua desaprovação da candidatura; o governo norte-americano manteve um silêncio cauteloso.[14] A proposta chinesa de sediar os Jogos Olímpicos foi derrotada por pequena margem. As tensões ficaram mais inflamadas com uma intrusiva (e no fim malsucedida) inspeção americana de um navio chinês suspeito de carregar componentes de armas químicas para o Irã. Todos esses incidentes, cada um com sua própria razão de ser, foram analisados na China em termos do estilo chinês de estratégia à Sun Tzu, que não admite eventos isolados, somente padrões refletindo um plano geral.

As coisas chegaram a um clímax com a visita do secretário de Estado Warren Christopher a Pequim em março de 1994. O propósito da visita do secretário, ele contou mais tarde, era atingir uma resolução da questão NMF na altura em que o prazo final para a extensão de um ano de NMF fosse expirar, em junho, e "frisar para os chineses que sob a política do presidente eles têm um tempo apenas limitado para melhorar seu histórico de direitos humanos. Se eles pretendiam manter seus privilégios comerciais de tarifas baixas, tinha de haver progresso significativo, e logo".[15]

Os funcionários chineses haviam sugerido que o timing da visita foi inoportuno. Christopher estava programado para chegar no dia da abertura da sessão anual da legislatura chinesa, a Assembleia Popular Nacional. A presença de um secretário de Estado americano desafiando o governo chinês na questão dos direitos humanos prometia ou ofuscar as deliberações do corpo ou convidar os chineses a tomar a ofensiva para provar sua impenetrabilidade à pressão externa. Era, admitiu Christopher mais tarde, "um fórum perfeito para eles demonstrarem que pretendiam peitar a América".[16]

E assim fizeram. O resultado foi um dos encontros diplomáticos mais deliberadamente hostis desde o início da aproximação Estados Unidos-China. Lord, que acompanhou Christopher, descreveu a sessão de Christopher com Li Peng como "o congresso diplomático mais brutal a que já havia comparecido"[17] — e ele havia estado ao meu lado durante todas as negociações com os norte-vietnamitas. Christopher relatou em suas memórias a reação de Li Peng, que afirmou que a política chinesa de direitos humanos não era da nossa conta, observando que os Estados Unidos tinham um monte de problemas de direitos humanos do seu lado que precisavam de atenção. [...] Só para garantir que eu não deixasse de perceber quanto estavam descontentes, os chineses abruptamente cancelaram minha reunião posterior nesse dia com o presidente Jiang Zemin.[18]

Essas tensões, que pareciam desfazer duas décadas de uma política criativa para a China, levaram a um racha no governo entre os departamentos econômicos e os departamentos políticos encarregados de pressionar pela questão dos direitos humanos. Diante da resistência chinesa e das pressões internas americanas vindas das empresas com negócios na China, o governo começou a se ver na humilhante posição de apelar a Pequim nas últimas semanas antes do prazo final de NMF de modo que o país fizesse concessões modestas o suficiente para justificar a prorrogação da NMF.

Pouco após o regresso de Christopher, e com o prazo final autoimposto de renovação da NMF próximo, o governo abandonou silenciosamente sua política de condicionalidade. Em 26 de maio de 1994, Clinton anunciou que a utilidade da política se esgotara e que o status de NMF da China seria estendido por mais um ano essencialmente sem condições. Ele se empenhou em perseguir o progresso dos direitos humanos por outros meios, tais como apoiar as ONGs na China e encorajar as *best practices* de negócios.

Clinton, vale repetir, sempre manifestou plena intenção de apoiar as políticas que haviam mantido as relações com a China durante cinco governos de ambos os partidos. Mas, enquanto presidente recém-eleito, também era sensível à opinião doméstica americana, mais do que aos elementos intangíveis da abordagem chinesa de política externa. Ele promoveu a condicionalidade por uma questão de convicção e, acima de tudo, porque buscava proteger a política para a China da crescente pressão do Congresso que visava negar totalmente o status de NMF à China. Clinton acreditava que os chineses "deviam" ao governo americano concessões de direitos humanos em troca do restabelecimento de contatos nos altos escalões e da prorrogação da NMF. Mas os chineses consideravam que tinham o "direito" aos mesmos contatos de altos escalões e termos comerciais incondicionais que eram oferecidos a todas as demais nações. Eles não viam a remoção de uma ameaça unilateral como uma concessão, e eram extraordinariamente sensíveis em relação a qualquer sinal de intervenção em seus assuntos internos. Enquanto os direitos humanos permanecessem o principal tema do diálogo sino-americano, o impasse era inevitável. Essa experiência deveria ser estudada cuidadosamente por defensores de uma política de confronto nos dias atuais.

Durante o tempo restante de seu mandato, Clinton baixou o tom das táticas de confronto e enfatizou um "engajamento construtivo". Lord reuniu os embaixadores asiáticos dos Estados Unidos no Havaí para discutir uma política abrangente para a Ásia que equilibrasse as metas de direitos humanos do governo com seus imperativos geopolíticos. Pequim se comprometeu a um diálogo renovado, essencial para o sucesso do programa de reforma chinês e a participação na OMC.

Clinton, como George H. W. Bush antes dele, simpatizava com as preocupações dos defensores de uma mudança democrática e de direitos humanos. Mas, como todos seus predecessores e sucessores, ele passou a apreciar a força das convicções dos líderes chineses e sua tenacidade perante o desafio público.

As relações entre China e Estados Unidos rapidamente foram restabelecidas. Uma longamente almejada visita de Jiang a Washington teve lugar em 1997 e foi retribuída com uma visita de oito dias de Clinton a Pequim em 1998. Ambos os presidentes se mostraram entusiasmados. Comunicados extensos foram emitidos. Estabeleciam instituições consultivas, lidavam com uma infinidade de questões técnicas e encerravam a atmosfera de confrontação de quase uma década.

O que faltava na relação era um propósito compartilhado definido, tal como o que unira Pequim e Washington na resistência ao "hegemonismo" soviético. Os líderes americanos não poderiam permanecer de olhos fechados para as várias pressões concernentes a direitos humanos que eram geradas por suas próprias políticas domésticas e convicções. Os líderes chineses continuavam a ver a política americana como pelo menos parcialmente planejada para impedir a China de obter status de grande potência. Em uma conversa em 1995, Li Peng emitiu uma palavra de confiança, que equivalia a tranquilizar os supostos medos americanos em relação a quais objetivos uma

China em ressurgimento podia aspirar: "Não é necessário que algumas pessoas se preocupem com um rápido desenvolvimento. A China vai levar trinta anos para alcançar os países de nível intermediário. Nossa população é grande demais." Os Estados Unidos, por sua vez, fizeram juras regulares de que não haviam mudado sua política para uma contenção. A implicação de ambas as garantias era de que cada lado tinha a capacidade de implementar o que oferecia para tranquilizar o outro e de que ambos estavam em parte restingindo a si mesmos. Garantias se misturavam com ameaças.

A terceira Crise do Estreito de Taiwan

As tensões cercando a concessão do status de Nação Mais Favorecida estavam em vias de ser superadas quando a questão de Taiwan ressurgiu. Dentro da estrutura da barganha tácita fundamentando os três comunicados nos quais a normalização das relações havia sido baseada, Taiwan estabelecera uma economia vibrante e instituições democráticas. Juntara-se ao Banco Asiático de Desenvolvimento e à Apec (Asian Pacific Economic Cooperation) e participara dos Jogos Olímpicos com consentimento de Pequim. De sua parte, Pequim promovera, começando na década de 1980, propostas de unificação em que Taiwan ganharia total autonomia interna. Contanto que Taiwan aceitasse seu status como "Região Administrativa Especial" da República Popular (o mesmo status legal que Hong Kong e Macau receberiam), Pequim prometia, teria permissão de manter suas próprias instituições políticas distintas e até suas forças armadas.[19]

A reação de Taipei a essas propostas foi cautelosa. Mas ela se beneficiou da transformação econômica da República Popular e tornou-se cada vez mais economicamente interdependente com esta. Acompanhando o afrouxamento das restrições no investimento e no comércio bilateral no fim da década de 1980, muitas empresas de Taiwan mudaram sua produção para o continente. Perto do fim de 1993, Taiwan havia ultrapassado o Japão para se tornar a segunda maior fonte de investimento estrangeiro na China.[20]

Embora a interdependência econômica se desenvolvesse, os caminhos ideológicos dos dois lados divergiam significativamente. Em 1987, o envelhecido líder de Taiwan, Chiang Ching-kuo, suspendera a lei marcial. Uma liberalização dramática das instituições domésticas de Taiwan se seguiu: as restrições à imprensa foram suspensas; partidos políticos rivais receberam permissão de concorrer nas eleições legislativas. Em 1994, uma emenda constitucional lançou as bases para a eleição direta do presidente de Taiwan por sufrágio universal. Novas vozes na arena política de Taiwan que haviam tido suas atividades tolhidas pelas restrições da era da lei marcial começaram a defender uma identidade nacional distinta para a ilha e potencialmente a independência formal. A principal delas foi a de Lee Teng-hui, o enérgico economista agrícola que galgara seu caminho até os escalões mais elevados do Partido Nacionalista e foi designado presidente do partido em 1988.

Lee encarnava tudo que Pequim detestava em um político de Taiwan. Ele crescera sob a colonização japonesa da ilha, assumira um nome japonês, estudara no Japão e servira no Exército Imperial japonês durante a Segunda Guerra Mundial. Mais tarde, recebera educação avançada nos Estados Unidos, na Universidade de Cornell. Ao contrário da maioria dos líderes do Partido Nacionalista, Lee era nascido em Taiwan; dizia com todas as letras que via a si mesmo como "um taiwanês primeiro e um chinês depois" e era um proponente orgulhoso e insistente das instituições distintas e da experiência histórica de Taiwan.[21]

À medida que a eleição de 1996 se aproximava, Lee e seu gabinete empenharam-se numa série de ações planejadas passo a passo para ampliar o que descreviam como "espaço vital internacional". Para incômodo de Pequim (e de muitos em Washington), Lee e outros ministros seniores procederam a uma "diplomacia de férias" que consistia de grandes delegações de funcionários taiwaneses viajando "extraoficialmente" para capitais mundiais, ocasionalmente durante encontros de organizações internacionais, e depois dando um jeito de serem recebidos formalmente com todas as pompas estatais possíveis.

O governo Clinton tentou ficar afastado desses acontecimentos. Em um encontro e uma coletiva de imprensa em novembro de 1993 com Jiang Zemin em Seattle, por ocasião de uma cúpula de nações da Apec de ambos os lados do Pacífico, Clinton afirmou:

> Em nossa reunião reafirmei o apoio norte-americano para os três comunicados conjuntos como base de nossa política de China única. [...]

> A política dos Estados Unidos sobre uma só China é a política correta para os Estados Unidos. Ela não é um obstáculo para que respeitemos o Taiwan Relations Act, tampouco é um obstáculo para a forte relação econômica que mantemos com Taiwan. Há um representante [de Taiwan], como todos sabem, aqui no encontro. De modo que me sinto bem acerca do ponto em que nos encontramos. Mas acho que isso não vai ser um grande obstáculo em nossa relação com a China.[22]

No parecer de Clinton, os líderes taiwaneses precisavam exercitar a moderação. Mas Lee estava decidido a forçar o princípio da identidade nacional taiwanesa. Em 1994, ele pediu permissão para descer no Havaí a fim de reabastecer seu avião a caminho da América Central — a primeira vez que um presidente taiwanês pousava em solo americano. O alvo seguinte de Lee foi a reunião de 1995 em Cornell, onde obtivera seu ph.D. em economia em 1958. Sob a vigorosa insistência de Newt Gingrich, recém-eleito presidente da Câmara dos Deputados, o Congresso votou unanimemente na Câmara e com apenas um voto contrário no Senado para apoiar a visita de Lee. Warren Christopher assegurara ao ministro das Relações Exteriores chinês em abril que aprovar a visita de Lee seria "inconsistente com a política americana". Mas, diante de pressão tão formidável, o governo voltou atrás e aquiesceu ao pedido de uma visita pessoal e extraoficial.

Uma vez em Cornell, Lee fez um discurso distendendo a definição de "extraoficial". Após fazer uma breve reminiscência afetuosa a seu tempo em Cornell, Lee se dedicou a um exaltado discurso sobre as aspirações do povo taiwanês ao reconhecimento formal. Seus comentários elípticos, referências frequentes ao seu "país" e "nação" e a discussão direta sobre a queda iminente do comunismo excederam a tolerância de Pequim.

Pequim mandou chamar seu embaixador em Washington, postergou a aprovação do embaixador indicado, James Sasser, e cancelou outros contatos oficiais com o governo americano. Depois, seguindo o roteiro da Crise do Estreito de Taiwan da década de 1950, Pequim iniciou exercícios militares e testes de mísseis ao largo da costa no sudeste da China que eram em partes iguais deterrência militar e teatro político. Em uma série de gestos de ameaça, a China disparou mísseis contra o estreito de Taiwan — a fim de demonstrar sua capacidade militar e advertir os líderes taiwaneses. Mas utilizou ogivas vazias, desse modo sinalizando que os disparos tinham uma qualidade primordialmente simbólica.

A tranquilidade em relação a Taiwan só podia ser mantida na medida em que nenhuma das partes desafiasse os três comunicados. Pois eles continham tantas ambiguidades que uma tentativa de qualquer lado de alterar a estrutura ou de impor a interpretação de suas cláusulas viraria de cabeça para baixo toda a estrutura. Pequim não exigira um esclarecimento, mas, uma vez desafiada, sentiu-se compelida a demonstrar minimamente quão seriamente a China encarava o assunto.

No início de julho de 1995, quando a crise ainda ganhava ímpeto, eu estava em Pequim com uma delegação da America-China Society, um grupo bipartidário de ex-funcionários de alto escalão que lidavam com a China. Em 4 de julho, encontramo-nos com o vice-premiê Qian Qichen e o embaixador chinês para os Estados Unidos, Li Daoyu. Qian expôs a posição chinesa. A soberania era inegociável:

> Dr. Kissinger, o senhor deve ter consciência de que a China atribui grande importância às relações sino-americanas, a despeito de nossas ocasionais disputas. Esperamos ver as relações sino-americanas restabelecidas à normalidade e melhoradas. Mas o governo norte-americano deve ter clareza quanto a um ponto: não dispomos de nenhum espaço de manobra na questão de Taiwan. Jamais iremos abrir mão de nossa posição em Taiwan por princípio.

As relações com a China haviam atingido um ponto em que a arma de duelo escolhida tanto pelos Estados Unidos como pela China foi a suspensão dos contatos nas instâncias superiores, criando o paradoxo de que ambos os lados se privavam do mecanismo de lidar com uma crise quando ela era mais necessária. Após a desintegração da União Soviética, cada lado proclamou a amizade com o outro menos para perseguir um objetivo estratégico comum do que encontrar um modo de simbolizar a cooperação — nesse momento, desafiando seu caráter factual.

Os líderes chineses transmitiram pouco depois de minha chegada seu desejo de um desfecho pacífico com um de seus sutis gestos tão ao seu gosto. Antes de se iniciar a agenda formal da America-China Society, fui convidado para dar uma conferência em uma escola secundária em Tianjin que havia sido frequentada por Zhou Enlai. Acompanhado por um funcionário sênior do Ministério de Relações Exteriores, fui fotografado perto de uma estátua de Zhou, e o funcionário que me apresentou valeu-se da ocasião para recordar o auge da cooperação próxima sino-americana.

Outro sinal de que as coisas não escapariam mais do controle veio de Jiang. Embora a retórica de todos os lados fosse intensa, perguntei a Jiang se a declaração de Mao de que a China poderia esperar cem anos por Taiwan continuava a valer. Não, respondeu Jiang. Quando perguntei em que sentido, Jiang afirmou: "A promessa foi feita há 23 anos. Agora só restam 77."

O professado desejo mútuo de aliviar as tensões, porém, era dificultado pelo cenário da crise pós-Tiananmen. Não houvera nenhum diálogo nas instâncias elevadas, nenhuma visita ministerial, desde 1989; a única conversa de alto escalão em seis anos dera-se nos bastidores de reuniões internacionais ou na ONU. Paradoxalmente, na sequência das manobras militares no estreito de Taiwan, a questão imediata se resumia em parte em um problema procedimental sobre como uma reunião entre líderes poderia ser arranjada.

Desde Tiananmen, os chineses haviam tentado um convite para uma visita presidencial a Washington. Tanto o presidente Bush como Clinton fugiram da possibilidade. O ressentimento aumentou. Também os chineses estavam rejeitando contatos de alto escalão até garantias serem dadas de que não se repetiria visita à América feita pelo presidente taiwanês.

As coisas estavam de volta ao ponto das discussões no fim da visita secreta, 25 anos antes, que haviam entrado brevemente em um beco sem saída quanto à questão de quem estava convidando quem — impasse quebrado por uma fórmula de Mao, que podia ser interpretada como significando que um lado convidara o outro.

Uma espécie de solução foi encontrada quando o secretário de Estado Christopher e o ministro das Relações Exteriores encontraram-se por ocasião de uma conferência da Asean em Brunei, removendo a necessidade de determinar quem dera o primeiro passo. O secretário Christopher transmitiu uma garantia — incluindo uma carta presidencial ainda não divulgada definindo as intenções americanas — a respeito das visitas aos Estados Unidos por parte de funcionários seniores taiwaneses e um convite para uma reunião entre Jiang e o presidente.

A cúpula entre Jiang e Clinton se concretizou em outubro, embora não de modo a levar plenamente em consideração as vaidades chinesas. Não era uma visita oficial, nem em Washington; estava programada na verdade para Nova York, no contexto da comemoração do cinquentenário das Nações Unidas. Clinton encontrou-se com Jiang no Lincoln Center, como parte de uma série de reuniões similares com os mais importantes líderes comparecendo à sessão da ONU. Uma visita a Washington feita pelo presidente chinês na sequência dos exercícios militares chineses no estreito de Taiwan teria se deparado com uma recepção demasiado hostil.

Nessa atmosfera de ambivalência inconclusiva — de ofertas veladas e recuos moderados — as eleições parlamentares de Taiwan, programadas para 2 de dezembro de 1995, voltaram a elevar a temperatura. Pequim iniciou uma nova série de exercícios militares ao largo da costa de Fujian, com forças no ar, no mar e em terra conduzindo manobras conjuntas para simular um desembarque anfíbio em território hostil. Isso foi acompanhado por uma campanha igualmente agressiva de guerra psicológica. Um dia antes da eleição legislativa de dezembro, o Exército de Libertação Popular anunciou uma série subsequente de exercícios a terem lugar em março de 1996, pouco antes da eleição presidencial taiwanesa.[23]

À medida que a eleição se aproximava, testes de mísseis "cercando" Taiwan acertaram pontos próximos a importantes cidades portuárias no nordeste e sudoeste da ilha. Os Estados Unidos responderam com a demonstração de força mais significativa dos americanos contra a China desde o rapprochement de 1971, enviando dois grupos de batalha de porta-aviões, com o *Nimitz* até o estreito de Taiwan, sob o pretexto de evitar o "mau tempo". Ao mesmo tempo, movendo-se num caminho apertado, Washington assegurou à China que não estava alterando sua política da China única e advertiu Taiwan a não se envolver em atos de provocação.

Aproximando-se do precipício, tanto Washington quanto Pequim recuaram, percebendo que não tinham nenhum objetivo de guerra pelo qual combater ou termos a impor que fossem capazes de mudar a realidade de que a China (na descrição de Madeleine Albright) "é, em sua própria categoria — grande demais para ser ignorada, repressora demais para ser admitida, difícil de influenciar e muito, muito orgulhosa".[24] De sua parte, a América era poderosa demais para ser coagida e comprometida demais com relações construtivas com a China para haver necessidade de ser. Uma superpotência americana, uma China dinâmica, um mundo globalizado e a gradual mudança do centro de gravidade dos assuntos mundiais do oceano Atlântico para o Pacífico exigiam um relacionamento pacífico e cooperativo. Na esteira da crise, as relações entre China e Estados Unidos melhoraram marcadamente.

Com as relações começando a se aproximar de pontos altos anteriores, mais uma crise sacudiu o relacionamento de forma tão súbita quanto um trovão no fim de um dia de verão. Durante a guerra do Kossovo, no que em tudo mais era um bom momento das relações EUA-China, em maio de 1999, um bombardeio americano B-2 procedente de Missouri destruiu a embaixada chinesa em Belgrado. Uma tempestade de protestos varreu a China. Estudantes e governo pareciam unidos contra o que presumiam ser mais uma manifestação do desrespeito americano à soberania chinesa. Jiang falou em "provocação deliberada". Ele se pronunciou em desafio, revelando uma inquietação latente: "A grande República Popular da China jamais se deixará intimidar, a grande nação chinesa jamais será humilhada e o povo chinês jamais será conquistado."[25]

Assim que a secretária de Estado Madeleine Albright foi informada, ela pediu ao vice-presidente do Estado Maior Conjunto para acompanhá-la à embaixada chinesa em Washington, embora estivessem no meio da noite, para expressar seu pesar em nome do governo americano.[26] Jiang sentiu-se obrigado pelo ânimo popular, contudo, a expressar seu próprio sentimento de indignação, mas depois a usar essa expressão para conter seu público (um padrão similar ao dos presidentes americanos na questão dos direitos humanos).

A indignação chinesa encontrou paralelo do lado americano com os argumentos de que a China precisava ser enfrentada. Ambos os pontos de vista refletiam convicções sérias e ilustravam o potencial para o confronto em uma relação em que ambos os lados eram arrastados pela natureza da política externa moderna para tensões uma com a outra pelo mundo afora.

Os governos de ambos os lados permaneceram comprometidos com a necessidade de cooperação, mas eram incapazes de controlar todos os modos com os quais os países incomodavam um ao outro. É o desafio não resolvido das relações sino-americanas.

O ressurgimento da China e as reflexões de Jiang

No meio das crises periódicas relatadas anteriormente, a década de 1990 testemunhou um período de espantoso crescimento econômico na China, e com ele a transformação do papel do país no mundo. Nos anos 1980, a "Reforma e Abertura" chinesa permanecera parcialmente como uma visão: seus efeitos eram observáveis, mas sua profundidade e longevidade estavam abertas ao debate. Dentro da própria China a direção continuava contestada; na esteira de Tiananmen, parte das elites acadêmica e política defendia um olhar para dentro e uma retração das ligações econômicas da China com o Ocidente (tendência que Deng acabou se vendo obrigado a desafiar com sua Viagem ao Sul). Quando Jiang assumiu o poder, um setor largamente não reformado de empresas estatais nos moldes soviéticos ainda constituía 50% da economia.[27] As ligações da China com o sistema de comércio mundial eram hesitantes e parciais. Empresas estrangeiras continuavam céticas quanto a investir na China; empresas chinesas raramente se aventuravam ao exterior.

Perto do fim da década, o que antes parecera uma perspectiva improvável tornara-se realidade. Durante toda a década a China cresceu a uma taxa não inferior a 7% ao ano, e muitas vezes a taxa de dois dígitos, continuando um crescimento no PIB per capita que se situa entre os mais duradouros e poderosos da história.[28] Perto do fim da década de 1990, a renda média era de aproximadamente três vezes o que fora em 1978; em áreas urbanas, o nível de rendimento cresceu ainda mais drasticamente, cerca de cinco vezes o nível de 1978.[29]

Durante todas essas mudanças, o comércio chinês com países vizinhos era florescente e desempenhava um papel econômico regional cada vez mais central. O país conseguiu controlar um período de inflação perigosamente crescente no início dos anos 1990, implementando controles de capital e um programa de austeridade fiscal que foi mais tarde considerado responsável por poupar a China dos piores efeitos da crise financeira asiática em 1997-1998. Surgindo, pela primeira vez, como uma fortaleza de crescimento econômico e estabilidade em uma época de crise econômica, a China se viu desempenhando um papel inédito: antes objeto de prescrições estrangeiras, geralmente ocidentais, de política econômica, o país era agora cada vez mais um proponente independente de suas próprias soluções — e uma fonte de auxílio emergencial para outras economias em crise. Em 2001, o novo status da China foi sedimentado com uma candidatura vitoriosa para sediar os Jogos Olímpicos de 2008 em Pequim, e a conclusão das negociações que tornavam a China um membro da OMC.

O que alimentava essa transformação era a recalibragem da filosofia política doméstica chinesa. Avançando ainda mais na estrada reformista que Deng mapeara pela primeira vez, Jiang empenhou-se em ampliar o conceito de comunismo abrindo-o de uma elite exclusiva baseada em uma classe para um espectro mais amplo da sociedade. Ele enunciou sua filosofia, que se tornou conhecida como "Tripla Representatividade", no XVI Congresso do Partido em 2002 — o último Congresso a que ele compareceria como presidente na véspera da primeira transferência pacífica de poder na história moderna chinesa. Ela explicava por que o Partido que ganhara apoio mediante a revolução necessitava agora representar também os interesses de seus antigos inimigos ideológicos, incluindo empresários. Jiang abriu o Partido Comunista aos líderes dos negócios, democratizando a governança interna do Partido Comunista no que permanecia um Estado unipartidário.

Ao longo desse processo, a China e os Estados Unidos tornavam-se cada vez mais envolvidos economicamente. No início da década de 1990, o volume total de comércio norte-americano com a China continental continuava sendo apenas metade do comércio americano com Taiwan. Perto do fim da década o comércio EUA-China quadruplicara, e as exportações chinesas para os Estados Unidos haviam crescido sete vezes.[30] As multinacionais americanas viam a China como um componente essencial de suas estratégias de negócios, tanto enquanto local de produção como mercado em crescimento. A China por sua vez usava suas reservas cambiais cada vez maiores para investir em títulos do Tesouro norte-americano (e em 2008 se tornaria a maior detentora estrangeira de dívidas americanas).

Em meio a tudo isso a China assomava rumo a um novo papel mundial, com interesses nos quatro cantos do planeta e integrada em grau sem precedentes com tendências políticas e econômicas mais amplas. Dois séculos após as primeiras negociações mutuamente malcompreendidas acerca de comércio e reconhecimento diplomático entre Macartney e a corte chinesa, houve um reconhecimento tanto na China como no Ocidente de que estavam chegando a um novo estágio em suas interações, estivessem ou não preparados para os desafios que isso iria apresentar. Como observou o vice-premiê Zhu Rongji em 1997: "Nunca antes na história a China manteve intercâmbios e comunicações tão frequentes com o resto do mundo."[31]

Em eras anteriores — como a de Macartney ou até a era da Guerra Fria — um "mundo chinês" e um "mundo ocidental" haviam interagido em instâncias limitadas e a um ritmo cerimonioso. Agora a tecnologia moderna e a interdependência econômica tornavam impossível, para o bem ou para o mal, conduzir as relações de maneira tão calculada. Como resultado, os dois lados enfrentavam uma situação em certa medida paradoxal em que tinham um leque muito mais vasto de oportunidades para a compreensão mútua, mas, ao mesmo tempo, novas oportunidades de ferir as sensibilidades um do outro. Um mundo globalizado os unira, mas também arriscava exacerbação mais frequente e rápida de tensões em tempos de crise.

À medida que seu período no poder se aproximava do fim, Jiang manifestou sua admissão desse perigo de um modo pessoal, quase sentimental, em geral nunca visto nas maneiras reservadas, conceituais, autocontidas da liderança chinesa. A ocasião foi um encontro em 2001 com alguns membros da America-China Society. Jiang estava em seu último ano de um mandato de 12 anos, mas já tomado pela nostalgia daqueles que estão deixando uma atividade em que, por definição, toda ação fez diferença para um mundo em que eles em breve serão praticamente apenas espectadores. Ele ocupara uma posição de proeminência durante um período turbulento, que começara com a China substancialmente isolada internacionalmente, pelo menos entre os Estados democráticos avançados, os países dos quais a China mais necessitava para implementar seu programa de reforma.

Jiang transpusera esses desafios. A cooperação política com os Estados Unidos fora restabelecida. O programa de reforma estava acelerando e produzindo a extraordinária taxa de crescimento que iria, no decorrer de mais uma década, fazer da China uma potência financeira e econômica global. Uma década que começou em turbulência e dúvida tornara-se um período de realização extraordinária.

Em toda a pródiga história chinesa, não havia qualquer precedente sobre como participar de uma ordem global, fosse de comum acordo, fosse em oposição a outra superpotência. Como se veria, essa superpotência, os Estados Unidos, também carecia da experiência para tal — se de fato o país tinha a inclinação para isso. Uma nova ordem internacional estava fadada a emergir, por intenção ou por omissão. Sua natureza e as medidas para sua concretização eram os desafios por resolver dos dois países. Eles iriam interagir, fosse como parceiros, fosse como adversários. Seus líderes contemporâneos professavam a parceria, mas nenhum dos dois ainda conseguira definir seus termos ou erguer proteções contra as possíveis turbulências mais à frente.

Agora Jiang se deparava com um novo século e uma diferente geração de líderes americanos. Os Estados Unidos tinham um novo presidente, o filho de George H. W. Bush, que ocupara a Casa Branca quando Jiang era tão inesperadamente alçado por eventos que ninguém poderia ter previsto. A relação com o novo presidente começou com outro conflito militar não pretendido. Em 1º de abril de 2001, um avião de reconhecimento sobrevoando a costa da China pouco além das águas territoriais do país estava sendo seguido por uma aeronave militar chinesa, que então colidiu com o avião americano perto da ilha de Hainan, na costa sul do país. Nem Jiang nem Bush permitiram que o incidente minasse a relação. Dois dias depois, Jiang partiu numa viagem pela América do Sul, programada havia muito tempo, sinalizando que ele, como presidente da Comissão Militar Central, não pretendia agir como se em uma crise. Bush manifestou seu pesar, não pelo voo de reconhecimento, mas pela morte do piloto chinês.

Algum pressentimento sobre o perigo do curso errático dos acontecimentos parece ter ocupado a mente de Jiang durante o encontro com membros da America-China Society, quando enveredou por um pronunciamento aparentemente digressivo citando poesia chinesa clássica, interpolando expressões inglesas, exaltando a importância da cooperação entre Estados Unidos e China. Por mais prolixas que fossem suas declarações, elas refletiam uma esperança e um dilema: a esperança de que os dois países encontrassem um modo de trabalhar juntos para evitar as tempestades geradas pelo próprio dinamismo de suas sociedades — e o medo de que pudessem perder sua oportunidade de fazê-lo.

O tema principal dos comentários de abertura de Jiang foi a importância da relação sino-americana: "Não estou tentando exagerar nossa própria importância, mas a boa cooperação entre os Estados Unidos e a China é importante para o mundo. Vamos fazer nosso melhor para fazer isso [*dito em inglês*]. Isso é importante para o mundo todo." Mas, se o mundo todo era a questão, havia algum líder realmente qualificado para lidar com isso? Jiang lembrou que sua instrução começara com o confucionismo tradicional numa trajetória que incluía a educação ocidental, depois o estudo em escolas na antiga União Soviética. Agora ele liderava a transição de um país que lidava com todas essas culturas.

A China e os Estados Unidos enfrentavam um problema imediato: o futuro de Taiwan. Jiang não usava a retórica familiar à qual nos havíamos acostumado. Seus comentários diziam respeito mais à dinâmica interna do diálogo e como ele talvez escapasse do controle, independentemente da intenção dos líderes, que podiam ser compelidos por seu público a tomar atitudes que prefeririam ter evitado: "A principal questão entre os Estados Unidos e a China é a questão de Taiwan. Por exemplo, muitas vezes dizemos 'resolução pacífica' e 'um país, dois sistemas'. Falando em termos gerais, eu me limito a dizer essas duas coisas. Mas às vezes acrescento que não podemos nos comprometer a não usar a força."

Jiang não conseguia evitar, é claro, a questão que causara um impasse em mais de 130 reuniões entre diplomatas chineses e americanos antes da abertura para a China ou das ambiguidades deliberadas desde então. Mas embora a China se recusasse a abrir mão do uso da força porque isso implicaria uma limitação de sua soberania, ela na prática se abstivera disso por trinta anos, na época do diálogo com Jiang. E Jiang apresentara a linguagem sacramental do modo mais delicado possível.

Jiang não insistia numa mudança imediata. No lugar disso, ele assinalava que a posição americana continha uma anomalia. Os Estados Unidos não apoiavam a independência de Taiwan; tampouco, por outro lado, defendiam a reunificação. A consequência prática era transformar Taiwan em um "porta-aviões insubmersível" dos Estados Unidos. Em tal situação, fossem quais fossem as intenções do governo chinês, as convicções de sua população podiam gerar seu próprio impulso rumo à confrontação:

> Nos cerca de 12 anos em que ocupei o governo Central, senti fortemente os sentimentos de 1,2 bilhão de chineses. Claro que temos as melhores aspirações em relação a vocês, mas, se uma centelha se inflamar, será difícil controlar as emoções de 1,2 bilhão de pessoas.

Senti-me obrigado a responder a essa ameaça do uso da força, por mais pesarosa e indiretamente que tivesse sido formulada:

> Se a discussão diz respeito ao uso da força, ela vai fortalecer todas as forças que querem usar Taiwan para prejudicar nosso relacionamento. Em um confronto militar entre Estados Unidos e China, mesmo aqueles de nós que ficariam de coração partido seriam obrigados a dar seu apoio ao próprio país.

A resposta de Jiang não consistiu em repetir o que a essa altura era a tradicional invocação do caráter impermeável da China ao perigo da guerra. Ele assumiu a perspectiva de um mundo cujo futuro dependia da cooperação sino-americana. Falou de concessões — palavra quase nunca utilizada pelos líderes chineses acerca de Taiwan, mesmo quando era praticada. Evitou fazer fosse uma proposta, fosse uma ameaça. E não estava mais em posição de moldar o resultado. Invocou uma perspectiva global — precisamente o que era mais necessário e o que a história de cada nação tornava mais difícil:

> Não está claro se a China e os Estados Unidos podem encontrar uma língua comum e resolver a questão de Taiwan. Já observei que, se Taiwan não estivesse sob a proteção dos Estados Unidos, teríamos sido capazes de liberá-la. Logo, a questão é como podemos nos comprometer e obter uma solução satisfatória. Essa é a parte mais sensível de nossas relações. Não estou sugerindo nada, aqui. Somos velhos amigos. Não necessito usar de linguagem diplomática. Em última análise, espero que com Bush

no governo nossos dois países possam abordar as relações EUA-China de uma perspectiva estratégica e global.

Os líderes chineses com quem eu me encontrara previamente tinham uma perspectiva de longo prazo, mas que se baseava em grande parte nas lições do passado. Eles também estavam no processo de empreender grandes projetos significativos para um futuro distante. Mas raramente descreviam o formato do futuro a médio prazo, presumindo que seu caráter emergiria dos amplos esforços em que estavam envolvidos. Jiang esperava algo menos dramático, mas talvez ainda mais profundo. No fim de sua presidência, abordou a necessidade de redefinir a estrutura política de cada lado. Mao conclamara ao rigor ideológico mesmo enquanto empreendia suas táticas e manobras. Jiang parecia dizer que cada lado devia se dar conta de que, se era para cooperarem de verdade, precisavam compreender as modificações que eram obrigados a fazer em suas atitudes tradicionais. Ele insistia com ambos os lados para que reexaminassem suas próprias doutrinas internas e ficassem abertos a reinterpretá-las — incluindo o socialismo:

> O mundo deve ser um lugar rico, colorido, diversificado. Por exemplo, na China em 1978 tomamos a decisão da Reforma e Abertura. [...] Em 1992, no XIV Congresso Nacional, afirmei que o modelo de desenvolvimento chinês devia ir na direção de uma economia de mercado socialista. Quem está acostumado ao Ocidente não acha que o mercado seja uma coisa estranha, mas em 1992 dizer "mercado" aqui era um grande risco.

Por esse motivo, Jiang argumentava que ambas as partes deviam adaptar suas ideologias às necessidades de sua interdependência:

> Em termos simples, o mais aconselhável para o Ocidente é pôr de lado sua atitude passada em relação aos países comunistas, e devemos deixar de tomar o comunismo em termos ingênuos ou simplistas. Há uma famosa declaração de Deng em sua viagem pelo Sul da China em 1992 de que o socialismo levará gerações, inúmeras gerações. Sou um engenheiro. Calculei que houve 78 gerações desde Confúcio até hoje. Deng disse que o

socialismo vai demorar tanto quanto. Deng, penso isso hoje, criou condições muito boas para mim. No argumento de vocês sobre sistemas de valores, o Oriente e o Ocidente devem aperfeiçoar o entendimento mútuo. Talvez eu esteja sendo um pouco ingênuo.

A referência às 78 gerações visava tranquilizar os Estados Unidos para que não se alarmassem com a ascensão de uma China poderosa. Seriam necessárias muitas gerações para que isso se cumprisse. Mas as circunstâncias políticas na China haviam certamente mudado quando um sucessor de Mao podia dizer que os comunistas deviam parar de falar sobre sua ideologia em termos ingênuos e simplistas. Ou falar sobre a necessidade de um diálogo entre o mundo ocidental e a China a respeito de como ajustar seus contextos filosóficos um em relação ao outro.

Do lado americano, o desafio era encontrar um caminho em meio a uma série de avaliações divergentes. Seria a China uma parceira ou uma adversária? O futuro era de cooperação ou confrontação? Seria a missão americana levar a democracia à China ou cooperar com a China para ensejar um mundo pacífico? Ou as duas coisas eram possíveis?

Ambos os lados têm sentido a obrigação desde então de superar suas ambivalências internas e definir a natureza última de seu relacionamento.

CAPÍTULO 18

O novo milênio

O FIM DA PRESIDÊNCIA de Jiang Zemin marcou uma virada nas relações sino-americanas. Jiang foi o último presidente com quem o principal assunto do diálogo sino-americano foi a própria relação. Depois disso, os dois lados fundiram, se não suas convicções, ao menos suas práticas em um padrão de coexistência cooperativa. A China e os Estados Unidos não mais tinham um adversário comum, mas tampouco tinham desenvolvido ainda um conceito conjunto de ordem mundial. As reflexões informais de Jiang na longa conversa mantida com ele, descritas no capítulo anterior, ilustravam a nova realidade: os Estados Unidos e a China percebiam que precisavam um do outro porque ambos eram grandes demais para serem dominados, especiais demais para serem transformados e necessários demais um ao outro para permitir o luxo do isolamento. Além disso, os propósitos comuns eram atingíveis? E com que finalidade?

O milênio foi o início simbólico desse novo relacionamento. Uma nova geração de líderes assumira o governo da China e dos Estados Unidos: do lado chinês, uma "quarta geração" encabeçada pelo presidente Hu Jintao e pelo premiê Wen Jiabao; do lado americano, os governos conduzidos pelos presidentes George W. Bush e, começando em 2009, Barack Obama. Ambos mostravam uma atitude ambivalente em relação ao tumulto das décadas que os precederam.

Hu e Wen trouxeram uma perspectiva sem precedentes à tarefa de administrar o desenvolvimento da China e definir seu papel mundial. Eles representaram a primeira geração de líderes sem experiência pessoal na revolução, os primeiros no período comunista a assumir o poder mediante processos constitucionais — e os primeiros a assumir posições de responsabilidade nacional em uma China emergindo inequivocamente como grande potência.

Ambos os homens tinham experiência direta com a fragilidade de seu país e seus complexos desafios domésticos. Como jovens funcionários durante a década de 1960, Hu e Wen estavam entre os últimos estudantes a receber ensino superior formal antes que o caos da Revolução Cultural fechasse as universidades. Educado na Universidade Tsinghua, em Pequim — centro de atividade dos Guardas Vermelhos —, Hu permaneceu na universidade como conselheiro político e assistente de pesquisa, em condições de observar o caos das facções beligerantes e, ocasionalmente, tornar-se alvo delas por ser "individualista demais".[1] Quando Mao decidiu dar um basta à devastação dos Guardas Vermelhos mandando a geração mais jovem para o campo, Hu acabou sofrendo esse mesmo destino. Ele foi despachado para a província de Gansu, uma das regiões mais desoladas e rebeldes da China, para trabalhar em uma hidroelétrica. Wen, recém-formado no Instituto de Geologia de Pequim, recebeu incumbência similar, e foi enviado para trabalhar em projetos de mineralogia em Gansu, onde permaneceria por mais de uma década. Lá, nos distantes rincões noroestes de seu país sacudido pelos tumultos, Hu e Wen galgaram uma vagarosa escalada pelas fileiras internas da hierarquia do Partido Comunista. Hu ascendeu à posição de secretário da Liga da Juventude Comunista para a província de Gansu. Wen tornou-se o vice-diretor do escritório geológico provincial. Em uma era de revoltas e fervor revolucionário, ambos se distinguiram por sua serenidade e competência.

Para Hu, o acontecimento seguinte teve lugar na Escola Central do Partido em Pequim, onde, em 1982, ele chamou a atenção de Hu Yaobang, então secretário-geral do Partido. Isso levou a uma rápida promoção à posição de secretário do Partido em Ghizhou, no remoto sudoeste chinês; aos 43 anos, Hu Jintao era o mais jovem secretário do Partido na história do Partido Comunista.[2] Sua experiência em Ghizhou, uma província pobre com significativa presença de minorias, preparou Hu para sua incumbência seguinte, em 1988, como secretário do Partido para a região autônoma do Tibete. Wen, entrementes, foi transferido para Pequim, onde serviu em uma série de postos cada vez mais cheios de responsabilidade no Comitê Central do Partido Comunista. Ele se estabeleceu como assistente de confiança de três líderes chineses sucessivos: Hu Yaobang, Zhao Ziyang e, finalmente, Jiang Zemin.

Tanto Hu como Wen viveram uma experiência pessoal próxima com a crise de 1989 — Hu no Tibete, aonde chegou em dezembro de 1988, bem quando uma grande revolta tibetana se iniciava; Wen em Pequim, onde, como vice de Zhao Ziyang, esteve ao lado do secretário-geral durante sua última e infeliz jornada entre os estudantes na praça Tiananmen.

Assim, na época em que assumiram os principais cargos de liderança nacional em 2002-2003, Hu e Wen haviam obtido uma perspectiva diferenciada do ressurgimento da China. Treinados em suas fronteiras rudes e instáveis e servindo em um escalão intermediário durante Tiananmen, ambos estavam conscientes da complexidade dos desafios domésticos chineses. Chegando ao poder durante um prolongado período de crescimento doméstico sustentado e na esteira da entrada chinesa na ordem econômica internacional, eles assumiram o leme de uma China inegavelmente "chegando" à condição de potência mundial, com interesses nos quatro cantos do globo.

Deng dera uma trégua à guerra maoista contra a tradição chinesa e permitiu aos chineses se reconectar com suas forças históricas. Mas, como outros líderes chineses ocasionalmente haviam dado a entender, a era Deng foi uma tentativa de compensar o tempo perdido. Houve nesse período uma sensação de esforço especial e, nas entrelinhas, de constrangimento quase inocente com os passos errados da China. Jiang projetava uma imagem de confiança inabalável e bonomia, mas ele assumia o leme de uma China ainda se recuperando da crise doméstica e empenhando-se em recuperar sua proeminência internacional.

Foi na virada do século que os esforços dos períodos Deng e Jiang começaram a dar frutos. Hu e Wen governavam um país que não mais se sentia paralisado pela sensação de ser um aprendiz da tecnologia e das instituições ocidentais. A China que conduziam era confiante o bastante para rejeitar os sermões americanos sobre reforma, e até ocasionalmente zombar deles. Ela agora estava em posição de conduzir sua política externa não baseada em potencial de longo prazo ou de seu eventual papel estratégico, mas em termos de poder de fato.

Poder com que finalidade? A abordagem inicial de Pequim à nova era seria em larga medida de incrementação e conservação. Jiang e Zhu haviam negociado a entrada da China na OMC e a participação integral na ordem econômica internacional. A China sob Hu e Wen aspirava antes de mais nada à normalidade e à estabilidade. Suas metas, no modo de dizer oficial, eram uma "sociedade harmoniosa" e um "mundo harmonioso". Sua agenda doméstica centrava-se no desenvolvimento econômico contínuo e na preservação da harmonia social dentro de uma vasta população vivenciando tanto uma prosperidade sem precedentes como níveis de desigualdade inéditos. Sua política externa evitava ações dramáticas, e seus principais decisores reagiam de maneira circunspecta a apelos vindos de fora para que a China desempenhasse um papel de liderança internacional mais visível. A política externa chinesa objetivava primordialmente um ambiente internacional pacífico (o que incluía boas relações com os Estados Unidos) e acesso a matérias-primas para assegurar um crescimento econômico contínuo. E o país continuava a ter um interesse especial no mundo em desenvolvimento — legado da teoria dos Três Mundos de Mao — mesmo enquanto ascendia ao status de superpotência econômica.

Como Mao havia temido, o DNA chinês se reafirmara. Confrontando os novos desafios do século XXI, e num mundo onde o leninismo entrara em colapso, Hu e Wen voltaram-se à sabedoria tradicional. Eles descreviam suas aspirações de reforma não em termos das visões utópicas da revolução contínua de Mao, mas por seu objetivo de construir uma sociedade "*xiaokang*" ("moderadamente próspera") — termo com conotações nitidamente confucionistas.[3] Supervisionaram um renascimento do estudo de Confúcio nas escolas chinesas e uma celebração de seu legado na cultura popular. E requisitaram Confúcio como uma fonte de poder brando chinês no palco mundial — mediante os "Institutos Confúcio" oficiais estabelecidos em cidades do mundo todo e a cerimônia de abertura das Olimpíadas de Pequim 2008, que apresentou um grupo de estudiosos confucionistas tradicionais. Em um dramático gesto simbólico, em janeiro de 2011, a China marcou a reabilitação do antigo filósofo moral inaugurando uma estátua de Confúcio no centro da capital chinesa, a praça Tiananmen, à vista do mausoléu de Mao — a única outra personalidade a receber tal honra.[4]

O novo governo americano significou uma mudança comparável de gerações. Tanto Hu como Bush foram os primeiros presidentes que haviam sido espectadores nas experiências traumáticas de suas nações na década de 1960: no caso da China, a Revolução Cultural; no caso dos Estados Unidos, a Guerra do Vietnã. Hu concluiu que a harmonia social devia ser uma diretriz de seu governo. Bush subiu ao poder na sequência do colapso da União Soviética, em meio a um triunfalismo americano que acreditava que os Estados Unidos eram capazes de remodelar o mundo à sua imagem. O Bush mais jovem não hesitou em conduzir a política externa sob a bandeira dos valores americanos mais profundos. Falou apaixonadamente em liberdades individuais e liberdade religiosa, incluindo em suas visitas à China.

A "agenda da liberdade" de Bush projetava o que pareciam ser acontecimentos improvavelmente acelerados para as sociedades não ocidentais. Entretanto, na prática de sua diplomacia, Bush superou a ambivalência histórica entre as abordagens missionária e pragmática dos Estados Unidos. Ele fez isso não por meio de um constructo teórico, mas mediante um equilíbrio sensato de prioridades estratégicas. Ele não deixou dúvida sobre o compromisso norte-americano com as instituições democráticas e os direitos humanos. Ao mesmo tempo, deu atenção ao elemento da segurança nacional, sem o qual o propósito moral opera num vácuo. Embora criticado no debate americano por sua alegada adesão ao unilateralismo, Bush, ao lidar com China, Japão e Índia simultaneamente — países que baseavam sua política em cálculos de interesse nacional —, conseguiu melhorar as relações com cada um — um modelo de política asiática construtiva para os Estados Unidos. Na presidência de Bush, as relações EUA-China eram relações cotidianas de duas superpotências. Nenhum lado supunha que o outro partilhava de todas suas metas. Em algumas questões, como os assuntos domésticos, seus objetivos não eram compatíveis. Mesmo assim, viam suficientes áreas de interseção em seus interesses para confirmar a sensação emergente de parceria.

Washington e Pequim aproximaram-se pouco a pouco das posições um do outro relativas a Taiwan em 2003, depois que o presidente Chen

Shui-bian propôs um referendo sobre a possibilidade de uma representação nas Nações Unidas sob o nome "Taiwan". Uma vez que tal gesto teria sido uma violação dos compromissos americanos nos três comunicados, os funcionários do governo de Bush transmitiram sua oposição a Taipei. Durante a visita de Wen Jiabao em dezembro de 2003 a Washington, Bush reafirmou os três comunicados e acrescentou que Washington "se opõe a qualquer decisão unilateral tomada pela China ou Taiwan para mudar o status quo"; ele sugeriu que um referendo questionando o status político de Taiwan não encontraria apoio nos Estados Unidos. Wen respondeu com uma formulação notavelmente aberta sobre o desejo de reunificação pacífica: "Nossa política fundamental sobre a solução da questão de Taiwan é uma reunificação pacífica, e um país–dois sistemas. Vamos dar nosso máximo com a máxima sinceridade para ensejar a unidade nacional e a reunificação pacífica por meios pacíficos."[5]

Um dos motivos para a cooperação renovada foram os ataques de 11 de Setembro, que redirecionaram o foco estratégico primário dos Estados Unidos para longe do Leste Asiático e na direção do Oriente Médio e do Sudoeste Asiático, com guerras no Iraque e no Afeganistão e um programa para combater redes terroristas. A China, não mais constituindo um desafio revolucionário da ordem internacional e preocupada com o impacto do terrorismo global dentro de suas próprias regiões minoritárias, especialmente Xinjiang, condenou rapidamente os ataques de 11 de Setembro e ofereceu apoio de inteligência e diplomático. No desencadeamento da guerra do Iraque, ela foi notavelmente menos contrária aos Estados Unidos na ONU do que alguns aliados americanos.

Mas, talvez em um nível mais fundamental, o período iniciou um processo de divergência nas avaliações chinesa e americana sobre como lidar com o terrorismo. A China permanecia uma espectadora agnóstica da projeção do poder americano pelo mundo muçulmano e acima de tudo da proclamação de objetivos ambiciosos de transformação democrática do governo Bush. Pequim manteve sua característica predisposição a ajustar-se a mudanças nos alinhamentos de poder e na composição de governos estrangeiros sem fazer juízo moral. Suas principais preocupações eram o contínuo acesso ao petróleo do Oriente Médio e (após a queda do Taliban) a proteção dos investimentos chineses nos recursos minerais do Afeganistão. Com esses interesses mantidos de um modo geral, a China não questionou os esforços americanos no Iraque e no Afeganistão (e pode até ter os acolhido, em parte porque representavam um desvio das capacidades militares americanas para longe do Leste Asiático).

O alcance da interação entre China e Estados Unidos significou o restabelecimento de um papel central para a China nos assuntos mundiais e regionais. A busca chinesa por uma parceria igualitária não era mais uma reivindicação desproporcional de um país vulnerável; era cada vez mais uma realidade amparada por capacidades financeiras e econômicas. Ao mesmo tempo, impelidos por novos desafios à segurança e realidades econômicas em plena mudança, bem como por um novo alinhamento da influência política e econômica relativa entre eles, ambos os países se engajaram em minuciosos debates sobre seus propósitos domésticos, seus papéis mundiais — e finalmente suas relações um com o outro.

Diferenças de perspectiva

À medida que o novo século avançava, duas tendências emergiram, em alguns aspectos operando uma contra a outra. Em muitas questões, as relações sino-americanas evoluíram de maneira em grande parte cooperativa. Ao mesmo tempo, diferenças enraizadas na orientação histórica e geopolítica começaram a se tornar aparentes. Questões econômicas e a proliferação de armas de destruição em massa são bons exemplos.

Questões econômicas: Quando a China era um ator secundário na economia mundial, a taxa de câmbio para sua moeda não era um problema; mesmo durante as décadas de 1980 e 1990, teria sido improvável que o valor do Yuan se tornaria um ponto de disputa diária no debate político americano e na análise da mídia. Mas a ascensão econômica da China e a crescente interdependência econômica entre Estados Unidos e China transformaram a questão antes obscura numa controvérsia diária, com as frustrações americanas — e as desconfianças chinesas quanto às intenções americanas — expressas numa linguagem cada vez mais insistente.

A diferença fundamental vem à tona em relação ao conceito que subjaz às respectivas políticas monetárias de ambas as partes. Na visão americana, o baixo valor do Yuan (também conhecido como renminbi) é tratado como manipulação monetária favorecendo as empresas chinesas e, por extensão, prejudicando as empresas americanas que atuam nas mesmas indústrias. Afirma-se que o Yuan subvalorizado contribui para a diminuição do emprego nos Estados Unidos — um ponto de graves consequências políticas e emocionais, numa era de incipiente austeridade americana. Na visão chinesa, a busca de uma política monetária que favoreça os fabricantes domésticos não é tanto uma política econômica quanto uma expressão da necessidade chinesa de estabilidade política. Assim, explicando a um público americano em setembro de 2010 por que a China não executaria uma valorização monetária drástica, Wen Jiabao usou argumentos sociais, não financeiros: "Não se sabe quantas empresas chinesas iriam à falência. Haveria grandes tumultos. Só o premiê chinês tem uma pressão dessas em seus ombros. Essa é a realidade."[6]

Os Estados Unidos tratam as questões econômicas do ponto de vista das exigências do crescimento global. A China considera as implicações políticas, tanto domésticas como internacionais. Quando os Estados Unidos insistem com a China que consuma mais e exporte menos, estão expressando uma máxima econômica. Mas, para a China, um setor exportador em encolhimento significa talvez um considerável aumento no desemprego com consequências políticas. Ironicamente, de uma perspectiva de longo prazo, caso a China decidisse adotar o critério convencional americano, tal postura reduziria seus incentivos para ter laços com os Estados Unidos, pois geraria menos dependência de exportações e fomentaria o desenvolvimento de um bloco asiático, porque envolveria o fortalecimento de vínculos econômicos com os países vizinhos.

A questão subjacente é portanto política, não econômica. Um conceito de benefício mútuo, mais do que recriminações sobre supostos erros de conduta, deve emergir. Isso mostra a importância de incrementar os conceitos de coevolução e de uma Comunidade Pacífica discutidos no epílogo.

Não proliferação e a Coreia do Norte: Durante toda a Guerra Fria, armas nucleares estiveram nas mãos principalmente dos Estados Unidos e da União Soviética. Apesar de toda a hostilidade ideológica e política, seus cálculos dos riscos eram essencialmente paralelos, e ambos possuíam os meios técnicos de se proteger contra lançamentos acidentais, não autorizados, e, em medida considerável, um ataque surpresa. Mas, com a disseminação das armas nucleares, esse equilíbrio ficou ameaçado: o cálculo do risco não é mais simétrico; e as salvaguardas técnicas contra lançamento acidental ou até roubo passaram a ser muito mais difíceis, se não impossíveis, de implementar — sobretudo em países sem a expertise das superpotências.

À medida que a proliferação acelera, o cálculo de deterrência fica cada vez mais abstrato. Torna-se cada vez mais difícil decidir quem está dissuadindo quem e com base em que cálculos. Mesmo presumindo que novos países nucleares tenham a mesma relutância que os já estabelecidos com respeito a iniciar hostilidades nucleares uns contra os outros — uma avaliação extremamente duvidosa —, eles podem usar suas armas para proteger terroristas ou ataques de Estados pária contra a ordem internacional. Finalmente, a experiência com a rede de proliferação "privada" do aparentemente amigável Paquistão com a Coreia do Norte, a Líbia e o Irã demonstra as vastas consequências para a ordem internacional da disseminação de armas nucleares, mesmo quando o país proliferador não se encaixa nos critérios formais de um Estado pária.

A disseminação dessas armas nas mãos de gente não coibida pelas considerações históricas e políticas dos principais Estados vaticina um mundo de devastação e perda humana sem precedentes mesmo em nossa era de matanças genocidas.

É irônico que a proliferação nuclear na Coreia do Norte deva emergir na agenda do diálogo entre Washington e Pequim, pois foi sobre a Coreia que os Estados Unidos e a República Popular da China se cruzaram no campo de batalha pela primeira vez há sessenta anos. Em 1950, a recém-fundada República Popular entrou em guerra contra os Estados Unidos porque viu na presença militar americana permanente em sua fronteira com a Coreia uma ameaça à segurança chinesa a longo prazo. Sessenta anos depois, o compromisso da Coreia do Norte com um programa nuclear militar criou um novo desafio recriando parte das mesmas questões geopolíticas.

Durante os primeiros dez anos do programa nuclear norte-coreano, a China assumiu a postura de que era problema dos Estados Unidos e da Coreia do Norte chegar a uma conciliação. Como a Coreia do Norte se sentia ameaçada principalmente pelos Estados Unidos, esse era o argumento chinês, cabia antes de mais nada aos Estados Unidos prover ao país a sensação de segurança necessária como substituto às armas nucleares. Com o passar do tempo, ficou óbvio que a proliferação nuclear na Coreia do Norte mais cedo ou mais tarde afetaria a segurança da China. Se a Coreia do Norte for aceita como potência nuclear, há grande probabilidade de que Japão e Coreia do Sul, e possivelmente outros países asiáticos como Vietnã e Indochina, acabem entrando para o clube nuclear, alterando a paisagem estratégica asiática.

Os líderes chineses se opõem a tal desdobramento. Mas a China teme igualmente um colapso catastrófico da Coreia do Norte, uma vez que isso poderia recriar em suas fronteiras as mesmas condições que ela lutou para impedir sessenta anos atrás.

A estrutura interna do regime coreano acrescenta complexidade ao problema. Embora se proclame um Estado comunista, sua autoridade de fato está nas mãos de uma única família. Em 2011, no momento em que escrevo, o chefe da família governante está no processo de entregar o poder para seu filho de 27 anos sem qualquer experiência prévia sequer em liderança comunista, muito menos nas relações internacionais. A possibilidade de uma implosão devido a elementos imprevisíveis ou ignorados é perene. Países afetados podem então se sentir no dever de proteger seus interesses vitais com a adoção de medidas unilaterais. A essa altura, será tarde demais ou talvez complicado demais para uma ação coordenada. Impedir tal desdobramento deve ser uma parte essencial do diálogo sino-americano e das Six Party Talks (Conversações entre Seis Partes) envolvendo Estados Unidos, China, Rússia, Japão e as duas Coreias.

Como definir oportunidade estratégica

Na busca de lidar com uma lista crescente de questões, Pequim e Washington, durante a primeira década do século XXI, procuraram determinar uma estrutura geral para definir sua relação. O esforço foi simbolizado pela inauguração do U.S.-China Senior Dialogue e do U.S.-China Strategic and Economic Dialogue (agora fundidos em um único Strategic and Economic Dialogue) durante o segundo mandato de George W. Bush.

Isso foi em parte uma tentativa de revitalizar o espírito de diálogo franco sobre questões conceituais que prevaleceu entre Washington e Pequim durante a década de 1970, como descrito em capítulos anteriores.

Na China, a busca de um princípio organizador para a época assumiu a forma de uma análise, endossada pelo governo, de que os primeiros vinte anos do século XXI representavam um nítido "período de oportunidade estratégica" para a China. O conceito refletia tanto um reconhecimento do progresso e potencial chineses para ganhos estratégicos como — paradoxalmente — uma apreensão quanto às suas persistentes vulnerabilidades. Hu Jintao deu voz a essa teoria em um encontro, em novembro de 2003, do Politburo do Comitê Central do Partido Comunista, quando sugeriu que uma convergência única das tendências domésticas e internacionais deixa a China em posição de levar adiante seu desenvolvimento a "pulos e saltos". A oportunidade estava ligada ao perigo, segundo Hu Jintao; como outras potências em risco antes dela, se a China "perdesse a oportunidade" apresentada, "ela poderia ficar para trás".[7]

Wen afirmou a mesma avaliação em um artigo de 2007, em que advertia que "as oportunidades são raras e fugazes" e recordou que a China deixara passar um período de oportunidade anterior devido a "grandes equívocos, sobretudo a catastrófica década da 'grande revolução cultural'". Os primeiros vinte anos do novo século eram um período de oportunidade "que devemos agarrar firmemente e no qual podemos realizar muita coisa". Fazer bom uso dessa janela, Wen avaliou, seria "de extrema importância e significação" para as metas de desenvolvimento chinesas.[8]

O que a China tinha a oportunidade estratégica para conquistar? Na medida em que se pode afirmar que o debate chinês sobre essa questão teve um início formal, ele pode ser situado em uma série de conferências especiais e sessões de estudo convocadas por acadêmicos chineses e as principais lideranças do país entre 2003 e 2006. O programa dizia respeito à ascensão e à queda das grandes potências na história: os meios dessa ascensão; as causas de suas guerras frequentes; e se, e como, uma grande potência moderna podia crescer sem recorrer ao conflito militar com os atores dominantes no sistema internacional. Essas conferências foram subsequentemente reunidas em *A Ascensão das Grandes Potências*, uma série em 12 episódios exibida na televisão nacional chinesa em 2006 e acompanhada por centenas de milhões de telespectadores. Como observou o professor David Shambaugh, esse deve ter sido um momento filosófico único na história da política entre grandes potências: "Poucas, se é que alguma, outras grandes potências, ou aspirantes a tal, empreenderam um discurso de autorreflexão como esse."[9]

Que lições a China podia extrair desses precedentes históricos? Em uma das primeiras e mais abrangentes tentativas de dar uma resposta, Pequim procurou apaziguar as apreensões estrangeiras acerca de seu poder crescente articulando a proposição da "ascensão pacífica" da China. Um artigo de 2005 da *Foreign Affairs* escrito pelo politicamente influente Zheng Bijian serviu como pronunciamento diplomático quase oficial. Zheng oferecia a tranquilização de que a China adotara uma "estratégia [...] para transcender os modos tradicionais com que as grandes potências emergiram". A China buscava uma "nova ordem política e econômica internacional". A China, escreveu Zheng, "não seguiria o caminho da Alemanha que levou à Primeira Guerra Mundial ou do Japão que levou à Segunda Guerra Mundial, quando esses países pilharam recursos violentamente e perseguiram a hegemonia. A China tampouco segue o caminho das grandes potências lutando pela dominação global durante a Guerra Fria".[10]

A reação de Washington foi articular o conceito da China como uma "*stakeholder* responsável" no sistema internacional, conformando-se a suas normas e seus limites e assumindo responsabilidades adicionais de acordo com suas capacidades crescentes. Em um pronunciamento em 2005 no National Committee on United States–China Relations, Robert Zoellick, então vice-secretário de Estado, expôs a reação americana ao artigo de Zheng. Embora os líderes chineses pudessem ter hesitado em admitir a implicação de que pudessem um dia ter sido *stakeholders* "irresponsáveis", o discurso de Zoellick traduzia-se num convite para que a China se tornasse um membro privilegiado do sistema internacional e ajudasse a moldá-lo.

Quase simultaneamente, Hu Jintao proferiu um discurso na Assembleia Geral das Nações Unidas, intitulado "A construção de um mundo harmonioso de paz duradoura e prosperidade comum", sobre o mesmo tópico do artigo de Zheng Bijian. Hu reafirmou a importância do sistema das Nações Unidas como uma estrutura para a segurança e o desenvolvimento internacionais e delineou "o que a China defende". Embora reiterando que a China favorecia a tendência rumo à democratização dos assuntos mundiais — na prática, é claro, uma diminuição relativa do poder americano na direção de um mundo multipolar —, Hu insistia que a China perseguiria seus objetivos pacificamente e dentro da estrutura do sistema ONU:

> A China irá, como sempre, se conformar aos propósitos e princípios da Carta das Nações Unidas, participar ativamente nos assuntos internacionais e cumprir suas obrigações internacionais, e trabalhar com outros países na construção de uma nova ordem política e econômica internacional que seja justa e racional. A nação chinesa ama a paz. O desenvolvimento da China, em lugar de ferir ou ameaçar qualquer um, pode servir unicamente à paz, à estabilidade e à prosperidade comum do mundo.[11]

As teorias da "ascensão pacífica" e "mundo harmonioso" evocavam os princípios da era clássica que asseguraram à China sua grandeza: gradualista; em harmonia com as tendências e fugindo do conflito aberto; organizada tanto em torno de aspirações morais de uma ordem mundial harmoniosa quanto da dominação efetiva física ou territorial. Elas também descreviam um caminho para o status de grande potência plausivelmente atraente para uma geração de líderes que haviam chegado à maturidade durante o colapso social da Revolução Cultural, que sabiam que sua legitimidade dependia agora em parte de entregar ao povo chinês uma dose de riqueza e conforto e um descanso dos tumultos e privações do século precedente. Refletindo uma postura ainda mais cuidadosa, a expressão "ascensão pacífica" foi substituída em pronunciamentos oficiais chineses por "desenvolvimento pacífico", supostamente porque a noção de "ascensão" era demasiadamente ameaçadora e triunfalista.

Ao longo dos três anos seguintes, através de uma das periódicas confluências de eventos aleatórios pelas quais mudam as marés históricas, a pior crise financeira desde a Grande Depressão coincidiu com um período de ambiguidade e impasse prolongados nas guerras do Iraque e do Afeganistão, com os impressionantes Jogos Olímpicos de Pequim de 2008 e com um período contínuo de robusto crescimento econômico chinês. A confluência de eventos levou parte das elites chinesas, incluindo setores dos escalões mais altos do governo chinês, a revisitar as suposições subjacentes à posição gradualista articulada em 2005 e 2006.

As causas da crise financeira e seus piores efeitos surgiram primeiramente nos Estados Unidos e na Europa. Isso levou a infusões emergenciais sem precedentes de capital chinês nos países e empresas ocidentais, e a rogos de políticos ocidentais para que a China mudasse o valor de sua moeda e aumentasse seu consumo doméstico para fomentar a saúde da economia mundial.

Desde a conclamação de Deng à "Reforma e Abertura" a China passara a ver o Ocidente como um modelo de proeza econômica e perícia financeira. Presumia-se que, fossem quais fossem as deficiências ideológicas e políticas dos países ocidentais, eles sabiam como gerenciar suas economias e o sistema financeiro mundial de uma maneira produtiva sem igual. Embora a China se recusasse a adquirir esse conhecimento ao custo da tutela política ocidental, a pressuposição implícita entre muitas elites chinesas era de que o Ocidente tinha uma espécie de conhecimento digno de estudo e adaptação diligentes.

O colapso dos mercados financeiros americano e europeu em 2007 e 2008 — e o espetáculo do caos e dos erros de cálculo do mundo ocidental em contraste com o sucesso chinês — solapou gravemente a mística da proeza econômica ocidental. Isso suscitou uma nova onda na opinião pública chinesa — entre a articulada geração mais jovem de estudantes e usuários de internet e muito possivelmente em setores da liderança política e militar — no sentido de que uma mudança fundamental na estrutura do sistema internacional estava ocorrendo.

O clímax emblemático desse período foi o drama dos Jogos Olímpicos de Pequim, que ocorreu no exato momento em que a crise econômica começava a sacudir o Ocidente. Mais do que puramente um evento esportivo, as Olimpíadas foram concebidas como uma expressão do ressurgimento chinês. A cerimônia de abertura foi simbólica. As luzes no enorme estádio se apagaram. Exatamente oito minutos após as oito horas (horário chinês), no oitavo dia do oitavo mês do ano, tirando vantagem do número auspicioso que levara aquele dia a ser o escolhido para a abertura,[12] 2 mil tambores quebraram o silêncio, tocando com um som ensurdecedor e contínuo por dez minutos, como que dizendo: "Chegamos. Somos um fato da vida, não mais a ser ignorado ou desprezado, mas preparado para contribuir com nossa civilização para o mundo." Depois disso, o público assistiu a uma hora de encenações sobre a civilização chinesa. O período de fraqueza e realizações aquém do esperado — que talvez poderíamos chamar de "o longo século XIX" da China — chegava oficialmente a um desfecho. Pequim era mais uma vez o centro do mundo; e sua civilização, o foco de respeito e admiração.

Em uma conferência do Fórum Mundial sobre Estudos Chineses ocorrida em Xangai na sequência das Olimpíadas, Zheng Bijian, autor do conceito de "ascensão pacífica", afirmou a um repórter ocidental que a China finalmente superara o legado da Guerra do Ópio e o século de lutas contra a intromissão estrangeira, e que agora estava engajada em um processo histórico de renovação nacional. As reformas iniciadas por Deng Xiaoping, disse Zheng, haviam permitido à China solucionar o "enigma do século", desenvolvendo-se rapidamente e tirando milhões da pobreza. Conforme emergia como uma grande potência, a China contaria com a atração exercida por seu modelo de desenvolvimento, e relações com outros países seriam "abertas, não exclusivas e harmoniosas", visando "abrir mutuamente o caminho para o desenvolvimento mundial".[13]

O cultivo da harmonia não obstava a busca de uma vantagem estratégica. Em uma conferência de julho de 2009 entre diplomatas chineses, Hu Jintao pronunciou um longo discurso avaliando as novas tendências. Ele afirmou que os primeiros vinte anos do século XXI continuavam sendo um "período de oportunidade estratégica" para a China; até aí, nada mudara, disse ele. Mas, na esteira da crise financeira e de outras mudanças sísmicas, Hu sugeria que o *shi* agora estava em fluxo. À luz das "mudanças complexas e profundas" ora em curso, "têm havido novas mudanças nas oportunidades e desafios que estamos enfrentando". As oportunidades à frente seriam "importantes"; os desafios seriam "severos". Se a China se protegesse contra potenciais armadilhas e administrasse seus assuntos diligentemente, o período de tumulto poderia ser usado em sua vantagem:

> Desde a entrada do novo século e do novo estágio, tem ocorrido internacionalmente uma série de grandes acontecimentos de natureza abrangen-

> te e estratégica, que têm tido uma influência significativa e de longo alcance em todos os aspectos da situação política e econômica internacional. Olhando para o mundo, a paz e o desenvolvimento continuam sendo a principal questão desses tempos, mas a competição por um poder nacional abrangente (*comprehensive national power*) está se intensificando; as exigências de um número crescente de países em desenvolvimento no sentido de participar com igualdade dos assuntos internacionais ficam mais fortes a cada dia que passa; os clamores por concretizar a democratização das relações internacionais ficam cada vez mais altos; a crise financeira internacional fez com que o sistema econômico e financeiro mundial atual e a estrutura de governança econômica mundial sofressem um grande abalo; as perspectivas de uma multipolaridade global tornaram-se muito mais nítidas; a situação internacional produziu algumas novas características e tendências dignas de atenção extremamente detida.[14]

Com os assuntos mundiais mudando continuamente, as tarefas da China eram a análise desapaixonada e encontrar seu rumo nessa nova configuração. Da crise, oportunidades poderiam surgir. Mas que oportunidades eram essas?

O debate do destino nacional – A visão triunfalista

O encontro da China com o sistema internacional moderno, de concepção ocidental, evocou nas elites chinesas uma tendência especial a debater — com excepcional minúcia e habilidade analítica — seu destino nacional e uma estratégia de amplo alcance para conquistá-lo. O mundo está testemunhando, de fato, um novo estágio em um diálogo nacional da China sobre a natureza de seu poder, sua influência e suas aspirações que vem ocorrendo de forma intermitente desde que o Ocidente forçou a China a abrir suas portas para o mundo. Os debates precedentes sobre o destino nacional ocorreram durante períodos de excepcional vulnerabilidade chinesa; o atual debate é ocasionado não porque a China corre perigo, mas devido a sua força. Após uma jornada incerta e às vezes angustiante, a China finalmente está chegando à visão acalentada por reformistas e revolucionários ao longo dos últimos dois séculos: uma China próspera exibindo capacidades militares modernas ao mesmo tempo em que preserva seus valores distintivos.

Os estágios anteriores do debate sobre o destino nacional procuravam saber se a China deveria se voltar para fora em busca de conhecimento para retificar sua fraqueza ou voltar-se para dentro, para longe de um mundo impuro, ainda que tecnologicamente mais forte. O atual estágio do debate baseia-se no reconhecimento de que o grande projeto de autofortalecimento triunfou e que a China está alcançando o Ocidente. Ele busca definir os termos em que a China deve interagir com um mundo que — na visão até de muitos dos internacionalistas liberais contemporâneos chineses — prejudicou gravemente a China e de cuja devastação o país atualmente se recupera.

À medida que a crise econômica se espalhava pelo Ocidente no período posterior aos Jogos Olímpicos, novas vozes — tanto oficiais como extraoficiais — começaram a desafiar a tese da "ascensão pacífica" da China. Segundo essa visão, a análise das tendências estratégicas de Hu estava correta, mas o Ocidente permanecia uma perigosa força que jamais permitira à China se erguer harmoniosamente. Desse modo, era necessário que a China consolidasse suas conquistas e lutasse por suas reivindicações de poder mundial e até seu status de superpotência.

Dois livros chineses muito populares simbolizam essa tendência: uma coletânea de ensaios intitulada *A China Está Infeliz: a Grande Era, a Grande Meta e Nossas Angústias Internas e Desafios Externos* (2009) e *O Sonho Chinês: Pensando como Grande Potência e a Postura Estratégica na Era Pós-Americana* (2010). Ambos os livros são profundamente nacionalistas. Ambos começam com a pressuposição de que "alguns estrangeiros ainda não acordaram; eles não compreenderam de verdade que uma mudança de poder está ocorrendo nas relações sino-ocidentais".[15] Sob esse ponto de vista, cabe à China se libertar de sua falta de confiança e passividade, abandonar o gradualismo e recuperar seu sentido histórico de missão por meio de uma "grande meta".

Os dois livros foram criticados na imprensa chinesa e em *posts* anônimos em sites chineses como irresponsáveis e não refletindo as opiniões da vasta maioria dos chineses. Mas os dois passaram pelo crivo do governo e se tornaram best-sellers na China, de modo que presumivelmente refletem as opiniões de pelo menos parte da estrutura institucional chinesa. Isso é particularmente verdadeiro no caso de *O Sonho Chinês*, escrito por Liu Mingfu, um coronel-sênior do Exército de Libertação Popular e professor da Universidade de Defesa Nacional da China. Os livros são apresentados aqui não porque representam a política oficial do governo chinês — na verdade, são contrários ao que o presidente Hu afirmou enfaticamente em seu pronunciamento nas Nações Unidas e durante sua visita de Estado a Washington em janeiro de 2011 —, mas porque sedimentam certos impulsos aos quais o governo chinês se sente na obrigação de responder.

Um ensaio representativo em *A China Está Infeliz* expressa a tese básica. Seu título postula que "A América não é um tigre de papel" — como Mao costumava dizer em tom de provocação —, mas antes "um velho pepino pintado de verde".[16] O autor, Song Xiaojun, começa pela premissa de que, mesmo nas presentes circunstâncias, os Estados Unidos e o Ocidente continuam sendo uma força perigosa e fundamentalmente antagônica:

> Incontáveis fatos já demonstraram que o Ocidente nunca vai abandonar sua estimada técnica de "negociar na ponta da baioneta", que refinou ao longo de vários séculos. Vocês acham possível que se "devolverem suas armas ao depósito e levarem os cavalos de batalha para o pasto"[17] isso vai convencer [o Ocidente] a simplesmente abaixar as armas e comercializar pacificamente?[18]

Após trinta anos de rápido desenvolvimento econômico chinês, frisa Song, a China está numa posição fortalecida: "uma parte cada vez maior da massa e dos jovens" está percebendo que "agora a oportunidade se aproxima".[19] Após a crise financeira, escreve, a Rússia ficou mais interessada em promover suas relações com a China; a Europa está se movendo em direção similar. Os controles de exportação americanos são hoje essencialmente irrelevantes porque a China já possui a maior parte da tecnologia que precisa para se tornar uma potência amplamente industrializada e logo terá uma base econômica agrícola, industrial e "pós-industrial" própria — em outras palavras, o país deixará de depender dos produtos ou da boa vontade dos outros.

O autor conclama a juventude e as massas nacionalistas a se mostrar à altura da ocasião e compara desfavoravelmente as atuais elites com elas: "Que boa oportunidade tornar-se um país abrangentemente industrializado, tornar-se um país que aspira a se erguer e mudar o sistema político e econômico injusto e irracional do mundo — como pode acontecer de não haver elites para pensar nisso!"[20]

O Sonho Chinês de 2010, do coronel-sênior do ELP Liu Mingfu, define uma "grande meta" nacional: "tornar-se o número um do mundo", restaurando a China a uma versão moderna de sua glória histórica. Isso, escreve ele, exigirá desbancar os Estados Unidos.[21]

A ascensão chinesa, profetiza Liu, abrirá caminho para uma era de ouro de prosperidade asiática em que os produtos, a cultura e os valores chineses determinarão o padrão para o mundo. O mundo se tornará harmonioso porque a liderança chinesa será mais sábia e mais moderada do que a dos americanos, e porque a China se absterá da hegemonia e limitará seu papel a agir como primus inter pares das nações do mundo.[22] (Numa passagem separada, Liu comenta favoravelmente o papel de imperadores chineses tradicionais, a quem descreve como atuando como uma espécie de "irmão mais velho" benevolente perante reis de países menores e mais fracos.)[23]

Liu rejeita o conceito de uma "ascensão pacífica", argumentando que a China não pode se apoiar unicamente em suas virtudes tradicionais de harmonia para assegurar a nova ordem internacional. Devido à natureza competitiva e amoral da política das grande potências, escreve ele, a ascensão da China — e um mundo pacífico — pode ser preservada apenas se a China cultivar um "espírito marcial" e reunir força militar suficiente para dissuadir ou, se necessário, derrotar seus adversários. Logo, postula, a China precisa de uma "ascensão militar" conjunta com sua "ascensão econômica".[24] O país precisa estar preparado, militar e psicologicamente, para lutar e prevalecer em uma briga pela proeminência estratégica.

A publicação desses livros coincidiu com uma série de crises e tensões no Mar da China Meridional, com o Japão, e ao longo das fronteiras da Índia, numa sucessão tão próxima e com características suficientemente comuns para suscitar especulações de que esses episódios pudessem ser o produto de uma política deliberada. Embora em cada caso haja uma versão de eventos em que a China é a parte prejudicada, as próprias crises constituem um estágio no corrente debate chinês sobre o papel regional e mundial da China.

Os livros discutidos aqui, incluindo as críticas das "elites" chinesas supostamente passivas, não poderiam ter sido publicados ou se tornado uma *cause célèbre* nacional se as elites tivessem proibido sua publicação. Terá sido isso utilizado por um ministério para influenciar políticas? Será que isso reflete as atitudes de uma geração jovem demais para ter vivenciado a Revolução Cultural na condição de adultos? Teria a liderança permitido que o debate mudasse como uma espécie de manobra psicológica, de modo a fazer com que o mundo compreendesse as pressões internas chinesas e começasse a levá-las em consideração? Ou é apenas mais um exemplo de uma China se tornando mais pluralista, permitindo uma multiplicidade maior de vozes, e dos revisores sendo de um modo geral mais tolerantes com as vozes nacionalistas?[25]

Dai Bingguo – Uma reafirmação da ascensão pacífica

Os líderes chineses decidiram assumir as rédeas do debate nesse ponto, para demonstrar que o propalado triunfalismo está longe de ser o estado de espírito oficial. Em dezembro de 2010, o conselheiro de Estado Dai Bingguo (o mais alto funcionário na supervisão da política externa chinesa) entrou na briga com uma declaração abrangente de política.[26] Com o título de "Persistindo em tomar o caminho do desenvolvimento pacífico", o artigo de Dai pode ser visto como uma resposta tanto a observadores estrangeiros preocupados com a possibilidade de que a China nutrisse intenções agressivas quanto àqueles dentro da China — incluindo, postula-se, alguns dentro da própria estrutura de liderança — que argumentavam que a China *devia* adotar uma postura mais insistente.

O desenvolvimento pacífico, argumenta Dai, não é um artifício pelo qual a China "esconde seu brilho e ganha tempo" (como desconfiam alguns não chineses), nem tampouco uma ilusão ingênua que abdica as vantagens chinesas (como alguns dentro da China acusam). É a política genuína e duradoura da China porque serve melhor aos interesses do país e convém à situação estratégica internacional:

> Persistir em assumir o caminho do desenvolvimento pacífico não é produto de uma imaginação subjetiva ou de alguma espécie de cálculo. Antes, é o resultado de nosso profundo reconhecimento de que tanto o mundo de hoje como a China de hoje passaram por tremendas mudanças, bem como de que as relações da China com o mundo atual também passaram por grandes mudanças; eis por que é necessário extrair o melhor da situação e se adaptar às mudanças.[27]

O mundo, observa Dai, tem encolhido cada vez mais, e grandes questões agora exigem um grau sem precedentes de interação global. A cooperação global, desse modo, é de interesse da própria China; não é uma estratégia de promover uma política puramente nacional. Dai prossegue com o que poderia ser interpretado como uma afirmação padrão da demanda dos povos do mundo por paz e cooperação — embora no contexto seja mais provavelmente uma advertência sobre os obstáculos que uma China militante enfrentaria (possivelmente endereçado a ambos os públicos):

> Devido à globalização econômica e ao aprofundado desenvolvimento da informatização, bem como aos rápidos avanços da ciência e da tecnologia, o mundo se tornou cada vez "menor" e transformou-se em uma "aldeia global". Com a interação e a interdependência de todos os países, bem como a interseção de interesses atingindo um nível sem precedentes, seus interesses comuns tornaram-se mais extensos, os problemas que exigem que eles se deem as mãos para cuidar deles se multiplicaram e as aspirações de cooperação mutuamente benéfica tornaram-se mais fortes.[28]

A China, ele escreve, pode prosperar em tal situação porque está amplamente integrada no mundo. Nos últimos trinta anos o país cresceu conectando seus talentos e recursos com um sistema internacional mais amplo, não como um dispositivo tático como meio de cumprir as necessidades do período contemporâneo:

> A China contemporânea está passando por mudanças profundas e amplas. Na sequência de mais de trinta anos de Reforma e Abertura, passamos da "luta de classes enquanto chave" para a construção econômica como tarefa

> central à medida que levamos adiante de forma abrangente a causa da modernização socialista. Passamos do engajamento em uma economia planejada para a promoção de reforma em todos os aspectos, conforme construímos um sistema econômico de mercado socialista. Passamos de um estado de isolamento e ênfase unilateral na autonomia para uma abertura para o mundo exterior e o desenvolvimento de cooperação internacional.[29]

Essas mudanças "cataclísmicas" exigem que a China abandone os resquícios da doutrina maoista de autonomia absoluta, que isolaria o país. Se a China deixar de analisar corretamente a situação e, como Dai insiste, "muito satisfatoriamente cuidar de nossas relações com o mundo externo", então as chances oferecidas pelo atual período de oportunidade estratégica "podem ser perdidas". A China, enfatiza Dai, "é membro da grande família internacional". Mais do que representar aspirações morais simplesmente, as políticas harmoniosas e cooperativas chinesas "são as mais compatíveis com nossos interesses e os dos outros países".[30] Sob a superfície dessa análise, embora nunca afirmado diretamente, está o reconhecimento de que a China tem uma série de vizinhos com significativas capacidades militares e econômicas próprias, e de que as relações da China com quase todos eles têm se deteriorado ao longo dos últimos um ou dois anos — tendência que os líderes chineses procuram reverter.

Com líderes de qualquer país descrevendo suas estratégias, um elemento tático nunca pode ser excluído, como foi com o aperfeiçoamento da expressão "ascensão pacífica" para a mais branda "desenvolvimento pacífico". No artigo de Dai, ele tratou especificamente do ceticismo estrangeiro de que seus argumentos serem em grande medida táticos:

> Internacionalmente, há pessoas que dizem: a China tem um ditado: "Esconda suas próprias capacidades e ganhe tempo, e empenhe-se em conquistar alguma coisa." De modo que eles especulam que a declaração da China de tomar um caminho de desenvolvimento pacífico é uma conspiração secreta empreendida sob circunstâncias em que o país ainda não é poderoso.

Mas isso, escreve Dai, é uma "suspeita infundada":

> Essa afirmação foi feita pela primeira vez pelo camarada Deng Xiaoping no fim da década de 1980, início da de 1990. Sua principal conotação é: a China deveria permanecer humilde e cautelosa, bem como se abster de assumir a dianteira, de tremular a bandeira, de buscar a expansão, de proclamar a hegemonia; isso é consistente com a ideia de tomar o caminho do desenvolvimento pacífico.[31]

O desenvolvimento pacífico, enfatiza Dai, é tarefa para muitas gerações. A importância da tarefa é sublinhada pelo sofrimento de gerações passadas. A China não quer a revolução; o país não quer guerra ou vingança; simplesmente quer que o povo chinês "diga adeus à pobreza e usufrua de uma nova vida" e que a China se torne — em contraste com o rejeicionismo provocativo de Mao — "o mais responsável, o mais civilizado e o mais respeitador da lei e ordeiro membro da comunidade internacional".[32]

Claro, por mais que objetivos mais ambiciosos sejam negados, os países da região — aqueles que assistiram ao crescimento e encolhimento de impérios chineses precedentes, alguns destes estendendo-se ainda mais longe do que as atuais fronteiras políticas da República Popular da China — acham essas garantias difíceis de conciliar com o crescente poder e histórico da China. Será que um país que durante a maior parte do período moderno — que na China começa há 2 mil anos — via a si mesmo como o pináculo da civilização, e que por quase dois séculos considerou sua posição exclusivamente moral de liderança mundial como tendo sido usurpada pela rapacidade das potências coloniais ocidental e japonesa, vai se dar por satisfeito de limitar suas metas estratégicas a "construir uma sociedade moderadamente próspera em todos os aspectos"?[33]

Deve, responde Dai. Os chineses não estão "em posição de ser arrogantes e presunçosos", pois ainda enfrentam tremendos desafios domésticos. O Produto Interno Bruto chinês, por maior que seja em números absolutos, tem de ser distribuído entre uma população de 1,3 bilhão de pessoas, das quais 150 milhões vivem abaixo da linha de pobreza; logo, "os problemas econômicos e sociais que encontramos podem ser considerados os maiores e mais espinhosos do mundo; daí que não estamos em posição de ser arrogantes e presunçosos".[34]

Dai rejeita as alegações de que a China tentará dominar a Ásia ou desbancar os Estados Unidos como potência mundial predominante, considerando-as "puros mitos" que contradizem o histórico chinês e suas políticas atuais. Ele cita o surpreendente convite de Deng Xiaoping — tão contrário à usual insistência da China na autonomia — no sentido de que o mundo estaria autorizado a "supervisionar" a China para se certificar de que o país jamais procuraria conquistar a hegemonia: "O camarada Deng Xiaoping certa vez afirmou: se um dia a China tentar reivindicar a hegemonia mundial, as pessoas do mundo todo devem denunciar, se opor e até lutar contra isso. Quanto a esse ponto, a comunidade internacional pode nos supervisionar."[35]

A declaração de Dai é poderosa e eloquente. Tendo passado muitas horas ao longo de uma década junto a esse líder previdente e responsável, não questiono sua sinceridade ou intenção. Mesmo assim, concedendo que Hu, Dai e seus colegas estejam afirmando com a maior franqueza suas perspectivas para o próximo estágio na política chinesa, é difícil imaginar que isso venha a ser a última palavra sobre o papel mundial da China ou que isso permaneça sem contestação. Uma nova geração de jovens chineses e de elites do Partido e do ELP em ascensão subirá ao poder em 2012 — a primeira geração desde o início do século XIX a ter crescido numa China que está em paz, e politicamente unificada, que não vivenciou a Revolução Cultural e cuja performance econômica supera a da maior parte do resto do mundo. Quinta geração de líderes chineses desde a criação da República Popular, eles irão, como fizeram seus predecessores, destilar suas experiências em uma visão do mundo e uma visão de grandeza nacional. É no diálogo com essa geração que o pensamento estratégico americano precisa se concentrar.

Quando o governo Obama se iniciou, as relações haviam assumido um padrão distinto. Ambos os presidentes proclamaram seu compromisso com consultas, até com uma parceria. Mas a mídia e grande parte da opinião das elites em ambos os países cada vez mais afirmaram uma visão diferente.

Durante a visita oficial de Hu Jintao em janeiro de 2011, procedimentos extensos de consulta foram reforçados. Eles permitirão maior diálogo EUA-China em questões que forem surgindo, como o problema da Coreia, e tentativas de superar algumas questões persistentes, como a taxa de câmbio e diferentes opiniões na definição da liberdade de navegação pelo Mar da China Meridional.

O que ainda fica por ser resolvido é como passar do gerenciamento da crise para uma definição de objetivos comuns, da solução de controvérsias estratégicas para uma postura em que elas sejam evitadas. Será possível desenvolver uma parceria genuína e uma ordem mundial baseada na cooperação? Poderão a China e os Estados Unidos desenvolver uma genuína confiança estratégica?

EPÍLOGO

A história se repete?

O Memorando Crowe

Diversos analistas, incluindo alguns na China, têm revisitado o exemplo da rivalidade anglo-germânica do século XIX como um augúrio do que podem esperar os Estados Unidos e a China no século XXI. Há decerto comparações estratégicas a serem feitas. No nível mais superficial, a China é, como era a Alemanha imperial, uma potência continental ressurgente; os Estados Unidos, como a Grã-Bretanha, são primordialmente uma potência naval com vínculos políticos e econômicos profundos com o continente. A China, durante toda sua história, foi mais poderosa que qualquer um de seus vários vizinhos, mas estes, quando combinados, podiam ameaçar — e ameaçaram de fato — a segurança do império. Como no caso da unificação alemã no século XIX, os cálculos de todos esses países são inevitavelmente afetados pela reemergência da China como um Estado forte e unificado. Tal sistema evoluiu historicamente para um equilíbrio de poder baseado em ameaças que se contrabalançam.

Pode a confiança estratégica substituir um sistema de ameaças estratégicas? A confiança estratégica é tratada por muitos como uma contradição em termos. Os estrategistas apoiam-se nas intenções do suposto adversário apenas em medida limitada. Pois as intenções estão sujeitas a mudança. E a essência da soberania é o direito de tomar decisões não sujeitas a outra autoridade. Certa quantidade de ameaça baseada em capacidades é desse modo inseparável das relações entre Estados soberanos.

É possível — embora raramente aconteça — que as relações fiquem tão próximas que as ameaças estratégicas sejam excluídas. Nas relações entre os Estados bordejando o Atlântico Norte, confrontos estratégicos não são concebíveis. Os establishments militares não estão voltados uns contra os outros. As ameaças estratégicas são percebidas como surgindo fora da região do Atlântico, cabendo a uma estrutura de aliança lidar com elas. Disputas entre os Estados do Atlântico Norte tendem a focar em avaliações divergentes das questões internacionais e nos meios de lidar com elas; mesmo em seu momento mais severo, elas retêm a natureza de uma disputa interfamiliar. Poder brando e diplomacia multilateral são as ferramentas dominantes da política externa, e para alguns Estados da Europa Ocidental, a ação militar é praticamente excluída como instrumento legítimo da estratégia política.

Na Ásia, por outro lado, os Estados se consideram em potencial confronto com seus vizinhos. Não é que necessariamente eles planejem a guerra, mas simplesmente não a excluem. Se são fracos demais para se autodefender, eles procuram tornar-se parte de um sistema de aliança que provê proteção adicional, como no caso da Associação das Nações do Sudeste Asiático, a Asean. A soberania, em muitos casos reconquistada em tempos relativamente recentes após períodos de colonização estrangeira, tem um caráter absoluto. Os princípios do sistema vestfaliano prevalecem, mais ainda do que em seu continente de origem. O conceito de soberania é considerado supremo. A agressão é definida como o movimento de unidades militares organizadas através das fronteiras. A não interferência em assuntos domésticos é tomada como um princípio fundamental de relações entre Estados. Em um sistema estatal assim organizado, a diplomacia busca preservar os elementos-chave do equilíbrio de poder.

Um sistema internacional é relativamente estável se o nível de resseguro exigido por seus membros é atingível pela diplomacia. Quando a diplomacia não mais funciona, as relações se tornam cada vez mais concentradas na estratégia militar — primeiro na forma das corridas armamentistas, depois como manobras para obter vantagem estratégica mesmo sob o risco de confronto, e, finalmente, na própria guerra.

Um exemplo clássico de mecanismo internacional autopropulsionado é a diplomacia europeia anterior à Primeira Guerra Mundial, em uma época em que a política mundial era a política europeia, devido a grande parte do mundo encontrar-se sob o status colonial. Na segunda metade do século XIX, a Europa ficara sem uma grande guerra desde que o período napoleônico se encerrara, em 1815. Os Estados europeus encontravam-se grosso modo em equilíbrio estratégico; os conflitos entre eles não envolviam sua existência. Nenhum Estado considerava o outro como um inimigo irreconciliável. Isso tornava alianças fluidas algo praticável. Nenhum Estado era considerado poderoso suficiente para estabelecer a hegemonia sobre os outros. Qualquer esforço nesse sentido suscitava uma coalizão contra quem tentasse.

A unificação da Alemanha em 1871 provocou uma mudança estrutural. Até essa época, a Europa Central continha — é difícil imaginar hoje — 39 Estados soberanos de tamanhos variados. Somente Prússia e Áustria podiam ser consideradas grandes potências dentro do equilíbrio europeu. Os múltiplos pequenos Estados organizavam-se dentro da Alemanha numa instituição que operava como as Nações Unidas no mundo contemporâneo, a assim chamada Confederação Alemã. Como as Nações Unidas, a Confederação Alemã tinha dificuldade em agir, mas ocasionalmente se unia para uma ação conjunta contra o que era percebido como um perigo premente. Dividida demais para agredir, ainda que suficientemente forte para se defender, a Confederação Alemã trouxe grande contribuição ao equilíbrio europeu.

Mas equilíbrio não era o que motivava as mudanças do século XIX na Europa. Nacionalismo, sim. A unificação da Alemanha refletia as aspirações de um século. Também levou com o tempo a uma atmosfera de crise. A ascensão da Alemanha enfraqueceu a elasticidade do processo diplomático, e isso aumentou a ameaça ao sistema. Onde antes houvera 37 pequenos Estados e dois relativamente grandes, uma única unidade política emergiu reunindo 38 deles. Onde a diplomacia previamente europeia conquistara uma certa flexibilidade mediante os alinhamentos fluidos de uma multiplicidade de Estados, a unificação da Alemanha reduziu as possíveis combinações e levou à criação de um Estado mais forte que cada um de seus vizinhos sozinho. Eis por que o primeiro-ministro inglês Benjamin Disraeli chamou a unificação alemã de um evento ainda mais significativo que a Revolução Francesa.

A Alemanha estava agora tão forte que podia derrotar cada um de seus vizinhos isoladamente, embora sofresse grande perigo se todos os principais Estados europeus se unissem contra ela. Uma vez que havia apenas cinco grandes Estados nesse momento, as combinações eram limitadas. Os Estados vizinhos da Alemanha tinham um incentivo para formar uma coalizão entre si — especialmente França e Rússia, que assim o fizeram em 1892 —, e a Alemanha tinha um incentivo intrínseco para quebrar as alianças.

A crise do sistema era inerente a sua estrutura. Nenhum país podia evitá-la, menos do que todos, a ascendente potência alemã. Mas eles podiam evitar políticas que exacerbassem tensões latentes. E isso nenhum país fez — menos do que todos, mais uma vez, o império alemão. As táticas escolhidas pela Alemanha para quebrar coalizões hostis provaram-se tão imprudentes quanto infelizes. Ela procurou usar conferências internacionais para manifestamente impor sua vontade sobre os participantes. A teoria alemã era de que o humilhado alvo da pressão alemã iria se sentir abandonado por seus aliados e, abandonando a aliança, buscaria segurança dentro da órbita germânica. As consequências se revelaram o oposto do que era pretendido. Os países humilhados (França, na crise marroquina de 1905; e Rússia, na Bósnia-Herzegovina em 1908) viram reforçada sua determinação de não aceitar ser subjugados, desse modo enrijecendo ainda mais o sistema de alianças que a Alemanha buscara enfraquecer. A aliança franco-russa foi, em 1904, integrada (informalmente) pela Grã-Bretanha, que a Alemanha ofendera ao manifestar simpatia pelos colonos holandeses adversários na Guerra dos Bôeres (1899-1902). Além do mais, a Alemanha desafiou o domínio britânico dos mares construindo uma grande força naval para complementar o que já constituía o mais poderoso exército do continente. A Europa enveredara pelo que era, em essência, um sistema bipolar sem qualquer flexibilidade diplomática. A política externa se tornara um jogo de soma zero.

A história vai se repetir? Sem dúvida, caso os Estados Unidos e a China recaíssem num conflito estratégico, uma situação comparável à da estrutura europeia de antes da Primeira Guerra Mundial podia evoluir na Ásia, com a formação de blocos opondo-se um contra o outro e buscando minar ou pelo menos limitar a influência e o alcance do outro. Mas, antes de nos rendermos ao presumido mecanismo da história, vamos considerar como a rivalidade entre Reino Unido e Alemanha realmente operou.

Em 1907, um funcionário sênior do Ministério das Relações Exteriores britânico, Eyre Crowe, escreveu uma análise brilhante da estrutura política europeia e da ascensão alemã. A questão-chave por ele levantada, e que tem aguda relevância nos dias atuais, é se a crise que levou à Primeira Guerra Mundial foi causada pela ascensão da Alemanha, evocando uma espécie de resistência orgânica à emergência de uma força nova e poderosa, ou se foi causada por políticas alemãs específicas e, logo, evitáveis.[1] A crise foi causada pelas capacidades alemãs ou pela conduta alemã?

Em seu memorando, apresentado no dia do Ano-Novo de 1907, Crowe optou pela tese de que o conflito era inerente à relação. Ele definiu a questão do seguinte modo:

> Para a Inglaterra particularmente, a afinidade intelectual e moral cria uma simpatia e uma apreciação do que é melhor na mente alemã, coisa que a tornou naturalmente predisposta a acolher, no interesse do progresso geral da humanidade, tudo que tende a fortalecer esse poder e essa influência — sob uma condição: deve haver respeito pelas individualidades de outras nações, coadjutoras igualmente valiosas, a seu modo, no trabalho pelo progresso humano, igualmente destinadas a ter um amplo campo de ação no qual contribuir, em liberdade, para a evolução de uma civilização mais elevada.[2]

Mas qual era o verdadeiro objetivo da Alemanha? Seria a evolução natural dos interesses culturais e econômicos alemães pela Europa e pelo mundo, para a qual a diplomacia alemã dava seu tradicional apoio? Ou será que a Alemanha buscava "uma hegemonia política geral e ascendência marítima, ameaçando a independência de seus vizinhos e em última instância a existência da Inglaterra"?[3]

Crowe concluiu que não fazia diferença qual era o objetivo afirmado pela Alemanha. Fosse qual fosse o curso que o país buscava, "a Alemanha seria claramente ajuizada de construir a força naval mais poderosa que pudesse pagar". E, uma vez conquistada a supremacia nos mares, afirmava Crowe, isso *em si mesmo* — independentemente das intenções alemãs — seria uma ameaça objetiva para a Inglaterra, e "incompatível com a existência do Império Britânico".[4]

Sob tais condições, garantias formais não faziam sentido. Dissesse o que dissesse o governo alemão, o resultado seria "uma ameaça para o resto do mundo tão formidável quanto a que seria apresentada por qualquer conquista deliberada de uma posição similar de 'premeditação maliciosa'".[5] Mesmo que estadistas alemães moderados demonstrassem sua boa-fé, a política externa moderada alemã podia "a qualquer dado estágio fundir-se em" um esquema consciente pela hegemonia.

Desse modo, elementos estruturais, na análise de Crowe, obstruíam a cooperação ou até a confiança. Como observou obliquamente Crowe: "Não seria injusto dizer que planos ambíguos contra vizinhos não são, via de regra, abertamente proclamados, e que portanto a ausência de tal proclamação, e até de profissão de benevolência ilimitada e universal, não é em si mesma uma evidência conclusiva a favor ou contra a existência de intenções não trazidas a público."[6] E uma vez que as apostas eram tão altas, não era "uma questão em que a Inglaterra pode com segurança correr quaisquer riscos".[7] Londres foi obrigada a presumir o pior, e agir com base nessas pressuposições — pelo menos enquanto a Alemanha estivesse construindo uma marinha grande e desafiadora.

Em outras palavras, já em 1907 não havia mais qualquer espaço para a diplomacia; a questão se tornara saber quem recuaria em uma crise, e sempre que essa condição não era observada, a guerra era quase inevitável. Levou sete anos para chegar ao ponto de uma guerra mundial.

Caso Crowe resolvesse analisar a cena contemporânea, ele podia se sair com uma avaliação comparável à do seu relatório de 1907. Vou esboçar essa interpretação, embora ela difira substancialmente da minha, pois se aproxima de um ponto de vista amplamente defendido em ambos os lados do Pacífico. Os Estados Unidos e a China se constituíram menos em Estados-nação do que em expressões continentais de identidades culturais. Ambos foram impelidos historicamente a visões de universalidade por suas realizações econômicas e políticas e pela irreprimível energia e autoconfiança de seus povos. Ambos os governos presumem frequentemente uma identidade consistente entre suas políticas nacionais e os interesses gerais da humanidade. Crowe talvez advirta que, quando duas entidades assim encontram uma à outra no palco mundial, significativa tensão é provável.

Fossem quais fossem as intenções chinesas, a escola de pensamento de Crowe trataria uma bem-sucedida "ascensão" chinesa como incompatível com a posição americana no Pacífico e, por extensão, no mundo. Qualquer forma de cooperação seria tratada como simplesmente dando à China oportunidade para organizar suas capacidades numa eventual crise. Assim, todo o debate chinês descrito no capítulo 18, e a questão de saber se a China pode parar de "esconder seu brilho", seria secundário para os propósitos de uma análise ao estilo Crowe: um dia ela irá (postularia essa análise), de modo que os Estados Unidos devem agir como se já fosse assim.

O debate americano acrescenta um desafio ideológico à abordagem de equilíbrio de poder de Crowe. Neoconservadores e outros ativistas argumentariam que as instituições democráticas são o pré-requisito para relações de confiança. Sociedades não democráticas, sob esse ponto de vista, são inerentemente precárias e inclinadas ao exercício de força. Logo os Estados Unidos são obrigados a exercer sua máxima influência (em sua expressão educada) ou pressão para criar instituições mais pluralistas onde elas não existem, e especialmente em países capazes de ameaçar a segurança americana. Nesses conceitos, mudança de regime é o objetivo último da política externa americana em lidar com sociedades não democráticas; a paz com a China é menos questão de estratégia do que de mudança na governança chinesa.

Tampouco está a análise, interpretando os assuntos internacionais como uma luta inevitável pela preeminência estratégica, confinada aos estrategistas ocidentais. Os "triunfalistas" chineses põem em prática um raciocínio quase idêntico. A principal diferença é que sua perspectiva é a de um poder ascendente, enquanto Crowe representava o Reino Unido, defendendo o patrimônio inglês como um país status quo. Um exemplo desse gênero é *O Sonho Chinês*, do coronel Liu Mingfu, discutido no capítulo 18. Na visão de Liu, por mais que a China se comprometa a uma "ascensão pacífica", o conflito é inerente às relações EUA-China. A relação entre China e Estados Unidos será uma "prova de maratona" e o "duelo do século".[8] Além do mais, a competição é essencialmente de soma zero; a única alternativa para o sucesso total é o fracasso humilhante: "Se a China no século XXI não puder se tornar a número um, então inevitavelmente ficará para trás e será deixada de lado."[9]

Nem a versão americana do Memorando Crowe nem as análises chinesas triunfalistas foram endossadas pelos respectivos governos, mas elas forneceram um subtexto para grande parte do pensamento corrente. Se as premissas desses pontos de vista fossem aplicadas de ambos os lados — e precisaria de apenas um para isso ser inevitável —, China e Estados Unidos poderiam facilmente recair no tipo de escalada de tensões descrita antes neste epílogo. A China tentaria empurrar os Estados Unidos para o mais longe de suas fronteiras que fosse capaz, limitar a esfera de ação do poderio naval americano e reduzir o peso dos Estados Unidos na diplomacia internacional. Os Estados Unidos tentariam organizar os inúmeros vizinhos da China para contrabalançar a dominância chinesa. Ambos os lados enfatizariam suas diferenças ideológicas. A interação seria ainda mais complicada pelo fato de os conceitos de deterrência e guerra preemptiva não serem simétricos entre os dois lados. Os Estados Unidos enfatizam mais o poderio militar esmagador; a China, o impacto psicológico decisivo. Mais cedo ou mais tarde, um lado ou outro cometeria um erro de cálculo.

Uma vez sedimentado esse padrão, torna-se cada vez mais difícil superá-lo. Os campos em disputa conquistam identidade ao definirem a si próprios. A essência do que Crowe descreveu (e do que alguns triunfalistas chineses e alguns neoconservadores americanos abraçam) é sua aparente automaticidade. Uma vez criado o padrão e formadas as alianças, nenhuma escapatória de suas exigências autoimpostas é possível, sobretudo não de suas pressuposições internas.

O leitor do Memorando Crowe não pode deixar de notar que os exemplos específicos de hostilidade mútua sendo citados eram relativamente triviais comparados às conclusões extraídas deles: incidentes de rivalidade colonial na África Austral, disputas sobre a conduta de servidores públicos. Não era o que cada lado já fizera que incitava à rivalidade. Era o que podiam fazer. Eventos transformaram-se em símbolos; os símbolos pegaram um impulso próprio. Não restou nada para acertar, pois o sistema de alianças confrontando um ao outro não tinha margem de ajuste.

Isso não deve acontecer nas relações dos Estados Unidos e da China enquanto a política americana for capaz de impedir. Certamente, caso a China insistisse em jogar pelas regras do Memorando Crowe, os Estados Unidos fatalmente resistiriam. Seria um desfecho infeliz.

Descrevi esses possíveis desdobramentos um pouco minuciosamente para mostrar que tenho consciência dos obstáculos realistas a uma relação cooperativa entre Estados Unidos e China que considero essencial à estabilidade e paz globais. Uma guerra fria entre os dois países impediria o progresso por uma geração, dos dois lados do Pacífico. Disseminaria as disputas pelas políticas internas de cada região em um tempo em que questões globais como proliferação nuclear, meio ambiente, segurança energética e mudança climática exigem a cooperação global.

Paralelos históricos são por natureza inexatos. E nem mesmo a analogia mais precisa obriga a presente geração a repetir os erros de seus predecessores. Afinal, o resultado foi o desastre para todos os envolvidos, tanto vitoriosos como derrotados. É preciso tomar cuidado para que os dois lados não analisem a si mesmos a ponto de se tornar uma profecia autorrealizável. Isso não será tarefa fácil. Pois, como mostrou o Memorando Crowe, meras garantias são incapazes de deter a dinâmica subjacente ao processo. Afinal, qualquer nação determinada a conquistar a dominação ofereceria a garantia de intenções pacíficas, não é mesmo? Um esforço conjunto sério envolvendo a atenção contínua dos principais líderes é necessário para criar uma sensação de genuína confiança estratégica e cooperação.

As relações entre China e Estados Unidos não necessitam — e nem devem — se tornar um jogo de soma zero. Para o líder europeu de antes da Primeira Guerra Mundial, o desafio era que um ganho para um lado significasse uma perda para o outro, e que as concessões fossem de encontro a uma exaltada opinião pública. Essa não é a situação do relacionamento sino-americano. Questões-chave no fronte internacional são globais por natureza. O consenso pode se mostrar difícil, mas a confrontação nessas questões é um mal autoinfligido.

A evolução interna dos principais atores tampouco é comparável à situação de antes da Primeira Guerra Mundial. Quando se projeta a ascensão da China, presume-se que o extraordinário ímpeto das últimas décadas será projetado no futuro indefinido e que os Estados Unidos estão predestinados a uma relativa estagnação. Mas nenhuma questão preocupa mais os líderes chineses do que a preservação da unidade nacional. Ela permeia o objetivo frequentemente proclamado da harmonia social, que é difícil em um país onde as regiões litorâneas estão no nível das sociedades avançadas, mas cujo interior compreende algumas das áreas mais atrasadas do mundo.

A liderança nacional chinesa apresentou ao seu povo um rol de tarefas a serem cumpridas. Entre elas está o combate à corrupção, que o presidente Hu Jintao chamou de "uma missão árdua sem precedentes", e em cuja luta Hu esteve empenhado em diferentes estágios de sua carreira.[10] Elas envolviam também uma "campanha de desenvolvimento do Oeste", planejada para estimular províncias pobres do interior, entre elas as três onde Hu morou. Tarefas-chave programadas incluíam também o estabelecimento de elos adicionais entre a liderança e o campesinato, incluindo a promoção de eleições democráticas no nível das vilas e a ênfase na transparência do processo político conforme a China evolui para uma sociedade urbanizada. Em seu artigo de dezembro de 2010, discutido no capítulo 18, Dai Bingguo delineou o escopo do desafio doméstico:

> Segundo o padrão de vida de um dólar por dia estabelecido pelas Nações Unidas, a China possui hoje 150 milhões de pessoas vivendo abaixo da linha de pobreza. Mesmo baseado no padrão de pobreza de renda per capita de 1.200 yuan, a China ainda tem mais de 40 milhões de pessoas vivendo na pobreza. No presente, há ainda 10 milhões de pessoas sem acesso a eletricidade, e a questão de empregos para 24 milhões de pessoas tem de ser resolvida a cada ano. A China possui uma imensa população e uma fundação fraca, o desenvolvimento entre as cidades e o campo é desigual, a estrutura industrial não é racional, e o subdesenvolvido estado das forças de produção não mudou fundamentalmente.[11]

O desafio doméstico chinês é, pela descrição de seus líderes, muito mais complexo do que o que pode ser abrangido pela invocação da expressão "ascensão inexorável da China".

Por mais impressionantes que tenham sido as reformas de Deng, parte do espetacular crescimento da China ao longo das décadas iniciais pode ser atribuída a sua boa sorte de existir uma correspondência razoavelmente fácil entre a imensa reserva de mão de obra jovem, e portanto em larga medida inexperiente — que fora "artificialmente" cortada da economia mundial durante os anos Mao —, e as economias ocidentais, que eram de modo geral ricas, otimistas e altamente alavancadas por crédito, com dinheiro para comprar os produtos made in China. Agora que a mão de obra chinesa começa a ficar mais velha e mais capacitada (levando alguns empregos no setor manufatureiro a se mudar para países de salários mais baixos, como Vietnã e Bangladesh) e o Ocidente entra em um período de austeridade, o panorama tornou-se muito mais complexo.

A demografia será mais um elemento complicador nessa tarefa. Impulsionada por padrões de vida e longevidade crescentes combinados a distorções na política do filho único, a China apresenta uma das populações com taxa de envelhecimento mais acelerada do mundo. A população em idade de trabalho total do país deve atingir seu pico em 2015.[12] Desse ponto em diante, um número cada vez menor de cidadãos chineses entre 15 e 64 anos precisa sustentar uma população idosa cada vez maior. As alterações demográficas serão severas: em 2030, estima-se que o número de trabalhadores rurais entre as idades de 20 e 29 anos atingirá metade de seu nível atual.[13] Em 2050, projeta-se que metade da população chinesa terá 45 anos ou mais, com um quarto da população — grosso modo equivalente a toda a população atual dos Estados Unidos — tendo 65 anos ou mais.[14]

Um país enfrentando tarefas domésticas tão grandes não vai se lançar facilmente, muito menos de forma automática, num confronto estratégico ou numa busca pela dominação mundial. A existência de armas de destruição em massa e tecnologias militares modernas de consequências em última instância desconhecidas define uma distinção-chave do período anterior à Primeira Guerra Mundial. Os líderes que iniciaram aquela guerra não tinham compreensão das consequências das armas a sua disposição. Os líderes contemporâneos não podem alimentar ilusões sobre o potencial destrutivo do que são capazes de desencadear.

A competição crucial entre os Estados Unidos e a China muito provavelmente girará mais em torno das questões econômicas e sociais do que militares. Se as tendências presentes no crescimento econômico, saúde fiscal, gastos com infraestrutura e infraestrutura educacional continuarem, um *gap* no desenvolvimento — e nas percepções que terceiros terão da influência relativa — pode se instalar, particularmente na região da Ásia-Pacífico. Mas isso é uma perspectiva que cabe aos Estados Unidos impedir ou talvez reverter por seus próprios esforços.

Os Estados Unidos têm a responsabilidade de conservar sua competitividade e seu papel mundial. O país deve fazer isso mediante suas próprias convicções tradicionais, não por meio de uma disputa com a China. Fomentar competitividade é um projeto essencialmente americano, que não devemos pedir à China que resolva por nós. A China, cumprindo sua própria interpretação de seu destino nacional, continuará a desenvolver sua economia e a perseguir um leque amplo de interesses na Ásia e além. Isso não é uma perspectiva que impõe os confrontos que levaram à Primeira Guerra Mundial. Sugere uma evolução em muitos aspectos dos quais China e Estados Unidos tanto cooperam como competem.

A questão dos direitos humanos encontrará seu lugar no espectro total de interação. Os Estados Unidos não podem permanecer fiéis a si mesmos sem afirmar seu compromisso com princípios básicos de dignidade humana e participação popular no governo. Dada a natureza da tecnologia moderna, esses princípios não ficarão confinados às fronteiras nacionais. Mas a experiência tem mostrado que procurar impô-los por meio do confronto provavelmente será contraproducente — sobretudo em um país com tal visão histórica de si mesmo, como a China. Uma sucessão de governos americanos, incluindo os primeiros dois anos de Obama, tem contrabalançado substancialmente convicções morais de longo prazo com adaptações caso a caso de exigências na segurança nacional. A abordagem básica — discutida em capítulos precedentes — permanece válida; como atingir o equilíbrio necessário é o desafio para cada nova geração de ambos os lados.

A questão em última instância se resume ao que Estados Unidos e China podem pedir um ao outro sem deixar de ser realistas. Um projeto americano explícito de organizar a Ásia com base na contenção da China ou na criação de um bloco de Estados democráticos para uma cruzada ideológica tem pouca chance de sucesso — em parte porque a China é um parceiro comercial indispensável para a maioria de seus vizinhos. De modo similar, uma tentativa chinesa de excluir os Estados Unidos dos assuntos econômicos e de segurança asiáticos encontrará forte resistência de quase todos os demais Estados asiáticos, que temem as consequências de uma região dominada por uma única potência.

O rótulo apropriado para a relação sino-americana é menos parceria do que "coevolução". Isso significa que ambos os países buscam seus imperativos domésticos, cooperando no que for possível, e ajustam suas relações para minimizar o conflito. Nenhum lado endossa todos os objetivos do outro ou presume uma total identidade de interesses, mas ambos buscam identificar e desenvolver interesses complementares.[15]

Os Estados Unidos e a China têm a obrigação, em nome de seu povo e do bem-estar global, de tentar. Ambos são grandes demais para serem dominados pelo outro. Logo, nenhum dos dois é capaz de definir termos para a vitória numa guerra ou num conflito nos moldes da Guerra Fria. Eles precisam se fazer as perguntas que aparentemente nunca foram postas formalmente no tempo do Memorando Crowe: Aonde um conflito vai nos levar? Será que houve uma falta de visão de todos os lados, que transformou a operação do equilíbrio em um processo mecânico, sem se verificar para onde iria o mundo se os colossos errassem uma manobra e colidissem? Quais líderes dentre os que operavam o sistema internacional que conduziu à Primeira Guerra Mundial teriam deixado de recuar caso soubessem como ficaria o mundo ao final do conflito?

Rumo a uma Comunidade Pacífica?

Um tal esforço de coevolução deve lidar com três níveis de relacionamentos. O primeiro diz respeito a problemas que brotam das interações normais de grandes centros de poder. O sistema de consulta desenvolvido ao longo de três décadas se mostrou em grande medida adequado a essa tarefa. Interesses comuns — tais como laços comerciais e cooperação diplomática em questões específicas — são profissionalmente buscados. As crises, quando surgem, em geral são resolvidas na base do diálogo.

O segundo nível seria tentar elevar os familiares diálogos sobre crises a um contexto mais abrangente que elimine as causas subjacentes das tensões. Um bom exemplo seria lidar com o problema coreano como parte do conceito geral para o Nordeste Asiático. Se a Coreia do Norte conseguir manter sua capacidade nuclear graças à incapacidade das partes negociantes de levar a questão a uma solução, a proliferação de armas nucleares por todo o Nordeste Asiático e o Oriente Médio se torna provável. Não terá chegado a hora de dar o passo seguinte e lidar com a questão da proliferação nuclear coreana no contexto de uma ordem pacífica consensual para o Nordeste Asiático?

Uma visão ainda mais fundamental moveria o mundo para um terceiro nível de interação — um que os líderes anteriores à catástrofe da Primeira Guerra Mundial nunca atingiram.

O argumento de que China e Estados Unidos estão fadados a colidir pressupõe que ambos tratam um ao outro como um bloco competitivo na margem oposta do Pacífico. Mas isso é a estrada para o desastre dos dois lados.

Um aspecto da tensão estratégica na atual situação mundial reside no medo chinês de que a América esteja procurando conter a China — paralelamente à preocupação americana de que a China esteja buscando expulsar os Estados Unidos da Ásia. O conceito de uma Comunidade Pacífica — uma região à qual Estados Unidos, China e outros Estados pertencem e de cujo desenvolvimento pacífico todos participem — poderia aliviar os receios recíprocos. Tornaria Estados Unidos e China parte de um empreendimento comum. Propósitos compartilhados — e sua elaboração — substituiriam em certa medida a inquietação estratégica. Possibilitaria a outros grandes países como Japão, Indonésia, Vietnã, Índia e Austrália participar da construção de um sistema percebido como conjunto, não polarizado entre os blocos "chinês" e "americano". Tal esforço seria significativo apenas se contasse com a completa dedicação, e acima de tudo a convicção, dos líderes envolvidos.

Uma das grandes conquistas da geração que fundou a ordem mundial ao final da Segunda Guerra Mundial foi a criação do conceito de uma Comunidade Atlântica. Poderia um conceito similar substituir ou ao menos mitigar as potenciais tensões entre os Estados Unidos e a China? Isso refletiria a realidade de que os Estados Unidos são uma potência asiática e de que muitas potências asiáticas assim o querem. E responde à aspiração chinesa de desempenhar um papel mundial.

Um conceito político regional comum responderia também em grande parte ao medo chinês de que os Estados Unidos estejam conduzindo uma política de contenção em relação à China. É importante compreender o que se entende pelo termo "contenção". Países na fronteira chinesa com recursos substanciais, como Índia, Japão, Vietnã e Rússia, representam realidades não criadas pela política americana. A China conviveu com esses países durante toda sua história. Quando a secretária de Estado Hillary

Clinton rejeitou a ideia de conter a China, ela se referia a um esforço conduzido pelos Estados Unidos visando criar um bloco estratégico fundado numa base antichinesa. Em um esforço por uma Comunidade Pacífica, tanto China como Estados Unidos teriam relações construtivas um com o outro e com todos os demais participantes, e não seriam como parte de blocos rivais.

O futuro da Ásia será moldado em grau significativo pelo modo como China e Estados Unidos o veem, e em que medida cada nação é capaz de atingir alguma congruência com o papel regional histórico da outra. Durante toda sua história, os Estados Unidos têm com frequência sido motivados por visões da relevância universal de seus ideais e de um dever proclamado de disseminá-los. A China tem agido com base em sua singularidade; o país se expandiu por osmose cultural, não zelo missionário.

Para essas duas sociedades representando diferentes versões de excepcionalismo, a estrada para a cooperação é inerentemente complexa. O estado de espírito do momento é menos relevante do que a capacidade de desenvolver um padrão de ações capaz de sobreviver às inevitáveis mudanças de circunstância. Os líderes de ambos os lados do Pacífico têm a obrigação de estabelecer uma tradição de consulta e respeito mútuo de modo que, para seus sucessores, a construção conjunta de um mundo compartilhado se torne uma expressão de aspirações nacionais paralelas.

Quando China e Estados Unidos restabeleceram relações há quarenta anos, a contribuição mais significativa de seus líderes foi sua disposição de olhar para além das questões imediatas da época. De certo modo, eles tiveram sorte no sentido de que o longo isolamento um do outro significou não haver querelas cotidianas de curto prazo entre eles. Isso possibilitou aos líderes de uma geração atrás lidar com seu futuro, não com as pressões imediatas, e lançar as bases para um mundo inimaginável na época, mas inatingível sem a cooperação sino-americana.

Em busca de compreender a natureza da paz, tenho estudado a construção e operação de ordens internacionais desde que era um estudante de pós-graduação, muito mais de meio século atrás. Com base nesses estudos, tenho consciência de que as lacunas de percepção culturais, históricas e estratégicas que aqui descrevi oferecerão formidáveis desafios até para os mais bem-intencionados e previdentes líderes de ambos os lados. Por outro lado, estivesse a história restrita a repetir mecanicamente o passado, nenhuma transformação teria jamais ocorrido. Toda grande realização foi uma visão antes de se tornar realidade. Nesse sentido, ela surgiu do compromisso, não da resignação com o inevitável.

Em seu ensaio "A paz perpétua", o filósofo Immanuel Kant argumentava que a paz perpétua acabaria chegando ao mundo de dois possíveis modos: pelo discernimento humano ou por conflitos e catástrofes de tal magnitude que não restaria à humanidade outra escolha. Estamos nessa encruzilhada.

Quando o premiê Zhou Enlai e eu chegamos a um acordo sobre o comunicado que anunciava a visita secreta, ele disse: "Isso vai sacudir o mundo." Que grande clímax seria se, quarenta anos mais tarde, Estados Unidos e China pudessem juntar forças não para sacudir o mundo, mas para construí-lo.

Notas

Prólogo

1. John W. Garver, "China's Decision for War with India in 1962", in Alastair Iaian Johnston and Robert S. Ross, eds., *New Directions in the Study of China's Foreign Policy* (Stanford: Stanford University Press, 2006), 116, citando Sun Shao e Chen Zibin, *Ximalaya shan de xue: Zhong Yin zhanzheng shilu* [*Neves dos montes Himalaias: O verdadeiro relato da Guerra China-Índia*] (Taiyuan: Bei Yue Wenyi Chubanshe, 1991), 95; Wang Hongwei, *Ximalaya shan qingjie: Zhong Yin guanxi yanjiu* [*O sentimento dos Himalaias: Um estudo das relações China-Índia*] (Pequim: Zhongguo Zangxue Chubanshe, 1998), 228-30.
2. *Huaxia* e *Zhonghua,* outros nomes comuns para a China, não têm sentido preciso em inglês, mas carregam conotações similares de grandeza e civilização central.

Capítulo 1: A singularidade da China

1. "Ssuma Ch'ien's Historical Records — Introductory Chapter", trad. por Herbert J. Allen, *The Journal of the Royal Asiatic Society of Great Britain and Ireland* (Londres: Royal Asiatic Society, 1894), 278-80 ("Chapter I: Original Records of the Five Gods").
2. Abade Régis-Evariste Huc, *The Chinese Empire* (Londres: Longman, Brown, Green & Longmans, 1855), conforme extraído de Franz Schurmann e Orville Schell, eds., *Imperial China: The Decline of the Last Dynasty and the Origins of Modern China — The 18th and 19th Centuries* (Nova York: Vintage, 1967), 31.
3. Luo Guanzhong, *The Romance of the Three Kingdoms,* trad. por Moss Roberts (Pequim: Foreign Languages Press, 1995), 1.
4. Mao usava esse exemplo para demonstrar por que a China sobreviveria até a uma guerra nuclear. Ross Terrill, *Mao: A Biography* (Stanford: Stanford University Press, 2000), 268.
5. John King Fairbank e Merle Goldman, *China: A New History*, 2. ed. ampliada (Cambridge: Belknap Press, 2006), 93.
6. F. W. Mote, *Imperial China: 900-1800* (Cambridge: Harvard University Press, 1999), 614-15.
7. Ibid., 615.
8. Thomas Meadows, *Desultory Notes on the Government and People of China* (Londres: W. H. Allen & Co., 1847), conforme extraído de Schurmann and Schell, eds., *Imperial China*, 150.
9. Lucian Pye, "Social Science Theories in Search of Chinese Realities", *China Quarterly* 132 (1992): 1162.
10. Antecipando que seus colegas em Washington pudessem objetar a essa proclamação de jurisdição universal, o

enviado americano a Pequim obteve uma tradução e uma exegese alternativas com um especialista britânico. Este explicou que a expressão insultuosa — literalmente "apaziguar e pôr rédeas no mundo" — era uma formulação padrão e que a carta para Lincoln era na verdade um documento particularmente modesto (para os padrões da corte chinesa) cujo fraseado indicava genuína boa vontade. *Papers Relating to Foreign Affairs Accompanying the Annual Message of the President to the First Session of the Thirty-eighth Congress*, vol. 2 (Washington, D.C.: U.S. Government Printing Office, 1864), Documento n. 33 ("Mr. Burlingame to Mr. Seward, Peking, January 29, 1863"), 846-48.

11. Para um relato brilhante de um estudioso ocidental profundamente (e talvez excessivamente) encantado com a China, ver a obra enciclopédica de Joseph Needham, *Science and Civilisation in China* (Cambridge: Cambridge University Press, 1954).
12. Fairbank e Goldman, *China*, 89.
13. Angus Maddison, *The World Economy: A Millennial Perspective* (Paris: Organisation for Economic Co-operation and Development, 2006), Appendix B, 261-63. Deve-se admitir que até a Revolução Industrial o PIB total estava mais atrelado ao tamanho da população; assim a China e a Índia sobrepujavam o Ocidente em parte devido a suas populações maiores. Gostaria de agradecer a Michael Cembalest por chamar minha atenção para esses números.
14. Jean-Baptiste Du Halde, *Description géographique, historique, chronologique, politique, et physique de l'empire de la Chine et de la Tartarie chinoise* (La Haye: H. Scheurleer, 1736), conforme traduzido e extraído de Schurmann and Schell, eds., *Imperial China*, 71.
15. François Quesnay, *Le despotisme de la Chine*, conforme traduzido e extraído de Schurmann and Schell, eds., *Imperial China*, 115.
16. Para uma exploração da carreira política de Confúcio sintetizando relatos chineses clássicos, ver Annping Chin, *The Authentic Confucius: A Life of Thought and Politics* (Nova York: Scribner, 2007).
17. Ver Benjamin I. Schwartz, *The World of Thought in Ancient China* (Cambridge: Belknap Press, 1985), 63-66.
18. Confucius, *The Analects*, trad. por William Edward Soothill (Nova York: Dover, 1995), 107.
19. Ver Mark Mancall, "The Ch'ing Tribute System: An Interpretive Essay", in John King Fairbank, ed., *The Chinese World Order* (Cambridge: Harvard University Press, 1968), 63-65; Mark Mancall, *China at the Center: 300 Years of Foreign Policy* (Nova York: Free Press, 1984), 22.
20. Ross Terrill, *The New Chinese Empire* (Nova York: Basic Books, 2003), 46.
21. Fairbank e Goldman, *China*, 28, 68-69.
22. Masataka Banno, *China and the West, 1858-1861: The Origins of the Tsungli Yamen* (Cambridge: Harvard University Press, 1964), 224-25; Mancall, *China at the Center*, 16-17.
23. Banno, *China and the West*, 224-28; Jonathan Spence, *The Search for Modern China* (Nova York: W. W. Norton, 1999), 197.
24. Owen Lattimore, "China and the Barbarians", in Joseph Barnes, ed., *Empire in the East* (Nova York: Doubleday, 1934), 22.
25. Lien-sheng Yang, "Historical Notes on the Chinese World Order", in Fairbank, ed., *The Chinese World Order*, 33.
26. Conforme extraído de G. V. Melikhov, "Ming Policy Toward the Nüzhen (1402-1413)", in S. L. Tikhvinsky, ed., *China and Her Neighbors: From Ancient Times to the Middle Ages* (Moscou: Progress Publishers, 1981), 209.
27. Ying-shih Yü, *Trade and Expansion in Han China: A Study in the Structure of Sino-Barbarian Economic Relations* (Berkeley: University of California Press, 1967), 37.
28. Immanuel C. Y. Hsü, *China's Entrance into the Family of Nations: The Diplomatic Phase, 1858-1880* (Cambridge: Harvard University Press, 1960), 9.

29. Daí a extensão da soberania chinesa sobre a Mongólia (tanto "Interior" como, em vários momentos da história chinesa, "Exterior") e a Manchúria, respectivas origens dos conquistadores estrangeiros que fundaram as dinastias Yuan e Qing.
30. Para uma discussão elucidativa desses temas, e uma explicação completa das regras do *wei qi,* ver David Lai, "Learning from the Stones: A *Go* Approach to Mastering China's Strategic Concept, *Shi*" (Carlisle, Pa.: United States Army War College Strategic Studies Institute, 2004); e David Lai and Gary W. Hamby, "East Meets West: An Ancient Game Sheds New Light on U.S.-Asian Strategic Relations", *Korean Journal of Defense Analysis* 14, n. 1 (primavera 2002).
31. Uma teoria convincente defende que *A arte da guerra* é obra de um autor posterior (embora ainda assim antigo) do período dos Estados Combatentes, e que ele tentou imbuir suas ideias de maior legitimidade datando-as do tempo de Confúcio. Esses argumentos estão resumidos em Sun Tzu, *The Art of War,* trad. por Samuel B. Griffith (Oxford: Oxford University Press, 1971), Introduction, 1-12; e Andrew Meyer e Andrew Wilson, "*Sunzi Bingfa* as History and Theory", in Bradford A. Lee e Karl F. Walling, eds., *Strategic Logic and Political Rationality: Essays in Honor of Michael Handel* (Londres: Frank Cass, 2003).
32. Sun Tzu, *The Art of War,* trad. por John Minford (Nova York: Viking, 2002), 3.
33. Ibid., 87-88.
34. Ibid., 14-16.
35. Ibid., 23.
36. Ibid., 6.
37. Em chinês mandarim, "*shi*" se pronuncia aproximadamente como *sir* com um *sh*. O caracter chinês combina os elementos de "cultivo" e "força".
38. Kidder Smith, "The Military Texts: The *Sunzi*", in Wm. Theodore de Bary e Irene Bloom, eds., *Sources of Chinese Tradition,* vol. 1, *From Earliest Times to 1600*, 2.ed. (Nova York: Columbia University Press, 1999), 215. O autor chinês Lin Yutang explicou *shi* como um conceito estético e filosófico de que uma situação "vai ficar [...] do modo como o vento, a chuva, a inundação ou a batalha parece para o futuro, seja aumentando ou diminuindo sua força, cessando em breve ou continuando indefinidamente, ganhando ou perdendo, em qualquer direção [e] com qualquer força". Lin Yutang, *The Importance of Living* (Nova York: Harper, 1937), 442.
39. Ver Joseph Needham e Robin D. S. Yates, *Science and Civilisation in China*, vol. 5, parte 6: "Military Technology Missiles and Sieges" (Cambridge: Cambridge University Press, 1994), 33-35, 67-79.
40. Ver Lai e Hamby, "East Meets West", 275.
41. Georg Wilhelm Friedrich Hegel, *The Philosophy of History*, trad. por E. S. Haldane e Frances Simon, conforme citado em Spence, *The Search for Modern China*, 135-36.

Capítulo 2: A questão do *kowtow* e a Guerra do Ópio

1. A história da expansão Qing na "Ásia interior" sob uma série de imperadores excepcionalmente capazes está relatada em ricos detalhes em Peter Perdue, *China Marches West: The Qing Conquest of Central Eurasia* (Cambridge: Belknap Press, 2005).
2. Ver J. L. Cranmer-Byng, ed., *An Embassy to China: Being the journal kept by Lord Macartney during his embassy to the Emperor Ch'ien-lung, 1793-1794* (Londres: Longmans, Green, 1962), Introduction, 7-9 (citando os *Collected Statutes* da dinastia Qing).
3. "Lord Macartney's Commission from Henry Dundas" (8 set. 1792), in Pei-kai Cheng, Michael Lestz e Jonathan Spence, eds., *The Search for Modern China: A Documentary Collection* (Nova York: W. W. Norton, 1999), 93-96.
4. Ibid., 95.
5. Macartney's Journal, in *An Embassy to China,* 87-88.
6. Ibid., 84-85.
7. Alain Peyrefitte, *The Immobile Empire* (Nova York: Alfred A. Knopf, 1992), 508.

8. Macartney's Journal, in *An Embassy to China*, 105.
9. Ibid., 90.
10. Ibid., 123.
11. Ibid.
12. Ver capítulo 1, "A singularidade da China", p. 38.
13. Macartney's Journal, in *An Embassy to China*, 137.
14. Primeiro Édito de Qianlong para o rei George III (set. 1793), in Cheng, Lestz e Spence, eds., *The Search for Modern China: A Documentary Collection*, 104-6.
15. Segundo Édito de Qianlong para o rei George III (set. 1793), in Cheng, Lestz e Spence, eds., *The Search for Modern China: A Documentary Collection*, 109.
16. Diário de Macartney, in *An Embassy to China*, 170.
17. Angus Maddison, *The World Economy: A Millennial Perspective* (Paris: Organisation for Economic Cooperation and Development, 2006), Appendix B, 261, Table B-18, "World GDP, 20 Countries and Regional Totals, 0-1998 A.D".
18. Ver Jonathan Spence, *The Search for Modern China* (Nova York: W. W. Norton, 1999), 149-50; Peyrefitte, *The Immobile Empire*, 509-11; Dennis Bloodworth and Ching Ping Bloodworth, *The Chinese Machiavelli: 3000 Years of Chinese Statecraft* (Nova York: Farrar, Straus & Giroux, 1976), 280.
19. Peter Ward Fay, *The Opium War, 1840-1842* (Chapel Hill: University of North Carolina Press, 1975), 68.
20. Peyrefitte, *The Immobile Empire*, xxii.
21. "Lin Tse-hsü's Moral Advice to Queen Victoria, 1839", in Ssu-yü Teng e John K. Fairbank, eds., *China's Response to the West: A Documentary Survey, 1839-1923* (Cambridge: Harvard University Press, 1979), 26.
22. Ibid., 26-27.
23. Ibid., 25-26.
24. "Lord Palmerston to the Minister of the Emperor of China" (London, February 20, 1840), como reproduzido em Hosea Ballou Morse, *The International Relations of the Chinese Empire*, vol. 1, *The Period of Conflict, 1834-1860*, parte 2 (Londres: Longmans, Green, 1910), 621-24.
25. Ibid., 625.
26. Informe ao imperador, conforme traduzido e extraído de Franz Schurmann e Orville Schell, eds., *Imperial China: The Decline of the Last Dynasty and the Origins of Modern China, the 18th and 19th Centuries* (Nova York: Vintage, 1967), 146-47.
27. E. Backhouse e J. O. P. Bland, *Annals and Memoirs of the Court of Peking* (Boston: Houghton Mifflin, 1914), 396.
28. Tsiang Ting-fu, *Chung-kuo chin tai shih* [*História moderna da China*] (Hong Kong: Li-ta Publishers, 1955), conforme traduzido e extraído de Schurmann e Schell, eds., *Imperial China*, 139.
29. Ibid., 139-40.
30. Maurice Collis, *Foreign Mud: Being an Account of the Opium Imbroglio at Canton in the 1830s and the Anglo-Chinese War That Followed* (Nova York: New Directions, 1946), 297.
31. Ver Teng e Fairbank, eds., *China's Response to the West*, 27-29.
32. Immanuel C. Y. Hsü, *The Rise of Modern China*, 6.ed. (Oxford: Oxford University Press, 2000), 187-88.
33. Spence, *The Search for Modern China*, 158.
34. John King Fairbank, *Trade and Diplomacy on the China Coast: The Opening of the Treaty Ports, 1842-1854* (Stanford: Stanford University Press, 1969), 109-12.
35. "Ch'i-ying's Method for Handling the Barbarians, 1844", conforme traduzido em Teng e Fairbank, eds., *China's Response to the West*, 38-39.
36. Ibid., 38. Ver também Hsü, *The Rise of Modern China*, 208-9. Uma cópia desse relatório foi descoberta anos mais tarde na captura britânica de uma residência oficial em Guangzhou. Caindo em desgraça por sua revelação em uma negociação de 1858 com representantes ingleses, Qiying fugiu. Por fugir de uma negociação oficial sem autorização, Qiying foi sentenciado à morte. Em deferência a seu status superior, ele

recebeu "permissão" de executar o ato sozinho com uma corda de seda.

37. Meadows, *Desultory Notes on the Government and People of China*, in Schurmann e Schell, eds., *Imperial China,* 148-49.
38. Ver Morse, *The International Relations of the Chinese Empire*, vol. 1, parte 2, 632-36.
39. Ver ibid., parte 1, 309-10; Segundo Édito de Qianlong para o rei George III, in Cheng, Lestz e Spence, *The Search for Modern China: A Documentary Collection*, 109.

Capítulo 3: Da preeminência ao declínio

1. "Wei Yuan's Statement of a Policy for Maritime Defense, 1842", in Ssu-yü Teng e John K. Fairbank, eds., *China's Response to the West: A Documentary Survey, 1839-1923* (Cambridge: Harvard University Press, 1979), 30.
2. Ibid., 31-34.
3. Ibid., 34.
4. As opiniões divergem sobre se a inclusão das cláusulas de Nação Mais Favorecida nesses tratados iniciais representa uma estratégia chinesa combinada ou uma omissão tática. Um especialista nota que em alguns aspectos isso tolheu a margem de manobra da corte Qing em negociações subsequentes com as potências estrangeiras, uma vez que qualquer potência ocidental podia ter certeza de que receberia os benefícios concedidos às rivais. Por outro lado, o efeito prático foi impedir qualquer outro colonizador de obter uma posição econômica dominante — um contraste com a experiência de muitos países vizinhos durante esse período. Ver Immanuel C. Y. Hsü, *The Rise of Modern China*, 6.ed. (Oxford: Oxford University Press, 2000), 190-92.
5. "Wei Yuan's Statement of a Policy for Maritime Defense", in Teng and Fairbank, eds., *China's Response to the West*, 34.
6. Prince Gong (Yixin), "The New Foreign Policy of January 1861", in Teng e Fairbank, eds., *China's Response to the West*, 48.
7. Diário de Macartney, in J. L. Cranmer-Byng, ed., *An Embassy to China: Being the journal kept by Lord Macartney during his embassy to the Emperor Ch'ien-lung, 1793-1794* (Londres: Longmans, Green, 1962), 191, 239.
8. John King Fairbank e Merle Goldman, *China: A New History*, 2nd enlarged ed. (Cambridge: Belknap Press, 2006), 216. Para um relato da Rebelião Taiping e a carreira de seu carismático líder Hong Xiuquan, ver Jonathan Spence, *God's Chinese Son* (Nova York: W. W. Norton 1996).
9. Hsü, *The Rise of Modern China*, 209.
10. Ibid., 209-11.
11. Bruce Elleman, *Modern Chinese Warfare, 1795-1989* (Nova York: Routledge, 2001), 48-50; Hsü, *The Rise of Modern China*, 212-15.
12. Mary C. Wright, *The Last Stand of Chinese Conservatism: The T'ung-Chih Restoration, 1862-1874*, 2nd ed. (Stanford: Stanford University Press, 1962), 233-36.
13. Hsü, *The Rise of Modern China*, 215-18.
14. Comentando acerbamente a perda de Vladivostok 115 anos mais tarde (e sobre a reunião de cúpula do presidente Ford com o secretário-geral soviético Leonid Brezhnev nessa cidade), Deng Xiaoping contou-me que os diferentes nomes dados à cidade pelos chineses e russos refletem seus respectivos propósitos: o nome chinês se traduz mais ou menos como "lesma do mar", enquanto o nome russo quer dizer "domínio do leste". "Acho que não tem qualquer outro significado além do que diz no valor de face", acrescentou.
15. "The New Foreign Policy of January 1861", in Teng and Fairbank, eds., *China's Response to the West*, 48. Por consistência com o presente livro, a grafia de "Nian" foi alterada nessa passagem para "Nien", a grafia mais comum na época da publicação do livro citado. A palavra chinesa subjacente é a mesma.
16. Ibid.
17. Ibid.
18. Ibid.
19. Christopher A. Ford, *The Mind of Empire: China's History and Modern Foreign Relations*

(Lexington: University of Kentucky Press, 2010), 142-43.

20. Estou em dívida com meu colega, o embaixador J. Stapleton Roy, por chamar minha atenção para essa questão linguística.
21. Esse relato da carreira de Li baseia-se em eventos relacionados em William J. Hail, "Li Hung-Chang", in Arthur W. Hummel, ed., *Eminent Chinese of the Ch'ing Period* (Washington, D.C.: U.S. Government Printing Office, 1943), 464-71; J. O. P. Bland, *Li Hung-chang* (Nova York: Henry Holt, 1917); e Edgar Sanderson, ed., *Six Thousand Years of World History*, vol. 7, *Foreign Statesmen* (Philadelphia: E. R. DuMont, 1900), 425-44.
22. Hail, "Li Hung-Chang", in Hummel, ed., *Eminent Chinese of the Ch'ing Period*, 466.
23. "Excerpts from Tseng's Letters, 1862", conforme traduzido e extraído de Teng e Fairbank, eds., *China's Response to the West*, 62.
24. Li Hung-chang, "Problems of Industrialization", in Franz Schurmann e Orville Schell, *Imperial China: The Decline of the Last Dynasty and the Origins of Modern China, the 18th and 19th Centuries* (Nova York: Vintage, 1967), 238.
25. Teng and Fairbank, eds., *China's Response to the West*, 87.
26. "Letter to Tsungli Yamen Urging Study of Western Arms", in ibid., 70-72.
27. "Li Hung-chang's Support of Western Studies", in ibid., 75.
28. Ibid.
29. Ibid.
30. Conforme citado em Wright, *The Last Stand of Chinese Conservatism*, 222.
31. Conforme citado em Jerome Ch'en, *China and the West: Society and Culture, 1815-1937* (Bloomington: Indiana University Press, 1979), 429.
32. Segundo a obra do século XIV "Atas da Legítima Sucessão das Soberanias Divinas" (mais tarde amplamente distribuída na década de 1930 pelo Thought Bureau do Ministério da Educação japonês): "O Japão é o país divino. O ancestral celestial foi quem lançou suas fundações pela primeira vez e a Deusa do Sol deixou que seu descendente reinasse sobre ele para todo o sempre. Isso é verdade apenas em relação ao nosso país, e nada semelhante pode ser encontrado em terras estrangeiras. Eis por que ele é chamado de país divino." John W. Dower, *War Without Mercy: Race and Power in the Pacific War* (Nova York: Pantheon, 1986), 222.
33. Ver Kenneth B. Pyle, *Japan Rising* (Nova York: PublicAffairs, 2007), 37-38.
34. Ver Karel van Wolferen, *The Enigma of Japanese Power: People and Politics in a Stateless Nation* (Londres: Macmillan, 1989), 13.
35. Sobre o conceito clássico de uma ordem tributária centrada no Japão, ver Michael R. Auslin, *Negotiating with Imperialism: The Unequal Treaties and the Culture of Japanese Diplomacy* (Cambridge: Harvard University Press, 2004), 14; e Marius B. Jansen, *The Making of Modern Japan* (Cambridge: Belknap Press, 2000), 69.
36. Jansen, *The Making of Modern Japan*, 87.
37. Citado em Ch'en, *China and the West*, 431.
38. Masakazu Iwata, *Okubo Toshimichi: The Bismarck of Japan* (Berkeley: University of California Press, 1964), citando Wang Yusheng, *China and Japan in the Last Sixty Years* (Tientsin: Ta Kung Pao, 1932-34).
39. O que ocasionou a crise de 1874 foi o naufrágio de uma tripulação das ilhas Ryukyu na distante costa sudeste de Taiwan e o assassinato dos marinheiros por uma tribo taiwanesa. Quando o Japão exigiu uma pesada indenização, Pequim inicialmente respondeu que não tinha jurisdição alguma sobre tribos não sinicizadas. Na visão tradicional chinesa, isso tinha certa lógica: "bárbaros" não eram responsabilidade de Pequim. Visto em modernos termos legais e políticos internacionais, foi quase certamente um erro de cálculo, uma vez que sinalizou que a China não exercia plena autoridade sobre Taiwan. O Japão reagiu com uma expedição punitiva contra a ilha, que as autoridades Qing se mostraram impotentes para deter. Tóquio então persuadiu Pequim a

pagar uma indenização, que um observador contemporâneo chamou de "uma transação que realmente selou o destino da China, anunciando para o mundo que aqui havia um rico império que estava pronto para pagar, mas não pronto para lutar". (Alexander Michie, *An Englishman in China During the Victorian Era,* vol. 2 [Londres: William Blackwood & Sons, 1900], 256.) O que tornou a crise ainda mais prejudicial para a China foi que, até esse ponto, tanto Pequim como Tóquio haviam reivindicado as ilhas Ryukyu como um estado tributário; após a crise, as ilhas caíram sob domínio japonês. Ver Hsü, *The Rise of Modern China,* 315-17.

40. Teng e Fairbank, eds., *China's Response to the West,* 71.
41. Como citado em Bland, *Li Hung-chang,* 160.
42. Ibid., 160-61.
43. "Text of the Sino-Russian Secret Treaty of 1896", in Teng e Fairbank, eds., *China's Response to the West,* 131.
44. Bland, *Li Hung-chang,* 306.
45. Para um relato desses eventos e das deliberações internas da corte chinesa, ver Hsü, *The Rise of Modern China,* 390-98.
46. Em contraste com indenizações anteriores, a maior parte da indenização boxer foi mais tarde rejeitada ou redirecionada pelas potências estrangeiras para empresas de caridade dentro da China. Os Estados Unidos direcionaram parte de sua indenização para a construção da Universidade Tsinghua em Pequim.
47. Essas estratégias são contadas em detalhes em Scott A. Boorman, *The Protracted Game: A Wei-ch'i Interpretation of Maoist Revolutionary Strategy* (Nova York: Oxford University Press, 1969).
48. Jonathan Spence, *The Search for Modern China* (Nova York: W. W. Norton, 1999), 485.

Capítulo 4: A revolução contínua de Mao

1. Para Mao sobre Qin Shihuang, ver, por exemplo, "Talks at the Beidaihe Conference: August 19, 1958", in Roderick MacFarquhar, Timothy Cheek e Eugene Wu, eds., *The Secret Speeches of Chairman Mao: From the Hundred Flowers to the Great Leap Forward* (Cambridge: Harvard University Press, 1989), 405; "Talks at the First Zhengzhou Conference: November 10, 1958", in MacFarquhar, Cheek e Wu, eds., *The Secret Speeches of Chairman Mao,* 476; Tim Adams, "Behold the Mighty Qin", *The Observer* (19 ago. 2007); and Li Zhisui, *The Private Life of Chairman Mao,* trad. por Tai Hung-chao (Nova York: Random House, 1994), 122.
2. André Malraux, *Anti-Memoirs,* trad. Terence Kilmartin (Nova York: Henry Holt, 1967), 373-74.
3. "Speech at the Supreme State Conference: Excerpts, 28 January 1958", in Stuart Schram, ed., *Mao Zedong Unrehearsed: Talks and Letters: 1956-71* (Harmondsworth: Penguin, 1975), 92-93.
4. "On the People's Democratic Dictatorship: In Commemoration of the Twenty-eighth Anniversary of the Communist Party of China: June 30, 1949", *Selected Works of Mao Zedong,* vol. 4 (Peking: Foreign Languages Press, 1969), 412.
5. "Sixty Points on Working Methods — A Draft Resolution from the Office of the Centre of the CPC: 19.2.1958", in Jerome Ch'en, ed., *Mao Papers: Anthology and Bibliography* (Londres: Oxford University Press, 1970), 63.
6. Ibid., 66.
7. "The Chinese People Have Stood Up: September 1949", in Timothy Cheek, ed., *Mao Zedong and China's Revolutions: A Brief History with Documents* (Nova York: Palgrave, 2002), 126.
8. Ver M. Taylor Fravel, "Regime Insecurity and International Cooperation: Explaining China's Compromises in Territorial Disputes", *International Security* 30, n. 2 (outono 2005): 56-57; "A Himalayan Rivalry: India and China", *The Economist* 396, n. 8696 (21 ago. 2010), 17-20.
9. Zhang Baijia, "Zhou Enlai — The Shaper and Founder of China's Diplomacy", in Michael H. Hunt e Niu Jun, eds., *Toward a History of Chinese Communist Foreign*

Relations, 1920s-1960s: Personalities and Interpretive Approaches (Washington, D.C.: Woodrow Wilson International Center for Scholars, Asia Program, 1992), 77.
10. Charles Hill, *Grand Strategies: Literature, Statecraft, and World Order* (New Haven: Yale University Press, 2010), 2.
11. "Memorandum of Conversation: Beijing, July 10, 1971, 12:10-6 p.m.", in Steven E. Phillips, ed., *Foreign Relations of the United States (FRUS), 1969-1976*, vol. 17, *China 1969-1972*, (Washington, D.C.: U.S. Government Printing Office, 2006), 404. Zhou Enlai recitou isso durante um de nossos primeiros encontros em Pequim, em julho de 1971.
12. John W. Garver, "China's Decision for War with India in 1962", in Alastair Iain Johnston e Robert S. Ross, eds., *New Directions in the Study of China's Foreign Policy* (Stanford: Stanford University Press, 2006), 107.
13. Li, *The Private Life of Chairman Mao*, 83.
14. "On the Correct Handling of Contradictions Among the People: February 27, 1957", *Selected Works of Mao Zedong*, vol. 5 (Peking: Foreign Languages Press, 1977), 417.
15. Edgar Snow, *The Long Revolution* (Nova York: Random House, 1972), 217.
16. Lin Piao [Lin Biao], *Long Live the Victory of People's War!* (Peking: Foreign Languages Press, 1967), 38 (originalmente publicado em 3 set. 1965, no *Renmin Ribao* [*Diário do Povo*]).
17. Kuisong Yang and Yafeng Xia, "Vacillating Between Revolution and Détente: Mao's Changing Psyche and Policy Toward the United States, 1969-1976", *Diplomatic History* 34, n. 2 (abr. 2010).
18. Chen Jian and David L. Wilson, eds., "All Under the Heaven Is Great Chaos: Beijing, the Sino-Soviet Border Clashes, and the Turn Toward Sino-American Rapprochement, 1968-69", *Cold War International History Project Bulletin* 11 (Washington, D.C.: Woodrow Wilson International Center for Scholars, inverno 1998), 161.
19. Michel Oksenberg, "The Political Leader", in Dick Wilson, ed., *Mao Zedong in the Scales of History* (Cambridge: Cambridge University Press, 1978), 90.
20. Stuart Schram, *The Thought of Mao Zedong* (Cambridge: Cambridge University Press, 1989), 23.
21. "The Chinese Revolution and the Chinese Communist Party: December 1939", *Selected Works of Mao Zedong*, vol. 2, 306.
22. John King Fairbank e Merle Goldman, *China: A New History*, 2.ed. ampl. (Cambridge: Belknap Press, 2006), 395.
23. "Memorandum of Conversation: Beijing, Feb. 21, 1972, 2:50-3:55 p.m.", *FRUS* 17, 678.
24. "The Foolish Old Man Who Removed the Mountains", *Selected Works of Mao Zedong* vol. 3, 272.

Capítulo 5: Diplomacia triangular e a Guerra da Coreia

1. "Conversation Between I. V. Stalin and Mao Zedong: Moscow, December 16, 1949", Archive of the President of the Russian Federation (APRF), fond 45, opis 1, delo 329, listy 9-17, trad. por Danny Rozas, from *Cold War International History Project: Virtual Archive,* Woodrow Wilson International Center for Scholars, acessado em www.cwihp.org.
2. Strobe Talbott, trad. e ed. por, *Khrushchev Remembers: The Last Testament* (Boston: Little, Brown, 1974), 240.
3. "Conversation Between I. V. Stalin and Mao Zedong", www.cwihp.org.
4. Ibid.
5. Ibid.
6. Ibid.
7. Ver capítulo 6, "A China confronta as duas superpotências", p. 156.
8. "Appendix D to Part II — China: The Military Situation in China and Proposed Military Aid", in *The China White Paper: August 1949,* vol. 2 (Stanford: Stanford University Press, 1967), 814.
9. "Letter of Transmittal: Washington, July 30, 1949", in *The China White Paper: August 1949,* vol. 1 (Stanford: Stanford University Press, 1967), xvi.

10. Dean Acheson, "Crisis in Asia — An Examination of U.S. Policy", *Department of State Bulletin* (23 jan. 1950), 113.
11. Sergei N. Goncharov, John W. Lewis e Xue Litai, *Uncertain Partners: Stalin, Mao, and the Korean War* (Stanford: Stanford University Press, 1993), 98.
12. Acheson, "Crisis in Asia — An Examination of U.S. Policy", 115.
13. Ibid.
14. Ibid., 118.
15. Os resultados das negociações sino-soviéticas do pós-guerra continuaram atritando quatro décadas mais tarde. Em 1989, Deng Xiaoping convidou o presidente George H. W. Bush a "olhar para o mapa para ver o que aconteceu depois que a União Soviética arrancou a Mongólia Exterior da China. Em que tipo de situação estratégica nos encontramos? Os que têm mais de cinquenta na China lembram que o formato da China era como uma folha de bordo. Hoje, se a pessoa olha para um mapa, vê um imenso naco do norte cortado fora". George H. W. Bush e Brent Scowcroft, *A World Transformed* (Nova York: Alfred A. Knopf, 1998), 95-96. A referência de Deng à situação estratégica da China deve ser compreendida também à luz da significativa presença militar na Mongólia, que começou durante a cisão sino-soviética e durou por toda a Guerra Fria.
16. Goncharov, Lewis e Xue, *Uncertain Partners,* 103.
17. Stuart Schram, *The Thought of Mao Zedong* (Cambridge: Cambridge University Press, 1989), 153.
18. "Conversation Between I. V. Stalin and Mao Zedong", em www.cwihp.org.
19. Forças soviéticas haviam inicialmente avançado mais ao sul, passando o paralelo 38, mas atenderam a um pedido de Washington para voltar para o norte e dividir a península mais ou menos na metade.
20. Chen Jian, *China's Road to the Korean War: The Making of the Sino-American Confrontation* (Nova York: Columbia University Press, 1994), 87-88 (citando entrevista do autor com Shi Zhe).
21. Kathryn Weathersby, "'Should We Fear This?': Stalin and the Danger of War with America", Cold War International History Project Working Paper Series, working paper n. 39 (Washington, D.C.: Woodrow Wilson International Center for Scholars, jul. 2002), 9-11.
22. "M'Arthur Pledges Defense of Japan", *New York Times* (2 mar. 1949), de *New York Times* Historical Archives.
23. Acheson, "Crisis in Asia — An Examination of U.S. Policy", 116.
24. Ibid.
25. Weathersby, "'Should We Fear This?' " 11.
26. Goncharov, Lewis e Xue, *Uncertain Partners,* 144.
27. Ibid.
28. Ibid., 145.
29. Chen, *China's Road to the Korean War,* 112.
30. Shen Zhihua, *Mao Zedong, Stalin, and the Korean War,* trad. por Neil Silver (prelo), capítulo 6 (originalmente publicado em chinês como *Mao Zedong, Sidalin yu Chaoxian zhanzheng* [Guangzhou: Guangdong Renmin Chubanshe, 2003]).
31. Ibid.
32. Ibid.
33. Yang Kuisong, introdução a ibid. (adaptado de Yang Kuisong, "Sidalin Weishenma zhichi Chaoxian zhanzheng — du Shen Zhihua zhu '*Mao Zedong, Sidalin yu Chaoxian zhanzheng*'" ["Why Did Stalin Support the Korean War — On Reading Shen Zhihua's 'Mao Zedong, Stalin and the Korean War'"], *Ershiyi Shiji* [*Século XX*], fev. 2004).
34. Harry S. Truman, "Statement by the President on the Situation in Korea, June 27, 1950", n. 173, *Public Papers of the Presidents of the United States* (Washington, D.C.: U.S. Government Printing Office, 1965), 492.
35. Gong Li, "Tension Across the Taiwan Strait in the 1950s: Chinese Strategy and Tactics", in Robert S. Ross and Jiang Changbin, eds., *Re-examining the Cold War: U.S.-China Diplomacy, 1954-1973* (Cambridge: Harvard University Press, 2001), 144.
36. United Nations General Assembly Resolution 376(V), "The Problem of the

Independence of Korea" (7 out. 1950), acessado em http://daccess-dds-ny.un.org/doc/RESOLUTION/GEN/NR0/059/74/IMG/NR005974.pdf?OpenElement.

37. Para uma fascinante discussão desses princípios tal como aplicados aos choques do rio Ussuri, ver Michael S. Gerson, *The Sino-Soviet Border Conflict: Deterrence, Escalation, and the Threat of Nuclear War in 1969* (Alexandria, Va.: Center for Naval Analyses, 2010).
38. Sobre os objetivos de guerra de Mao, ver por exemplo Shu Guang Zhang, *Mao's Military Romanticism: China and the Korean War, 1950-1953* (Lawrence: University Press of Kansas, 1995), 101-7, 123-25, 132-33; e Chen Jian, *Mao's China and the Cold War* (Chapel Hill: University of North Carolina Press, 2001), 91-96.
39. Chen, *China's Road to the Korean War,* 137.
40. Shen, *Mao Zedong, Stalin, and the Korean War,* capítulo 7.
41. Ibid.
42. Chen, *China's Road to the Korean War,* 143.
43. Ibid., 143-44.
44. Ibid., 144.
45. Goncharov, Lewis e Xue, *Uncertain Partners,* 164-67.
46. Chen, *China's Road to the Korean War,* 149-50.
47. Ibid., 150.
48. Ibid., 164.
49. "Doc. 64: Zhou Enlai Talk with Indian Ambassador K. M. Panikkar, Oct. 3, 1950", in Goncharov, Lewis e Xue, *Uncertain Partners,* 276.
50. Ibid., 278.
51. Ibid. O primeiro-ministro Jawaharlal Nehru havia escrito para Zhou, bem como para os representantes americanos e ingleses, com referência às perspectivas de se limitar o conflito coreano.
52. "Letter from Fyn Si [Stalin] to Kim Il-sung (via Shtykov): October 8, 1950", APRF, fond 45, opis 1, delo 347, listy 65-67 (retransmitindo texto asseverado como sendo um cabograma de Stalin para Mao), de *Cold War International History Project: Virtual Archive,* Woodrow Wilson International Center for Scholars, acessado em www.cwihp.org.
53. Goncharov, Lewis, and Xue, *Uncertain Partners,* 177.
54. Ibid.
55. Ibid.
56. Ver Shen Zhihua, "The Discrepancy Between the Russian and Chinese Versions of Mao's 2 October 1950 Message to Stalin on Chinese Entry into the Korean War: A Chinese Scholar's Reply", *Cold War International History Project Bulletin* 8/9 (Washington, D.C.: Woodrow Wilson International Center for Scholars, inverno 1996), 240.
57. Goncharov, Lewis e Xue, *Uncertain Partners,* 200-201, citando Hong Xuezhi e Hu Qicai, "Mourn Marshal Xu with Boundless Grief", *Diário do Povo* (16 out. 1990), and Yao Xu, *Cong Yalujiang dao Banmendian* [*Do rio Yalu a Panmunjom*] (Pequim: People's Press, 1985).
58. Goncharov, Lewis, and Xue, *Uncertain Partners,* 195-96.

Capítulo 6: A China confronta as duas superpotências

1. "Assistant Secretary Dean Rusk addresses China Institute in America, May 18, 1951", conforme reproduzido em "Editorial Note", Fredrick Aandahl, ed., *Foreign Relations of the United States (FRUS), 1951,* vol. 7, *Korea and China: Part 2* (Washington, D.C.: U.S. Government Printing Office, 1983), 1671-72.
2. Devido a diferenças no dialeto e métodos de transliteração, Quemoy é conhecido em toda parte como "Jinmen", "Kinmen" ou "Ch'in-men". Matsu também é conhecido como "Mazu".
3. Xiamen era na época conhecida pela imprensa ocidental de língua inglesa como "Amoy"; Fuzhou era "Foochow".
4. Dwight D. Eisenhower, "Annual Message to the Congress on the State of the Union: February 2, 1953", n. 6, *Public Papers of the Presidents of the United States* (Washington, D.C.: U.S. Government Printing Office, 1960), 17.

5. John Lewis Gaddis, *The Cold War: A New History* (Nova York: Penguin, 2005), 131.
6. Robert L. Suettinger, "U.S. 'Management' of Three Taiwan Strait 'Crises'" in Michael D. Swaine e Zhang Tuosheng com Danielle F. S. Cohen, eds., *Managing Sino-American Crises: Case Studies and Analysis* (Washington, D.C.: Carnegie Endowment for International Peace, 2006), 254.
7. Ibid., 255.
8. "The Chinese People Cannot Be Cowed by the Atom Bomb: January 28th, 1955 (Main points of conversation with Ambassador Carl-Johan [Cay] Sundstrom, the first Finnish envoy to China, upon presentation of his credentials in Beijing)", *Mao Zedong: Selected Works,* vol. 5 (Pequim: Foreign Languages Press, 1977), 152-53.
9. "Text of the Joint Resolution on the Defense of Formosa: February 7, 1955", *Department of State Bulletin,* vol. 32, n. 815 (Washington, D.C.: U.S. Government Printing Office, 1955), 213.
10. "Editorial Note", in John P. Glennon, ed., *Foreign Relations of the United States (FRUS),* vol. 19, *National Security Policy, 1955-1957* (Washington, D.C.: U.S. Government Printing Office, 1990), 61.
11. Suettinger, "U.S. 'Management' of Three Taiwan Strait 'Crises'", 258.
12. Strobe Talbott, trad. e ed. por, *Khrushchev Remembers: The Last Testament* (Boston: Little, Brown, 1974), 263.
13. "Memorandum of Conversation of N. S. Khrushchev with Mao Zedong, Beijing: 2 October 1959", *Cold War International History Project Bulletin* 12/13 (Washington, D.C.: Woodrow Wilson International Center for Scholars, outono/inverno 2001), 264.
14. Jung Chang and Jon Halliday, *Mao: The Unknown Story* (Nova York: Random House, 2005), 389-90.
15. Zhang Baijia and Jia Qingguo, "Steering Wheel, Shock Absorber, and Diplomatic Probe in Confrontation: Sino-American Ambassadorial Talks Seen from the Chinese Perspective", in Robert S. Ross and Jiang Changbin, eds., *Re-examining the Cold War: U.S.-China Diplomacy, 1954-1973* (Cambridge: Harvard University Press, 2001), 185.
16. Steven Goldstein, "Dialogue of the Deaf? The Sino-American Ambassadorial-Level Talks, 1955-1970", in Ross e Jiang, eds., *Re-examining the Cold War,* 200. Para uma história interessante das conversas fazendo uso tanto das fontes chinesa como americana, ver Yafeng Xia, *Negotiating with the Enemy: U.S.-China Talks During the Cold War, 1949-1972* (Bloomington: Indiana University Press, 2006).
17. "Text of Rusk's Statement to House Panel on U.S. Policy Toward Communist China", *New York Times* (17 abr. 1966), acessado em ProQuest Historical Newspapers (1851-2007).
18. Ibid.
19. Talbott, trad. e ed. por, *Khrushchev Remembers,* 249.
20. Lorenz M. Lüthi, *The Sino-Soviet Split: Cold War in the Communist World* (Princeton: Princeton University Press, 2008), 38.
21. A Revolução de Outubro se refere à tomada de poder pelos bolcheviques, em outubro de 1917.
22. Stuart Schram, *The Thought of Mao Zedong* (Cambridge: Cambridge University Press, 1989), 113.
23. Ibid., 149.
24. Lüthi, *The Sino-Soviet Split,* 50, citando um exame do autor dos "Internal Reference Reports" chineses de 1956 e Wu Lengxi, *Shinian lunzhan, 1956-1966: ZhongSu guanxi huiyilu* [*Dez anos de debate, 1956-1966: lembranças das relações sino-soviéticas*] (Pequim: Zhongyang wenxian, 1999); (memórias do ex-chefe da agência de notícias oficial da China, Xinhua).
25. Ibid., 62-63.
26. Li Zhisui, *The Private Life of Chairman Mao,* trad. por Tai Hung-chao (Nova York: Random House, 1994), 261-62.
27. Talbott, trad. e ed. por, *Khrushchev Remembers,* 255.
28. Ibid.
29. Ibid., 260.
30. "Playing for High Stakes: Khrushchev speaks out on Mao, Kennedy, Nixon and the Cuban

Missile Crisis", *LIFE* 69, n. 25 (18 dez. 1970), 25.

31. O Partido Nacionalista, também conhecido como Kuomintang.
32. "First conversation between N. S. Khrushchev and Mao Zedong: 7/31/1958", *Cold War International History Project: Virtual Archive,* Woodrow Wilson International Center for Scholars, acessado em www.cwihp.org.
33. Ibid.
34. Ibid.
35. William Taubman, *Khrushchev: The Man and His Era* (Nova York: W. W. Norton, 2003), 392.
36. "Discussion Between N. S. Khrushchev and Mao Zedong: October 03, 1959", Archive of the President of the Russian Federation (APRF), fond 52, opis 1, delo 499, listy 1-33, trad. por Vladislav M. Zubok, *Cold War International History Project: Virtual Archive,* Woodrow Wilson International Center for Scholars, acessado em www.cwihp.org.
37. Ibid.
38. Lüthi, *The Sino-Soviet Split,* 101; Wu Lengxi, "Inside Story of the Decision Making During the Shelling of Jinmen" (*Zhuanji wenxue* [*Literatura biográfica*], Pequim, n. 1, 1994), conforme traduzido e reproduzido em Li Xiaobing, Chen Jian e David L. Wilson, eds., "Mao Zedong's Handling of the Taiwan Straits Crisis of 1958: Chinese Recollections and Documents", *Cold War International History Project Bulletin* 6/7 (Washington, D.C.: Woodrow Wilson International Center for Scholars, inverno 1995), 213-14.
39. Wu, "Inside Story of the Decision Making During the Shelling of Jinmen", 208.
40. Ibid., 209-10.
41. Gong Li, "Tension Across the Taiwan Strait in the 1950s: Chinese Strategy and Tactics", in Ross e Jiang, eds., *Re-examining the Cold War,* 157-58; Chen Jian, *Mao's China and the Cold War* (Chapel Hill: University of North Carolina Press, 2001), 184.
42. Chen, *Mao's China and the Cold War,* 184-85.
43. "Statement by the Secretary of State, September 4, 1958", in Harriet Dashiell Schwar, ed., *Foreign Relations of the United States (FRUS), 1958-1960,* vol. 19, *China* (Washington, D.C.: U.S. Government Printing Office, 1996), 135.
44. "Telegram from the Embassy in the Soviet Union to the Department of State, Moscow, September 7, 1958, 9 p.m.", *FRUS* 19, 151.
45. Dwight D. Eisenhower, "Letter to Nikita Khrushchev, Chairman, Council of Ministers, U.S.S.R., on the Formosa Situation: September 13, 1958", n. 263, *Public Papers of the Presidents of the United States* (Washington, D.C.: U.S. Government Printing Office, 1960), 702.
46. Andrei Gromyko, *Memoirs* (Nova York: Doubleday, 1990), 251-52.
47. Lüthi, *The Sino-Soviet Split,* 102.
48. Ibid., 102-3.
49. "Telegram from the Embassy in the Soviet Union to the Department of State, September 19, 1958, 8 p.m.", *FRUS* 19, 236.
50. "Discussion Between N. S. Khrushchev and Mao Zedong: October 3, 1959".
51. Xia, *Negotiating with the Enemy*, 98-99.
52. Em 30 de setembro de 1958, seis semanas após o início da crise das ilhas próximas, Dulles deu uma coletiva de imprensa em que questionou a utilidade de estacionar tantas tropas nacionalistas em Quemoy e Matsu, e observou que os Estados Unidos não tinham "qualquer responsabilidade legal de defender as ilhas costeiras". Chiang Kai-shek respondeu no dia seguinte repudiando os comentários de Dulles como um "pronunciamento unilateral" de que Taipei "não tinha qualquer obrigação de aquiescer", e Taipei continuou a defender e fortificar as ilhas. Li, "Tension Across the Taiwan Strait in the 1950s: Chinese Strategy and Tactics", 163.
53. "Memorandum of Conversation, Beijing, February 24, 1972, 5:15-8:05 p.m.", in Steven E. Phillips, ed., *Foreign Relations of the United States (FRUS), 1969-1976,* vol. 17, *China 1969-1972* (Washington, D.C.: U.S. Government Printing Office, 2006), 766.

54. Talbott, trad. e ed. por, *Khrushchev Remembers,* 265.

Capítulo 7: Uma década de crises

1. Frederick C. Teiwes, "The Establishment and Consolidation of the New Regime, 1949-1957", in Roderick MacFarquhar, ed., *The Politics of China: The Eras of Mao and Deng,* 2.ed. (Cambridge: Cambridge University Press, 1997), 74.
2. Jonathan Spence, *The Search for Modern China* (Nova York: W. W. Norton, 1999), 541-42.
3. Lorenz M. Lüthi, *The Sino-Soviet Split: Cold War in the Communist World* (Princeton: Princeton University Press, 2008), 76.
4. Ibid., 84.
5. Para um aprofundamento desse ponto, e das ligações entre as políticas exterior e doméstica de Mao, ver Chen Jian, *Mao's China and the Cold War* (Chapel Hill: University of North Carolina Press, 2001), 6-15.
6. Sombrios relatos desse episódio singularmente destrutivo estão disponíveis em Jasper Becker, *Hungry Ghosts: Mao's Secret Famine* (Nova York: Henry Holt, 1998); e Frederick C. Teiwes, *China's Road to Disaster: Mao, Central Politicians, and Provincial Leaders in the Unfolding of the Great Leap Forward, 1955-1959* (Armonk, N.Y.: East Gate, 1998).
7. Neville Maxwell, *India's China War* (Garden City, NY: Anchor, 1972), 37.
8. John W. Garver, "China's Decision for War with India in 1962", in Alastair Iain Johnston e Robert S. Ross, eds., *New Directions in the Study of China's Foreign Policy* (Stanford: Stanford University Press, 2006), 106.
9. Ibid., 107.
10. Ibid.
11. Ibid., 108.
12. Ibid., 109.
13. Ibid., 110.
14. Ibid., 115.
15. Ibid., 120-21.
16. "Workers of All Countries Unite, Oppose Our Common Enemy: December 15, 1962" (Pequim: Foreign Languages Press, 1962) (reimpressão de editorial do *Renmin Ribao* [*Diário do Povo*]).
17. Ibid.
18. *Pravda,* 5 abr. 1964, conforme citado em Hemen Ray, *Sino-Soviet Conflict over India: An Analysis of the Causes of Conflict Between Moscow and Beijing over India Since 1949* (Nova Déli: Abhinav Publications, 1986), 106.
19. John King Fairbank e Merle Goldman, *China: A New History,* 2.ed. ampl. (Cambridge: Belknap Press, 2006), 392.
20. Roderick MacFarquhar and Michael Schoenals, *Mao's Last Revolution* (Cambridge: Belknap Press, 2006), 87-91.
21. Mark Gayn, "China Convulsed", *Foreign Affairs* 45, issue 2 (jan. 1967): 247, 252.
22. *Renmin Ribao* [*Diário do Povo*] (Pequim), 31 jan. 1967, 6, conforme citado em Tao-tai Hsia e Constance A. Johnson, "Legal Developments in China Under Deng's Leadership" (Washington, D.C.: Library of Congress, Far Eastern Law Division, 1984), 9.
23. Anne F. Thurston, *Enemies of the People* (Nova York: Alfred A. Knopf, 1987), 101-3; MacFarquhar e Schoenals, *Mao's Last Revolution,* 118-20.
24. MacFarquhar e Schoenals, *Mao's Last Revolution,* 224-27.
25. Ibid., 222-23.
26. Ver capítulo 14, "Reagan e o advento da normalidade", p. 367.
27. Ver Yafeng Xia, moderador, *H-Diplo Roundtable Review* 11, n. 43 (Hu Angang, *Mao Zedong yu wenge* [*Mao Zedong e a Revolução Cultural*]) (6 out. 2010), 27-33, acessado em http://www.h-net.org/~diplo/roundtables/PDF/Roundtable-XI-43.pdf.
28. John F. Kennedy, "A Democrat Looks at Foreign Policy", *Foreign Affairs* 36, n. 1 (out. 1957): 50.
29. Wu Lengxi, "Inside Story of the Decision Making During the Shelling of Jinmen", in Li, Chen e Wilson, eds., "Mao Zedong's Handling of the Taiwan Straits Crisis of 1958", *CWIHP Bulletin* 6/7, 208.
30. Yafeng Xia, *Negotiating with the Enemy: U.S.-China Talks During the Cold War,*

1949-1972 (Bloomington: Indiana University Press, 2006), 109-14, 234; Noam Kochavi, *A Conflict Perpetuated: China Policy During the Kennedy Years* (Westport, Conn.: Praeger, 2002), 101-14.

31. Lyndon B. Johnson, "Remarks to the American Alumni Council: United States Asian Policy: July 12, 1966", n. 325, *Public Papers of the Presidents of the United States* (Washington, D.C.: U.S. Government Printing Office, 1967), livro 2, 719-20.
32. Xia, *Negotiating with the Enemy,* 117-31.
33. "Communist China: 6 December 1960", *National Intelligence Estimate,* n. 13-60, 2-3.
34. Li Jie, "Changes in China's Domestic Situation in the 1960s and Sino-U.S. Relations", in Robert S. Ross e Jiang Changbin, eds., *Re-examining the Cold War: US-China Diplomacy, 1954-1973* (Cambridge: Harvard University Press, 2001), 302.
35. Ibid., 304.
36. Ibid., 185, 305.

Capítulo 8: Rumo à conciliação

1. Richard M. Nixon, "Asia After Viet Nam", *Foreign Affairs* 46, n. 1 (out. 1967): 121.
2. Ibid., 123.
3. Edgar Snow, "Interview with Mao", *The New Republic* 152, n. 9, issue 2623 (27 fev. 1965): 21-22.
4. A extensão do apoio chinês é mostrada nos registros das conversas recentemente disponibilizadas para o público entre líderes chineses e vietnamitas. Para uma compilação de conversas-chave com comentário editorial, ver Odd Arne Westad, Chen Jian, Stein Tønnesson, Nguyen Vu Tung e James G. Hershberg, eds., "77 Conversations Between Chinese and Foreign Leaders on the Wars in Indochina, 1964-1977", Cold War International History Project Working Paper Series, working paper n. 22 (Washington, D.C.: Woodrow Wilson International Center for Scholars, maio 1998). Para uma análise do envolvimento da República Popular nas guerras de Hanói com a França e os Estados Unidos, ver Qiang Zhai, *China and the Vietnam Wars, 1950-1975* (Chapel Hill: University of North Carolina Press, 2000).
5. Zhang Baijia, "China's Role in the Korean and Vietnam Wars", in Michael D. Swaine e Zhang Tuosheng with Danielle F. S. Cohen, eds., *Managing Sino-American Crises: Case Studies and Analysis* (Washington, D.C.: Carnegie Endowment for International Peace, 2006), 201.
6. Snow, "Interview with Mao", 22.
7. Ibid., 23.
8. Yawei Liu, "Mao Zedong and the United States: A Story of Misperceptions", in Hongshan Li and Zhaohui Hong, eds., *Image, Perception, and the Making of U.S.-China Relations* (Lanham: University Press of America, 1998), 202.
9. Lyndon B. Johnson, "Address at Johns Hopkins University: Peace Without Conquest: April 7, 1965", n. 172, *Public Papers of the Presidents of the United States* (Washington, D.C.: U.S. Government Printing Office, 1966), 395.
10. "Text of Rusk's Statement to House Panel on U.S. Policy Toward Communist China", *New York Times* (April 17, 1966), acessado em ProQuest Historical Newspapers (1851-2007).
11. Liu, "Mao Zedong and the United States", 203.
12. Chen Jian and David L. Wilson, eds., "All Under the Heaven Is Great Chaos: Beijing, the Sino-Soviet Border Clashes, and the Turn Toward Sino-American Rapprochement, 1968-69", *Cold War International History Project Bulletin* 11 (Washington, D.C.: Woodrow Wilson International Center for Scholars, inverno 1998), 161.
13. Ibid., 158.
14. Ibid.
15. Conforme descrito por Donald Zagoria em um artigo visionário de 1968, uma influente fatia da liderança chinesa, incluindo Deng Xiaoping e Liu Shaoqi, era a favor de uma conciliação condicional com Moscou. Em uma conclusão que ultrapassou a análise de muitos observadores, Zagoria sugeriu que as necessidades estratégicas acabariam levando a

China a uma conciliação com os Estados Unidos. Donald S. Zagoria, "The Strategic Debate in Peking", in Tang Tsou, ed., *China in Crisis*, vol. 2 (Chicago: University of Chicago Press, 1968).

16. Chen e Wilson, eds., "All Under the Heaven Is Great Chaos", 161.
17. Li Zhisui, *The Private Life of Chairman Mao, trad. por* Tai Hung-chao (Nova York: Random House, 1994), 514.
18. Richard Nixon, "Inaugural Address: January 20, 1969", n. 1, *Public Papers of the Presidents of the United States* (Washington, D.C.: U.S. Government Printing Office, 1971), 3.
19. Ver Henry Kissinger, *White House Years* (Boston: Little, Brown, 1979), 168.
20. Chen Jian, *Mao's China and the Cold War* (Chapel Hill: University of North Carolina Press, 2001), 245-46.
21. Chen e Wilson, eds., "All Under the Heaven Is Great Chaos", 166.
22. Ibid., 167.
23. Ibid., 170.
24. Ibid., 168.
25. Xiong Xianghui, "The Prelude to the Opening of Sino-American Relations", *Zhonggong dangshi ziliao* [CCP History Materials], n. 42 (jun. 1992), 81, conforme extraído de William Burr, ed., "New Documentary Reveals Secret U.S., Chinese Diplomacy Behind Nixon's Trip", National Security Archive Electronic Briefing Book, n. 145 (21 dez. 2004), http://www.gwu.edu/~nsarchiv/NSAEBB/NSAEBB145/index.htm.
26. Ibid.
27. Chen e Wilson, eds., "All Under the Heaven Is Great Chaos", 170.
28. Ibid., 171.
29. Ibid.
30. Para um relado do incidente sintetizando estudos recentes, ver Michael S. Gerson, *The Sino-Soviet Border Conflict: Deterrence, Escalation, and the Threat of Nuclear War in 1969* (Alexandria, Va.: Center for Naval Analyses, 2010), 23-24.
31. Ver Kissinger, *White House Years,* 182.
32. "Minutes of the Senior Review Group Meeting, Subject: U.S. Policy on Current Sino-Soviet Differences (NSSM 63)", 134-35. Ver também Gerson, *The Sino-Soviet Border Conflict,* 37-38.
33. Elliot L. Richardson, "The Foreign Policy of the Nixon Administration: Address to the American Political Science Association, September 5, 1969", *Department of State Bulletin* 61, n. 1567 (22 set. 1969), 260.
34. Gerson, *The Sino-Soviet Border Conflict,* 49-52.
35. "Jing Zhicheng, Attaché, Chinese Embassy, Warsaw on: The Fashion Show in Yugoslavia", *Nixon's China Game*, pbs.org, set. 1999, acessado em http://www.pbs.org/wgbh/amex/china/filmmore/reference/interview/zhicheng01.html.
36. Ibid.
37. "Memorandum from Secretary of State Rogers to President Nixon, March 10, 1970", in Steven E. Phillips, ed., *Foreign Relations of the United States (FRUS), 1969-1976,* vol. 17, *China 1969-1972* (Washington, D.C.: U.S. Government Printing Office, 2006). 188-91.
38. Ver Kuisong Yang and Yafeng Xia, "Vacillating Between Revolution and Détente: Mao's Changing Psyche and Policy Toward the United States, 1969-1976", *Diplomatic History* 34, n. 2 (abr. 2010).
39. Edgar Snow, "A Conversation with Mao Zedong", *LIFE* 70, n. 16 (30 abr. 1971), 47.
40. Ibid., 48.
41. Ibid., 46.
42. Ibid., 48.
43. Ibid., 47.
44. Ibid., 48.
45. Ibid.
46. Ibid.
47. Ver Zhengyuan Fu, *Autocratic Tradition and Chinese Politics* (Nova York: Cambridge University Press, 1993), 188; e Li, *The Private Life of Chairman Mao*, 120. O médico de Mao presumiu que o tradutor de Mao, sem base em chinês literário, deixou passar o sentido oculto e traduziu a frase literalmente. Outra possibilidade é de que o tradutor tenha compreendido a expressão perfeitamente, mas ficou atemorizado

demais para traduzir um jogo de palavras que Mao havia meramente sugerido, e que — se apresentado em inglês — teria parecido perigosamente desrespeitoso. A esposa de Mao, Jiang Qing, gritou a mesma expressão de forma desafiadora no encerramento de seu julgamento em 1980. Ross Terrill, *Madame Mao: The White-Boned Demon* (Stanford: Stanford University Press, 1999), 344.

48. *Oxford Concise English-Chinese/Chinese-English Dictionary*, 2.ed. (Hong Kong: Oxford University Press, 1999), 474. Estou em dívida com meu assistente de pesquisa, Schuyler Schouten, pela análise linguística.
49. "Editorial Note", *FRUS* 17, 239-40.
50. "Tab B"., *FRUS* 17, 250.
51. Ibid.
52. Snow, "A Conversation with Mao Zedong", 47.
53. "Tab A"., *FRUS* 17, 249.
54. "Memorandum from the President's Assistant for National Security Affairs (Kissinger) to President Nixon, Washington, January 12, 1971", *FRUS* 17, 254.
55. Yang and Xia, "Vacillating Between Revolution and Détente", 401-2.
56. Ibid., 405, citando Lin Ke, Xu Tao e Wu Xujun, *Lishi de zhenshi — Mao Zedong shenbian gongzuo renyuan de zhengyan* [*A verdadeira vida de Mao Zedong — Relatos de testemunhas do staff de Mao*] (Hong Kong, 1995), 308. Ver também Yafeng Xia, "China's Elite Politics and Sino-American Rapprochement, January 1969-February 1972", *Journal of Cold War Studies* 8, n. 4 (outono 2006): 13-17.
57. Ver Kissinger, *White House Years*, 710.
58. "Message from the Premier of the People's Republic of China Chou En-lai to President Nixon, Beijing, April 21, 1971", *FRUS* 17, 301.
59. Ibid.
60. Ver Kissinger, *White House Years*, 720.
61. "Message from the Government of the United States to the Government of the People's Republic of China, Washington, May 10, 1971", *FRUS* 17, 318.
62. "Message from the Premier of the People's Republic of China Chou En-lai to President Nixon, Beijing, May 29, 1971", *FRUS* 17, 332.

Capítulo 9: Retomada das relações: primeiros encontros com Mao e Zhou

1. Gao Wenqian, *Zhou Enlai: The Last Perfect Revolutionary*, trad. por Peter Rand e Lawrence R. Sullivan (Nova York: PublicAffairs, 2007), 162.
2. "Answers to the Italian Journalist Oriana Fallaci: April 21 and 23, 1980", in *Selected Works of Deng Xiaoping (1975-1982)*, vol. 2, trad. por The Bureau for the Compilation and Translation of Works of Marx, Engels, Lenin and Stalin Under the Central Committee of the Communist Party of China (Pequim: Foreign Languages Press, 1984), 326-27.
3. *Zhou Enlai: The Last Perfect Revolutionary*, de Gao Wenqian, oferece um retrato complexo e em muitos aspectos admirado de Zhou. No fim adota uma conclusão diferente da de Deng sobre a participação de Zhou nas revoltas domésticas de Mao. Uma obra recente sobre a Revolução Cultural de Hu Angang, *Mao Zedong yu wenge* [*Mao Zedong e a Revolução Cultural*] (Hong Kong: Da Feng Chubanshe, 2008), fornece um veredicto até certo ponto mais duro sobre o papel de Zhou nesse período. Para uma discussão em língua inglesa, ver Yafeng Xia, moderador, *H-Diplo Roundtable Review* 11, n. 43 (6 out. 2010), http://www.h-net.org/~diplo/roundtables/PDF/Roundtable-XI-43.pdf.
4. "Memorandum of Conversation: Beijing, July 9, 1971, 4:35-11:20 p.m.", in Steven E. Phillips, ed., *Foreign Relations of the United States (FRUS), 1969-1976*, vol. 17, *China 1969-1972* (Washington, D.C.: U.S. Government Printing Office, 2006), 363.
5. "Memorandum of Conversation: Beijing, October 21, 1971, 10:30 a.m.-1:45 p.m.", *FRUS* 17, 504. Os registros americanos originais dessas conversas listam o nome "Zhou" usando a transliteração Wade-Giles predominante na época, "Chou". Para evitar frequentes mudanças de grafia entre o texto

principal do presente livro e as conversas citadas, nas passagens extraídas das transcrições americanas os nomes dos interlocutores chineses, bem como palavras em língua chinesa originalmente faladas por parte de chineses, foram reproduzidos usando grafias pinyin.

6. "Memorandum of Conversation: Beijing, February 17-18, 1973, 11:30 p.m.-1:20 a.m.", in David P. Nickles, ed., *Foreign Relations of the United States (FRUS), 1969-1976,* vol. 18, *China 1973-1976* (Washington, D.C.: U.S. Government Printing Office, 2007), 124.
7. "Memorandum of Conversation: Beijing, July 9, 1971, 4:35-11:20 p.m.", *FRUS* 17, 367.
8. Ibid., 390.
9. "Memorandum of Conversation: Beijing, July 10, 1971, 12:10-6:00 p.m.", *FRUS* 17, 400.
10. Pouco depois de minha visita em julho de 1971, Zhou viajou a Hanói para instruir os líderes norte-vietnamitas sobre a nova postura diplomática chinesa. Pela maioria dos relatos, essas conversas não ocorreram sem atritos; tampouco as subsequentes discussões de Zhou com Madame Nguyen Thi Binh, a implacável ministra das Relações Exteriores extraoficial da linha de frente de Hanói "Governo Revolucionário Provisório" do Vietnã do Sul. Ver Chen Jian, "China, Vietnam and Sino-American Rapprochement", in Odd Arne Westad e Sophie Quinn-Judge, eds., *The Third Indochina War: Conflict Between China, Vietnam and Cambodia, 1972-1979* (Londres: Routledge, 2006), 53-54; e Qiang Zhai, *China and the Vietnam Wars, 1950-1975* (Chapel Hill: University of North Carolina Press, 2000), 196-97.
11. "Memorandum of Conversation: Beijing, July 9, 1971, 4:35-11:20 p.m.", *FRUS* 17, 367-68.
12. Ibid., 367.
13. Ibid.
14. Ibid., 369.
15. "Memorandum of Conversation: Shanghai, February 28, 1972, 8:30-9:30 a.m.", *FRUS* 17, 823.
16. Um registro parcial desse diálogo à mesa está disponível em *FRUS* 17, 416.
17. Nos anos que se seguiram, Fujian tornou-se um centro de comércio e de conexões turísticas através do estreito, incluindo via Quemoy e Matsu.
18. "Memorandum of Conversation: Beijing, July 10, 1971, 12:10-6:00 p.m.", *FRUS* 17, 403-4.
19. Chen Jian, *Mao's China and the Cold War* (Chapel Hill: University of North Carolina Press, 2001), 267.
20. "Memorandum of Conversation: Beijing, July 10, 1971, 12:10-6:00 p.m.", *FRUS* 17, 430-31.
21. Margaret MacMillan, *Nixon and Mao: The Week That Changed the World* (Nova York: Random House, 2007), 22.
22. "Memorandum of Conversation: Beijing, February 21, 1972, 2:50-3:55 p.m.", *FRUS* 17, 681.
23. Ibid., 678-79.
24. Ibid., 681.
25. Ibid., 680.
26. Ibid., 681-82.
27. Edward (Ted) Heath, primeiro-ministro britânico de 1970 a 1974. Heath visitaria Pequim posteriormente e se encontraria com Mao em 1974 e 1975.
28. Charles de Gaulle, o líder da Resistência francesa e presidente de 1959 a 1969. Paris havia reconhecido a República Popular da China em 1964.
29. "Memorandum of Conversation: Beijing, February 21, 1972, 2:50-3:55 p.m.", *FRUS* 17, 679-80.
30. Ibid., 684.
31. Ibid., 683.
32. Ibid.
33. "Conversation Between President Nixon and the Ambassador to the Republic of China (McConaughy): Washington, June 30, 1971, 12:18-12:35 p.m.", *FRUS* 17, 349.
34. Ibid., 351-52.
35. "Memorandum of Conversation: Beijing, February 21, 1972, 5:58-6:55 p.m.", *FRUS* 17, 688.
36. Ibid., 689.
37. "Memorandum of Conversation: Beijing, February 22, 1972, 2:10-6:00 p.m.", *FRUS* 17, 700.

38. "Memorandum of Conversation: Beijing, February 24, 1972, 5:15-8:05 p.m.", *FRUS* 17, 770.
39. "Memorandum of Conversation: Washington, February 14, 1972, 4:09-6:19 p.m.", *FRUS* 17, 666.
40. Ver, por exemplo, Gao Wenqian, *Zhou Enlai*, 151-53, 194-200.
41. Ver Kuisong Yang and Yafeng Xia, "Vacillating Between Revolution and Détente: Mao's Changing Psyche and Policy Toward the United States, 1969-1976", *Diplomatic History* 34, n. 2 (abr. 2010): 407.
42. "Joint Statement Following Discussions with Leaders of the People's Republic of China: Shanghai, February 27, 1972", *FRUS* 17, 812-16.
43. Ibid., 814.
44. "Memorandum of Conversation: Beijing, February 22, 1972, 2:10-6:00 p.m.", *FRUS* 17, 697.
45. "Joint Statement Following Discussions with Leaders of the People's Republic of China: Shanghai, February 27, 1972", *FRUS* 17, 815.
46. CCP Central Committee, "Notice on the Joint Sino-American Communiqué, March 7, 1972", conforme traduzido e citado em Yang and Xia, "Vacillating Between Revolution and Détente", 395.

Capítulo 10: A quase-aliança: conversas com Mao

1. "Memorandum of Conversation: Beijing, February 17-18, 1973, 11:30 p.m.-1:20 a.m.", in David P. Nickles, ed., *Foreign Relations of the United States (FRUS), 1969-1976,* vol. 18, *China 1973-1976* (Washington, D.C.: U.S. Government Printing Office, 2007), 124.
2. Ibid., 124-25.
3. Ibid., 381.
4. Ibid., 387-88.
5. O "Longo Telegrama" de Moscou de George Kennan em 1946 e seu teoricamente anônimo artigo de 1947 na *Foreign Affairs,* "The Sources of Soviet Conduct", defendiam que a União Soviética era impelida pela ideologia a uma hostilidade implacável para com os Estados Unidos e o Ocidente, e que o comunismo de liderança soviética se expandiria sempre que não fosse confrontado com uma reação determinada. Embora Kennan postulasse que a pressão soviética podia ser "contida pela aplicação hábil e vigilante de contraofensiva em uma série de pontos geográficos e políticos mudando constantemente", sua teoria de contenção não era primordialmente uma doutrina militar; ela punha significativo peso no uso da pressão diplomática e no poder da política interna e da reforma social no mundo não comunista como um baluarte contra a expansão soviética.
6. "Memorandum of Conversation: Beijing, November 12, 1973, 5:40-8:25 p.m.", *FRUS* 18, 385.
7. Ibid., 389.
8. A República Popular Democrática do Iêmen, então um Estado separado alinhado com Moscou.
9. "Memorandum from the President's Assistant for National Security Affairs (Kissinger) to President Nixon: Washington, November 1971", in Steven E. Phillips, *Foreign Relations of the United States (FRUS), 1969-1976,* vol. 17, *China 1969-1972* (Washington, D.C.: U.S. Government Printing Office, 2006), 548.
10. "Memorandum of Conversation: Beijing, November 12, 1973, 5:40-8:25 p.m.", *FRUS* 18, 391.
11. "Memorandum of Conversation: Beijing, February 17-18, 1973, 11:30 p.m.-1:20 a.m.", *FRUS* 18, 125.
12. "Memorandum of Conversation: Beijing, November 12, 1973, 5:40-8:25 p.m.", *FRUS* 18, 131. Segundo alguns relatos, a lista de países na linha horizontal de Mao incluía a China. A palavra não foi traduzida e não apareceu na transcrição americana da conversa. A inclusão da China foi no mínimo inferida pela presença de países a leste e oeste da China.
13. Kuisong Yang and Yafeng Xia, "Vacillating Between Revolution and Détente: Mao's Changing Psyche and Policy Toward the

United States, 1969-1976", *Diplomatic History* 34, n. 2 (abr. 2010): 408.

14. "Memorandum of Conversation: Beijing, February 17-18, 1973, 11:30 p.m.-1:20 a.m.", *FRUS* 18, 134.
15. Ibid., 136.
16. "Memorandum of Conversation: Beijing, October 21, 1975, 6:25-8:05 p.m.", *FRUS* 18, 794.
17. Yang e Xia, "Vacillating Between Revolution and Détente", 413.
18. Ibid., 414.
19. "Memorandum of Conversation: Beijing, February 15, 1973, 5:57-9:30 p.m.", *FRUS* 18, 38.
20. Ibid., 32.
21. "Memorandum of Conversation: Beijing, February 17-18, 1973, 11:30 p.m.-1:20 a.m.", *FRUS* 18, 137.
22. Ver capítulo 13, " 'Cutucando o traseiro do tigre': A Terceira Guerra do Vietnã", e Henry Kissinger, *Years of Upheaval* (Boston: Little, Brown, 1982), 16-18, 339-67.
23. A análise chinesa se mostrou menos precisa do que o normal, a longo prazo, uma vez que os Acordos de Helsinque, firmados em 1975, são hoje em geral reconhecidos como tendo sido um elemento central no enfraquecimento do controle soviético no Leste Europeu.

Capítulo 11: O fim da era Mao

1. Roderick MacFarquhar, "The Succession to Mao and the End of Maoism, 1969-1982", in Roderick MacFarquhar, ed., *The Politics of China: The Eras of Mao and Deng,* 2.ed. (Cambridge: Cambridge University Press, 1997), 278-81, 299-301. Na busca por encontrar um sucessor na jovem geração "pura" da China, Mao elevou Wang Hongwen, de 37 anos, previamente distinguido apenas como organizador de esquerda em nível provinciano, ao terceiro escalão na hierarquia do Partido Comunista. Sua ascensão meteórica espantou muitos observadores. Alinhado de perto com Jiang Qing, Wang nunca conquistou uma identidiade política independente ou uma autoridade proporcional a sua posição formal. Ele caiu junto com o restante da Gangue dos Quatro em outubro de 1976.
2. Essa comparação está elaborada, entre outros lugares, em David Shambaugh, "Introduction: Assessing Deng Xiaoping's Legacy", e Lucian W. Pye, "An Introductory Profile: Deng Xiaoping and China's Political Culture", in David Shambaugh, ed., *Deng Xiaoping: Portrait of a Chinese Statesman* (Oxford: Clarendon Press, 2006), 1-2, 14.
3. "Memorandum of Conversation: Beijing, November 14, 1973, 7:35-8:25 a.m.", in David P. Nickles, ed., *Foreign Relations of the United States (FRUS), 1969-1976,* vol. 18, *China 1973-1976* (Washington, D.C.: U.S. Government Printing Office, 2007), 430.
4. "Memorandum from Richard H. Solomon of the National Security Council Staff to Secretary of State Kissinger, Washington, January 25, 1974", *FRUS* 18, 455.
5. Gao Wenqian, *Zhou Enlai: The Last Perfect Revolutionary,* trad. por Peter Rand e Lawrence R. Sullivan (Nova York: Public Affairs, 2007), 246.
6. Kuisong Yang e Yafeng Xia, "Vacillating Between Revolution and Détente: Mao's Changing Psyche and Policy Toward the United States, 1969-1976", *Diplomatic History* 34, n. 2 (April 2010): 414. As atas desse encontro não foram divulgadas. A citação se baseia em uma autobiografia do diplomata chinês Wang Youping, que teve acesso ao sumário do ministro das Relações Exteriores Qiao Guanhua sobre a reunião do Politburo.
7. Chou Enlai, "Report on the Work of the Government: January 13, 1975", *Peking Review* 4 (24 jan. 1975), 21-23.
8. Ibid, 23.
9. "Speech by Chairman of the Delegation of the People's Republic of China, Teng Hsiao-Ping, at the Special Session of the U.N. General Assembly: April 10, 1974" (Pequim: Foreign Languages Press, 1974).
10. Ibid., 5.
11. Ibid., 6.
12. Ibid., 8.

13. "Memorandum of Conversation: Beijing, October 21, 1975, 6:25-8:05 p.m.", *FRUS* 18, 788-89.
14. Ibid., 788.
15. George H. W. Bush, chefe do U.S. Liaison Office em Pequim; Winston Lord, diretor do Policy Planning Staff do Departamento de Estado; e eu.
16. "Memorandum of Conversation: Beijing, October 21, 1975, 6:25-8:05 p.m.", *FRUS* 18, 789-90.
17. Ibid., 789.
18. Ibid., 793.
19. Ibid. Em 1940, a Inglaterra retirou sua força expedicionária após a Batalha da França.
20. Ibid., 794.
21. Ibid.
22. Ibid., 791.
23. Ibid., 792.
24. Ibid.
25. Ibid., 790.
26. Ibid., 791.
27. Ibid.
28. "Memorandum of Conversation: Beijing, October 25, 1975, 9:30 a.m.", *FRUS* 18, 832.
29. Ibid.
30. "Paper Prepared by the Director of Policy Planning Staff (Lord), Washington, undated", *FRUS* 18, 831.
31. "Memorandum of Conversation: Beijing, December 2, 1975, 4:10-6:00 p.m.", *FRUS* 18, 858.
32. Ibid., 859.
33. Camarada de Mao em Yan'an durante a guerra civil; um ex-general, hoje embaixador em Washington.
34. Wang Hairong e Nancy Tang.
35. Qiao Guanhua, ministro das Relações Exteriores.
36. "Memorandum of Conversation: Beijing, December 2, 1975, 4:10-6:00 p.m.", *FRUS* 18, 859.
37. Ibid., 867.
38. Alguns dos textos dirigiram duras críticas contra os excessos de Qin Shihuang e a imperatriz da dinastia Tang, Wu Zetian, substitutos retóricos para Mao e Jiang Qing, respectivamente.
39. Ver Henry Kissinger, *Years of Renewal* (Nova York: Simon & Schuster, 1999), 897.

Capítulo 12: O indestrutível Deng

1. Richard Evans, *Deng Xiaoping and the Making of Modern China* (Nova York: Viking, 1993), 186-87.
2. Ver, por exemplo, "The Army Needs to Be Consolidated: January 25, 1975", *Selected Works of Deng Xiaoping: 1975-1982,* vol. 2, trad. por The Bureau for the Compilation and Translation of Works of Marx, Engels, Lenin and Stalin Under the Central Committee of the Communist Party of China (Pequim: Foreign Languages Press, 1984), 11-13; e "Some Problems Outstanding in the Iron and Steel Industry: May 29, 1975", in ibid., 18-22.
3. "The Whole Party Should Take the Overall Interest into Account and Push the Economy Forward: March 5, 1975", in ibid., 14-17.
4. "Priority Should Be Given to Scientific Research: September 26, 1975", http://web.peopledaily.com.cn/english/dengxp/vol2/text/b1080.html.
5. "The Army Needs to Be Consolidated: January 25, 1975", in *Selected Works of Deng Xiaoping,* 13.
6. "Things Must Be Put in Order in All Fields: September 27 and October 4, 1975", in ibid., 47.
7. Deng Xiaoping, "Memorial Speech", conforme reproduzido em *China Quarterly* 65 (mar. 1976): 423.
8. "The 'Two Whatevers' Do Not Accord with Marxism: May 24, 1977", in *Selected Works of Deng Xiaoping,* vol. 2, 51, nota 1 (citando editorial de fevereiro de 1977 promovendo o princípio); ver também Roderick MacFarquhar, "The Succession to Mao and the End of Maoism, 1969-1982", in Roderick MacFarquhar, ed., *The Politics of China: The Eras of Mao and Deng,* 2.ed. (Cambridge: Cambridge University Press, 1997), 312-13.
9. MacFarquhar, "The Succession to Mao and the End of Maoism, 1969-1982", in MacFarquhar, ed., *The Politics of China,* 312.

10. "Speech at the All-Army Conference on Political Work: June 2, 1978", in *Selected Works of Deng Xiaoping,* vol. 2, 132.
11. "The 'Two Whatevers' Do Not Accord with Marxism: May 24, 1977", in ibid., 51.
12. "Respect Knowledge, Respect Trained Personnel: May 24, 1977", in ibid., 53.
13. Stanley Karnow, "Our Next Move on China", *New York Times* (14 ago. 1977); Jonathan Spence, *The Search for Modern China* (Nova York: W. W. Norton, 1999), 632.
14. Ver Lucian W. Pye, "An Introductory Profile: Deng Xiaoping and China's Political Culture", in David Shambaugh, ed., *Deng Xiaoping: Portrait of a Chinese Statesman* (Oxford: Clarendon Press, 2006).
15. "Emancipate the Mind, Seek Truth from Facts and Unite As One in Looking into the Future: December 13, 1978", in *Selected Works of Deng Xiaoping,* vol. 2, 152.
16. Ibid., 154.
17. Ibid.
18. "Uphold the Four Cardinal Principles: March 30, 1979", in *Selected Works of Deng Xiaoping,* vol. 2, 181.
19. Ibid., 181.
20. Ibid., 182-83.
21. Até 1983, Deng foi vice-premiê e chefe do Congresso Consultivo Político Popular Chinês. De 1981 a 1989, foi chefe da Comissão Militar Central e chefe da Comissão Consultiva.
22. Evans, *Deng Xiaoping and the Making of Modern China,* 256.

Capítulo 13: "Cutucando o traseiro do tigre": a Terceira Guerra do Vietnã

1. "Cutucar o traseiro do tigre" é uma expressão idiomática chinesa popularizada por Mao, significando fazer algo ousado ou perigoso. A ocasião desse comentário foi minha reunião com Hua Guofeng em Pequim em abril de 1979.
2. Durante a Revolução Cultural, o então ministro da Defesa Lin Biao aboliu todas as patentes e insígnias e ordenou um treinamento ideológico extenso para as tropas chinesas usando o "Pequeno Livro Vermelho" de aforismos maoistas. O ELP foi convocado a desempenhar papéis sociais e ideológicos muito além da missão de uma força militar comum. Um relato penetrante do preço que esses acontecimentos tiveram sobre o ELP durante o conflito com o Vietnã pode ser encontrado em Edward O'Dowd, *Chinese Military Strategy in the Third Indochina War* (Nova York: Routledge, 2007).
3. "Zhou Enlai, Kang Sheng, and Pham Van Dong: Beijing, 29 April 1968", in Odd Arne Westad, Chen Jian, Stein Tønnesson, Nguyen Vu Tung, and James G. Hershberg, eds., "77 Conversations Between Chinese and Foreign Leaders on the Wars in Indochina, 1964-1977", Cold War International History Project Working Paper Series, working paper n. 22 (Washington, D.C.: Woodrow Wilson International History Project, May 1998), 127-28. (Colchetes no original.)
4. Ver capítulo 8, "A estrada da conciliação", p. 206.
5. Sempre acreditei que a predisposição de forçar o — para Mao — ideologicamente correto Khmer Vermelho a se comprometer, desnecessariamente, como se veria, contribuiu para a queda de Zhou. Ver também Kissinger, *Years of Upheaval* (Boston: Little, Brown, 1982), 368.
6. Robert S. Ross, *The Indochina Tangle: China's Vietnam Policy, 1975-1979* (Nova York: Columbia University Press, 1988), 74, citando matéria noticiada pela Xinhua (15 ago. 1975), conforme traduzida em Foreign Broadcast Information Service (FBIS) Daily Report, People's Republic of China (18 ago. 1975), A7.
7. Ibid.
8. Ibid., 98, citando matéria noticiada pela Xinhua (15 mar. 1976), conforme traduzida em FBIS Daily Report, People's Republic of China (16 mar. 1976), A13.
9. Em abril de 1978, o presidente afegão foi assassinado e seu governo foi substituído; em 5 de dezembro de 1978, a União Soviética e

o novo governo do Afeganistão firmaram um Tratado de Amizade, Boa Vizinhança e Cooperação; e em 19 de fevereiro de 1979, o embaixador norte-americano para o Afeganistão foi assassinado.

10. Cyrus Vance, *Hard Choices: Critical Years in America's Foreign Policy* (Nova York: Simon & Schuster, 1983), 79.
11. "President Carter's Instructions to Zbigniew Brzezinski for His Mission to China, May 17, 1978", in Zbigniew Brzezinski, *Power and Principle: Memoirs of the National Security Adviser, 1977-1981* (Nova York: Farrar, Straus & Giroux, 1985), Annex I, 2.
12. Os cinco princípios eram: afirmação da política da China única; compromisso em não oferecer apoio americano para os movimentos de independência de Taiwan; desencorajar uma suposta mobilização japonesa em Taiwan; apoio para qualquer resolução pacífica entre Pequim e Taipei; e um compromisso com a normalização contínua. Ver capítulo 9, "Retomada de relações: primeiros encontros com Mao e Zhou", p. 238.
13. "Memorandum of Conversation, Summary of the President's Meeting with the People's Republic of China Vice Premier Deng Xiaoping: Washington, January, 29th 1979, 3:35-4:59 p.m.", Jimmy Carter Presidential Library (JCPL), Vertical File — China, item n. 270, 10-11.
14. "Summary of Dr. Brzezinski's Meeting with Foreign Minister Huang Hua: Beijing, May 21st, 1978", JCPL, Vertical File — China, item n. 232, 3.
15. Ibid., 6-7.
16. Ibid. Sadat serviu como presidente do Egito de 1970 até ser assassinado em 1981. A "ação ousada" referia-se à inclusa expulsão de Sadat de mais de 20 mil consultores militares soviéticos do Egito em 1972, a declaração da Guerra de Outubro de 1973 e a subsequente entrada no processo de paz com Israel.
17. Ibid., 4.
18. Ibid., 10-11.
19. "Memorandum of Conversation, Meeting with Vice Premier Teng Hsiao P'ing: Beijing, May 21st, 1978", JCPL, Vertical File — China, item n. 232-e, 16.
20. Ibid., 5-6.
21. "Summary of Dr. Brzezinski's Meeting with Chairman Hua Kuo-feng: Beijing, May 22nd, 1978", JCPL, Vertical File — China, item n. 233c, 4-5.
22. "Memorandum of Conversation, Summary of the President's Meeting with Ambassador Ch'ai Tse-min: Washington, September 19, 1978", JCPL, Vertical File — China, item n. 250b, 3.
23. "Memorandum of Conversation, Meeting with Vice Premier Teng Hsiao P'ing: Beijing, May 21st 1978", JCPL, Vertical File — China, item n. 232-e, 6.
24. Em anos recentes, os líderes chineses e analistas políticos introduziram a expressão "ascensão pacífica" para descrever a aspiração de uma política de Relações Exteriores chinesa a conquistar status de grande potência dentro do contexto do atual sistema internacional. Em um cuidadoso artigo sintetizando o conhecimento chinês e ocidental sobre o conceito, o estudioso Barry Buzan exibe o ponto de vista de que a "ascensão pacífica" da China começou no fim da década de 1970 e início da de 1980, quando Deng cada vez mais alinhava o desenvolvimento doméstico chinês e a política externa do país ao mundo não revolucionário e buscava interesses comuns com o Ocidente. As viagens de Deng para o estrangeiro forneceram uma prova dramática desse realinhamento. Ver Barry Buzan, "China in International Society: Is 'Peaceful Rise' Possible?" *The Chinese Journal of International Politics* 3 (2010): 12-13.
25. "An Interview with Teng Hsiao P'ing", *Time* (5 fev. 1979), http://www.time.com/time/magazine/article/0,9171,946204,00.html.
26. "China and Japan Hug and Make Up", *Time* (6 nov. 1978), http://www.time.com/time/magazine/article/0,9171,948275-1,00.html.
27. Henry Kamm, "Teng Begins Southeast Asian Tour to Counter Rising Soviet Influence", *New York Times* (6 nov. 1978), A1.

28. Henry Kamm, "Teng Tells the Thais Moscow-Hanoi Treaty Perils World's Peace", *New York Times* (9 nov. 1978), A9.
29. "Excerpts from Talks Given in Wuchang, Shenzhen, Zhuhai and Shanghai: January 18-February 21, 1992", in *Selected Works of Deng Xiaoping,* vol. 3, trad. por The Bureau for the Compilation and Translation of Works of Marx, Engels, Lenin and Stalin Under the Central Committee of the Communist Party of China (Pequim: Foreign Languages Press, 1994), 366.
30. Lee Kuan Yew, *From Third World to First: The Singapore Story — 1965-2000* (Nova York: HarperCollins, 2000), 597.
31. Ibid., 598-99.
32. Fox Butterfield, "Differences Fade as Rivals Mingle to Honor Teng", *New York Times* (30 jan. 1979), A1.
33. Joseph Lelyveld, "'Astronaut' Teng Gets New View of World in Houston", *New York Times* (3 fev. 1979), A1.
34. Fox Butterfield, "Teng Again Says Chinese May Move Against Vietnam", *New York Times* (1 fev. 1979), A16.
35. Joseph Lelyveld, "'Astronaut' Teng Gets New View of World in Houston", A1. Por questão de consistência com o texto principal do presente livro, a grafia original da passagem citada, "Teng Hsiao-p'ing", foi atualizada para "Deng Xiaoping".
36. Vinte e dois anos representavam o intervalo entre as duas guerras mundiais. Uma vez que mais de 22 anos haviam se passado desde o fim da Segunda Guerra Mundial, os líderes chineses estavam apreensivos de que certo ritmo histórico estivesse movendo os eventos. Mao observara esse mesmo ponto para o líder comunista australiano E. F. Hill uma década antes. Ver também capítulo 8, "A estrada da conciliação", p. 206; e Chen Jian and David L. Wilson, eds., "All Under the Heaven Is Great Chaos: Beijing, the Sino-Soviet Border Clashes, and the Turn Toward Sino-American Rapprochement, 1968-69", *Cold War International History Project Bulletin* 11 (Washington, D.C.: Woodrow Wilson International Center for Scholars, Winter 1998), 161.
37. "Memorandum of Conversation, Summary of the President's First Meeting with PRC Vice Premier Deng Xiaoping: Washington, January 29th, 1979", JCPL, Vertical File — China, item n. 268, 8-9.
38. "Memorandum of Conversation, Meeting with Vice Premier Teng Hsiao P'ing: Beijing, May 21st, 1978", JCPL, Vertical File — China, item n. 232-e, 14.
39. "Memorandum of Conversation, Summary of the President's Meeting with the People's Republic of China Vice Premier Deng Xiaoping: Washington, January 29th, 1979, 3:35-4:59 p.m.", JCPL, Vertical File — China, item n. 270, 10-11.
40. "Memorandum of Conversation, Carter-Deng, Subject: Vietnam: Washington, January 29th, 1979, 5:00 p.m.-5:40 p.m.", JCPL, Brzezinski Collection, China [PRC] 12/19/78-10/3/79, item n. 007, 2.
41. Ross, *The Indochina Tangle,* 229.
42. "Memorandum of Conversation, Carter-Deng, Washington, January 29th, 1979, 5:00 p.m.-5:40 p.m.", JCPL, Brzezinski Collection, China [PRC] 12/19/78-10/3/79, item n. 007, 2.
43. Ibid., 5.
44. Brzezinski, *Power and Principle,* 410.
45. "President Reporting on His Conversations with Deng: January 30th, 1979", JCPL, Brzezinski Collection, China [PRC] 12/19/78-10/3/79, item n. 009, 1.
46. Henry Scott-Stokes, "Teng Criticizes the U.S. for a Lack of Firmness in Iran", *New York Times* (8 fev. 1979), A12.
47. O número mais baixo aparece em Bruce Elleman, *Modern Chinese Warfare, 1795-1989* (Nova York: Routledge, 2001), 285. O mais alto é a estimativa de Edward O'Dowd em *Chinese Military Strategy in the Third Indochina War,* 3, 45-55.

48. O'Dowd, *Chinese Military Strategy in the Third Indochina War,* 45.
49. Deng Xiaoping a Jimmy Carter 30 jan. 1979, conforme citado em Brzezinski, *Power and Principle,* 409-10.
50. "Text of Declaration by Moscow", *New York Times* (19 fev. 1979); Craig R. Whitney, "Security Pact Cited: Moscow Says It Will Honor Terms of Treaty — No Direct Threat Made", *New York Times* (19 fev. 1979), A1.
51. Edward Cowan, "Blumenthal Delivers Warning", *New York Times* (28 fev. 1979), A1.
52. Ibid.
53. Um dos poucos estudiosos a desafiar essa percepção convencional — e a enfatizar a dimensão antissoviética do conflito — é Bruce Elleman, em seu *Modern Chinese Warfare,* 284-97.
54. Para uma revisão de várias estimativas de baixas do ELP, ver O'Dowd, *Chinese Military Strategy in the Third Indochina War,* 45.
55. "Memorandum of Conversation, Summary of the President's First Meeting with PRC Vice Premier Deng Xiaoping: Washington, January 29th, 1979", JCPL, Vertical File — China, item n. 268, 8.
56. "Memorandum, President Reporting on His Conversations with Deng: January 30th, 1979", JCPL, Brzezinski Collection, China [PRC] 12/19/ 78-10/3/79, item n. 009, 2.
57. "Memorandum of Conversation with Vice Premier Deng Xiaoping: Beijing, January 8th, 1980", JCPL, NSA Brzez. Matl. Far East, Box n. 69, Brown (Harold) Trip Memcons, 1/80, File, 16.
58. "Memorandum of Conversation with Vice Premier Deng Xiaoping: Beijing, January 8th, 1980", JCPL, NSA Brzez. Matl. Far East, Box n. 69, Brown (Harold) Trip Memcons, 1/80, File, 15.
59. "President Carter's Instructions to Zbigniew Brzezinski for His Mission to China, May 17, 1978", in Brzezinski, *Power and Principle,* Annex I, 4.
60. Segundo uma estimativa, como as "700 mil tropas de combate na porção norte do país" estacionadas pelo Vietnã em 1986. Karl D. Jackson, "Indochina, 1982-1985: Peace Yields to War", in Solomon and Kosaka, eds., *The Soviet Far East Military Buildup,* as cited in Elleman, *Modern Chinese Warfare,* 206.
61. "Memorandum of Conversation, Summary of the Vice President's Meeting with People's Republic of China Vice Premier Deng Xiaoping: Beijing, August 28th, 1979, 9:30 a.m.-12:00 noon", JCPL, Vertical File — China, item n. 279, 9.
62. "Memorandum of Conversation Between President Carter and Premier Hua Guofeng of the People's Republic of China: Tokyo, July 10th, 1980", JCPL, NSA Brzez. Matl. Subj. File, Box n. 38, "Memcons: President, 7/80".
63. Conforme citado em Chen Jian, *China's Road to the Korean War* (Nova York: Columbia University Press, 1994), 149.
64. "Memorandum of Conversation, Summary of Dr. Brzezinski's Conversation with Vice Premier Geng Biao of the People's Republic of China: Washington, May 29th, 1980", JCPL, NSA Brzez. Matl. Far East, Box n. 70, "Geng Biao Visit, 5/23-31/80", Folder, 5.
65. Lee, *From Third World to First,* 603.

Capítulo 14: Reagan e o advento da normalidade

1. George H. W. Bush e Brent Scowcroft, *A World Transformed* (Nova York: Alfred A. Knopf, 1998), 93-94.
2. Taiwan Relations Act, Public Law 96-8, § 3.1.
3. Joint Communiqué Issued by the Governments of the United States and the People's Republic of China (17 ago. 1982), conforme reproduzido em Alan D. Romberg, *Rein In at the Brink of the Precipice: American Policy Toward Taiwan and U.S.-PRC Relations* (Washington, D.C.: Henry L. Stimson Center, 2003), 243.
4. Nancy Bernkopf Tucker, *Strait Talk: United States-Taiwan Relations and the Crisis with China* (Cambridge: Harvard University Press, 2009), 151.
5. Ibid.
6. Ibid., 148-50.

7. John Lewis Gaddis, *The Cold War: A New History* (Nova York: Penguin, 2005), 213-14, nota 43.
8. Hu Yaobang, "Create a New Situation in All Fields of Socialist Modernization — Report to the 12th National Congress of the Communist Party of China: September 1, 1982", *Beijing Review* 37 (13 set. 1982): 29.
9. Ibid., 30-31.
10. Ibid.
11. Ibid.
12. Charles Hill, "Shifts in China's Foreign Policy: The US and USSR" (21 abr. 1984), Ronald Reagan Presidential Library (hereafter RRPL), 90946 (Asian Affairs Directorate, NSC).
13. Directorate of Intelligence, Central Intelligence Agency, "China-USSR: Maneuvering in the Triangle" (20 dez. 1985), RRPL, 007-R.
14. "Memorandum to President Reagan from Former President Nixon", as appended to Memorandum for the President from William P. Clark, re: Former President Nixon's Trip to China (25 set. 1982), RRPL, William Clark Files, 002.
15. George P. Shultz, *Turmoil and Triumph: My Years as Secretary of State* (Nova York: Charles Scribner's Sons, 1993), 382.
16. Ronald Reagan, "Remarks at Fudan University in Shanghai, April 30, 1984", *Public Papers of the Presidents of the United States* (Washington, D.C.: U.S. Government Printing Office, 1986), livro 1, 603-8; "Remarks to Chinese Community Leaders in Beijing, April 27, 1984", *Public Papers of the Presidents of the United States*, livro 1, 579-84.
17. Donald Zagoria, "China's Quiet Revolution", *Foreign Affairs* 62, n. 4 (abr. 1984): 881.
18. Jonathan Spence, *The Search for Modern China* (Nova York: W. W. Norton, 1999), 654-55.
19. Nicholas Kristof, "Hu Yaobang, Ex- Party Chief in China, Dies at 73", *New York Times* (16 abr. 1989), http://www.nytimes.com/1989/04/16/obituaries/hu-yaobang-ex-party-chief-in-chinadies-at-73.html?pagewanted=1.
20. Christopher Marsh, *Unparalleled Reforms* (Nova York: Lexington, 2005), 41.
21. Richard Baum, *Burying Mao: Chinese Politics in the Age of Deng Xiaoping* (Princeton: Princeton University Press, 1994), 231-32.

Capítulo 15: Tiananmen

1. Jonathan Spence observa que 1989 representou uma convergência de diversos aniversários politicamente carregados: foi "o aniversário de duzentos anos da Revolução Francesa, o de setenta anos do movimento Quatro de Maio, o de quarenta anos da própria República Popular e a passagem de dez anos desde o restabelecimento de relações diplomáticas com os Estados Unidos". Spence, *The Search for Modern China* (Nova York: W. W. Norton, 1999), 696.
2. Andrew J. Nathan, "Preface to the Paperback Edition: The Tiananmen Papers — An Editor's Reflections", in Zhang Liang, Andrew Nathan e Perry Link, eds., *The Tiananmen Papers* (Nova York: Public Affairs, 2001), viii.
3. Richard Baum, *Burying Mao: Chinese Politics in the Age of Deng Xiaoping* (Princeton: Princeton University Press, 1994), 254.
4. Nathan, introdução a *The Tiananmen Papers*, "The Documents and Their Significance", lv.
5. Um exemplo de tal tentativa de implementar a condicionalidade foi a política do governo Clinton de condicionar o status comercial de Nação Mais Favorecida da China a mudanças em seu histórico de direitos humanos, a ser discutido mais minuciosamente no capítulo 17, "Uma jornada acidentada rumo à nova conciliação: a era Jiang Zemin".
6. David M. Lampton, *Same Bed, Different Dreams: Managing U.S.-China Relations, 1989-2000* (Berkeley: University of California Press, 2001), 305.
7. George H. W. Bush e Brent Scowcroft, *A World Transformed* (Nova York: Alfred A. Knopf, 1998), 89-90.
8. Ibid., 97-98.
9. O Congresso e a Casa Branca partilhavam uma preocupação de que estudantes em visita que houvessem protestado publicamente nos Estados Unidos estariam sujeitos a punição

quando regressassem à China. O presidente havia sinalizado que pedidos de prorrogação de visto seriam tratados favoravelmente, enquanto o Congresso buscou conceder as prorrogações sem exigir uma solicitação.

10. Bush e Scowcroft, *A World Transformed,* 100.
11. Ibid., 101.
12. Ibid.
13. Ibid., 102.
14. Ibid.
15. Lampton, *Same Bed, Different Dreams,* 302.
16. Bush e Scowcroft, *A World Transformed,* 105-6. O ministro das Relações Exteriores Qian Qichen questiona esse relato em suas memórias, afirmando que o avião nunca correu perigo. Qian Qichen, *Ten Episodes in China's Diplomacy* (Nova York: HarperCollins, 2005), 133.
17. Bush e Scowcroft, *A World Transformed,* 106.
18. Ibid.
19. Qian, *Ten Episodes in China's Diplomacy,* 134.
20. Bush e Scowcroft, *A World Transformed,* 109.
21. Ibid., 107.
22. Ibid.
23. Ibid., 107-8.
24. Ibid., 107-9.
25. Ibid., 110.
26. Deng havia deixado claro que pretendia se aposentar muito brevemente. E de fato ele o fez em 1992, embora continuasse a ser visto como árbitro influente da política.
27. Os cinco princípios da coexistência pacífica foram negociados pela Índia e pela China em 1954. Eles diziam respeito à coexistência e não interferência mútua entre países com orientações ideológicas diferentes.
28. Deng fez observação semelhante para Richard Nixon durante a visita particular deste em outubro de 1989, em Pequim: "Por favor, diga ao presidente Bush, vamos pôr um fim no passado, os Estados Unidos devem tomar a iniciativa, e apenas os Estados Unidos podem tomar a iniciativa. Os Estados Unidos são capazes de tomar a iniciativa [...] a China é incapaz de tomar a iniciativa. Isso é assim porque a mais forte é a América, a mais fraca é a China, a ferida é a China. Se vocês querem que a China implore, não poderá ser feito. Se isso se arrastar durante cem anos, o povo chinês não pode implorar [a vocês] para dar um fim às sanções [contra a China]. [...] Qualquer líder chinês que cometer um equívoco a esse respeito sem dúvida cairá, o povo chinês não irá perdoá-lo." Conforme citado em Lampton, *Same Bed, Different Dreams,* 29.
29. Alguns na Casa Branca defendiam que era uma provocação desnecessária convidar Fang Lizhi para comparecer a um banquete presidencial com as mesmas autoridades chinesas que ele estava criticando. Eles culparam a embaixada americana em Pequim por deixar de adverti-los quanto à controvérsia iminente. Ao incluir Fang na lista de potenciais convidados, o embaixador americano em Pequim, Winston Lord, havia na verdade o rotulado como um dissidente aberto cuja inclusão poderia provocar consternação no governo chinês, mas que de todo modo merecia um convite.
30. "Cable, From: U.S. Embassy Beijing, To: Department of State, Wash DC, SITREP n. 49, June 12, 0500 Local (June 11, 1989)", in Jeffrey T. Richardson e Michael L. Evans, eds., *Tiananmen Square, 1989: The Declassified History*, National Security Archive Electronic Briefing Book n. 16 (1 jun. 1999), Documento 26.
31. Bush e Scowcroft, *A World Transformed,* 99.
32. U.S. Embassy Beijing Cable, "China and the U.S. — A Protracted Engagement", 11 jul. 1989, SECRET, in Michael L. Evans, ed., *The U.S. Tiananmen Papers: New Documents Reveal U.S. Perceptions of 1989 Chinese Political Crisis,* National Security Archive Electronic Briefing Book (4 jun. 2001), Documento 11.
33. Bush e Scowcroft, *A World Transformed,* 101-2.
34. A referência de Deng é a Winston Lord.
35. Qian, *Ten Episodes in China's Diplomacy,* 140.
36. Bush e Scowcroft, *A World Transformed,* 174.
37. Ibid., 176-77.
38. Fang e sua esposa acabariam deixando a China e indo para o Reino Unido em um avião de transporte militar americano.

Subsequentemente, voltaram a se mudar para os Estados Unidos, onde Fang tornou-se professor de física na Universidade do Arizona.

39. Richard Evans, *Deng Xiaoping and the Making of Modern China* (Londres: Hamish Hamilton, 1993), 304 (citando *Zheng Ming*, Hong Kong, 1 maio 1990).
40. "Deng Initiates New Policy 'Guiding Principle,' " FBIS-CHI-91-215; ver também United States Department of Defense, Office of the Secretary of Defense, "Military Power of the People's Republic of China: A Report to Congress Pursuant to the National Defense Authorization Act Fiscal Year 2000" (2007), 7, http://www.defense.gov/pubs/pdfs/070523-china-military-powerfinal.pdf.
41. "Deng Initiates New Policy 'Guiding Principle' ", FBIS-CHI-91-215.

Capítulo 16: Que tipo de reforma? A Viagem Meridional de Deng

1. Richard Baum, *Burying Mao: Chinese Politics in the Age of Deng Xiaoping* (Princeton: Princeton University Press, 1994), 334.
2. "Excerpts from Talks Given in Wuchang, Shenzhen, Zhuhai and Shanghai: January 18-February 21, 1992", *Selected Works of Deng Xiaoping*, vol. 3, trad. por The Bureau for the Compilation and Translation of Works of Marx, Engels, Lenin and Stalin Under the Central Committee of the Communist Party of China (Beijing: Foreign Languages Press, 1994), 359.
3. Ibid., 360.
4. Ibid., 361.
5. Ibid., 362-63.
6. Ibid, 364-65.
7. Ibid., 366.
8. David M. Lampton, *Same Bed, Different Dreams: Managing U.S.-China Relations, 1989-2000* (Berkeley: University of California Press, 2001), xi.
9. "Excerpts from Talks Given in Wuchang, Shenzhen, Zhuhai and Shanghai: January 18 — February 21, 1992", *Selected Works of Deng Xiaoping*, vol. 3, 370.
10. Ibid., 369.

Capítulo 17: Uma jornada acidentada rumo a uma nova conciliação: a era Jiang Zemin

1. Ver David M. Lampton, *Same Bed, Different Dreams: Managing U.S.-China Relations, 1989-2000* (Berkeley: University of California Press, 2001), 293, 308.
2. State Department Bureau of Intelligence and Research, "China: Aftermath of the Crisis" (27 jul. 1989), 17, in Jeffrey T. Richardson e Michael L. Evans, eds., "Tiananmen Square, 1989: The Declassified History", National Security Archive Electronic Briefing Book n. 16 (1 jun. 1999), Documento 36.
3. Steven Mufson, "China's Economic 'Boss': Zhu Rongji to Take Over as Premier", *Washington Post* (5 mar. 1998), A1.
4. Declaração de 14 set. 1992, conforme citado em A. M. Rosenthal, "On My Mind: Here We Go Again", *New York Times* (9 abr. 1993); sobre interpretações chinesas e ocidentais divergentes dessa declaração, ver também Lampton, *Same Bed, Different Dreams*, 32.
5. "Confronting the Challenges of a Broader World", pronunciamento do presidente Clinton à Assembleia Geral das Nações Unidas, Nova York, 27 set. 1993, do *Department of State Dispatch* 4, n. 39 (27 set. 1993).
6. Robert Suettinger, *Beyond Tiananmen: The Politics of U.S.-China Relations, 1989-2000* (Washington, D.C.: The Brookings Institution, 2003), 161.
7. Deng Xiaoping havia feito um discurso em novembro de 1989 conclamando a China a "Aderir ao Socialismo e Impedir a Evolução Pacífica rumo ao Capitalismo". Mao também advertira repetidamente contra a "evolução pacífica". Ver "Mao Zedong and Dulles's 'Peaceful Evolution' Strategy: Revelations from Bo Yibo's Memoirs", *Cold War International History Project Bulletin* 6/7 (Washington, D.C.: Woodrow Wilson International Center for Scholars, inverno 1996/1997), 228.
8. Refletindo esse fato, "Nação Mais Favorecida" foi desde então renomeado tecnicamente como "Relações de Comércio

Normal Permanentes", embora o rótulo "NMF" permaneça em uso.

9. Anthony Lake, "From Containment to Enlargement", pronunciamento à Nitze School of Advanced International Studies, Johns Hopkins University, Washington, D.C., 21 set. 1993, do *Department of State Dispatch* 4, n. 39 (27 set. 1993).
10. Suettinger, *Beyond Tiananmen,* 165.
11. William J. Clinton, "Statement on Most-Favored-Nation Trade Status for China" (28 maio 1993), *Public Papers of the Presidents of the United States* (Washington, D.C.: U.S. Government Printing Office, 1994), livro 1, 770-71.
12. Ibid., 770-72.
13. Lake, "From Containment to Enlargement".
14. Suettinger, *Beyond Tiananmen,* 168-71.
15. Warren Christopher, *Chances of a Lifetime* (Nova York: Scribner, 2001), 237.
16. Ibid.
17. Ibid., 238.
18. Ibid., 238-39.
19. Ver, por exemplo, Deng Xiaoping, "An Idea for the Peaceful Reunification of the Chinese Mainland and Taiwan: June 26, 1983", *Selected Works of Deng Xiaoping,* vol. 3, 40-42.
20. John W. Garver, *Face Off: China, the United States, and Taiwan's Democratization* (Seattle: University of Washington Press, 1997), 15; James Carman, "Lee Teng-Hui: A Man of the Country", *Cornell Magazine* (jun. 1995), acessado em http://www.news.cornell.edu/campus/Lee/Cornell_Magazine_Profile.html.
21. Lampton, *Same Bed, Different Dreams,* 101.
22. William J. Clinton, "Remarks and an Exchange with Reporters Following Discussions with President Jiang Zemin of China in Seattle: November 19, 1993", *Public Papers of the Presidents of the United States* (Washington, D.C.: U.S. Government Printing Office, 1994), 2022-25.
23. Garver, *Face Off,* 92-97; Robert Suettinger, "U.S. 'Management' of Three Taiwan Strait 'Crises'", in Michael D. Swaine and Zhang Tuosheng with Danielle F. S. Cohen, eds., *Managing Sino-American Crises: Case Studies and Analysis* (Washington, D.C.: Carnegie Endowment for International Peace, 2006), 278.
24. Madeleine Albright, *Madam Secretary* (Nova York: Hyperion, 2003), 546.
25. Robert Lawrence Kuhn, *The Man Who Changed China: The Life and Legacy of Jiang Zemin* (Nova York: Crown Publishers, 2004), 2.
26. Albright, *Madam Secretary,* 531.
27. Christopher Marsh, *Unparalleled Reforms* (Nova York: Lexington, 2005), 72.
28. Barry Naughton, *The Chinese Economy: Transitions and Growth* (Cambridge: MIT Press, 2007), 142-43.
29. Michael P. Riccards, *The Presidency and the Middle Kingdom: China, the United States, and Executive Leadership* (Nova York: Lexington Books, 2000), 12.
30. Lampton, *Same Bed, Different Dreams,* Appendix A, 379-80.
31. Zhu Rongji, "Speech and Q&A at the Advanced Seminar on China's Economic Development in the Twentyfirst Century" (22 set. 1997), in *Zhu Rongji's Answers to Journalists' Questions* (Oxford: Oxford University Press, 2011) (prelo), capítulo 5.

Capítulo 18: O novo milênio

1. Richard Daniel Ewing, "Hu Jintao: The Making of a Chinese General Secretary", *China Quarterly* 173 (mar. 2003): 19.
2. Ibid., 21-22.
3. *Xiaokang*, hoje termo político oficial amplamente usado, é uma expressão confuciana com 2.500 anos de idade que sugere uma população moderadamente abastada com uma quantidade modesta de renda disponível. Ver "Confucius and the Party Line", *The Economist* (22 maio 2003); "Confucius Makes a Comeback", *The Economist* (17 maio 2007).
4. "Rectification of Statues", *The Economist* (20 jan. 2011).
5. George W. Bush, "Remarks Following Discussions with Premier Wen Jiabao and an Exchange with Reporters: December 9, 2003", *Public Papers of the Presidents of the United States* (Washington, D.C.: U.S. Government Printing Office, 2006), 1701.

6. David Barboza, “Chinese Leader Fields Executives' Questions”, *New York Times* (22 set. 2010).
7. Cui Changfa and Xu Mingshan, eds., *Gaoceng Jiangtan* [*Tribunas de grandes líderes*] (Pequim: Hongqi Chubanshe, 2007), 165-82, conforme citado em Masuda Masayuki, “China's Search for a New Foreign Policy Frontier: Concept and Practice of ‘Harmonious World’ ”, 62, in Masafumi Iida, ed., *China's Shift: Global Strategy of the Rising Power* (Tóquio: NIDS Joint Research Series, 2009).
8. Wen Jiabao, “A Number of Issues Regarding the Historic Tasks in the Initial Stage of Socialism and China's Foreign Policy”, *Xinhua* (26 fev. 2007), conforme citado em Masuda, “China's Search for a New Foreign Policy Frontier: Concept and Practice of ‘Harmonious World’ ”, 62-63.
9. David Shambaugh, “Coping with a Conflicted China”, *The Washington Quarterly* 34, n. 1 (inverno 2011): 8.
10. Zheng Bijian, “China's ‘Peaceful Rise’ to Great-Power Status”, *Foreign Affairs* 84, n. 5 (set.-out. 2005): 22.
11. Hu Jintao, “Build Towards a Harmonious World of Lasting Peace and Common Prosperity”, pronunciamento na cúpula das Nações Unidas (Nova York, 15 set. 2005).
12. O número oito é tido como auspicioso na numerologia chinesa. É quase um homônimo da palavra “prosperar” em alguns dialetos chineses.
13. Nathan Gardels, “Post-Olympic Powershift: The Return of the Middle Kingdom in a Post-American World”, *New Perspectives Quarterly* 25, n. 4 (outono 2008): 7-8.
14. “Di shi yi ci zhuwaishi jie huiyi zhao kai, Hu Jintao, Wen Jiabao jianghua” [“Hu Jintao e Wen Jiabao falam na 11ª reunião de enviados ao estrangeiro”], site do Governo Popular Central da República Popular da China, acessado em http://www.gov.cn/ldhd/2009-07/20/content_1370171.html.
15. Wang Xiaodong, “Gai you xifang zhengshi zhongguo ‘bu gaoxing’ le” [“Cabe agora ao Ocidente encarar de frente o fato de que a China está infeliz”], in Song Xiaojun, Wang Xiaodong, Huang Jisu, Song Qiang e Liu Yang, *Zhongguo bu gaoxing: da shidai, da mubiao ji women de neiyou waihuan* [*A China está infeliz: a grande era, a grande meta e nossas angústias internas e desafios externos*] (Nanquim: Jiangsu Renmin Chubanshe, 2009), 39.
16. Song Xiaojun, “Meiguo bu shi zhilaohu, shi ‘lao huanggua shua lü qi’” [“A América não é um tigre de papel, é um ‘velho pepino pintado de verde’”] in Song, Wang et al., *Zhongguo bu gaoxing*, 85.
17. Expressão chinesa clássica significando um regresso à paz pós-conflito sem qualquer expectativa de retomada das hostilidades.
18. Song, “Meiguo bu shi zhilaohu”, 86.
19. Ibid., 92.
20. Ibid.
21. Liu Mingfu, *Zhongguo meng: hou meiguo shidai de daguo siwei yu zhanlüe dingwei* [*O sonho chinês: pensando como grande potência e a postura estratégica na era pós-americana*] (Pequim: Zhongguo Youyi Chuban Gongsi, 2010).
22. Ibid., 69-73, 103-17.
23. Ibid., 124.
24. Ibid., 256-62.
25. Algumas análises postulam que, embora os sentimentos expressados nesses livros sejam reais e possam ser comuns em grande parte do establishment militar chinês, eles refletem parcialmente uma motivação de lucro: livros provocativos vendem bem em qualquer país, e tratados nacionalistas como *A China está infeliz* e *O sonho chinês* foram publicados por editoras particulares. Ver Phillip C. Saunders, “Will *China's Dream* Turn into America's Nightmare?” *China Brief* 10, n. 7 (Washington, D.C.: Jamestown Foundation, 1 abr. 2010): 10-11.
26. Dai Bingguo, “Persisting with Taking the Path of Peaceful Development” (Pequim: Ministry of Foreign Affairs of the People's Republic of China, 6 dez. 2010).
27. Ibid.
28. Ibid.
29. Ibid.

30. Ibid.
31. Ibid.
32. Ibid.
33. Hu Jintao, "Speech at the Meeting Marking the 30th Anniversary of Reform and Opening Up" (18 dez. 2008), acessado em http://www.bjreview.com.cn/Key_ Document_ Translation/2009-04/27/ content_194200. htm.
34. Dai, "Persisting with Taking the Path of Peaceful Development".
35. Ibid.

Epílogo: A história se repete? O Memorando Crowe

1. Crowe conhecia a questão dos dois lados. Nascido em Leipzig de pai diplomata britânico e mãe alemã, mudara-se para a Inglaterra com a idade de apenas 17 anos. Sua esposa era de origem alemã, e, até como leal servo da Coroa, Crowe mantinha uma ligação cultural e familiar com o continente europeu. Michael L. Dockrill e Brian J. C. McKercher, *Diplomacy and World Power: Studies in British Foreign Policy, 1890-1951* (Cambridge: Cambridge University Press, 1996), 27.
2. Eyre Crowe, "Memorandum on the Present State of British Relations with France and Germany" (Foreign Office, 1 jan.1907), in G. P. Gooch and Harold Temperley, eds., *British Documents on the Origins of the War,* vol. 3: *The Testing of the Entente* (Londres: H.M. Stationery Office, 1928), 406.
3. Ibid., 417.
4. Ibid., 416.
5. Ibid., 417.
6. Ibid., 407.
7. Ibid.
8. Phillip C. Saunders, "Will *China's Dream* Turn into America's Nightmare?" *China Brief* 10, n. 7 (Washington, D.C.: Jamestown Foundation, 1 abr. 2010): 10 (citando o artigo de Liu Mingfu no *Global Times*).
9. Liu Mingfu, *Zhongguo meng: hou meiguo shidai de daguo siwei yu zhanlüe dingwei* [*O sonho chinês: pensando como grande potência e a postura estratégica na era pós-americana*] (Pequim: Zhongguo Youyi Chuban Gongsi, 2010), 24; Chris Buckley, "China PLA Officer Urges Challenging U.S. Dominance", Reuters, 28 fev. 2010, acessado em http://www.reuters.com/ article/2010/03/01/ us-china-usa-military- exclusiveidUSTRE6200P620100301.
10. Richard Daniel Ewing, "Hu Jintao: The Making of a Chinese General Secretary", *China Quarterly* 173 (mar. 2003): 29-31.
11. Dai Bingguo, "Persisting with Taking the Path of Peaceful Development" (Pequim: Ministry of Foreign Affairs of the People's Republic of China, 6 dez. 2010).
12. Adele Hayutin, "China's Demographic Shifts: The Shape of Things to Come" (Stanford: Stanford Center on Longevity, 24 out. 2008), 7.
13. Ethan Devine, "The Japan Syndrome", *Foreign Policy* (30 set. 2010), acessado em http://www.foreignpolicy.com/ articles/2010/09/30/the_japan_syndrome.
14. Hayutin, "China's Demographic Shifts", 3.
15. Ver Joshua Cooper Ramo, "Hu's Visit: Finding a Way Forward on U.S.-China Relations", *Time* (8 abr. 2010). Ramo adota o conceito de coevolução do campo da biologia como uma estrutura interpretativa para as relações EUA-China.

Índice

1ª EDIÇÃO [2011] 11 reimpressões

ESTA OBRA FOI COMPOSTA PELA ABREU'S SYSTEM EM ADOBE GARAMOND
E IMPRESSA EM OFSETE PELA GRÁFICA PAYM SOBRE PAPEL PÓLEN DA
SUZANO S.A. PARA A EDITORA SCHWARCZ EM SETEMBRO DE 2024

A marca FSC® é a garantia de que a madeira utilizada na fabricação do papel deste livro provém de florestas que foram gerenciadas de maneira ambientalmente correta, socialmente justa e economicamente viável, além de outras fontes de origem controlada.